LE PETIT DEBEUR de

Un choix de vins, cidres et spiritueux, classés par ordre de prix, et commentés par une équipe de passionnés.

Don-Jean Léandri
Sommelier, professeur à l'École hôtelière de Laval

TOURISME ET GASTRONOMIE
par Huguette Béraud et Thierry Debeur

Suite de la page 3

Richelieu, **Auberge Louis-Hébert** à Québec, **Aux Anciens Canadiens** à Québec, **Azuma** à Québec, **Bis** à Montréal, **Bonaparte** dans la Vieux-Montréal, **Chez la Mère Michel** à Montréal, **Gibby's** dans le Vieux-Montréal, **Hostellerie Les Trois Tilleuls** à Saint-Marc-sur-Richelieu, **La Crémaillère** à Québec, **La Crêperie du Vieux Belœil** à Belœil, **La Ménara** dans le Vieux-Montréal, **L'Apsara** à Québec, **La Rabastalière** à Saint-Bruno, **L'Auberge Saint-Gabriel** dans le Vieux-Montréal, **La Vieille Histoire** à Saint-Rose, Laval, **Le Castel des Prés** à Trois-Rivières, **Le Continental** à Québec, **Le Mas des Oliviers** à Montréal, **Le Mitoyen** à Sainte-Dorothée, Laval, **Le Solmar** dans le Vieux-Montréal, **L'Express** à Montréal, **Milos** à Montréal, **Moishe's** à Montréal, **Restaurant Da Toni** à Sherbrooke, **Restaurant-Jardins le Castillon** à Montréal, **Restaurant Le Saint-Christophe** à Laval, **Restaurant les Cigales** à Saint-Lambert, **Restaurant Parmesan** dans le Vieux-Québec, **Rib'N Reef** à Montréal, **Ristorante Michelangelo** à Sainte-Foy et **Séchuan** dans le Vieux-Montréal.

Grande nouveauté: la cotation 5 étoiles

Depuis 30 ans, nous attribuons un maximum de quatre étoiles aux restaurants alors que la plupart des systèmes nord-américains leur accordent un maximum de cinq étoiles. Dans ce dernier cas, il semble que cela souligne mieux l'«excellence», car dans l'esprit de la plupart des gens la note parfaite est cinq étoiles et non pas quatre. Pour notre guide des vins (Le Petit Debeur), nous donnons déjà des cotes de cinq étoiles. Afin d'uniformiser le système d'évaluation de nos guides et aussi de l'aligner sur le système d'évaluation nord-américain, nous avons décidé d'adopter dorénavant cinq étoiles pour la plus haute évaluation du Guide Debeur.

Mettez donc un peu Debeur dans votre quotidien !

Thierry Debeur

Le **DEBEUR**
Guide gourmand des Québécois

Éditeur et rédacteur en chef
Thierry DEBEUR

Directrice de la publication
Huguette BÉRAUD

Secrétaire à la rédaction
Louise DULUDE-GAGNON

Recherchiste
Patricia GUIMOND

Correctrices-réviseures
Huguette BÉRAUD
Louise DULUDE-GAGNON
Line LEBLOND

Rédacteurs
Huguette BÉRAUD
Charles-Henri DEBEUR
Don Jean LÉANDRI
Françoise PITT
Guénaël REVEL
Patrice TINGUY

Photographe
Charles-Henri DEBEUR

Directeur de la production et conseiller technique
Jean-Paul FRANCESCHI

Comptabilité
Robert GUINDON
Carole JEAN-PIERRE

Conseillers en informatique
Benoit LAROCQUE
Daniel RHÉAULT

Conseiller juridique
Jeannette GIBARA, avocat

Conception de la couverture
Jean BUREAU

Infographiste
Lorraine ROBERGE

Mise au point des couleurs
Debeur Infographie

Vente et publicité
Jean-François COLLETTE
Elvire GOUZOUO

Imprimé au Canada

RÉDACTION-ADMINISTRATION
855, rue Verdure
BROSSARD QC J4W 1R6
Tél.: 450-465-1700
Télécopieur: 450-466-7730
Courriel : redaction@debeur.com
Site Internet: **www.debeur.com**

AVIS IMPORTANTS

Nos listes de restaurants et de boutiques sont mises à jour chaque année et ne sont modifiées que s'il y a eu un changement significatif. Notre intention n'est pas de réécrire systématiquement tous les commentaires chaque année et ceux-ci resteront identiques si rien n'a changé. Il s'agit avant tout d'un guide.

De plus, nous n'avons pas la prétention de publier un annuaire exhaustif de ces établissements, mais bien de faire un choix délibéré et arbitraire qui se veut néanmoins représentatif de la gastronomie au Québec.

Enfin (extrait de l'éditorial), depuis 30 ans, nous attribuons un maximum de quatre étoiles aux restaurants alors que la plupart des systèmes nord-américains accordent un maximum de **cinq étoiles.** Afin d'uniformiser le système d'évaluation de nos guides et aussi de l'aligner sur le système d'évaluation nord-américain, nous avons décidé d'adopter dorénavant cinq étoiles pour la plus haute évaluation du guide Debeur.

La rédaction

Vous pouvez facilement identifier les établissements recommandés par le guide **Debeur** grâce à cet autocollant millésimé.

ISBN 978-2-921377-59-1

30e édition, 30 ans d'information gastronomique

Par Thierry Debeur

Le guide **Debeur** a maintenant 30 ans. Sa mission? Informer de façon sincère et rigoureuse. Offrir à ses lecteurs un contenu le plus pertinent et le plus inspirant afin de susciter une réflexion judicieuse qui les aidera à orienter leurs choix.

Pour la présentation d'une précédente édition du Debeur, **Audrey Ferretto** écrivait: «Qu'il dévoile les meilleures tables de la province, qu'il cherche à dénicher les joyaux de la gastronomie québécoise, ou qu'il invite les novices à un rendez-vous avec l'éveil des sens, le guide de références *Debeur* informe en mettant l'eau à la bouche. Les amoureux de la gastronomie y trouveront de nombreuses adresses discrètes, ignorées, ou y feront tout simplement de belles découvertes. Des adresses soigneusement ciblées et généreusement commentées pour les accompagner dans leurs choix.»

Encore bougrement d'actualité, ce commentaire décrit parfaitement et sans prétention ce que nous voulons réaliser: aider le lecteur à faire de meilleur choix dans sa quête gourmande. Au vu des nombreux témoignages que nous recevons auxquels s'ajoute une notoriété sans précédent et une solide crédibilité acquise au fil des ans, nous avons gagné notre pari.

38 restaurants

Sur les 500 restaurants que composait la première édition du Debeur, seulement trente-huit sont encore en activité aujourd'hui. Nous tenons ici à les féliciter pour leur ténacité et leur persévérance dans des contextes pas toujours faciles. Je profite de cette tribune pour vous les présenter (par ordre alphabétique):

Alexandre et Fils à Montréal, **Auberge et restaurant Chez Girard** à Sainte-Agathe, **Auberge Handfield** à Saint-Marc-sur-

Suite page 6

SOMMAIRE VOL. 30 ANNÉE **2015**

30ᵉ édition, 30 ans d'information gastronomique

Frédéric Laplante
Chef cuisinier de l'année SCCPQ

Les

BOUTIQUES

boulangeries, pâtisseries, chocolateries boucheries, fromageries, épiceries fines, accessoires de cuisine, traiteurs, cours de cuisine, marchés publics, salons de thé et cafés, etc.

Chocolaterie La Cabosse d'Or *(Photo d'archives Debeur)*

jura
IMPRESSA F8
Le plaisir du café à toute heure
■ Un choix de préparations enthousiasmant
■ Visuel TFT avec fonction Rotary Selection
■ Broyeur Aroma+ deux fois plusrapide
■ Technologie mousse fine révolutionnaire
JURA – If you love coffee.
ESPACE JURA – salle de montre et centre technique au 10 118 boulevard Saint-Laurent à Montréal retrouvez nos revendeurs partout au Québec sur www.juraquebec.com
www.jura.com
SWISS MADE

Montréal et région
Boutiques gourmandes et autres...

ACCESSOIRES

ARTHUR QUENTIN
3960, rue Saint-Denis, MTL
514-843-7513
Tout pour l'art de la table, vaisselle de Limoges, verrerie, coutellerie, accessoires de cuisine, objets décoratifs, linge de maison. Bagagerie. Magasinage sur Internet.

À TABLE TOUT LE MONDE
361, rue Saint-Paul O., MTL
514-750-0311
Une boutique dédiée aux arts de la table dans le monde. Objets fonctionnels, matériaux nobles, lignes contemporaines, designers inspirés s'y retrouvent. Porcelaines Bousquet et céramique Goyer Bonnau du Québec, coutellerie du Portugal, verres Sugarhara du Japon, céramique, etc.

BOUTIQUE 1101
1101, av. Laurier, MTL
514-279-7999
Spécialisé en accessoires de la table, articles cadeaux et objets design, d'importation européenne (Bodum, Nespresso, Chilewich, Koziol, Guzzini, Lekue et autres marques renommées).

CONCEPT GIROUX
2001, rue Patric-Farrar, CHAMBLY
514-527-6989
Fabrication de table de préparation culinaire, faite sur mesure selon les anciennes méthodes, ni clous, ni vis. Création d'un meuble unique, adapté à votre cuisine, décoré selon votre goût, solide comme un étal de boucher, mais élégant et durable. Comptoir et table de salle à manger. Boutique en ligne.

DANTE
6851, rue Saint-Dominique, MTL
514-271-2057
Un grand choix d'articles de cuisine importé d'Italie. La quincaillerie Dante, c'est l'endroit idéal où acheter une machine à faire les pâtes fraîches. Elena Venditelli y fait régulièrement des démonstrations très populaires de pâtes fraîches. Devant le succès remporté auprès de sa clientèle, elle a ouvert une école de cuisine appelée Mezza Luna. On y trouve de tout, machines à café, vaisselle, couteaux, etc.

DESPRÉS LAPORTE
994, bd Curé-Labelle,
CHOMEDEY, LAVAL
450-682-7676 et 1-877-682-7676
Aussi en région:
185, de La Burlington,
SHERBROOKE
819-566-2620 et 1-800-378-2620
44, rue Saint-Jude Sud, GRANBY
450-777-4644 et 1-800-378-4644
Boutique d'accessoires de la table, articles de cuisine, de pâtisserie et de sommellerie. Très beau choix de matériel, d'équipement professionnel et résidentiel. Nombreuses marques de qualité et haut de gamme. Aussi, une adresse à Rimouski.

DOYON CUISINE
436, rue Saint-Pierre,
DRUMMONDVILLE
819-477-6255 et 1-800-268-6255
2600, rue Saint-Denis,
TROIS-RIVIÈRES
819-376-2600 et 1-877-376-2600
Quartier DIX30
8505, bd du Quartier, BROSSARD
450-462-5555
Boutique d'art culinaire vendant un grand choix d'accessoires de cuisine, articles de décoration de table et d'accessoires pour amateurs de vin. Machines à café. Barbecues. Un très beau matériel de professionnels accessible à tous. Vend les meilleures marques dans tous les domaines. À surveiller, il y a toujours des nouveautés.

ESPACE RICARDO
200, rue d'Arran, SAINT-LAMBERT
450-465-4500
Produits et articles «Ricardo» pour la cuisine. Pièces de grande qualité (couteaux, batteries de cuisine, verres à vin, etc.) testées et sélectionnées par Ricardo et son équipe. Dégustation de recettes, bar à café, chocolaterie. La chef Kareen Grondin dirige la chocolaterie Mama Choka qui se trouve à l'intérieur de l'espace. Chocolat, caramel, barbe à papa à l'érable et noix.

FRANCE DÉCOR CANADA
290, bd Henri-Bourassa O., MTL
514-331-5028 et 1-800-463-8782
Matériel de pâtisserie gros et détail. Pour les professionnels et les amateurs. Moules (pour gâteaux ou chocolats, en silicone, etc.), boîtes d'emballage (pour cupcakes, gâteaux et chocolats), douilles, poches à pâtisserie, colorants alimentaires, verrines, décorations de gâteaux, fleurs en pastillage, fondant à gâteau, chocolat. On y trouve tout ce que l'on veut et beaucoup plus.

LA GUILDE CULINAIRE
6381, bd Saint-Laurent, MTL
514-750-6050
Boutique qui vend tous les ustensiles de cuisine et produits d'épicerie fine. On y trouve de grandes marques: Nespresso, Cuisinart, Henckels, Trudeau, Microplane, Arbol, Barry Callebaut, Epicurean, La Belle Excuse... ainsi que le thermomix en exclusivité à Montréal. Espace bien organisé, très convivial, de jolis objets cadeaux et utilitaires.

L'ATELIER
4247, rue Saint-André, MTL
514-843-7513
Magasin de quartier: vaisselle, literie, verrerie et autres articles pour la maison. C'est l'atelier d'Arthur Quentin. Ouvert jeu. et ven. de 10h à 18h, sam. de 10h à 17h.

L'ATELIER D'APPRENTISSAGE DU CHOCOLAT
748, rue Saint-Georges,
SAINT-JÉRÔME
450-565-3773
Matériel et produits de base pour le chocolat, ustensiles, commandes sur demande. En tout temps, appeler avant de se présenter, si on a besoin de produits ou de matériel.

LE COMPTOIR D'AILLEURS
Quartier DIX30
7200, bd du Quartier, BROSSARD
450-678-5558
Féérie de couleurs et de formes pour décorer la table avec des bougies, photophores de différentes grandeurs. Cadeaux pratiques plein d'originalité. Section de fleuristerie d'art en entrant ainsi qu'une galerie d'art contemporain «Espace 40». Salle d'exposition au 160, Saint-Viateur, à Montréal.

LE CREUSET
3035, bd le Carrefour Laval, LAVAL
450-682-9591
Seul magasin dans la région de Montréal entièrement dédié aux articles Le Creuset. Grand choix de casseroles, de cocottes, de plats à rôtir et d'accessoires pour la préparation, la cuisson et la présentation des mets. Déclinaison en plusieurs couleurs.

LES IMPORTATIONS EDIKA
10 118, bd Saint-Laurent, MTL
514-374-0683
Les Importations EDIKA est une société d'importation-distribution basée à Montréal depuis 1990. En tant que spécialiste du café et distributeur des meilleurs marques sur le marché, EDIKA se positionne comme la référence dans le domaine des machines à espresso de qualité supérieure allant de moyen à haut de gamme. EDIKA, par le biais de ses marques Jura et Lelit, offre une vaste gamme de machines à espresso tant pour le résidentiel que pour le commercial.

LES TOUILLEURS
152, av. Laurier O., MTL
514-278-0008
Très beau magasin spécialisé en outils de cuisine qui vend des accessoires de table de qualité. Offre aussi «Ateliers des chefs» qui sont des cours de cuisine donnés trois fois par semaine.

PAVILLON CHRISTOFLE
Ogilvy's
1307, rue Sainte-Catherine O., MTL
514-987-1242
La plus grande maison d'orfèvrerie au monde. Coutellerie et argenterie en métal argenté et argent massif, cristal et porcelaine. Existe depuis 1830, orfèvre du roi Louis-Philippe et de l'empereur Napoléon III. Travaille avec des designers de renom.

UN DÉTOUR EN PROVENCE
1328, rue Beaubien E., MTL
514-279-4528
Boutique sur l'art de la table en Provence: nappes, tissus anti-taches et pur coton, tabliers, savons de Marseille, vaisselle, accessoires pastis Ricard, poteries et céramiques d'Aubagne. Huiles d'olive AOC, herbes de Provence, vinaigres, condiments. Épicerie fine, miel de Provence, thés, tisanes et herbes biologiques Provence D'Antan. Boutique en ligne.

ACCESSOIRES VIN ET BIÈRE

AUX PLAISIRS DE BACCHUS
1225, av. Bernard O., OUTREMONT
514-273-3104 et 1-855-273-3104
Celliers d'appartement et de restaurant, verres, livres, fournitures de sommellerie. Accessoires pour le service du vin, des spiritueux et de la bière. Objets-cadeaux haut de gamme. Fabrication de caves à vin. Service de conseillers.

DESPRÉS LAPORTE
994, bd Curé-Labelle,
CHOMEDEY, LAVAL
450-682-7676 et 1-877-682-7676
Aussi en région:
185, de La Burlington,
SHERBROOKE
819-566-2620 et 1-800-378-2620
44, rue Saint-Jude Sud, GRANBY
450-777-4644 et 1-800-378-4644
Très beau choix, intéressant et complet, d'accessoires pour le vin pour sommelier gourmet. Conception de caves à vin pour particuliers et professionnels.

DOYON CUISINE
436, rue Saint-Pierre,
DRUMMONDVILLE
819-477-6255 et 1-800-268-6255
2600, rue Saint-Denis,
TROIS-RIVIÈRES
819-376-2600 et 1-877-376-2600
Quartier DIX30
8505, bd du Quartier, BROSSARD
450-462-5555
Beaucoup d'accessoires et d'articles complémentaires pour l'amateur de vin. Verres Riedel, seaux à champagne, aérateurs, bouchons, becs verseurs, pompes à vin, carafes, limonadiers, tire-bouchons, refroidisseurs à bouteille. Casiers modulaires pour faire sa cave soi-même. Plan d'aménagement de cave.

L'ÂME DU VIN
14, bd Desaulniers,
SAINT-LAMBERT
450-923-0083
Charmante boutique offrant un bon choix de verres, de carafes et de celliers. Accessoires multiples pour le vin, la dégustation du fromage et le service du café. Idées-cadeaux avec de plus en plus de produits québécois. Distributeur de cafetières Nespresso et des plats Le Creuset.

MOSTI MONDIALE
6865, route 132,
VILLE SAINTE-CATHERINE
450-638-6380
Depuis 1989, vend tous les éléments nécessaires à la fabrication de vin maison. Aussi un beau vinaigre balsamique. Salle d'exposition. En gros seulement.

PRÉSERVIN
4220, rue Messier, MTL
514-524-6545
Préservin, système protégeant le vin de l'oxydation durant 2 à 3 semaines. Vente, location pour le restaurateur et l'amateur. Celliers.

VIN ET PASSION
110, Promenades du Centropolis,
LAVAL
450-781-8467
Promenades Saint-Bruno
321, bd des Promenades #C-030,
SAINT-BRUNO-DE-MONTARVILLE
450-653-2120
Spécialisé en celliers de diverses tailles, verres, carafes et autres accessoires destinés au service du vin. Offre aussi des cours de dégustation. Conception de caves à vin sur mesure. Humidors.

VINUM DESIGN
1480, rue City Councillors, MTL
514-985-3200 et 1-877-305-1919
Très grand choix de verres, de carafes, tire-bouchons, guides, couteaux Laguiole véritables et autres, sabres. Celliers, supports à bouteilles et climatiseurs pour caves à vin. Cadeaux d'entreprise et de mariage, articles de la table, machines à café. Dépositaire de grandes marques. Consultation et aménagement de caves à vin. Fournisseur pour restaurants et hôtels.

BOISSONS DU QUÉBEC

AUX SAVEURS DES SÉVELIN
1575, bd Jacques-Cartier E.,
LONGUEUIL
450-448-3918
Aucune importation, uniquement les bières issues de 25 microbrasseries québécoises. Plus d'une centaine de bières différentes rangées par région. Nombreux cidres de pommes également.

LE MARCHÉ DES SAVEURS DU QUÉBEC
Marché Jean-Talon
280, pl. du Marché-du-Nord, MTL
514-271-3811
Vins, cidres, bières de microbrasseries, hydromels, boissons artisanales du Québec dans un marché où l'on vend des produits québécois d'alimentation.

BOUCHERIES CHARCUTERIES

ADÉLARD BÉLANGER ET FILS
Marché Atwater
138, av. Atwater, #12A, MTL
514-935-2439
Cette boucherie, gérée par deux cousins, des petits-enfants d'Adélard, propose entre autres: veau de lait, agneau écologique, bœuf de qualité, saucisses maison, produits du Canard Goulu incluant magrets et foies gras de canard de Barbarie. Toutes sortes de viandes marinées maison.

ATLANTIQUE
5060, ch. Côte-des-Neiges, MTL
514-731-4764
Boucherie, charcuterie, épicerie fine, fromagerie, boulangerie, poissonnerie, service de traiteur. Saumon fumé, saucisses et saucissons maison. Importations d'Europe (poissons, chocolats, confitures). Bières provenant d'Allemagne, du Danemark, de Hollande et de France. Département de pains importés d'Allemagne.

AUX SAVEURS DES SÉVELIN
1575, bd Jacques-Cartier E.,
LONGUEUIL
450-448-3918
Un savoir-faire à l'ancienne. En lien direct avec les producteurs locaux. Spécialités françaises maison: saucisson à l'ail, andouille de Vire, rillettes de lapin. Charcuteries d'importation (jambon de Bayonne) et du terroir (saucisson de Kamouraska «Fou du cochon»). Plats cuisinés sur place à emporter. 5 à 6 choix par semaine.

BOUCHERIE CLAUDE ET HENRI
Marché Atwater, # 11
138, av. Atwater, MTL
514-933-0386
Agneau frais du Québec, veau primeur. Choix de saucisses (merguez, Toulouse, italienne, etc.). Gibier (cerf, sanglier, bison, caille, pintade, faisan, lièvre). Bœuf de qualité. Foie gras de choix. Spécialiste des brochettes et des marinades. Produits provenant des meilleures fermes du Québec. Service de restauration. Viande vieillie 28 jours, carcasse entière.

BOUCHERIE DE TOURS
Marché Atwater #8
138, av. Atwater, MTL
514-931-4406
Spécialité coupe française. Toujours un grand choix de produits de qualité. Travaille directement avec les producteurs. Poulet bio, veau de lait naturel, agneau de Kamouraska, porc naturel, caribou, autruche, bison, cheval. Foie gras frais et mi-cuit. Assortiment de charcuteries et de saucisses.

BOUCHERIE PRINCE NOIR
Marché Jean-Talon
7070, rue Henri-Julien, #C14, MTL
514-906-1110
Spécialisé en gibier et produits du Québec (pintade, canard, cerf, lapin, bison, pigeonneau, etc.). Volaille de grain. Viande de bœuf, de cheval (sous-vide). Viandes bio, sans hormones, ni antibiotiques (poulet, agneau, bœuf et, en saison, canard, pintade et dinde). Plats cuisinés.

BOUCHERIE SÉLECT
2587, rue Fleury E., MTL
514-387-4756
Charcuterie française faite sur place, andouillettes, tripes, viande chevaline. Épicerie fine et fromages importés.

BOULANGERIE PREMIÈRE MOISSON
Voir les adresses à BOULANGERIES
Charcuteries fines maison créées par un maître charcutier. Gamme de produits exclusifs oméga équilibrés Bleu-Blanc-Cœur faits de porc du Québec nourri à la graine de lin. Spécialités de canard, variétés gourmandes de plats prêts à emporter et autres produits artisanaux sains conçus dans les règles de l'art culinaire.

CAPITOL BOUCHER MONTRÉAL
Marché Jean-Talon
158, pl. du Marché-du-Nord, MTL
514-276-1345
Vaste sélection d'excellentes viandes, grande variété de viandes marinées prêtes à cuire, gamme impressionnante de charcuteries maison et importées.

CHARCUTERIE DE TOURS
Marché Atwater #6
138, av. Atwater, MTL
514-933-4070
Spécialisé en saucisses et charcuteries. Plats cuisinés. Spécialité coupe française.

CHARCUTERIE VIANDAL
550, rue de l'Église, VERDUN
514-766-9906
Boucherie de première qualité, excellent étal de charcuterie. Fermé le dimanche.

ÉLEVAGES PÉRIGORD
228, rue Principale,
SAINT-LOUIS-DE-GONZAGUE
450-377-8766 et 1-800-494-2577
Foie gras de canard mulard, magret, viande de canard sous toutes ses formes. Magret préassaisonné et prêt à cuire. Produits del Peyrat, jambon de Bayonne. Mets préparés de qualité. Vente sur place ou dans les épiceries fines et dans les marchés d'alimentation.

LA BERNOISE
3988, bd Saint-Charles,
PIERREFONDS
514-620-6914
Fabricant de charcuterie fine (viande des Grisons, bacon, saucisses en tous genres, jambon fumé naturel). Aliments importés et fromages.

LA MAISON DU RÔTI
1969, av. Mont-Royal E., MTL
514-521-2448
Un très grand choix de saucisses, terrines, volailles fines (perdrix, faisan, pintade, caille), gibier, bœuf, agneau, veau, porc et charcuteries maison. Beaucoup de choix.

LA P'TITE CHARCUTERIE
7615, ch. de Chambly,
SAINT-HUBERT
450-656-9070
Bons produits naturels, sans conservateurs et sans produits chimiques. Terrines, viandes froides, saucisses, boudins, viandes marinées faits maison. Plats cuisinés (tourtière du Lac Saint-Jean, etc.). Fermé dim. et lun.

LA QUEUE DE COCHON
6400, rue Saint-Hubert, MTL
514-527-2252
Depuis 1994, le propriétaire Benoît Tétard, originaire de Vendée en France, confectionne une remarquable charcuterie artisanale. Bon choix de terrines, boudins, andouillettes, saucissons à l'ail, foie gras, confit de canard, pâtés et saucisses. Saumon fumé sur place. Plats prêts à emporter. Mets congelés. Épicerie fine.

LE BUCAREST
4670, bd Décarie, MTL
514-481-4732
Produits importés de Roumanie et d'autres pays d'Europe de l'Est. Mets roumains préparés sur place. Charcuterie. Pâtisseries roumaines.

LE MAÎTRE GOURMET
1520, av. Laurier E., MTL
514-524-2044
Boucherie fine. Agneau de la Gaspésie nourri aux algues. Viande biologique. Viandes sauvages, coupes fraîches. Panoplie de volailles. Saumon irlandais bio. Onglet de bœuf mariné. Nous y avons acheté des produits (saucisses maison, poulet) qui ont du goût!

LE MARCHAND DU BOURG
1661, rue Beaubien E., MTL
514-439-3373
Un boucher pas tout à fait comme les autres! Il se spécialise dans la vente de viande de bœuf Black Angus vieillie. Seulement la côte de bœuf, le contre-filet, le filet mignon et la bavette. Il fait vieillir la côte de bœuf de 40 à 365 jours, dans une pièce à atmosphère et à température contrôlées. La déco du magasin surprend, elle aussi, c'est plein d'antiquités. Un vrai musée!

LES 5 SAISONS
1280, av. Greene, WESTMOUNT
514-931-0249
1180, rue Bernard O.,
OUTREMONT
514-276-1244
Bœuf Black Angus AAA vieilli 30 jours, foie gras de canard frais de grandes marques (Rougié, Delpeyrat, Labeyrie), magret de canard de Barbarie, agneau du Québec, variété de volaille de grain, gibier, et bio, variété de saucisses fraîches naturelles et jambon à l'os Les Cochonailles. Service de traiteur.

MARCHÉ DE LA VILLETTE
Quartier des Arts
324, rue Saint-Paul O., VIEUX-MTL
514-807-8084
Savoureux pâtés et terrines maison, spécialiste des confits. Cassoulet et choucroute garnie. On peut déjeuner et dîner sur place avec d'excellents produits dans une ambiance de bistro parisien.

SOS BOUCHER
Marché Atwater, # 17
138, av. Atwater, MTL
514-933-0297
Production artisanale de charcuterie. Variété de saucisses maison aux légumes, de terrines maison, de coupes européennes, de marinades. Travail personnalisé et unique.

SPÉCIALITÉS SLOVENIA BOUCHERIE-CHARCUTERIE
3653, bd Saint-Laurent, MTL
514-842-3558
Boucherie-charcuterie ouverte depuis 1970. Viandes fraîches, pou-

lets de grain, volailles, charcuteries variées, saucisses, jambonneaux, choucroute, épicerie fine. Agneau frais du Bas-du-Fleuve. Comptoir chauffant. Smoked meat à emporter.

BOULANGERIES

BOULANGERIE DE FROMENT ET DE SÈVE
2355, rue Beaubien E., MTL
514-722-4301
Boulangerie utilisant une méthode artisanale pour fabriquer ses pains, à partir de farine non blanchie, non traitée ou biologique. Variété de viennoiseries et de pâtisseries sans graisses végétales ni saindoux. Fromages et charcuteries. Produits maison. Section bistro sympa avec des produits frais.

BOULANGERIE DU MARCHÉ DE LONGUEUIL
Marché public de Longueuil
420, bd de la Savane, LONGUEUIL
450-447-9991
Nouvelle succursale du Garde-Manger de François.

BOULANGERIE PÂTISSERIE DAGOBERT
76, ch. Grande-Côte, BOISBRIAND
450-437-7771
Tous les pains spéciaux sont façonnés à la main, sur place, par un boulanger de métier. Farine non traitée, non blanchie, travaillée selon les méthodes ancestrales. Une bonne variété de pains intéressants dont bleu et noix, multigrains, raisins noisettes, 12 grains germés, fougasse aux deux olives, etc. Dépositaire de produits Banette.

BOULANGERIE PREMIÈRE MOISSON
Marché Atwater
3025, rue Saint-Ambroise, MTL
514-932-0328
Gare centrale
895, rue de La Gauchetière O., MTL
514-393-1247
1271, rue Bernard, OUTREMONT
514-270-2559
Plateau Mont-Royal
860, av. Mont-Royal E., MTL
514-523-2751
Rosemont
3001, rue Masson, MTL
514-374-7010
Notre-Dame-de-Grâce
5500, rue Monkland, MTL NDG
514-484-5500
Marché Maisonneuve
4445, rue Ontario E., MTL
514-259-5929
Marché Jean-Talon
7075, rue Casgrain, MTL
514-270-3701
Côte-des-Neiges
5199, ch. Côte-des-Neiges, MTL
514-731-3322
2479, ch. de Chambly, LONGUEUIL
450-468-4406
350, rue Lawrence, GREENFIELD PARK
450-766-0863
Quartier DIX30
7200, bd du Quartier, BROSSARD
450-676-7500
3565, Saint-Charles, KIRKLAND
514-426-0024
Marché de l'Ouest
11678, bd de Salaberry O., DOLLARD-DES-ORMEAUX
514-685-0380
189, bd Harwood, VAUDREUIL-DORION
450-455-2827
Marché gourmand Centropolis
2888, av. du Cosmodôme, LAVAL
450-682-1800
2021, ch. Gascon, TERREBONNE
450-964-9333
3805, bd Taschereau, SAINT-HUBERT
450-462-2911
Métro Marquis
150, rue Louvain, REPENTIGNY
450-585-3022
Redpath Libary
3459, rue McTavish, MTL
514-398-6834

BOULANGERIE PREMIÈRE MOISSON EXPRESS
1297, ch. Canora, MONT-ROYAL
514-739-9998
Les fruitières Vittoria
7800, bd Taschereau, BROSSARD
450-671-0404
Citron que c'est bon!
790, montée Masson, MASCOUCHE
450-474-2911
Entreprise familiale qui se distingue par son approche respectueuse des grandes traditions. Quelque 50 variétés de pains frais préparés sur place, chaque jour. Des créations saisonnières. Un véritable délice! Décoration chaude avec beaucoup d'ambiance mettant en valeur d'excellents produits. Pain de fabrication artisanale, française, biologique et divers ingrédients santé. Coin bistro. Dans les boulangeries express, la sélection des produits peut différer de celle des succursales régulières, mais le choix est suffisant. Les propriétaires sont attentifs à renouveler la décoration des magasins.

BOUTIQUES AU PAIN DORÉ
115, av. Atwater, MTL
514-989-8898
1415, rue Peel, MTL
514-843-3151
1145, av. Laurier O., MTL
514-276-0947
5214, ch. Côte-des-Neiges, MTL
514-342-8995
3075, rue de Rouen, MTL
514-528-8877
Marché Jean-Talon
228, place du Marché-Nord, MTL
514-276-1215
1650, bd de l'Avenir, LAVAL
450-682-6733
Plusieurs variétés de vrai pain français artisanaux et de viennoiseries cuits sur place tous les jours. Pâtisseries du boulanger, sandwichs, salades et cafés spécialisés. On peut consommer sur place. Service de traiteur.

L'AMOUR DU PAIN
393, rue Samuel-de-Champlain, BOUCHERVILLE
450-655-6611
Plus de 40 sortes de pains et de viennoiseries fabriquées à la main quotidiennement par d'excellents boulangers. Exceptionnelle fougasse aux olives. Beaucoup d'imagination dans les créations qui se renouvellent constamment. Coin bistro pour déjeuner et dîner. Chaque fin de semaine, une grande variété de spécialités accordées avec les saisons. Meilleur artisan boulanger du Québec 2014. Viennoiseries à emporter, préparées et surgelées sur place. Ouvert dès 6h du matin.

LE FROMENTIER
1375, av. Laurier E., MTL
514-527-3327
Grand choix de pains traditionnels. Pains au levain et à la levure. Pains artisanaux. Pains sans gluten. Viennoiseries maison plus un étal de charcuteries de La Queue de cochon et de fromages. La présence du four à pain donne une ambiance très chaleureuse au magasin.

LE GARDE-MANGER DE FRANÇOIS
2403, rue Bourgogne, CHAMBLY
450-447-9991
Marché public de Longueuil
420, bd de la Savane, LONGUEUIL
450-447-9991
Grande variété de pains (noix, olives, multigrains, rustique, à la bière, divers types de levain, etc.) en miche ou en baguette faits par un boulanger de métier, très doué, qui se marient très bien aux produits du terroir aussi offerts sur place. Une adresse qui vaut réellement le détour, à recommander! Aussi au Marché public de Longueuil.

LES 5 SAISONS
1280, av. Greene, WESTMOUMT
514-931-0249
1180, rue Bernard O., OUTREMONT
514-276-1244
Variété de pains artisanaux et biologiques, macarons, gâteaux et tartes faits des meilleurs ingrédients. Boutique de chocolats fins Godiva au magasin de Westmount seulement.

MARIUS ET FANNY PÂTISSERIE PROVENÇALE
3119, rue Victoria, LACHINE
514-637-2222
4439, rue Saint-Denis, MTL
514-844-0841
239, bd Samson, SAINTE-DOROTHÉE, LAVAL
450-689-0655
Marché public de Lachine
1895, rue Piché, LACHINE
514-639-4258
Pain maison confectionné de façon artisanale avec des produits fins. Pain Marius: miche à la farine de seigle, levain de miel de lavande.

PAINS ET SAVEURS
2130, bd de Boucherville, SAINT-BRUNO
450-441-4155
5959, bd Cousineau, SAINT-HUBERT
450-890-3441
2000, av. Victoria, GREENFIELD PARK
450-486-1717
Leur pain est très bon, souple et croustillant. Les pains artisanaux sortent de l'ordinaire: pains au levain, bio, intégral, de campagne et pains spéciaux suivant la saison. Excellente viennoiserie. Les croissants sont parmi les meilleurs que nous ayons goûtés, le feuilletage au pur beurre est une réussite. Très beau magasin, bien fourni.

PÂTISSERIE Ô GÂTERIES
364, Saint-Charles O., VIEUX-LONGUEUIL
450-674-8400
Plusieurs variétés de pain artisanal, viennoiserie, un peu d'épicerie fine. Café en vrac. A aussi un comptoir au niveau métro du Complexe Desjardins, à Montréal. Fermé lundi.

CHEFS À DOMICILE

CHEF À DOMICILE
450-678-6353
Ancien propriétaire du restaurant «Le Paradis des amis» (★★★ Debeur), le chef Louissaint propose une gastronomie franco-antillaise colorée et savoureuse. Il termine souvent ses soirées en faisant danser les invités, qui sont réunis pour des anniversaires, des mariages ou autres événements.

GOURMEYEUR
514-754-3850
Chef personnel qui fait une cuisine française gastronomique. Tout est préparé au domicile du client: dîner ou souper. Choisissez le menu, il fait le marché et s'occupe de tout, même du vin. Cocktails dînatoires. Service dans tout le Québec. Traiteur haut de gamme.

CHOCOLATERIES

AU PALAIS DU CHOCOLAT
7089, rue Jarry E., MTL
514-351-7111
Chocolaterie bistro. Cafés. Fondue au chocolat à manger sur place. Chocolats belges faits à la main. Gelato et «slush». Ateliers de production ouverts au public et fêtes d'enfants.

BOULANGERIE PÂTISSERIE DAGOBERT
76, ch. Grande-Côte, BOISBRIAND
450-437-7771
D'excellents chocolats fins et raffinés fabriqués sur place dans la pure tradition suisse. Terrasse estivale. Mérite un détour. Ouvert 7 jours.

CHOCOBEL
374, rue de Castelneau E., MTL
514-276-9875
Belle sélection de chocolats maison. Tarte au chocolat, brownies à la fleur de sel, chocolat chaud maison. Chocolats sans sucre. Chocolats au fromage de chèvre, bleu ou parmesan. Thé tchaï du chocolatier. Ateliers d'initiation à la chocolaterie. Noix, liqueurs, gelées de fruits, grains de café et de cacao intégrés dans les créations. Gaufres belges cuites sur place le samedi.

CHOCOLATERIE À LA TRUFFE
629, rue Adoncour, LONGUEUIL
450-646-5604
Boutique artisanale coquette. Un petit paradis avec de savoureux chocolats confectionnés à la main, à haute teneur en cacao, sucrés au miel. Glaces et sorbets maison. Cafés spécialisés. Ouvert 6 jours. Pâtisseries faites sur place. Distributeur Le pain dans les voiles.

CHOCOLAT BELGE HEYEZ PÈRE ET FILS
16, rue Rabastalière E., SAINT-BRUNO
450-653-5616
Très bon chocolatier (de père en fils). Plus de 75 sortes de petits chocolats fabriqués avec beaucoup de finesse. Fabrication, montage et moulage pour chaque événement de l'année. Chocolats sans sucre. Sculptures en chocolat pour mariage, événements d'entreprise. Hubert Heyez ne semble pas connaître de limite dans la sculpture des sujets en chocolat. Ateliers pour enfants, sur réservation. Distribution. Magasin impeccable, une réjouissance pour l'oeil et la gourmandise. Aussi chez Pains et Saveurs

CHOCOLAT BELGE LÉONIDAS
605, bd de Maisonneuve O., MTL
514-849-2620
Les Halles de la Gare centrale
895, rue de La Gauchetière O., MTL
514-393-1505
5111, av. du Parc, MTL
514-278-2150
Centre commerce mondial
383, rue Saint-Jacques, MTL
514-279-6365
Chocolats belges à la crème fraîche, praline et ganache, importés par avion de la Belgique. Boutiques cadeaux. Crème glacée maison. Bonbons aux noix. Confiserie. Panini, sandwich, café à l'avenue du Parc.

CHOCOLATERIE
LA CABOSSE D'OR
973, ch. Ozias-Leduc,
OTTERBURN PARK
450-464-6937
Une grande et belle maison, en bordure d'un boisé, qui ressemble à un château de légende et à l'intérieur une multitude de délicieux chocolats fins travaillés avec beaucoup de finesse. Belle boutique cadeau. Visite de la fabrique et histoire du chocolat sur réservation de groupe. Aujourd'hui, la famille Crowin est au complet. Mini-golf thématique sur le chocolat. Petit musée du chocolat. Belle terrasse l'été. Ouvert à l'année, 7 jours.

CHOCOLATS ANDRÉE
5328, av. du Parc, MTL
514-279-5923
Fabrication sur place. Chocolats faits à la main sans agents de conservation, selon des recettes traditionnelles. Commerce établi en 1940 et déjà trois générations de chocolatiers. Service de livraison.

CHOCOLATS
GENEVIÈVE GRANDBOIS
5524, rue Saint-Patrick, #211, MTL
514-270-4508
162, rue Saint-Viateur O., MTL
514-394-1000
Marché Atwater
138, av. Atwater, étal C-1, MTL
514-933-1331
Quartier DIX30
Place Extasia
9389, bd Leduc #5, BROSSARD
450-462-7807
Chocolats artisanaux confectionnés à Montréal par Geneviève Grandbois. Dynamique et perfectionniste, elle est en quête constante du bon et du beau. Au DIX30, il y a également des boissons glacées et des desserts maison, à Saint-Viateur et au DIX30 des glaces maison.

CHOCOLATS PRIVILÈGE
Marché Jean-Talon
7070, rue Henri-Julien #C3, MTL
514-276-7070
Marché Atwater
138, av. Atwater, MTL
514-419-9248
Marché public 440
3535, aut. Laval O., LAVAL
450-682-3666
Variété de chocolats pour cuisiner à la maison. Pâtisseries chocolatées. Chocolaterie artisanale utilisant des produits naturels de qualité. Truffes, ganaches, pralinés, tablettes, etc. Moulages pour toutes occasions. Chocolats personnalisés (logo d'entreprise, mariage, etc.). Glaces et sorbets.

CHOCOLATS SUISSES
411, ch. Grande-Côte, ROSEMÈRE
450-621-8440
Chocolaterie artisanale de tradition suisse, chocolats fins. Fier chocolatier d'origine suisse qui maîtrise son métier. Travail impeccable, savoir-faire indéniable, présentation soignée. Articles cadeaux avec du chocolat incorporé à l'intérieur. Chocolats en vrac.

COMPTOIR DE BRUXELLES
333, bd Harwood,
VAUDREUIL - DORION
450-218-7773
Jean Wulleman, torréfacteur originaire de Belgique, ouvre sa boutique lorsqu'il s'établit au Québec et s'associe avec son fils, chocolatier-pâtissier. On peut les observer fabriquer les chocolats fins, les pralines personnalisées, et les pâtisseries, de véritables bijoux. Jean Wulleman s'occupe de la torréfaction des cafés haut de gamme vendus sur place. Bar à cafés et à chocolats chauds.

DIVINE CHOCOLATIER
2158, rue Crescent, MTL
514-282-0829 et 1-877-282-0829
Boutique sympathique, connue pour ses fameuses truffes en chocolat, beaucoup d'arômes dont chai mafala et cayenne. Chocolat sensuel. Produits avec fruits (fraises, bleuets). Truffes aromatisées au cachemire. Huile de massage hypoallergène au chocolat par Pierre Zwierzynski. Comptoir à cafés et chocolats. De nouvelles saveurs tous les mois. Crème glacée, gâteaux au fromage et macarons maison. Chocolats sans lactose, sans gluten, biologiques.

GOURMET PRIVILÈGE
1001, rue Fleury E., MTL
514-385-6335
3602, bd Saint-Charles, KIRKLAND
514-694-2261
Chocolaterie artisanale utilisant des produits naturels de qualité. Chocolats personnalisés (logo d'entreprise, mariage, etc.). Moulages pour toutes occasions. Glaces et sorbets.

HARTLEY Glaces & Chocolats
670, av. Victoria, SAINT-LAMBERT
450-671-9671
Cinquante sortes de chocolats fabriqués sur place. Terrasse l'été. Voir à GLACIERS.

LA GASCOGNE
237, av. Laurier O., MTL
514-490-0235
1950, bd Marcel-Laurin, MTL
514-331-0550
4825, rue Sherbrooke O.,
WESTMOUNT
514-932-3511
Marché public 440
3535, Autoroute Laval O., LAVAL
450-781-3700
Les Colonnades
940, bd Saint-Jean, POINTE-CLAIRE
514-697-2622
Création et confection de produits fins. Grande variété de chocolats faits maison. Choix de truffes, de chocolats assortis, de marrons glacés, de mendiants et de rochers suisses.

LA MAISON CAKAO
5090, rue Fabre, MTL
514-598-2462
Chocolats artisanaux très fins confectionnés à la main, sur place, avec des ingrédients frais. Produits du chocolat et de ses dérivés. Glaces, sorbets maison et cupcakes les fins de semaine. Pots de caramel et confitures. Tarte au chocolat noir. Brownies décadents. Il faut goûter son gâteau aux fruits confits maison à Noël et ses poires et cardamome au sirop. Moulages spéciaux. Une chocolatière passionnée toujours à la recherche de nouveaux mariages, de nouveaux parfums. Fermé le lundi.

L'ARTISAN CHOCOLATIER
Pas de boutique,
vente en ligne seulement à
www.lartisanchocolatier.com,
450-707-3003
Fabricant et distributeur de chocolats fins desservant plusieurs établissements. Chocolaterie virtuelle via le site. Un choix irrésistible de plus de 90 variétés de chocolats fins haut de gamme, confectionnés avec des ingrédients de première qualité, par une chef chocolatière passionnée, depuis plus de 20 ans. Multitude de figurines et de moulages selon les occasions.

LE PETIT CHOCOLATIER
969, rue Bernard-Pilon, BELOEIL
450-464-8681
Environ 70 sortes de chocolats et pâtisseries artisanales maison. Chocolats aux herbes et aux fleurs, chocolat au cidre de glace du Clos-Saint-Denis, crème glacée maison. Aussi, en vente aux Arpents Verts, 245, Duverney à Beloeil.

LES CHOCOLATS DE CHLOÉ
546, rue Duluth E., MTL
514-849-5550
Une petite boutique à la façade orange. Chloé, un petit bout de femme sympathique, vous accueille au milieu des bonbons de chocolat fourrés de ganache parfumée, différentes tablettes de chocolat, gingembre confit, les confitures de sa maman et autres délices. On recommande les brownies chocolat, pacanes et fleur de sel, chargés en chocolat, mais délicieusement décadents.

LES CHOCOLATS FAVORIS
1005, rue Lionel-Daunais,
BOUCHERVILLE
450-906-3996
Chocolaterie artisanale et boutique cadeau ouverte à l'année. Grande

variété de chocolats fins, moulages, chocolats sans sucre, paniers cadeaux, confiseries d'importation, produits du terroir québécois et fondues au chocolat. Aussi à Trois-Rivières.

LESCURIER TRADITION GOURMANDE
1333, av. Van Horne,
OUTREMONT
514-273-8281
Chocolats fabriqués sur place aux parfums variés (café, fruits exotique, etc.). Pour toutes occasions: Halloween, fête des Mères, Pâques. Chocolats importés de Tanzanie, de Madagascar et du Vénézuéla.

MARIUS ET FANNY PÂTISSERIE PROVENÇALE
3119, rue Victoria, LACHINE
514-844-0841
4439, rue Saint-Denis, MTL
514-844-0841
239, bd Samson,
SAINTE-DOROTHÉE, LAVAL
450-689-0655
Marché public de Lachine
1895, rue Piché, LACHINE
514-639-4258
Des chocolats fins, de qualité, travaillés de façon artisanale. Aussi pâtisserie, boulangerie et salon de thé.

MARLAIN CHOCOLATIER
21, rue Cartier, POINTE-CLAIRE
514-694-9259
Vingt-six sortes de truffes et chocolats fourrés, confiseries, torréfaction de café, pâtisseries, macarons, confitures, sauces piquantes et produits diététiques. Fabrique ses propres tablettes de chocolat à partir de fèves importées par ses soins. Crèmes glacées aux saveurs exotiques. Cosmétiques à saveur de chocolat, etc. Mets préparés congelés.

PÂTISSERIE MERCIER
200, rue Jarry E., MTL
514-387-1741
Trente sortes de chocolats maison. Moulages pour occasions spéciales, sur commande.

PÂTISSERIE ROLLAND
170, Saint-Charles O.,
LONGUEUIL
450-674-4450
504, rue Albanel, BOUCHERVILLE
450-655-3821
Un très beau choix de chocolats présentés comme des bijoux, créations de Christophe Morel. Un chocolatier de haut calibre, meilleur au Canada et 4e au «World Chocolate Master», à Paris, en 2005. Aussi comptoirs place Charles-LeMoyne à Longueuil, rue Jules-Choquet à Sainte-Julie, rue de la Marine à Varennes et boul. Clairevue O. à Saint-Bruno.

SUITE 88
1225, bd de Maisonneuve O., MTL
514-284-3488
Chocolats vendus à l'unité, en vrac ou en boîte. Truffes, mosaiqes, dômes (demi-sphères fourrées de ganache), shooters (chocolats avec alcool liquide). Glaces italiennes (gelato), gaufres, brownies, gâteaux vendus à la part et chocolats chauds à l'ancienne ou aromatisés, à emporter ou à savourer sur place dans une ambiance lounge.

COURS

ATELIER CULINAIRE
Quartier DIX30
8900, bd Leduc, #40, BROSSARD
450-656-6161
Voici un atelier dédié à la gastronomie offrant des cours de cuisine pour les particuliers. L'Atelier culinaire mise sur la pratique, la technique et le plaisir. Que vous soyez novice ou cuistot aguerri, vous y trouverez de quoi satisfaire votre appétit de découverte. Cours sur les vins. Événements privés et corporatifs.

ATELIERS & SAVEURS
444, rue Saint-François Xavier, MTL
514-849-2866
Une approche nouvelle, plus ludique, d'enseigner la cuisine, l'art des cocktails et la dégustation des vins. Ateliers grand public ou en groupes. Menus, horaires et tarifs au www.ateliersetsaveurs.com.

CHEF EN VOUS
1751, rue Richardson, MTL
514-303-9801
Activités culinaires «Briser la glace et apprendre à découvrir l'autre en cuisinant!». Cours de cuisine, service de chef à domicile.

CHOCOBEL
374, rue de Castelneau E., MTL
514-276-9875
Atelier d'initiation à la chocolaterie, individuel ou à deux.

ÉCOLE DE CUISINE MEZZA LUNA
57, rue Dante, MTL
514-272-5299
Cours de cuisine traditionnelle italienne. C'est en voyant l'intérêt de ses clients pour ses démonstrations sur l'art de fabriquer des pâtes fraîches qu'Elena Venditelli a décidé d'ouvrir son école de cuisine. Son but était de donner l'envie de cuisiner aux Montréalais. Les cours sont donnés par Elena et certains par des chefs renommés de Montréal, dont son fils Stefano Faita. On peut aussi acheter des accessoires de cuisine chez Dante, son autre magasin, où elle fait aussi des démonstrations de fabrication de pâtes fraîches.

GROUPE APOLLO
6422, bd Saint-Laurent, MTL
514-276-0444
Cours de cuisine avec les chefs Apollo et Claude Le Bayon, dim. matin sur réserv. pour groupe de 4 à 12 pers.

L'ACADÉMIE DU CHOCOLAT
Centre de formation Montréal
4850, rue Molson, MTL
1-855-619-8676
Une superbe école toute neuve solidement équipée où l'on donne des cours de formation autant pour les professionnels que pour le grand public, sous l'égide de Chocolat Barry Callebaut. On y trouve un amphithéâtre pour les démonstrations et les conférences, une salle de cours, une salle d'éveil sensoriel, des espaces événements, une pâtisserie. Des professeurs de haut niveau y enseignent l'art du chocolat et celui de la pâtisserie en relation avec le chocolat, mais aussi des cours d'harmonie du chocolat avec le vin, etc. On y rencontre des Meilleurs ouvriers de France, mais aussi François Chartier créateur d'harmonie, par exemple. Un petit bijou à la gloire du chocolat.

LA GUILDE CULINAIRE
6381, bd Saint-Laurent, MTL
514-750-6050
Le chef Garnier et ses chefs invités donnent des cours de cuisine sur mesure. Cuisine moléculaire, activités corporatives ou cours privés. Ateliers de préparation pour ceux qui n'ont pas le temps de cuisiner après une journée de travail.

L'ATELIER D'APPRENTISSAGE DU CHOCOLAT
748, rue Saint-Georges,
SAINT-JÉRÔME
450-565-3773
Depuis la création de leur école en 2002, Julie Beauchamp et Eddy Rosine partagent leur passion pour le véritable chocolat belge en offrant des cours de chocolatier à tous les amateurs de chocolat. Cours tout public, professionnel ou non, cours à l'année sauf l'été, mi-juin à mi-sept. À partir de 6 ans. Journées portes ouvertes au mois d'août. Cours individuel sur demande.

PROVISIONS MIYAMOTO
382, av. Victoria, WESTMOUNT
514-481-1952
Cours de cuisine japonaise.

SAVORI Cours sur les vins, bières et spiritueux
Voir à Québec, pas de bureau à Montréal,
1-855-781-2344
Partenaire exclusif de la SAQ, spécialiste en formation et en cours. 12 thèmes différents sur le sujet du vin et des spiritueux permettent de s'initier au langage, aux méthodes

de dégustation, d'approfondir les connaissances et d'expérimenter par la dégustation de produits. Aussi, cours privés, animations personnalisées à domicile ou en entreprise, vins et fromages et autres animations. Cours bilingues.

ÉPICERIES FINES

AUX SAVEURS DES SÉVELIN
1575, bd Jacques-Cartier E., LONGUEUIL
450-448-3918
Produits d'épicerie du Québec et d'importation en quantité. Fruits et légumes. Près de 50 sortes d'huiles et de vinaigres différents. Sirops, tartes maison, bonbons, confitures. Dépositaire des macarons Point G, des pâtisseries de l'Arlequin, des brownies Juliette & chocolat et des bouchées de chocolat du chocolatier Raffin.

AVRIL SUPERMARCHÉ SANTÉ
1185, ch. du Tremblay, LONGUEUIL
450-448-5515
Quartier DIX30
8600, bd Leduc, BROSSARD
450-443-4127
11, rue Évangéline, GRANBY
450-375-6446
Grande variété de fruits et légumes certifiés biologiques. Produits équitables, écologiques et locaux. Viandes biologiques sans additifs chimiques. Grande section de produits sans gluten. Suppléments alimentaires et vitamines. Comptoir Crudessence et Avril café avec possibilité de manger sur place. À surveiller, une nouvelle succursale au printemps 2015.

CAPITOL BOUCHER MONTRÉAL
Marché Jean-Talon
158, pl. du Marché-du-Nord, MTL
514-276-1345
Fines huiles et vinaigres, pâtes fraîches, plats complets, fromages. Beaucoup de produits provenant d'Italie.

CHEZ LOUIS FRUITS ET LÉGUMES
Marché Jean-Talon
222, pl. du Marché-du-Nord, MTL
514-277-4670
Grand choix de légumes, de fruits, de champignons du Québec et importés. Asperges blanches, crosnes et espèces exotiques recherchées. Ail de Provence. Roquette d'Italie tout au long de l'année. Laitues de M. Daigneault et autres légumes fins. Spécialisé en mangues (4 ou 5 sortes). Melons charentais.

CHEZ NINO
Marché Jean-Talon
192, pl. du Marché-du-Nord, MTL
514-277-8902
Marché de légumes réputé pour son choix diversifié. Mini légumes, fruits exotiques, haricots extra-fins, grande variété de champignons (cèpes, chanterelles, champignons sauvages), melon et fruits importés. Truffes fraîches d'oct. à fév. Produits du Québec en saison.

ÉPICERIE CORÉENNE ET JAPONAISE
6151, rue Sherbrooke O., MTL
514-487-1672
Véritable coffre aux trésors. Un mur de congélateurs bourrés de dumplings, de nouilles, de poissons et de viandes, des frigos pleins de marinades et de kimchis maison. Accessoires pour les sushis.

FROMAGERIE ATWATER DE LACHINE
Marché de Lachine
1865, rue Notre-Dame, LACHINE
514-634-7774
Des trouvailles en vinaigres, huiles d'olive, condiments, épices, pains, confits de fruits, pâtes séchées, cafés biologiques et équitables. Pâtes fraîches congelées. Saucisses fraîches. Produits artisanaux du Québec. Bières et cidres québécois.

FROMAGERIE MARCHÉ VILLAGE
Marché Village
7800, bd Taschereau, BROSSARD
450-671-7961
Bonne sélection d'huiles d'olive du monde, grande variété de fromages d'ici et d'ailleurs, vaste choix de pâtes alimentaires italiennes de qualité, vinaigres haut de gamme et plusieurs produits d'épicerie fine. Olives niçoises, marocaines et grecques. Charcuteries européennes et importées. Panettone, nougat et marrons glacés (Pâques et Noël). Un très bon jambon cuit à la coupe et du fromage frais râpé. Ouvert depuis 1982.

GARIÉPY ET FILS FINS GOURMETS
3240, rue Dandurand, MTL
514-722-7398
Épicerie fine, fromagerie, boulangerie, pâtisserie, fruits et légumes, charcuterie, boucherie, plats cuisinés et buffets.

GOURMET LAURIER
1042, av. Laurier O., OUTREMONT
514-274-5601
Épicerie fine d'importation européenne où on trouve de tout, comme autrefois, même des produits de notre enfance comme du Banania, de la chicorée, des cachous, des biscuits BN, des galettes Saint-Michel. Une grande quantité de produits importés, conserves, huiles d'olive, vinaigres, moutardes, biscuits, caviars, foie gras, etc. Mais aussi du café, des fromages

et des charcuteries. Articles ménagers et cafetières.

LA GRANDE EUROPE
141 C, bd de Mortagne, BOUCHERVILLE
450-641-1900
Charcuterie artisanale maison, boulangerie, pâtisseries italiennes, pâtes fraîches, salades diverses, tous les plaisirs de l'Italie en un seul endroit. Une très belle épicerie avec un très grand choix de produits importés rangés avec soin. Belle atmosphère. Service de traiteur 10 à 500 pers., buffet.

LA MAISON DU RÔTI
1969, av. Mont-Royal E., MTL
514-521-2448
Foie gras. Salaisons. Plats cuisinés à emporter. Produits fins et du terroir. Torréfaction de café et cafés équitables. Thés.

LA MER
1840, bd René-Lévesque E., MTL
514-522-3003
En plus d'offrir un choix complet de produits de la mer, La mer propose des produits d'importation privée (huiles d'olive, vinaigres balsamiques, tomates séchées, artichauts, confitures biologiques, etc.), des produits locaux et du terroir.

LATINA
185, rue Saint-Viateur O., MTL
514-273-6561
Golden Square Mile
1434, rue Sherbrooke O, MTL
514-507-6561
Produits locaux et internationaux. Aliments fins, plusieurs sortes de vinaigres balsamiques et d'huiles d'olive, sauces fortes, bières de microbrasseries, cafés de micro-torréfaction. Fruits et légumes, boucherie, charcuterie, poissonnerie, fromagerie et plats cuisinés. La section boucherie offre de la viande de bœuf vieillie à sec et celle des fromages un large éventail de qualité.

LE CARTET RESTO BOUTIQUE ALIMENTAIRE
106, rue McGill, MTL
514-871-8887
Épicerie fine, au décor très urbain, avec un bon choix de produits importés. Gamme assez complète d'huiles d'olive, d'eaux minérales et de chocolats. Plats cuisinés à emporter ou menu pour manger sur place sur de longues tables, genre monastère. Brunch la fin de semaine et petit déjeuner en semaine.

LE FOUVRAC
1451, av. Laurier E., MTL
514-522-9993
Bonne sélection d'huiles d'olive, de vinaigres, de cafés, de confitures, de tisanes, de thés, de chocolats, de pâtes italiennes. Théières, cafetières, machines pour espresso, et plus encore. Ligne de cadeaux, nouvelles porcelaines, accessoires bibol (produits en bambou, non toxique, équitable, vert).

LE FOUVRAC MAISON DE THÉ
1404-A, rue Fleury E., MTL
514-381-8871
Épicerie fine, boutique cadeau. Tous les accessoires pour le thé. Collection de théières en fonte, porcelaine et terre cuite. Grand choix de thés, de tisanes et de cafetières. Porcelaine, bibol, chocolats Gendron. Distributeur exclusif des thés Betjeman et Barton.

LE MAÎTRE GOURMET
1520, av. Laurier E., MTL
514-524-2044
Petite boutique écolo de quartier qui vend des produits d'épicerie fine biologiques et équitables, tels que pâtes alimentaires, yogourts, chocolats, cafés, huiles d'olive, céréales, un excellent gâteau aux carottes. Aussi quelques fruits et légumes.

LE MARCHÉ DES SAVEURS DU QUÉBEC
Marché Jean-Talon
280, pl. du Marché-du-Nord, MTL
514-271-3811
Épicerie fine réunissant des produits du terroir québécois. Importante variété de fromages, charcuteries à base de gibier, plats cuisinés. Aussi, un grand choix de vins et de boissons artisanales du Québec. Service de plateau de fromages et charcuteries.

LES 5 SAISONS
1280, av. Greene, WESTMOUNT
514-931-0249
1180, rue Bernard O., OUTREMONT
514-276-1244
Épicerie épicurienne haut de gamme axée sur le service à la clientèle avec un vaste choix de produits. Produits fins: sélection intéressante d'huiles d'olive, de vinaigres balsamiques, de moutardes fines (moutarde fraîche Maille servie à la pompe - concept exclusif en Amérique), de craquelins fins, de sauces et de pâtes fraîches italiennes. Champignonnière, laitues hydroponiques, variété de légumes fins, fruits exotiques, produits du Québec en saison.

LES DOUCEURS DU MARCHÉ
Marché Atwater
138, av. Atwater, #150, MTL
514-939-3902
Une véritable caverne d'Ali Baba où les senteurs apportent un vent d'aventure. Plus de 250 sortes d'huiles d'olive importées, grand choix de vinaigres, cafés, thés, épices indiennes et louisianaises, produits chinois, confitures, chocolat, pâtes et sauces, biscuits, biscottes, sirop d'érable. Grande sélection d'aliments sans gluten. De quoi satisfaire les plus difficiles.

MARCHÉ ADONIS
2425, bd Curé-Labelle, LAVAL
450-978-2333
2001, rue Sauvé O., MTL
514-382-8606
3100, bd Thiemens, SAINT-LAURENT
514-904-6789
2173, rue Sainte-Catherine O., MTL
514-933-4747
4601, bd des Sources, DOLLARD-DES-ORMEAUX
514-685-5050
Quartier DIX30
8880, bd Leduc, BROSSARD
450-656-9595
Les marchés Adonis sont des entreprises fort appréciées qui vous transportent dans un voyage olfactif, gustatif et auditif au Moyen-Orient et dans la Méditerranée de vos rêves. Odeurs, flaveurs, couleurs, saveurs exotiques. Marché détaillant.

NICOLA TRAVAGLINI
Aliments fins
152, av. Mozart Est, MONTRÉAL
514-419-8969
À la fois épicerie fine méditerranéenne, resto et café, repas prêts à emporter, soirées VIP et cours de cuisine italienne. Situé près du marché Jean-Talon, cet établissement sort de l'ordinaire. Toute la nourriture de ce resto-épicerie italien est biologique, elle vient des serres de Monsieur Basilic à Saint-Placide, et aussi d'Italie. Quatre grandes tables hautes entourées de chaises meublent le centre de la boutique qui se termine par une cuisine ouverte. Tout autour, des bocaux de champignons, de légumes marinés, d'olives, de tomates, des huiles, des vinaigres, des balsamiques, des pâtes alimentaires, des confitures, des épices et aussi un long comptoir de croissants, de pâtisseries, de pizzas, etc. Toute l'Italie et ses arômes!

OLIVE ET OLIVES
3127, rue Masson, MTL
514-526-8989
428-B, av. Victoria, SAINT-LAMBERT
450-923-2424
Marché gourmand Centropolis
2888, av. du Cosmodôme, LAVAL
450-687-8222
Spécialisé en huiles d'olive extra-vierge d'Espagne, de France, de Grèce, d'Italie, de Tunisie, d'Afrique du Sud, des États-Unis, d'Argentine et du Portugal. Huiles d'appellation d'origine contrôlée. Superbe variété d'olives. Dégustation

sur place. Ateliers d'huiles d'olive à la succursale de la rue Masson.

OLIVES ET ÉPICES
Marché Jean-Talon
7070, rue Henri-Julien, #C-11, MTL
514-271-0001
Deux boutiques en une. Les huiles de Olive et Olives provenant, évidemment, des pays producteurs d'huiles d'olive, et environ 300 épices rares sélectionnées par Philippe et Ethnée de Vienne. Spécialisée dans les huiles d'olive de qualité.

PASTA CASARECCIA
5849, rue Sherbrooke O., MTL
514-483-1588
Ce magasin offre un comptoir de produits maison et de produits fins importés d'Italie jumelé avec un restaurant-trattoria. Grand choix de pâtes, sauces, charcuteries et fromages.

PROVISIONS MIYAMOTO
382, av. Victoria, WESTMOUNT
514-481-1952
Produits japonais, chinois et coréens. Œufs de poissons, algues, accessoires pour la cuisine japonaise. Sushis préparés sur place. Cours de confection de sushis. Livre sur les sushis.

TAU
4238, rue Saint-Denis, MTL
514-843-4420
6845, bd Taschereau, BROSSARD
450-443-9922
Aliments naturels de choix. Fruits et légumes biologiques. Nourriture empaquetée et en vrac. Boulangerie. Suppléments et vitamines.

FABRIQUE DE PÂTES

HISTOIRE DE PÂTES
458, rue Victoria, SAINT-LAMBERT
450-671-5200
Excellente petite fabrique de pâtes fraîches faites maison. Plats cuisinés à manger sur place ou à emporter; 20 sortes de sauces maison et antipasti. Lun. à ven. service des repas 11h30 à 13h30. Et pas après! Fermé dim.

FLEURISTES

BLUME
900, rue Fleury E., MTL
514-384-5530
Très bon fleuriste. Magasin de style épuré. Fleurs et plantes fraîches et exotiques. Vases et cache-pots. Installations «archifleuri-texturales».

FAUCHOIS FLEURS
4683, rue Saint-Denis, MTL
514-844-4417
Un excellent fleuriste. Belle variété de fleurs fraîches, bouquets raffinés, baies et branches pour tables de charme. Grande sélection de vases (cristal, céramique, verre). Grand choix de plantes.

FLEURISTE CENTRE-VILLE
Gare centrale
895, de La Gauchetière O., MTL
514-866-3751
Sélection de fleurs coupées des huit coins du monde.

FLEURISTE FOLLE AVOINE
6965, bd Saint-Laurent, MTL
514-270-8609
Composition de fleurs fraîches et arrangements sur mesure, pour événements spéciaux ou d'entreprises. Un bon choix d'orchidées. Livraison pour toutes occasions.

FLEURISTE MARIE-VERMETTE
801, av. Laurier E., MTL
514-272-2225 et 1-877-272-2226
Fleurs, plantes et objets choisis. Bouquets personnalisés. Bouquets liés à l'européenne. Paniers gourmets (100$ et plus). Livraison Montréal et région métropolitaine (75 km). Service Téléflora (livraison partout dans le monde).

FLEURISTE POURQUOI PAS
3629, bd Saint-Laurent, MTL
514-844-3233
Bouquets exubérants, raffinés, fantastiques et enivrants. Bouquets citron, mode et vin, pommes fleuries. De la fleur coupée à l'arrangement thématique. Livraison, événements, réceptions, funérailles.

LE TULIPIER
438, rue Saint-Pierre, MTL
514-398-0707
Très vaste choix de fleurs de saison de qualité. Composition soignée et de bon goût. Belle sélection de vases, plantes et cache-pots importés.

MARCEL PROULX HORTICULTEURS ET ASSOCIÉS
3835, rue Saint-Denis, MTL
514-849-1344
Compositions florales soignées et très artistiques, très belles fleurs, plantes intéressantes. Meubles et ornements de jardin.

ROBERT DESIGNER FLORAL
2348, ch. Lucerne, MONT-ROYAL
514-344-2851
Très belles créations pour centres de table, mariages et événements spéciaux.

ZEN, LE POUVOIR DES FLEURS
1039, av. Mont-Royal E., MTL
514-529-5365
Bouquets hybrides, souvent très colorés et de bon goût, toujours avec une touche d'originalité. Beau magasin. Accueil agréable et professionnel.

FROMAGERS MARCHANDS

AVIS

Il y a une différence entre un fromager marchand qui vend des fromages et un fromager artisan, ou fermier, qui fabrique des fromages. Cependant, les deux peuvent faire l'affinage ou le vieillissement.

FROMAGERIE ATWATER LACHINE
Marché de Lachine
1865, rue Notre-Dame, LACHINE
514-634-7774
FROMAGERIE ATWATER SAINT-JACQUES
Marché Saint-Jacques
1125, rue Ontario E., MTL
514-527-8219
Ces nouveaux commerces appartiennent à Gilles Jourdenais, propriétaire de la Fromagerie du marché Atwater. Comptoir de 300 fromages, dont une grande sélection de fromages québécois. Produits fins et charcuteries.

FROMAGERIE DES NATIONS
Marché public 440
3535, autoroute Laval O., LAVAL
450-682-3862
Quartier DIX30
7200, bd du Quartier, BROSSARD
450-443-4344
Marché gourmand
2888, av. du Cosmodome, LAVAL
450-681-5726
Marché public de Longueuil
4200, ch. de la Savane, LONGUEUIL
450-462-4666
Halles d'Anjou
7500, bd des Galeries d'Anjou, VILLE D'ANJOU
514-356-2102
423, rue Principale, GRANBY
450-305-6162
Installées depuis près de 30 ans, ces fromageries offrent un très bon choix d'environ 800 variétés de fromages. Charcuterie et épicerie fine, elles proposent d'excellents prosciuttos, des épices, des huiles et des vinaigres variés, des sels, des poivres, des tisanes et des thés de diverses provenances. Le bistro-boutique de Granby offre des menus dégustation: fromages et charcuteries, fondues au fromage, raclette.

FROMAGERIE DU MARCHÉ ATWATER
Marché Atwater
134, av. Atwater, MTL
514-932-4653
Plus de 800 sortes de fromages importés et locaux. Assiettes de viandes froides et de fromages pour

toutes occasions. Une importante section de bières du Québec. Distributeur de fromages fins québécois et importés. Fromages fermiers au lait cru. Un fromager marchand qui connaît bien son métier. Affinage et distribution.

FROMAGERIE HAMEL
620, rue Notre-Dame, REPENTIGNY
450-654-3578
975, rue Fleury E., MTL
514-383-1500
Marché Jean-Talon
220, rue Jean-Talon E., MTL
514-272-1161
2117, av. Mont-Royal E., MTL
514-521-3333
9196, rue Sherbrooke E., MTL
514-355-6657
Marché Atwater
138, rue Atwater #14, MTL
514-932-5532
Plus de 500 sortes de fromages locaux et importés. Affineur avec quatre caves d'affinage agréées. Gamme de fromages Le Pic, exclusive à la maison. Dégustations vins et fromages. Vente et location de girolles et de fours à raclette. Choix de vins assortis aux fromages. Plateaux de dégustation pour particuliers et entreprises. Gâteau fait en meules de fromage. Grossiste. Maison sérieuse qui existe depuis 1961.

FROMAGERIE MARCHÉ VILLAGE
Marché Village
7800, bd Taschereau, BROSSARD
450-671-7961
Grand choix de fromages importés de France et d'Italie. Bon choix de fromages fermiers du Québec. Fromages en portions et à la coupe. Marie Martella, la propriétaire, est une vraie passionnée des fromages du monde. Elle n'a aucun préjugé, elle les goûte tous et se renseigne pour mieux conseiller ses clients. Ouvert depuis 1982.

LA FOUMAGERIE
4906, Sherbrooke O., WESTMOUNT
514-482-4100
Depuis 1995, la Foumagerie nous offre son service de fromagerie et son comptoir-lunch. Épicerie fine, fromages, casse-croûtes, soupes et salades, cafés, paniers-cadeaux, service de traiteur. Un endroit bien sympathique où on est assuré de satisfaire sa faim.

LA MAISON DU RÔTI
1969, av. Mont-Royal E., MTL
514-521-2448
Un grand choix de fromages artisanaux du Québec et d'importation.

L'ÉCHOPPE DES FROMAGES
12, rue Aberdeen, SAINT-LAMBERT
450-672-9701
Propose un bon choix de 300 variétés de fromages, dont plusieurs au lait cru. Fromages fermiers et québécois. Affineur de métier. Pain artisanal et épicerie fine. Terrasse et bistro. Service de dégustation, vins et fromages sur place, le midi, mobile et à domicile. Cours et conférence sur le fromage. Importations (huiles, pâtes et truffes). Ouvert depuis 1990.

LE MARCHÉ DES SAVEURS DU QUÉBEC
Marché Jean-Talon
280, pl. du Marché-du-Nord, MTL
514-271-3811
Comptoir de fromages du Marché des saveurs, entièrement consacré aux fromages du Québec. Environ 150 sortes de fromages artisanaux québécois, produits laitiers, etc. Dégustation possible.

LES 5 SAISONS
1280, av. Greene, MTL
514-931-0249
1180, rue Bernard O., OUTREMONT
514-276-1244
Une bonne variété de fromages de chèvre fermiers. Plateaux pour dégustation de vins et de fromages. Fromages au lait cru. Beaucoup de produits du Québec. Service de traiteur. Jambon à l'os Les Cochonailles.

MAÎTRE CORBEAU
5101, rue Chambord, MTL
514-528-3293
Bonne variété de fromages québécois et d'importation. Épicerie fine, produits laitiers, bio, bières et cidres du Québec. Produits biologiques de Charlevoix, gamme de produits Saum'mom.

MARCHÉ DE LA VILLETTE
Quartier des Arts
324, rue Saint-Paul O., VIEUX-MTL
514-807-8084
Comptoir de fromages du terroir et importés, rosette de Lyon. On peut manger sur place des cochonailles et des plats canailles dans une ambiance de bistro parisien.

QUI LAIT CRU!?! FROMAGERIE
Marché Jean-Talon
7070, rue Henri-Julien, MTL
514-272-0300
Variété de 300 fromages différents, importés et sélectionnés dans l'année. Plusieurs fromages du terroir. Section d'épicerie fine. Cantine mettant en vedette le fromage.

YANNICK FROMAGERIE
1218, Bernard O., OUTREMONT
514-279-9376
Marché de l'Ouest
11690, rue de Salaberry, DOLLARD-DES-ORMEAUX
514-421-9944
357, rue Parent, SAINT-JÉRÔME
450-436-8469
Un très beau choix allant de 150 à 350 fromages fins québécois et importés, au lait cru et pasteurisé. Établie depuis 1975, à Saint-Jérôme d'abord. Yannick Achim est un fromager marchand qui connaît très bien son domaine. Épicerie fine, majoritairement d'importation privée. Service traiteur pour plateaux de fromages. Location d'équipements liés au fromage. Soirées dégustation à Saint-Jérôme.

YANNICK FROMAGERIE - LES ÉTALS
Les Étals
250, bd Lachapelle, SAINT-JÉRÔME
450-438-1213 #114
Les Étals
140, rue Bélanger, SAINT-JÉRÔME
450-432-1213 #5
Groupement de spécialistes en alimentation, poissonnerie, boulangerie, fromagerie, boucherie, maraîcher. Ressemble à un marché avec plusieurs commerçants dans lesquels on retrouve Yannick Fromagerie et ses excellents produits.

GLACIERS

CHOCOLATERIE LA CABOSSE D'OR
973, ch. Ozias-Leduc,
OTTERBURN PARK
450-464-6937
Quelque 25 saveurs de glaces fabriquées sur place selon une méthode ancienne, 6 sorbets, 18 crèmes glacées, et de la crème molle dont la nouvelle «Cabossé» aux parfums des plus gourmands. Bar laitier. Une belle terrasse l'été.

CRÈME GLACÉE DU TERROIR HUDSON
240, rue Main, HUDSON
514-497-9742
Une crème glacée du terroir québécois sucrée au sirop d'érable. Son créateur Jean-Pierre Martel emploie tous les produits de la région d'Hudson, crème et lait frais de l'Outaouais, fruits du Suroît, sirop d'érable de Rigaud, vin de glace et rosé pétillant de Saint-Eustache, cidre de glace de Saint-Joseph-du-Lac. Fine, onctueuse, avec un bon goût de lait comme autrefois.

HARTLEY Glaces & Chocolats
670, av. Victoria, SAINT-LAMBERT
450-671-9671
Plus de 50 sortes de glaces et de sorbets aux saveurs inusitées: cardamome, lavande, thé rouge aux agrumes d'Italie à fleur d'oranger, poivre du Sichuan, etc. Terrasse l'été.

LA GASCOGNE
1950, bd Marcel Laurin, MTL
514-331-0550
4825, rue Sherbrooke O.,
WESTMOUNT
514-932-3511

Marché public 440
3535, Autoroute Laval O., LAVAL
450-781-3700
Les Colonnades
940, bd Saint-Jean, POINTE-CLAIRE
514-697-2622
Choix de glaces, sorbets et entremets glacés maison.

LE GLACIER BILBOQUET
4864, rue Sherbrooke O., WESTMOUNT
514-369-1118
1311, av. Bernard O., OUTREMONT
514-276-0414
107-5529, av. Papineau, MTL
514-439-6501
Quartier DIX30
9190, bd Leduc #110, BROSSARD
579-720-7330
Centropolis
540, prom. Centropolis, LAVAL
450-934-7724
309C, Lakeshore, POINTE-CLAIRE
514-505-0680
Un incontournable qui propose plus de 50 saveurs de crèmes glacées et de sorbets qui sont de véritables péchés glacés. Macarons fourrés de crème glacée. Gâteau à la crème glacée, sandwichs à Westmount et Pointe-Claire. Tartes et biscuits faits maison à Outremont (magasin fermé en hiver). Lunchs légers à manger sur place. Stationnement et terrasse 30 pers. à Pointe-Claire.

LES CHOCOLATS FAVORIS
1005, rue Lionel-Daunais, BOUCHERVILLE
450-906-3996
Une destination pour quiconque raffole de la crème glacée molle enrobée de chocolat véritable. On fait tremper sa crème glacée dans un chocolat fondu offert en 12 saveurs. Sorbets, yaourts glacés et glaces artisanales. Glacerie de style européen ouverte du printemps à la fin octobre. Terrasse extérieure.

PÂTISSERIE ROLLAND
170, Saint-Charles O., LONGUEUIL
450-674-4450
504, rue Albanel, BOUCHERVILLE
450-655-3821
Glaces et sorbets maison fabriqués avec de vrais fruits. Goût unique et véritable. Aussi comptoirs place Charles-LeMoyne à Longueuil, av. Jules-Choquet à Sainte-Julie, rue de la Marine à Varennes et boul. Clairevue O. à Saint-Bruno.

MARCHÉS DE QUARTIER DE MONTRÉAL

Tout le monde connaît les quatre grands marchés publics de Montréal. Mais voici également quelques petits marchés de quartier qui vous enchanteront certainement.

Marché Jean-Brillant
Angle Jean-Brillant et Côte-des-Neiges (Métro Côte-des-Neiges)
514-937-7754

Marché Mont-Royal
Angle Mont-Royal et Berri

Marché Papineau
Angle Cartier et Sainte-Catherine

Marché Pasteur
Entre Maisonneuve et Sainte-Catherine, côté ouest de Saint-Denis

Marché place Jacques-Cartier
Sur Notre-Dame, entre Saint-Vincent et Gosford

Marché Rosemont
Angle Des Carrières et Saint-Denis

Marché solidaire Frontenac
Angle Frontenac et Ontario E.

Marché Square Phillips
Angle Sainte-Catherine et Union (face à la Baie)

Marché Square Saint-Louis
Carré Saint-Louis et Saint-Denis

Marché Square Victoria
Entre Viger et Saint-Antoine, côté ouest de McGill

MARCHÉ FERMIER

FERME GUYON
1001, Patrick-Farrar, CHAMBLY
450-658-1010
Marché fermier, ferme pédagogique et destination agrotouristique. Vente d'aliments du terroir, fruits et légumes, fromages et produits laitiers, pains et pâtisseries, charcuteries, coin-repas, etc. Il y a aussi une pépinière, des plantes maraîchères et une papillonnière. Produire en serre, cultiver en champ, faire participer les fermiers situés à moins de 100 km, voilà ce qui est à l'origine de la plus grande partie de ce qu'on vend sur place.

MARCHÉS PUBLICS DE MONTRÉAL

Marchés publics urbains avec des étals de producteurs ou de marchands en plein air, mais aussi avec des commerces à l'intérieur. Produits locaux et du terroir de belle qualité. Magasins à recommander. Le service est très souvent agréable et les produits sont toujours d'une grande fraîcheur.

MARCHÉ ATWATER
138, av. Atwater, MTL
514-937-7754

MARCHÉ JEAN-TALON
7070, rue Henri-Julien, MTL
514-937-7754

MARCHÉ MAISONNEUVE
4445, rue Ontario E., MTL

MARCHÉ PUBLIC DE LACHINE
1875, Notre-Dame O., LACHINE
514-937-7754

MARCHÉS PUBLICS RIVE-SUD DE MONTRÉAL

MARCHÉ DES JARDINIERS
1200, ch. de Saint-Jean, LA PRAIRIE
514-387-8319
Un vaste marché public où l'on trouve des fruits et des légumes frais, des fines herbes et des herbes aromatiques, une boucherie, une boulangerie, une charcuterie, une crémerie, une fromagerie, une poissonnerie, une saucisserie et un bistro, ainsi qu'une vaste gamme de plantes annuelles et vivaces.

MARCHÉ PUBLIC DE CHAMBLY
Parc de la commune
1999, av. Bourgogne, CHAMBLY
450-346-3389
On y trouve de vrais producteurs et transformateurs, qui apportent là leur production de la semaine. Des produits sans pesticides, ni engrais chimiques, ni exhausteurs de goût, ni colorants et encore moins de conservateurs, non, rien de tout cela. Ce sont des produits de qualité, authentiques, bio, frais et savoureux. Et, lorsqu'il n'y en a plus, bien c'est tout simple, il faut revenir le samedi d'après.

MARCHÉ PUBLIC DE LONGUEUIL
4 200, ch. de la Savane, LONGUEUIL
450-463-7100
Marché où sont réunis producteurs, distributeurs et transformateurs agroalimentaires de qualité. Une multitude de produits frais: fruits, légumes, fromages, saucisses, foies gras, pâtisseries, confitures, miels, etc. Des gens qui, pour la plupart, peuvent répondre à nos questions sur les produits que nous achetons. Aussi ateliers culinaires, démonstrations d'horticulture et autres activités sur place, voir www.longueuil.ca./marche-public. D'importantes rénovations l'ont transformé en une galerie marchande moderne, fonctionnelle et permanente.

PÂTISSERIES

AUX PLAISIRS GOURMANDS
1490, rue Sherbrooke O., MTL
438-381-6111
Ancienne pâtisserie d'Olivier Potier. Celui-ci a laissé son savoir-faire et ses recettes à son associé qui continue à les utiliser. Cette boutique n'a rien de traditionnel. Polyvalente, elle se divise en sections: pâtisserie, boulangerie, salon de thé, sandwicherie et laboratoire de préparation. Ouvert 7 jours.

BOULANGERIE PÂTISSERIE DAGOBERT
76, ch. Grande-Côte, BOISBRIAND
450-437-7771
Très belles pâtisseries, viennoiseries, sorbets maison, entremets glacés. En vedette, les gâteaux création pâtissier de l'année (Poire caramel, Duchesse, Chocolat Royal, etc.) ne pas manquer le Sublime au chocolat, ni le Sacher. Vente en gros. Terrasse estivale.

BOULANGERIE PREMIÈRE MOISSON
Voir les adresses à BOULANGERIES
Véritable paradis gourmand avec ses gâteaux alléchants, ses pâtisseries et ses tartes délicieuses, fins chocolats artisanaux et autres délices faits avec les meilleurs ingrédients. À découvrir, les nouveautés saisonnières sur premieremoisson.com. Ambiance très agréable créée par une belle décoration.

BOUTIQUE GOURMANDISE
Fairmont Le Reine Elizabeth
900, bd René Lévesque O., MTL
514-954-2243
Un excellent choix de pâtisseries fines, de chocolats, de viennoiseries, de macarons, de mignardises, de petits fours de Carole, la chef chocolatière de l'hôtel Fairmont Le Reine Elizabeth. Ouvert 7 jours dès 8h. Petit service traiteur de 2 à 10 pers.

CHOCOLATERIE LA CABOSSE D'OR
973, ch. Ozias-Leduc,
OTTERBURN PARK
450-464-6937
Pâtisseries fraîches, gâteaux, croquants pour toutes occasions. Grosses portions délicieuses. De quoi satisfaire les plus gourmands. Gâteaux de mariage.

EUROPEA ESPACE BOUTIQUE
33, rue Notre-Dame O., MTL
514-844-1572
Boîte de petit déjeuner (café, jus, mini-viennoiseries, salade de fruits frais). Sélection de pâtisseries. Macarons en 16 saveurs et desserts succulents. Tout est confectionné au restaurant Europea. À emporter, se faire livrer ou à grignoter sur place. Une dizaine de places assises. Lunch rapide le midi.

FOUS DESSERTS
809, av. Laurier E., MTL
514-273-9335
Gâteaux de création de tradition française, faits à partir de sucre de canne et de farine biologique. Un des meilleurs croissants en ville. Gâteaux de mariage. Utilise uniquement les chocolats Valrhona. Aussi crème glacée, sorbet et gelato maison, toute l'année. Thé japonais et autres. On peut déguster sur place. Menu brunch le dimanche. «Fous truck» l'été.

GOURMET PRIVILÈGE
1001, rue Fleury E., MTL
514-385-6335
3602, bd Saint-Charles, KIRKLAND
514-694-2261
Pâtisseries, gâteaux pour toutes occasions. Aussi, chocolaterie, boulangerie, charcuterie. Beau magasin offrant une multitude de bons produits.

LA BRIOCHE LYONNAISE
1593, rue Saint-Denis, MTL
514-842-7017
Pâtisseries françaises, carte de crêpes. Déjeuner le matin. 4 terrasses, dont une de rue et une lounge.

LA GASCOGNE
237, av. Laurier O., MTL
514-490-0235
1950, bd Marcel Laurin, MTL
514-331-0550
4825, rue Sherbrooke O.,
WESTMOUNT
514-932-3511
Marché public 440
3535, Autoroute Laval O., LAVAL
450-781-3700
Les Colonnades
940, bd Saint-Jean, POINTE-CLAIRE
514-697-2622
Produits de haute qualité et méthodes artisanales. Parmi les entremets, nous retrouvons la Charlotte aux framboises, le Croquant au chocolat et la Key lime pie. Gâteaux de mariage. Viennoiseries pur beurre faites à la main dont le Bostok, la brioche provençale et le cannelé. Madeleine au gianduja, petits fours secs et pailles au fromage.

L'AMOUR DU PAIN
393, rue Samuel-de-Champlain,
BOUCHERVILLE
450-655-6611
Fraîcheur des pâtisseries. Belle présentation, couleurs chatoyantes. Verrines (crumble). Gamme de millefeuilles, feuilletés caramélisés, tartelettes, gâteaux et pâtisseries. Yogourt maison.

L'ANGE GOURMAND
825, ch. de Saint-Jean, LA PRAIRIE
450-984-2643
Pâtisserie artisanale où chacun met la main à la pâte. Elle prépare la pâtisserie et la viennoiserie et lui s'occupe de la confection des plats à emporter. Offre aussi un service de cuisinier à domicile. Café, chocolat, macaron, confiture. Nous vous recommandons les croissants.

LE GARDE-MANGER DE FRANÇOIS
Marché public de Longueuil
420, bd de la Savane, LONGUEUIL
450-447-9991
2403, rue Bourgogne, CHAMBLY
450-447-9991
Brioches, croissants, chocolatines, danoises ou viennoiseries moins classiques comme le croissant fourré de crème pâtissière. Tout est bon et vaut le détour, surtout les croissants aux amandes. Toujours un pur délice! Un chef pâtissier s'est joint à l'équipe, apportant sa touche personnelle aux pâtisseries.

LE PALTOQUET
1464, rue Van Horne,
OUTREMONT
514-271-4229
Produits faits maison. Croissants au beurre et aux amandes, brioches et chocolatines, chaussons aux pommes, tartes au citron et autres pâtisseries. Traiteur pour buffet froid. Pâtisserie-café-restaurant, on peut se restaurer sur place le midi.

LESCURIER TRADITION GOURMANDE
1333, av. Van Horne,
OUTREMONT
514-273-8281
Très beau magasin. Gâteaux pour toutes occasions, chocolats, pains et brioches maison, fromages et charcuteries. Une quinzaine de sortes de quiches.

LES GOURMANDISES DE SOPHIE
2103-3, bd Édouard, SAINT-HUBERT
514-666-1414
Chef pâtissière nationale de l'année SCCPQ 2011. Prix Debeur 2008, concours Culture et tradition pour une nouvelle cuisine québécoise avec son dessert «carré aux dattes». Talentueuse, Sophie Morneau crée des gâteaux sur mesure. Ils sont beaux et délicieux. Toujours une surprise pour les yeux et le palais car il n'y a réellement pas de limites à ses créations.

LES SAVEURS DU PLATEAU
1479, av. Laurier E., MTL
514-523-1501
Pâtisseries artisanales de qualité et viennoiseries. Plats cuisinés à emporter, service de traiteur. Ouvert 7/7 jours.

MAISON CHRISTIAN FAURE
355, Place Royale, MTL
514-508-6452
Très belles et délicieuses pâtisseries françaises. Comptoir de «snacking chic» le midi. Boutique de cadeaux gourmands. À la tête de l'équipe, le chef pâtissier Christian Faure, meilleur ouvrier de France. Également une école de pâtisserie française haut de gamme pour amateurs sérieux et professionnels. Cours pour enfants.

MARIUS ET FANNY PÂTISSERIE PROVENÇALE
3119, rue Victoria, LACHINE
514-844-0841
4439, rue Saint-Denis, MTL
514-844-0841
239, bd Samson, SAINTE-DOROTHÉE, LAVAL
450-689-0655
Marché public de Lachine
1895, rue Piché, LACHINE
514-639-4258
Pâtisseries d'inspiration provençale. Viennoiseries originales pur beurre. Une douzaine de saveurs de macarons faits sur place. Tout est fait maison avec des produits fins de qualité, façonnés de façon artisanale. Tarte tropézienne: pâte fine de brioche, crème légère au lait de fleur d'oranger.

NOUVEAU NAVARINO
5563, av. du Parc, MTL
514-279-7725
Cette boutique de spécialités grecques. Elle vend toujours des viennoiseries, des pâtisseries, du café, des sandwichs, des salades et des plats cuisinés grecs.

PAINS ET SAVEURS
2130, bd de Boucherville, SAINT-BRUNO
450-441-4155
5959, bd Cousineau, SAINT-HUBERT
450-890-3441
2000, av. Victoria, GREENFIELD PARK
450-486-1717
Un bel assortiment de pâtisseries classiques et revisitées. Macarons, cronuts. Belle présentation. La maison n'hésite pas à suivre les saisons et les fêtes de l'année pour faire des créations thématiques. Exemple: un merveilleux gâteau aux pommes et sucre d'érable. Très beau magasin, décoration réussie.

PÂTISSERIE BEL-AIR
3913, rue Bélanger, MTL
514-721-4997
Environ 40 sortes de pâtisseries françaises classiques, gâteaux de noce, viennoiseries, boulangerie la fin de semaine, excellentes charcuteries maison, buffet froid, traiteur, plats cuisinés, petite section de fromages et de produits importés d'épicerie.

PÂTISSERIE CHOCOLATERIE LAURENT PAGÈS
1436, bd Curé Labelle #103, BLAINVILLE
450-434-8149
Chef pâtissier de l'année 2008, Laurent Pagès, chef propriétaire, joue sur les couleurs, les textures et le goût avec dextérité. Il fait partie des meilleurs pâtissiers de la région, que nous aimerions avoir à Montréal. Une simple boutique, mais ne vous y trompez pas, vous y trouverez des gâteaux délicieux, d'une grande élégance, aux décors enchanteurs et une excellente viennoiserie.

PÂTISSERIE DE SAVOIE
566, bd Adolphe-Chapleau, BOIS-DES-FILLIONS
450-621-4110
Pâtisseries françaises. Chocolats fins. Viennoiseries. Aussi vente en gros. Fromages d'importation. Charcuterie.

PÂTISSERIE DUC DE LORRAINE
5002, ch. Côte-des-Neiges, MTL
514-731-4128
Viennoiseries et pâtisseries françaises fraîches du jour. Gâteaux de fête et de mariage personnalisés. Fait aussi service de traiteur, on peut manger sur place dans l'espace bistro ou sur la terrasse.

PÂTISSERIE MERCIER
200, rue Jarry E., MTL
514-387-1741
Très belle boutique, beaux produits. Pâtisseries classiques et modernes, entremets, chocolats maison. Spécialisé dans les gâteaux de mariage.

PÂTISSERIE Ô GÂTERIES
364, Saint-Charles O., VIEUX-LONGUEUIL
450-674-8400
Pâtisseries, chocolats, petits fours, viennoiseries, macarons faits maison. Des gâteaux sont servis sur place dans un espace bistro ou sur la terrasse en été. Salon de thé, thé en feuilles. A aussi un comptoir au niveau métro du Complexe Desjardins, à Montréal. Fermé lundi.

PÂTISSERIE RHUBARBE
5091, de Lanaudière, MTL
514-903-3395
Parmi l'une des meilleures pâtissières de Montréal. Pâtisseries à l'européenne au gré des saisons, à la présentation élégante, de très belle qualité. Produits saisonniers et locaux. Pâtisseries fraîches, éclair chocolat-framboise, gâteau au fromage et baies d'argousier, tarte mûres et bleuets sauvages, gâteau chocolat-caramel fleur de sel, tarte au citron, millefeuille vanille-caramel.

PÂTISSERIE ROLLAND
170, Saint-Charles O., LONGUEUIL
450-674-4450
504, rue Albanel, BOUCHERVILLE
450-655-3821
Une entreprise de famille fondée en 1940. Une multitude de sortes de gâteaux raffinés, présentation créative, gâteaux personnalisés. Pâtisseries artisanales, chocolats signés Christophe Morel, glaces maison. Aussi comptoirs place Charles-LeMoyne à Longueuil, av. Jules-Choquet à Sainte-Julie, rue de la Marine à Varennes et boul. Clairevue O. à Saint-Bruno.

POINT G
1266, rue Mont-Royal E., MTL
514-750-7515
Boutique 100% artisanale. Le propriétaire est un excellent chef pâtissier. Desserts haut de gamme, boissons chaudes et crèmes glacées. On y trouve, entre autres, 30 parfums de macarons. Aussi, événements d'entreprises, fêtes, mariages.

POISSONNERIES

LA MER
1840, bd René-Lévesque E., MTL
514-522-3003
À la fois, grossiste, distributeur et traiteur La Mer existe depuis 1968. Elle offre des poissons des quatre coins du monde, des fruits de mer, et respecte la pêche durable. Ouverte tous les jours, on peut y acheter 40 sortes de poissons et de nombreux produits maison.

LE POISSON VOLANT
584, ch. Saint-Jean, LA PRAIRIE
450-444-8821
Un bon choix de poissons frais et de fruits de mer. Choix provenant des Îles de la Madeleine, saumon mariné fumé. Produits maison et sushis préparés sur place. Cours de sushis. Très exigeants dans la sélection du poisson.

LES 5 SAISONS
1280, av. Greene, WESTMOUNT
514-931-0249
1180, rue Bernard O., OUTREMONT
514-276-1244
Caviar frais DaVinci et Oscietre, saumon biologique d'Écosse, saumon fumé (style Balik), variété de filets de poissons d'Islande, variété de fruits de mer gros format.

NOUVEAU FALERO
5726-A, av. du Parc, MTL
514-274-5541
Créée en 1959, c'est l'une des plus anciennes poissonneries et sans doute une des meilleures aujourd'hui. Vendent plus de 900 kg de poissons et de fruits de mer par semaine. Crabe des neiges, homard des îles, huîtres, burgot, es-

padon, pieuvre, saumon, thon, mérou, poissons entiers, etc. Épicerie fine au 1er étage. Livraison à domicile.

ODESSA POISSONNIER
4900, rue Molson #100, MTL
514-908-1000
7500, rue des Galeries d'Anjou, ANJOU
514-355-4734
2888, av. du Cosmodôme, LAVAL
450-681-3399
Quartier Dix30
7200, bd du Quartier, BROSSARD
450-656-9599
145, bd Saint-Joseph, SAINT-JEAN-SUR-RICHELIEU
450-349-5330
338, bd Laurier, BELOEIL
450-446-2000
6950, Marie-Victorin, SOREL-TRACY
450-743-0644
Un immense choix de fruits de mer, de poissons frais et surgelés et une grande variété de plats cuisinés. On peut même faire cuire son homard sur place en choisissant le temps de cuisson. Odessa est la plus grande chaîne de poissonnerie au Québec, ses produits sont toujours frais.

POISSONNERIE RENÉ MARCHAND
1455, av. Victoria, SAINT-LAMBERT
450-672-1231
Entreprise familiale de vente au détail, en affaires depuis 1969. Produits de qualité. Choix de poissons exotiques et de fruits de mer. Belle variété de produits fumés. Produits maison prêts à emporter. Beaucoup de plats cuisinés.

SAUM-MOM
4378, av. Papineau, MTL
514-564-3024
Saumon équitable, saumon frais, saumon fumé, gravlax, tartare, tartinade de saumon fumé et autres. Depuis 1992, cette maison ne vend que des produits à base de saumon riches en oméga-3, un savoureux produit du terroir québécois.

SALONS DE THÉ ET CAFÉS

AU FESTIN DE BABETTE
4085, rue Saint-Denis, MTL
514-849-0214
Crème glacée molle maison. Crêpes bretonnes. Cafés italiens. Cinquante sortes de thés servis à la tasse. Chocolat chaud et grands crus de chocolats. Accessoires pour la fabrication du chocolat. Produits d'épicerie fine, salades, sandwichs. Brunch 7 jours.

AUX DEUX MARIE
4329, rue Saint-Denis, MTL
514-844-7246
Maison de torréfaction établie depuis 1994. La bonne odeur de leurs mélanges exclusifs vous accueille dès l'entrée. Plus de 70 cafés de 30 pays différents, de quoi satisfaire les amateurs. Café-boutique, viennoiseries, sandwichs express, salades exotiques, desserts et carte de cafés. Cafés alcoolisés, chauds ou froids (café irlandais, brésilien). Bières locales et importées. Terrasse non-fumeurs.

BRÛLERIE ST-DENIS
3967, rue Saint-Denis, MTL
514-286-9158
3039, rue Masson, MTL
514-750-6259
5252, ch. Côte-des-Neiges, MTL
514-731-9158
1389, av. Laurier E., MTL
514-508-9159
2050, bd René Laennec, LAVAL
450-933-7265
226, rue Brien, REPENTIGNY
450-704-2288
Maison de torréfaction, installée depuis 1985, qui importe ses propres grains de café. 97 sortes de cafés, dont 28 mélanges maison, de 25 régions différentes. Accessoires pour le café et le thé. Choix de cafés équitables. Plusieurs points de vente (cafés et bistros), vérifier à ces numéros pour avoir leurs adresses.

CAFÉ GRÉVIN PAR EUROPEA
705, rue Ste-Catherine O., MTL
514-788-5213
Situé à côté du Musée Grévin de Montréal. Une halte agréable pour se restaurer sur le pouce (salade, tartiflette, sandwich, pâtisserie, pain baguette). Petit déjeuner, boîte à lunch au comptoir et en livraison dans le centre-ville. Tout est confectionné par le restaurant Europea.

CAMELLIA SINENSIS
351, rue Emery, MTL
514-286-4002
Marché Jean-Talon
7010, rue Casgrain, MTL
514-271-4002
Thés en vrac (vert, noir, blanc, jaune, wulong, pu-erh) d'importation privée (Chine, Japon, Taïwan, Inde, Sri Lanka, Vietnam). Une très belle boutique avec thés en vrac et accessoires pour le thé. Livres sur le thé. Salon de thé. École de thé. Dégustations et conférences. Distribution.

CHOCOLATERIE LA CABOSSE D'OR
973, ch. Ozias-Leduc, OTTERBURN PARK
450-464-6937
Très grand salon de thé, confortable. Vingt variétés de thés. Cafés traditionnels (moka, cappucino, espresso). Quatre sortes de chocolats chauds. Crèmes glacées maison. Des fenêtres, on peut apercevoir le boisé, le mini-golf à thème et la grande terrasse ombragée.

KUSMI
3875, rue Saint-Denis, MTL
514-840-5445
Boutique et bar à thé. Sélection complète des thés Kusmi (75 à 80), dont 40 en exclusivité, à emporter ou à déguster sur place. Vendus en feuilles dans les fameuses boîtes colorées Kusmi, en vrac ou en sachet mousseline. Gamme complète de la ligne de thé entièrement biologique: lov Organique. Sélection d'accessoires autour du thé.

LA BRIOCHE LYONNAISE
1593, rue Saint-Denis, MTL
514-842-7017
Un café-bistro et une pâtisserie dans un cadre assez agréable. Cafés maison. Table d'hôte midi et soir.

LA GASCOGNE
237, av. Laurier O., MTL
514-490-0235
1950, bd Marcel Laurin, MTL
514-331-0550
4825, Sherbrooke O., WESTMOUNT
514-932-3511
Variété de cafés maison et de thés Dammann à consommer sur place. Petits déjeuners et déjeuners dont le panini à l'agneau, la quiche aux épinards et les salades. Viennoiserie et pâtisseries fines.

L'AMOUR DU PAIN
393, rue Samuel-de-Champlain, BOUCHERVILLE
450-655-6611
Section bistro dans une boulangerie artisanale où l'on peut venir déjeuner et dîner en toute simplicité dès 6h chaque jour. Pizzas, paninis garnis, quiches, soupes et comptoir de fromages québécois et d'importation. Pain artisanal et pâtisseries maison. Cafés équitables.

LE RENDEZ-VOUS DU THÉ
1348, rue Fleury E., MTL
514-384-5695
Ce n'est pas vraiment un salon de thé mais aussi un restaurant où tout est cuisiné avec du thé. Quelques 300 soupers-spectacles y sont présentés chaque année. Vous y trouverez 120 sortes de thés, des théières japonaises (fonte et céramique), des infuseurs, des boîtes et coffrets à thé. Cours sur les thés lundi soir, réserv. obligatoire.

LES BRÛLERIES FARO
Marché gourmand Centropolis
2888, av. du Cosmodôme, LAVAL
450-973-9992
Ont une très grande variété de café vert. Cafés gourmets, biologiques et équitables, fraîchement torréfiés selon une méthode personnelle. Produits complémentaires, cafetières. Une adresse aussi à Sherbrooke.

MARIUS ET FANNY PÂTISSERIE PROVENÇALE
3119, rue Victoria, LACHINE
514-844-0841
4439, rue Saint-Denis, MTL
514-844-0841
239, bd Samson, SAINTE-DOROTHÉE, LAVAL
450-689-0655
Marché public de Lachine
1895, rue Piché, LACHINE
514-639-4258
Cafés gourmands, thés et smoothies frais. Spécialité: tarte au citron de Menton. Confitures maison aux fruits. Chocolats fins fabriqués sur place. Terrasse aux quatre adresses.

PAINS ET SAVEURS
2130, bd de Boucherville, SAINT-BRUNO
450-441-4155
5959, bd Cousineau, SAINT-HUBERT
450-890-3441
2000, av. Victoria, GREENFIELD PARK
450-486-1717
Cafés spéciaux. Espace bistro et beau comptoir de prêt à manger. Dégustation de toutes les gourmandises confectionnées par la maison. Produits frais du jour, emballage soigné. Menu simple et plats santé, pour manger sur place ou emporter. Belle ambiance.

THÉS DE CRU - BAR À THÉ
Marché Jean-Talon
7070, rue Henri-Julien, C-6, MTL
514-273-1118
Bar à thé et boutique de thé tenus par la famille De Vienne. 200 thés dont le très apprécié chaï route de la soie ainsi que la marque maison «thé de cru». Thés froids et chauds ainsi que des bouchées servies sur place (scones, bahji...).

TOI, MOI ET CAFÉ
244, av. Laurier O., MTL
514-279-9599
2695, rue Notre-Dame O., MTL
514-788-9599
220, bd Labelle, ROSEMÈRE
450-433-9599
Un simple bistro avec une jolie terrasse en bois (sauf à Notre-Dame) qui cache un des meilleurs importateurs et torréfacteurs de café en ville. Cafés équitables et bio. Table d'hôte midi et soir. Permis d'alcool. On peut y manger du canard, du gibier et du poisson. Desserts maison.

UN AMOUR DES THÉS
1224, av. Bernard O., MTL
514-279-2999
Marché gourmand Centropolis
2888, av. du Cosmodôme, LAVAL
450-687-4999
Plus de 250 variétés de thés, thés verts, thés noirs, wulong, thés rouges, thés blancs, thés parfumés, mélanges maison. Près de 200 modèles de théières et le nécessaire pour préparer le thé. Les thés sont aussi en vente dans les épiceries fines. Deuxième plus ancienne maison de thé de Montréal. Vente en ligne.

TABAC

BLATTER ET BLATTER
375, av. Président-Kennedy, MTL
514-845-8028
Artisans pipiers établis depuis 1907, parmi les meilleurs en ville. Fabriquent encore leurs pipes à la main. Excellent choix de cigares cubains.

LA CASA DEL HABANO
1434, rue Sherbrooke O., MTL
514-849-0037
Magasin élégant, situé près du Musée des beaux-arts. Un salon où l'on peut boire un espresso ou un cocktail cubain mis à la disposition du client qui désire fumer un bon cigare. Très beaux choix de cigares et d'accessoires. Humidor avec casiers privés.

VASCO CIGARS
1327, rue Sainte-Catherine O., MTL
514-284-0475
Belle sélection de cigares importés de toutes provenances. Tabac, pipes, accessoires pour fumeurs (cave à cigares, briquet, etc.). Articles de bar et de vin. Boutique cadeaux pour hommes.

TRAITEURS

AGNUS DEI TRAITEUR
1260, rue Mill, MTL
514-866-2323 et 514-223-7311
Un des meilleurs traiteurs de Montréal. Cocktails dînatoires, buffets thématiques, repas à l'assiette, soirées privées et événements d'envergure. Créateur de concepts culinaires. Traiteur très créatif, gagnant de prix internationaux.

AUBERGE SUR LA ROUTE
430, rue Saint Gabriel, VIEUX-MTL
514-954-1041
Traiteur pour les entreprises ou les événements. Grande variété de services (boîtes à lunch, cocktails, banquets réunissant jusqu'à 2 000 pers.). Démonstrations culinaires (1 000 bouchées préparées le plus rapidement possible, etc.).

AVEC PLAISIRS
1260, rue Mill, MTL
514-272-1511
670, rue Jean-Neveu, LONGUEUIL
450-766-1711
Traiteur pour événements au bureau ou à la maison. Gamme de repas servis froids ou chauds. Déjeuners, repas individuels (boîtes à lunch ou plateaux), pauses-café, buffets froids et chauds, cocktails, 5 à 7, repas d'affaires. Livraison rapide et garantie région grand Montréal, Laval et Longueuil.

BLEU CARAMEL
4517, rue de La Roche, MTL
514-526-0005
Service de traiteur pour occasions spéciales, événements culturels, réceptions, petits groupes. Spécialités: mets japonais, coréens et sushis. Fais aussi office de petit restaurant.

BOULANGERIE PÂTISSERIE DAGOBERT
76, ch. Grande-Côte, BOISBRIAND
450-437-7771
Service de buffet froid pour toutes occasions, jusqu'à 200 pers. Salades du jour, sandwichs à manger sur place ou à emporter, pâtisseries. Plats cuisinés du jour. Terrasse estivale.

CASSEROLE KRÉOLE
4800, rue de Charleroi, MTL
514-508-4844 et 514-800-2540
Deux chefs haïtiens Hans Chavannes et Kenny Pelissier, sympathiques et accueillants, une serveuse au sourire magique. Des études faites au Québec, mais une cuisine des Antilles qui leur collent à la peau. Leur inspiration vient de la cuisine des femmes de la famille. 8 tables, boutique ouverte jusqu'à 17h, mardi au vendredi. Un décor frais et simple fait de couleurs vives. Produits en vente: sauce Pikliz, marinade pour la viande, sirop à la cannelle, purée de piments, huiles aromatisées, le tout fait maison. Traiteur, plats à emporter et lunch sur place.

DANSEREAU TRAITEUR
243, av. Dunbar, MTL
514-735-6107
Variété de menus pour tous genres de réceptions et d'événements spéciaux. Menus à thème.

EUROPEA ESPACE BOUTIQUE
33, rue Notre-Dame O., MTL
514-844-1572
Plateau repas à composer soi-même, boîte à lunch gourmande: sandwichs raffinés (30 choix), pâtisseries, boissons. Desserts et macarons confectionnés au restaurant Europea. Pour tout événement (5 à 7, réunions, etc.), miniatures salées et sucrées. À emporter ou à livrer. Une dizaine de places assises. Lunch rapide le midi.

GÉRARD PINAUD TRAITEUR
2537, rue Centre, MTL
514-939-1929
Gérard Pinaud a pris la suite de Marie Vachon traiteur. Il offre une cuisine adaptée à la clientèle de bureau, jusqu'à 250 pers. Lunch d'affaires, buffet chaud ou froid, boîte à lunch, cocktail, banquet. Service et livraison.

Boutiques gourmandes et autres... Montréal et région

GOURMEYEUR LA BOUTIQUE
Marché public 440
3535, aut. 440 O., LAVAL
450-681-5528
C'est une cuisine du monde réinventée, des produits frais retravaillés, des recettes audacieuses qui associent l'élégance à la modernité. Boutique-traiteur. Plats préparés sur place à déguster ou à emporter.

GROUPE APOLLO
1333, rue Université, MTL
514-966-4446
Service privé, corporatif et de gala, haut de gamme. Capacité multiple et multiples salles. Buffet froid ou chaud, petit déjeuner, service prêt-à-manger, cocktails dînatoires. Boutique d'accessoires pour la cuisine offrant des huiles, des livres avec les recettes secrètes du chef Apollo, des couteaux Opinel et autres cadeaux.

LA GASCOGNE
237, av. Laurier O., MTL
514-490-0235
1950, bd Marcel Laurin, MTL
514-331-0550
4825, rue Sherbrooke O., WESTMOUNT
514-932-3511
Marché public 440
3535, Autoroute Laval O., LAVAL
450-781-3700
Les Colonnades
940, bd Saint-Jean, POINTE-CLAIRE
514-697-2622
Prêt à réchauffer, la quiche aux épinards, la tourte au jambon et fromage et la tourte provençale. Tartare de saumon sur sablé craquant, parmentier de canard et crab cake. Parmi le choix de salades, nous retrouvons la céleri rémoulade, les farfalles au proscuitto et la niçoise. De leur cuisine, dans les plats frais et congelés pour emporter, le pâté de lapin aux pistaches, la terrine de chevreuil et les rillettes d'oie maison.

LA GUILDE CULINAIRE
6381, bd Saint-Laurent, MTL
514-383-6050
Service de traiteur et boîtes à lunch pour le privé et le corporatif. Événements de grande envergure, 100 pers. et plus. Le chef Jonathan Garnier propose une formule axée sur une cuisine savoureuse et conviviale, mettant à l'honneur les produits du terroir.

LA P'TITE CHARCUTERIE
7615, ch. de Chambly, SAINT-HUBERT
450-656-9070
Cuisine maison, tout est cuit sur place. Buffet chaud-froid. Présentation sur miroir. Livraison et prêt à emporter. 5 à 7, réunions professionnelles, baptêmes, etc. Quelques tables pour petit déjeuner et déjeuner.

LA QUEUE DE COCHON
6400, rue Saint-Hubert, MTL
514-527-2252
Traiteur jusqu'à 100 pers. Grand choix de plats cuisinés prêts à emporter (gibier, poisson et porc) suivant les saisons. Mets congelés.

LATINA
185, rue Saint-Viateur O., MTL
514-273-6561
Grand choix de plats cuisinés, frais ou surgelés. Soupes, poissons et crustacés, viandes, tourtières, pâtés et quiches, sauces pour les pâtes. Livraison. Vaisselle prêtée sur demande. Composition de plateaux de dégustation, de menus sur mesure et de paniers-cadeaux.

LE COMPTOIR ESPACE GOURMAND
1052, rue Lionel-Daunais, #201, BOUCHERVILLE
450-645-1414
Plats à emporter. Plats congelés. Toutes les pièces de viandes transformées sont vendues crues ou prêtes à cuire. Terrines, pâtés, saucisses, boudins, foie gras, confits, bouillon de volaille, fond de veau et de gibier. Beaucoup de produits sont bio. Une petite partie d'épicerie fine. On peut manger sur place à l'heure du lunch, 16 à 30 pers. Terrasse en été. Vins d'importation privée à emporter.

LE GARDE-MANGER DE FRANÇOIS
2403, rue Bourgogne, CHAMBLY
450-447-9991
Marché public de Longueuil
420, bd de la Savane, LONGUEUIL
450-447-9991
Combiné à une petite section de produits du terroir québécois, le service de traiteur du chef François Pellerin offre de délicieux plats cuisinés, faits maison, prêts à emporter, dont l'originalité séduit. Très bons produits du canard (foie gras, au torchon, en terrine, magret, cuisses de canard mulard, confits, rillettes, etc.) de la maison Rougié, une maison reconnue pour la grande qualité de ses foies gras. Sélection de charcuterie maison. Produits fumés.

LE MAÎTRE GOURMET
1520, av. Laurier E., MTL
514-524-2044
Plats cuisinés maison. Portions individuelles à emporter. Sandwichs frais du jour. Salades composées (thon, orge, céleri-rave, couscous aux légumes, salade quinoa). Fonds de volaille, veau, agneau, bœuf, préparés sur place. Soupes (à l'asiatique, courge, crème de champignon). Crèmes glacées Les Givrés (sorbets, mangue, pamplemousse, thé vert).

LES FOLIES DE SOPHIE
39, rue Saint-Hubert, LAVAL
450-629-4591
Entreprise familiale en affaires depuis 1987. Buffets en tous genres. Buffet d'entreprise 10 pers. ou plus. Déjeuner, cocktail, événement, location d'équipement. Service à la table.

MARIUS ET FANNY PÂTISSERIE PROVENÇALE
239, bd Samson, SAINTE-DOROTHÉE, LAVAL
450-689-0655
Plats à emporter. Réceptions amicales ou d'affaires jusqu'à 500 pers.

PAINS ET SAVEURS
2130, bd de Boucherville, SAINT-BRUNO
450-441-4155
5959, bd Cousineau, SAINT-HUBERT
450-890-3441
2000, Victoria, GREENFIELD PARK
450-486-1717
On peut commander une boîte à lunch ou un service de traiteur pour fêtes de famille, lunchs d'affaires, coctails dînatoires, grands événements sans limite de personnes. Service professionnel complet.

PÂTISSERIE Ô GÂTERIES
364, Saint-Charles O., VIEUX-LONGUEUIL
450-674-8400
Service de traiteur de mets froids pour toutes occasions. Plats cuisinés maison à emporter. Menu du jour et menu bistro sont servis sur place dans l'espace bistro et sur la terrasse en été. A aussi un comptoir au niveau métro du Complexe Desjardins, à Montréal. Déjeuners et dîners à Longueuil seulement. Fermé lundi.

PÂTISSERIE ROLLAND
170, Saint-Charles O., LONGUEUIL
450-674-4450
504, rue Albanel, BOUCHERVILLE
450-655-3821
De 10 à 1 000 pers., pour toutes les occasions. Commander 48 heures à l'avance. Aussi comptoirs place Charles-LeMoyne à Longueuil, av. Jules-Choquet à Sainte-Julie, rue de la Marine à Varennes et boul. Clairevue O. à Saint-Bruno.

ROBERT ALEXIS TRAITEUR
3693, rue Wellington, VERDUN
514-521-0816
Service de traiteur avant-gardiste pour réceptions, réunions de travail, fêtes familiales, événements thématiques et soirées de gala. Lunchs corporatifs, cocktails, cocktails dînatoires.

VINCENT LAFLEUR TRAITEUR
200, av. Bernard O., MTL
514-272-9060
Fine cuisine du marché, création culinaire. Spécialisé dans les événements d'entreprises haut de gamme de grande envergure. Cocktail dînatoire aussi offert.

Québec et région
Boutiques gourmandes et autres...

ACCESSOIRES

BALTAZAR objets urbains
835, rue Saint-Joseph E., QUÉBEC
418-524-1991
Une multitude d'objets pour la cuisine et la décoration, passant des produits fins jusqu'aux articles pour le vin, pour amateurs et professionnels. Articles artisanaux du Québec.

DESPRÉS LAPORTE
474, 2e Rue Est Local B,
RIMOUSKI
418-724-7712
Boutique d'accessoires de la table, articles de cuisine, de pâtisserie et de sommellerie. Très beau choix de matériel, d'équipement professionnel et résidentiel. Nombreuses marques de qualité et haut de gamme.

DOYON CUISINE
525, rue du Marais, QUÉBEC
418-681-6366
Boutique d'art culinaire vendant un grand choix d'accessoires de cuisine, articles de décoration de table et d'accessoires pour amateurs de vin. Machines à café. Un très beau matériel de professionnels accessible à tous. Vend les meilleures marques. Aussi, un magasin à Rimouski.

ESPACE MC CHEF
55, rue Dalhousie, QUÉBEC
418-694-9792
Tout un éventail d'accessoires pour la cuisine, dont les ustensiles en bois de Mlle Maple, la vaisselle de 3 femmes et 1 couffin. Beaucoup d'articles cadeaux.

LA FOLLE FOURCHETTE
986, 3e Avenue, QUÉBEC
581-742-0767
Depuis un peu plus d'un an, le secteur Limoilou bénéficie d'une quincaillerie de cuisine où chacun des ustensiles et outils indispensables a été choisi avec soin. Pas de gadgets inutiles, que des essentiels testés par les deux propriétaires qui sont de bon conseil.

LE CREUSET
2450, bd Laurier, SAINTE-FOY
418-653-7778
Seul magasin dans la région de Québec entièrement dédié aux articles Le Creuset. Grand choix de casseroles, de cocottes, de plats à rôtir et d'accessoires pour la préparation, la cuisson et la présentation des mets. Déclinaison en plusieurs couleurs.

LUCIE CÔTÉ CUISINE
680, rue Saint-Joseph E., QUÉBEC
418-948-4098
Une adresse incontournable pour la quincaillerie de cuisine de haute qualité. Que de grandes marques reconnues et éprouvées ainsi que des conseils d'achat et d'utilisation avisés. Aiguisage de couteaux. Section de produits fins de cuisine (vinaigres, huiles, etc.). Livres de cuisine choisis. Achats sur internet.

RENAUD ET CIE
1257, bd Charest O., QUÉBEC
418-681-1944
Vaisselle, verrerie, coutellerie, articles de cuisine et décoratifs. Accessoires de cuisine pour amateurs et pour professionnels. Cadeaux.

ZONE
999, av. Cartier, QUÉBEC
418-522-7373
De l'art de la table (vaisselle, couverts) aux gadgets à petits prix, Zone offre le nec plus ultra à prix abordables. À noter la sélection intéressante d'ustensiles de cuisine pratiques. Éléments de décoration et autres accessoires pour la maison.

ACCESSOIRES VIN ET BIÈRE

DESPRÉS LAPORTE
474, 2e Rue Est Local B,
RIMOUSKI
418-724-7712
Choix intéressant et complet d'accessoires pour le vin pour sommelier gourmet. Conception de caves à vins pour particuliers et professionnels.

DOYON CUISINE
525, rue du Marais, QUÉBEC
418-681-6366
Beaucoup d'accessoires et d'articles complémentaires pour l'amateur de vin. Verres Riedel, seaux à champagne, aérateurs, bouchons, becs verseurs, pompes à vin, carafes, limonadiers, tire-bouchons, refroidisseurs à bouteille. Casiers modulaires pour faire sa cave soimême. Plans d'aménagement de caves. Aussi, un magasin à Rimouski.

VINUM GRAPPA
1261, av. Maguire, QUÉBEC
418-650-1919
Grand choix de verres, carafes, tire-bouchons, livres, couteaux Laguiole véritables, et autres. Celliers, supports à bouteilles et climatiseurs pour caves à vin. Cadeaux d'entreprise et de mariage, articles de la table. Machines à café. Conception et aménagement de caves à vin.

BOISSONS

LA FRINGALE
160, Quai Saint-André, QUÉBEC
418-692-2517 #240
Environ 300 sortes de bières, dont la plupart sont québécoises.

LE MONDE DES BIÈRES
13, rue Marie-de-l'Incarnation,
QUÉBEC
418-686-2437
Plus de 400 étiquettes de bières de microbrasseries québécoises et de bières importées d'Europe. Cette boutique est spécialisée dans le houblon embouteillé en plusieurs formats. Verres de collection. Personnel très compétent. Café internet, saucisserie et sandwicherie.

BOUCHERIES CHARCUTERIES

BOUCHERIE AUX 3 POIVRES
4577, bd de la Rive-Sud, LÉVIS
418-835-5525
Boucherie complète (gibier, volailles, etc.), mais aussi, un vrai boucher. Viande vieillie de Bœuf wagyu (style Kobe) et highland. Plats cuisinés. Aussi boulangerie, épicerie fine (grande variété de fromages québécois, pâtes fraîches maison), pâtisserie, poissonnerie (gravlax, tartares, saucisses de saumon) et saucisserie (51 sortes de saucisses maison, dont 5 sans gluten). Boudin blanc et boudin noir maison. Service de traiteur.

BOUCHERIE LES HALLES DE SAINTE-FOY
Les Halles de Sainte-Foy
2500, ch. des Quatre-Bourgeois,
QUÉBEC
418-659-4248
Cette boucherie favorise les producteurs locaux. Bœuf highland, veau, agneau, gibier (faisan, caille, pintade), lapin, volaille de grain du Québec. Viande marinée et viande à fondue chinoise. Un bon choix de sauces, de fonds et de saucisses maison, ainsi que des pizzas.

BOUCHERIE MARCEL LABRIE
1191, av. Cartier, QUÉBEC
418-523-2022
Une grande boucherie où l'on trouve du gibier, des viandes du Qué-

bec et de l'Ouest canadien de première qualité. Un excellent jambon maison, ainsi qu'un assortiment de saucisses préparées sur place. Fonds de volaille, de gibier et de veau nature. Brochettes, cretons, pâtés et mets préparés.

DÉLECTA PLAISIR COCHON
2500, rue Beaurevoir, QUÉBEC
581-450-9696
860, rue Commerciale,
SAINT-JEAN-CHRYSOSTOME
418-903-9696
Une boucherie qui se distingue par la variété des viandes en comptoir, des coupes et surtout un service de conseil, de sorte que la clientèle connaisse la provenance et les types de cuisson appropriés pour l'agneau, le gibier, le bœuf et les volailles. Charcuteries et mets préparés sur place.

DESORMEAUX PRÉS ET MARÉES
4835, rue de la Promenade-des-Sœurs, CAP-ROUGE
418-654-9034
Boucherie de quartier qui fournit également ses clients en poissons et fruits de mer. Impressionnante sélection de viandes pour fondue. Saucisserie, charcuterie, produits d'épicerie fine, fromages et plats à emporter. Gibier à plume et à poil. Mets cuisinés sur place. Excellent service. Sur demande, on cuit les pièces de viande comme le rosbif. 30 à 40 saucisses faites maison. Offre une variété de produits sans gluten.

FERME EUMATIMI
241, rue Saint-Joseph E., QUÉBEC
418-524-4907
Minuscule boucherie offrant de belles coupes de bœuf Angus AAA et AAAA, élevé sans hormones et sans antibiotiques. Mention spéciale pour la macreuse et les cubes pour mijoter. Viande de nouveaux producteurs de porcs, d'agneaux et de volailles. Charcuterie maison sans agents de conservation, sans nitrites, sans gluten (pintade, lapin, caille, faisan). Vente en magasin.

FERME ORLÉANS
2210, ch. Royal,
SAINT-LAURENT, ÎLE D'ORLÉANS
418-828-2686
Ferme ouverte en 1973, sous certification bio depuis 2003 pour les légumes et les volailles. Gibier à plume élevé sans antibiotiques, sans facteurs de croissance, poulet de grain, lapin, etc. Abattoir de volaille avec inspection provinciale. Comptoir de vente.

LE PIED BLEU
179, rue Saint-Vallier O., QUÉBEC
418-914-3554
Le Pied bleu est médaillé de bronze au concours international de la Confrérie des chevaliers du Goûte-Boudin de Mortagne-au-Perche en Normandie 2012 et 2013, mention spéciale du jury 2014. Son boudin mérite les honneurs ainsi que ses charcuteries artisanales. Il a ouvert aussi un bouchon.

BOULANGERIES

AU PALET D'OR
1325, route de l'Église,
SAINTE-FOY
418-692-2488
Baguette française au levain, assortiment de pains spéciaux, viennoiseries pur beurre (croissants, chocolatines, brioches aux raisins). Saucissons, terrines, fromages.

BOULANGERIE CHEZ OLI
826, av. Myrand, QUÉBEC
418-527-5627
Grande sélection de pains – baguette parfaite – et de viennoiseries, des torsades et des sandwichs gourmets qui sont préparés sur place. Quiches, pâtés. Tout est fait maison. Notez que les pains aux fruits et aux noix sont généreux en matières premières.

BOULANGERIE CULINA
2510, ch. Sainte-Foy, QUÉBEC
418-653-9894
Artisan boulanger depuis 1971. De bons pains de fabrication artisanale, de la viennoiserie, des fromages au lait cru québécois et des sandwichs.

BOULANGERIE PAUL
1646, ch. Saint-Louis, SILLERY
418-684-0200
Pains sans gras, sans sucre. Utilise du blé du Québec cultivé en agriculture raisonnée. Baguette Banette, fougasses, viennoiseries, brioches maison. Tartelettes aux fruits frais. Fermé le lun. et dim. après-midi.

CAFÉ-BOULANGERIE PAILLARD
1097, rue Saint-Jean, QUÉBEC
418-692-1221
5401, bd des Galeries, QUÉBEC
418-622-1221
Une des seules boulangeries à l'intérieur des vieux murs de Québec. Tout est fait maison: pains, viennoiseries, belle sélection de pâtisseries dont les macarons, «gelato» et sorbets. Chocolats fins. Sélection de sandwichs chauds et froids, salades et soupes. Autre adresse au 441, de l'Auvergne.

ÉRIC BORDERON, ARTISAN BOULANGER
Halles du petit Quartier
1191, av. Cartier, QUÉBEC
418-521-5757
925, av. Newton, QUÉBEC
418-877-1818
Connu pour sa grande variété de pains au levain et de viennoiseries. Pâtisseries. Fournisseur de nombreux restaurants. Aussi, au Marché public de Lévis.

LA BOÎTE À PAIN
289, rue Saint-Joseph E., QUÉBEC
418-647-3666
396, 3e Avenue, QUÉBEC
418-977-7571
Pains façonnés de façon artisanale, sandwichs gastronomiques, viennoiseries (croissants, chocolatines, brioches). Pains de fantaisie (ail et lardons, fromage bleu et noix, chocolat et bleuets). Pizzas cuites au feu de bois et salades gourmets. Cafés équitables, espressos, vins. Places assises et terrasse.

LA BOULE MICHE
1483, ch. Sainte-Foy, QUÉBEC
418-688-7538
Boulangerie reconnue pour ses pains biologiques, certifiés Québec Vrai, ses pâtisseries et ses mets préparés à base de produits naturels de première qualité. Pains au levain et pains sans gluten faits sur place, sandwichs et salades. Pâtisseries avec de la farine et du sucre non raffinés biologiques. Section de fruits, légumes et produits laitiers bios.

L'ARTISAN ET LA PORTEUSE DE PAIN
1070, av. Cartier, QUÉBEC
418-523-7066
Petite boulangerie artisanale. Toute la boulangerie est confectionnée sans gras et sans sucre. Un bon choix de pains très variés.

LE PAINGRÜEL
375, rue Saint-Jean, QUÉBEC
418-522-7246
Boulangerie créative, authentique, pratiquant la panification naturelle et manuelle. Utilisation de farine certifiée biologique et essentiellement produite au Québec. Pain à très faible teneur de gluten. Créations uniques, la tradition rejoint l'actuel.

LE TRUFFÉ
2300, bd Père Lelièvre, QUÉBEC
418-681-3384
Pain français cuit sur place sur la sole du four. Importante variété de pains du jour.

PAIN ET PASSION
150, bd Charest O., QUÉBEC
418-525-7887
Pains frais du jour fabriqués de façon artisanale et cuits sur place tous les jours. Gamme de pains spéciaux comme le Cinq céréales, le Provençal ou la Miche aux raisins. Pâtisseries fabriquées à l'ancienne.

PICARDIE DÉLICES ET BOULANGERIE
1029, av. Cartier, QUÉBEC
418-522-8889
1292, av. Maguire, SILLERY
418-687-9420
Pain et farine biologiques. Plusieurs variétés de pains et de viennoiseries. Croissants au beurre. Aussi un bistro-café, sandwichs, plats préparés, salades de saison.

CAFÉ et THÉ

BRÛLERIE DE CAFÉ DE QUÉBEC
575, rue Saint-Jean, QUÉBEC
418-529-4769
Bar à espresso. Choix de 60 cafés en grains. Cafés à déguster sur place ou à emporter. Pâtisseries.

CHOCOLATERIES

ARNOLD CHOCOLAT
1190-A, av. Cartier, QUÉBEC
418-522-6053
3333, rue du Carrefour, BEAUPORT
418-661-7995
Chocolats fins de confection artisanale, créations d'une chocolatière gourmande. Ganaches, fondants, fourrés, truffes et pralinés. Dépositaire des glaces de chez Tutto Gelato en été. Section de confiserie. Atelier ouvert pour les fêtes d'enfants.

AU PALET D'OR
1325, rte de l'Église, SAINTE-FOY
418-692-2488
Chocolats faits maison avec un bon éventail d'assortiments présentés en boîtes.

CHOCOLATERIE VALERON
8500, bd Henri-Bourassa, CHARLESBOURG
418-781-2000
Chocolats fins, truffes, moulages. Paniers-cadeaux et gâteaux d'anniversaire, sur commande. Aussi, un salon de thé. Cours privés de chocolaterie et de pâtisserie.

EDDY LAURENT CHOCOLATIER BELGE
1276, av. Maguire, QUÉBEC
418-682-3005
Chocolats de qualité fabriqués à la main, de façon artisanale, suivant la pure tradition belge. Aucun agent de conservation. Grands crus de chocolat en provenance de quatre pays. Gourmandises. Atelier de chocolat. Boutique d'accessoires-cadeaux et art de la table (Alessi, Ritzenoff, Laguiole).

ÉRICO CHOCOLATERIE PÂTISSERIE
634, rue Saint-Jean, QUÉBEC
418-524-2122
Chocolaterie de quartier où l'on trouve des chocolats fins, mais aussi un très bon gâteau au chocolat, des glaces, des biscuits, des brownies, des cupcakes et une dizaine de mélanges à chocolat chaud. Fabrication artisanale européenne. Une soixantaine de variétés de chocolats en alternance (chocolat à la bière Fin du monde ou à la pomme confite au cidre). Impression sur chocolat. Moulages selon les fêtes. Un Musée du chocolat où l'on peut voir s'affairer les chocolatiers en cuisine. Ouvert 7/7.

LES CHOCOLATS FAVORIS
9030, bd L'Ormière, QUÉBEC
418-476-1647
32, av. Bégin, LÉVIS
418-833-2287
585, route 116, LÉVIS
418-836-1765
8320, 1re av., CHARLESBOURG
418-627-2288
1480, rue Provancher, CAP-ROUGE
418-653-2414
Chocolaterie artisanale et boutique cadeau ouverte à l'année. Grande variété de chocolats fins, moulages, chocolats sans sucre, paniers cadeaux, confiseries d'importation, produits du terroir québécois et fondue au chocolat.

CONFISERIE

CONFISERIE PINOCHE
1048, av. Cartier, QUÉBEC
418-648-8460
Caverne d'Ali Baba des sucreries. Bonbons d'importation et chocolats fins. Idées-cadeaux, ballons et peluches.

COURS

ATELIERS & SAVEURS
830, rue Saint-Joseph E., QUÉBEC
418-380-8167
Une approche nouvelle, plus ludique, d'enseigner la cuisine, l'art des cocktails et la dégustion des vins. Ateliers grand public ou en groupes. Menus, horaires et tarifs au www.ateliersetsaveurs.com. Situé dans le Nouvo Saint-Roch.

ESPACE MC CHEF
55, rue Dalhousie, QUÉBEC
418-694-9792
Cours de cuisine mar. soir de janv. à fin avril et en nov. Thématiques «soirée à l'italienne», «soirée nippone», «tout cru dans le bec» (carpaccio, ceviche, tartares), «couleurs indiennes», «marché de Noël», etc.

SAVORI Cours sur les vins, bières et spiritueux
777, bd Lebourgneuf, QUÉBEC
418-781-2344 et 1-855-781-2344
Partenaire exclusif de la SAQ, spécialiste en formation et en cours. 12 thèmes différents sur le sujet du vin et des spiritueux permettent de s'initier au langage, aux méthodes de dégustation, d'approfondir les connaissances et d'expérimenter par la dégustation de produits. Aussi, cours privés, animations personnalisées à domicile ou en entreprise, vins et fromages et autres animations. Cours bilingues.

ÉPICERIES FINES

CRAC ALIMENTS SAINS
690, rue Saint-Jean, QUÉBEC
418-647-6881
Produits certifiés biologiques, mets cuisinés. Comptoir à épices et fines herbes séchées. Choix de céréales, de noix et de légumineuses. Fruits et légumes. Vitamines et suppléments. Accessoires de cuisine.

ÉPICERIE EUROPÉENNE
560, rue Saint-Jean, QUÉBEC
418-529-4847
Produits européens. Belle sélection de charcuteries (jambon de Parme d'Italie, serrano d'Espagne). Grand choix d'huiles d'olive, très importante section de fromages de grande qualité et beaucoup de produits importés. Variété de pâtes. Cafetières à espresso. Biscuits.

ÉPICERIE J.A. MOISAN
699, rue Saint-Jean, QUÉBEC
418-522-0685
Une grande variété de produits d'épicerie servis dans l'ambiance d'autrefois. Produits du terroir québécois et d'importation. Grand choix de fromages, de charcuteries et de chocolats. Plats cuisinés à emporter, aire de dégustation sur place. Paniers-cadeaux. Bières de microbrasserie. Variété d'épices. Thés Kusmi et cafés. Ouvert 7/7.

ÉPICERIE LAO-INDOCHINE
538, av. des Oblats, QUÉBEC
418-524-3955
Grand choix de produits pour cuisiner des mets asiatiques. Mets thaïlandais à emporter. Petite salle de dégustation.

ESPACE MC CHEF
55, rue Dalhousie, QUÉBEC
418-694-9792
Produits fins du Québec. Caviar. Produits de l'érable. Grande sélection d'huiles et de vinaigres. Produit de la chef Marie-Chantale Lepage également en vente.

LA CORNE D'ABONDANCE
1988, rue Notre-Dame, L'ANCIENNE-LORETTE
418-872-7987
Une centaine de fromages impor-

tés et de fabrication québécoise. Boucherie, boulangerie, charcuterie et épicerie fine. Fruits et légumes frais. Produits biologiques.

LA MONTAGNE DORÉE
652, rue Saint-Ignace, QUÉBEC
418-649-7575
Grand choix de produits pour cuisiner des mets asiatiques. Excellents rouleaux impériaux et de printemps.

LA RÉSERVE ÉPICERIE FINE
994, 3e Avenue, QUÉBEC
418-914-5061
Du prêt-à-manger, des fromages, des charcuteries ainsi que des conserves et une grande sélection de pâtes sèches constituent le garde-manger de La Réserve, nouvelle épicerie fine du secteur Limoilou.

LA ROUTE DES INDES
Marché du Vieux-Port
160, Quai Saint-André, QUÉBEC
418-692-2517 #241
Produits fins exotiques, biologiques et équitables des 5 continents. Toutes les épices du monde. Gousses de vanille. Tisanes fraîches et 300 sortes de thé en feuilles. Théières. 100 sortes de plantes à infusion. 40 sortes de riz et de fèves. Noix, sels, poivres, huiles, vinaigres. Desserts glacés.

LE CANARD GOULU
1281, av. Maguire, QUÉBEC
418-687-5116
955, rte Jean-Gauvin, CAP-ROUGE
418-871-9339
524, Bois Joly O.,
SAINT- APPOLLINAIRE
418-881-2729
Producteur artisanal de canard de Barbarie: foie gras, rillettes, pâtés aromatisés, cuisses confites, gamme complète des produits de canard. Des mets préparés tels que cassoulet et sauce à spaghetti en vente dans une boutique épicerie-concept. Menu tout canard où le gibier à plume a la vedette, sur la rue Maguire, sur réserv. 10 à 35 pers.

LE COMPTOIR DU TERROIR
Marché du Vieux-Port
160, quai Saint-André, QUÉBEC
418-692-2517 #292
Boutique regroupant les meilleurs produits du terroir québécois, cidres, vins, alcools, confitures et confits, terrines et foie gras, caviars. Variété de miels, de vinaigres, de vinaigrettes et de produits fins de l'érable. Choix de tisanes.

MARCHÉ EXOTIQUE LA FIESTA
101, rue Saint-Joseph E., QUÉBEC
418-522-4675
Épicerie fine. Produits pour cuisiner les spécialités d'Amérique latine.

MORENA PRÊT À MANGER
Épicerie
1038, av. Cartier, QUÉBEC
418-529-3668
Grandes huiles et fameux vinaigres. Pâtes fraîches et sèches, fines et farcies. Café, thé, tartinades de premier choix, épices et produits du terroir québécois. Spécialités méditerranéennes. Plats préparés à emporter. Spécialité: le prêt-à-manger. Service de traiteur (cocktails, buffets, boîtes à lunch). Paniers et cadeaux gourmands. Bistro ouvert 7 jours.

OLIVE ET OLIVES
1066, rue Saint-Jean, QUÉBEC
418-692-1999
Spécialisé en huiles d'olive extra-vierges d'Espagne, de France, de Grèce, d'Italie, de Tunisie, d'Afrique du Sud, des États-Unis, d'Argentine et du Portugal. Huiles d'appellation d'origine contrôlée. Superbe variété d'olives. Dégustation sur place.

PAIN ET PASSION
150, bd Charest O., QUÉBEC
418-525-7887
Épicerie spécialisée dans l'huile d'olive avec vente en vrac. Huiles fines aromatisées, épices, bar à olives, confitures, biscuits. Produits gourmets de la Méditerranée. Plats cuisinés, petit bistro. Repas santé à déguster sur place ou à emporter.

PICARDIE DÉLICES ET BOULANGERIE
1029, av. Cartier, QUÉBEC
418-522-8889
1292, av. Maguire, SILLERY
418-687-9420
Une bonne variété de fromages des terroirs français et québécois. Maison spécialisée dans les produits d'épicerie provenant d'Europe, huiles d'olive, vinaigres, pâtes. Saucissons, jambons, pâtés, terrines et rillettes, confits de canard, magrets et blocs de foie gras. Plats cuisinés. Confitures, sucreries.

FABRIQUES DE PÂTES

ET PÂTACI ET PÂTAÇA
Halles du Petit Quartier
1191, av. Cartier, QUÉBEC
418-641-0791
Une fabrique de pâtes fraîches à l'italienne avec, aussi, des pâtes sèches ou farcies. Grande sélection d'huiles d'olive et de vinaigres balsamiques. À découvrir, les pestos et la fondue parmesan maison.

PÂTES-À-TOUT
42, bd René-Lévesque O.,
QUÉBEC
418-529-8999
Halles de Sainte-Foy
2500, ch. des Quatre-Bourgeois,
QUÉBEC
418-651-8284
Pâtes fraîches, pâtes farcies comme on les fabrique en Italie avec des œufs frais et de la semoule de Durum. Aucun additif ni agent de conservation. Une vingtaine de sauces et de nombreux plats cuisinés. Cannelloni et lasagne préparés.

FLEURISTES

ARCHER FLEURISTE
3198, bd Nelson, SAINTE-FOY
418-653-7284
Fleurs coupées, plantes annuelles, arrangements décoratifs divers, plantes et fleurs en soie.

CENTRE JARDIN HAMEL
6029, bd Hamel,
L'ANCIENNE-LORETTE
418-872-9705
Fleurs coupées, paniers de fruits, arrangements pour mariages, funérailles ou autres. Centre de jardin adjacent à la boutique de fleuristerie. Grand choix de fines herbes. Serre de vente avec plantes tropicales. Pépinière. Boutique cadeau. Décorations de Noël.

FLEUR CONCEPT
263, rue Saint-Paul, QUÉBEC
418-692-5040
Exclusivité florale. Arrangements floraux pour mariages, congrès. Centres de table. Spécialiste dans la mise en valeur de la fleur naturelle et artificielle.

LA FLEUR D'EUROPE
916, av. Cartier, QUÉBEC
418-524-2418
Ce magasin se spécialise dans la fleur naturelle, offrant à sa clientèle des compositions contemporaines et recherchées. Une boutique urbaine réputée pour offrir la différence. Également au 1, rue des Carrières dans le Château Frontenac.

L'ÉLYSÉE FLEURS
1335, ch. Sainte-Foy, QUÉBEC
418-687-1437
Fleurs champêtres et exotiques, montages, centres de table personnalisés, arrangements funéraires et pour mariages. Service de livraison.

LES HALLES EN FLEURS
1191, av. Cartier, QUÉBEC
418-523-3443
Vaste choix de fleurs et de plantes. Accessoires décoratifs. Livraison. Fleurs équitables et de la région. Fleurs internationales, même celles du baobab. Service courtois et accueillant.

MCKENNA
3440, ch. des Quatre-Bourgeois, SAINTE-FOY
418-653-6847
Fleurs coupées, plantes vertes, paniers gourmets, arrangements pour mariages, funérailles ou autres.

ORCHIDÉE FLEURISTE
1068, av. Cartier, QUÉBEC
418-529-0739
Fleurs exotiques, montages européens. Fleurs pour toutes occasions. Paniers de fruits et de gourmandises. Livraison rapide.

FROMAGERS MARCHANDS

AVIS

Il y a une différence entre un fromager marchand qui vend des fromages et un fromager artisan, ou fermier, qui fabrique des fromages. Cependant, les deux peuvent faire l'affinage ou le vieillissement.

AUX PETITS DÉLICES
1191, av. Cartier, QUÉBEC
418-522-5154
Les Halles de Sainte-Foy
2500, ch. des Quatre-Bourgeois, SAINTE-FOY
418-651-5315
Un très grand choix de fromages (350 variétés), charcuteries, importations européennes, produits maison (terrines, pâtés de foie).

ÉPICERIE J.A. MOISAN
699, rue Saint-Jean, QUÉBEC
418-522-0685
Quelque 200 sortes de fromages, à la coupe et à l'unité, québécois ou européens, à pâte molle ou ferme, de chèvre, de brebis ou de vache.

LA FROMAGÈRE DU MARCHÉ
Marché du Vieux-Port
160, Quai Saint-André, QUÉBEC
418-692-2517 #238
Fromager de père en fille. Au cœur du marché du Vieux-Port, cette fromagerie propose entre 100 et 150 sortes de fromages issus du terroir québécois. Grand choix de fromages vendus à pleine maturité et coupés selon la demande.

YANNICK FROMAGERIE
901, 3e Avenue, QUÉBEC
418-614-2002
Spacieuse fromagerie, au beau design, avec un très bon choix d'environ 150 fromages fins québécois et importés, au lait cru et pasteurisé. Location d'équipement lié au fromage. Épicerie fine, majoritairement d'importation privée. Soirée de dégustation vins/fromages en hiver.

GLACIERS

ÉRICO CHOCOLATERIE PÂTISSERIE
634, rue Saint-Jean, QUÉBEC
418 524-2122
Outre une sélection de glaces chocolatées, Érico concocte 69 glaces et sorbets (en alternance) aux parfums aussi exotiques que le «chaï Bombay», thé et dattes et «l'hibiscus», bière Stout, fraise, basilic et yogourt à l'argousier.

LES CHOCOLATS FAVORIS
9030, bd L'Ormière, QUÉBEC
418-476-1647
32, av. Bégin, LÉVIS
418-833-2287
585, route 116, LÉVIS
418-836-1765
8320, 1re Av., CHARLESBOURG
418-627-2288
1480, rue Provancher, CAP-ROUGE
418-653-2414
Une destination pour quiconque raffole de la crème glacée molle enrobée de chocolat véritable. On fait tremper sa crème glacée dans un chocolat fondu offert en 12 saveurs. Sorbets, yaourts glacés et glaces artisanales. Glacerie de style européen ouverte du printemps à la fin d'octobre. Terrasse extérieure.

TUTTO GELATO
716, rue Saint-Jean, QUÉBEC
418-522-0896
Glaces artisanales italiennes, sorbets et desserts glacés. Espresso importé d'Italie. Biscotti maison. Sandwich fourré à la crème glacée. Ouverture saisonnière: fin mars à mi-octobre.

MARCHÉ PUBLIC

MARCHÉ DU VIEUX-PORT
Vieux-Port de Québec
160, quai Saint-André, QUÉBEC
418-692-2517
Situé en plein cœur du quartier portuaire, on y trouve toute l'année des produits frais et transformés de qualité, directement des producteurs locaux (produits du terroir québécois à l'honneur). Marché de Noël fin nov. à fin déc.

PÂTISSERIES

AU PALET D'OR
1325, route de l'Église, SAINTE-FOY
418-692-2488
Spécialités européennes: millefeuilles, opéras, éclairs, mousses assorties ainsi qu'un large choix de gâteaux secs et de sablés. Dégustation de différents sandwichs préparés avec les pains faits sur place, ainsi que des pâtisseries vendues en magasin. Aussi cafés, chocolats chauds maison, cappuccinos et espressos. Salon de thé, 50 pers., terrasse, 45 pers.

BOULANGERIE PÂTISSERIE LE CROQUEMBOUCHE
225, rue Saint-Joseph E., QUÉBEC
418-523-9009
Le chef propriétaire d'abord pâtissier se tourne bientôt vers les mystères de la boulangerie et de la viennoiserie pour enfin ouvrir son commerce en 2003. Pâtisseries françaises, viennoiseries, chocolats, «gelato», petits fours, sandwichs, pains. Tout est fait maison. On peut manger sur place.

LADY KOOKIE
1, rue Saint-Jean, QUÉBEC
418-914-8814
Un établissement spécialisé dans les biscuits de luxe, dont la gamme dite Karactère composée avec des ingrédients de la plus haute qualité (dulce de leche, crème de marron, beurre d'érable, etc.) et de la créativité à revendre. Également des sablés sous forme d'animaux pour les petits gourmands. Service de livraison.

LES CUPCKAKES DE COQUELIKOT
15043, bd Henri-Bourassa, QUÉBEC
418-780-7228
9145, bd de l'Ormière, QUÉBEC
418-843-7222
Dans le secteur Charlesbourg, Coquelikot ratisse large avec des petits gâteaux aux essences naturelles de fleurs, à l'alcool (en saison estivale) ainsi que d'autres plus classiques, comme l'Himalaya à la vanille. Offre plusieurs cours pour les passionnés de cupcake. Aussi, au Marché de Lévis.

LE TRUFFÉ
2300, bd Père Lelièvre, QUÉBEC
418-681-3384
Pâtisseries confectionnées par des artisans. Vente aussi en portions dégustation. Choix de 32 pâtisseries par année, suivant des thèmes saisonniers: fruits l'été, érable au printemps, etc.

LOUKOUM CUPCAKE
34, rue Saint-Joseph O., QUÉBEC
418-977-0797
523, 3e Avenue, LIMOILOU
418-914-1644
Faits de farine biologique non blanchie, les petits gâteaux (sans gluten sur commande) s'y distinguent par leurs arômes délicats (fleurs, parfums québécois comme le sapin) et des assemblages recherchés comme le yuzu, le coco et la vanille. Atelier de fabrication à Limoilou.

Mlle CUPCAKE PETITS GÂTEAUX
1660, rue de Bergeville, QUÉBEC
418-614-7700
Une adresse incontournable pour tout amoureux de petits gâteaux. À base d'ingrédients frais et naturels, ces douceurs se déclinent en plusieurs saveurs avec des glaçages pur beurre, à la vanille, au citron, au thé matcha, au café, etc. Produits sans arachides, sans noix, sans colorants ni arômes artificiels. Section sans gluten. Gelato maison en saison.

NOURCY
2452, bd Laurier, SAINTE-FOY
418-651-7021
Grand choix de pâtisseries françaises et libanaises de style classique et actuel. Produits de viennoiserie et épicerie fine (huiles, vinaigres et confitures). Plats cuisinés.

PÂTISSERIE ANNA PIERROT
Les Halles du Petit Cartier
1191, av. Cartier, QUÉBEC
418-524-2662
Les Halles de Sainte-Foy
2500, av. des Quatre-Bourgeois, SAINTE-FOY
418-659-4876
Pâtisserie et chocolaterie. Grande variété de pâtisseries françaises. Choix de viennoiseries, de caramels salés, de chocolats de dégustation, macarons aux divers parfums et de petits fours. À Sainte-Foy, tout est fait sur place. Comptoir mobile à Cap-Rouge.

PICARDIE DÉLICES ET BOULANGERIE
1029, av. Cartier, QUÉBEC
418-522-8889
1292, av. Maguire, SILLERY
418-687-9420
Un très bon choix de pâtisseries françaises classiques. Framboisier, Opéra, Trois chocolats, Royal, tarte au citron, érable et chocolat, tarte normande, etc.

POISSONNERIES

JEF POISSONNERIE
223, rue Saint-Joseph E., QUÉBEC
418-523-3474
En plus des poissons d'arrivage avec une préséance pour les produits du Québec et la pêche écoresponsable, JEF offre un choix d'huîtres ainsi qu'un comptoir de prêt-à-manger, dont des tartares aux recettes originales, des calmars frits, paella et saumon général Tao. Très bon service-conseil.

POISSONNERIE UNIMER
1191, av. Cartier, QUÉBEC
418-648-6212
25, bd Lebourgneuf, QUÉBEC
418-622-6212
2500, ch. des Quatre-Bourgeois, SAINTE-FOY
418-654-1880
811, rte Jean Gauvin, CAP-ROUGE
418-871-6555
Poissons et fruits de mer variés suivant les arrivages de la semaine. Comptoir à sushis prêts à emporter ou sur réservation. Articles pour préparer les sushis. Ouvert 7/7.

QUÉBEC OCÉAN
Les Halles Fleur de Lys
245, rue Soumande, QUÉBEC
418-704-3757
1699, route de l'Aéroport, L'ANCIENNE-LORETTE
418-874-7773
Fruits de mer et poissons en tout genre. Au magasin des Halles Fleur de Lys seulement, il y a un comptoir à sushis et on peut manger un Fish and chips pour le dîner. Huîtres, crabes et homards en saison. Service de cuisson. Plats cuisinés (pâtés, tartares, coquilles Saint-Jacques etc.)

SALONS DE THÉ ET CAFÉS

BRÛLERIE ROUSSEAU
1191, rue Cartier, QUÉBEC
418-522-7786
710, rue Bouvier,, QUÉBEC
418-948-7786
Les Halles de Sainte-Foy
2500, ch. des Quatre-Bourgeois, SAINTE-FOY
418-659-7786
Plus de 50 sortes de cafés en grains provenant du monde entier, torréfiés sur place. Vente de cafés en grains pour la maison. Cafés frais tous les jours. Distributeur de la cafetière italienne Simonelli. Pâtisseries et sandwichs maison.

BRÛLERIE SAINT-ROCH
375, rue Saint-Joseph E., QUÉBEC
418-704-4420
Un grand choix de cafés, de Sumatra jusqu'au Brésil, torréfiés sur place. Une grande sélection de thés ainsi que des repas légers sont servis dans cette brûlerie de quartier. Aussi 5 autres adresses, Brûleries St-Jean, Limoilou, Vieux-Limoilou, Sainte-Foy et Vanier.

CAFÉ KRIEGHOFF ET PETIT HÔTEL
1089, av. Cartier, QUÉBEC
418-522-3711
Café de style européen installé depuis 1977 sur la très animée rue Cartier. Café espresso de goût européen au mélange bien choisi. Cuisine bistro. Grillades, canard confit, plats cuisinés maison. Petit hôtel 3 étoiles au dessus du café.

CAMELLIA SINENSIS
624, rue Saint-Joseph E., QUÉBEC
418-525-0247
Thés en vrac (vert, noir, blanc, jaune, wulong, pu-erh, thés sculptés), importés directement de l'artisan (Chine, Japon, Taïwan, Inde). Accessoires pour le thé. Livres sur le thé. École du thé. Dégustations et conférences, cérémonie du thé.

CHOCOLATERIE VALERON
8500, bd Henri-Bourassa, CHARLESBOURG
418-781-2000
Thés, cafés, chocolats chauds, pâtisseries maison. Aussi, une chocolaterie.

MONSIEUR T.
Les Halles du petit Cartier
1191, av. Cartier, QUÉBEC
418-524-5544
Les Halles de Sainte-Foy
2500, Quatre-Bourgeois, QUÉBEC
418-353-2943
Thés en vrac, mixologie et infusions pour emporter. Consommation sur place. Accessoires de thé.

SEBZ THÉ ET LOUNGE
67, bd René-Lévesque E., QUÉBEC
418-523-0808
Une maison qui tient plus de 190 variétés de thés classiques ou aromatisés (avec des fruits entiers), vendus au poids. On y trouve aussi un choix de tisanes ainsi que des théières. Des 5 à 7, des ateliers de dégustation. Club de thé; dégustation mensuelle de thé, nouvel arrivage ou thé plus rare.

TRAITEURS

BUFFET MAISON
1165, av. Cartier, QUÉBEC
418-828-2287
1090, bd des Chutes, BEAUPORT
418-828-2287
340, Seigneuriale, BEAUPORT
418-828-2287
995, route Prévost, SAINT-PIERRE, ÎLE D'ORLÉANS
418-828-2287
Savoir-faire, tradition des mets faits à partir de matières de première qualité. Réceptions jusqu'à 2000 pers. (mariages, funérailles, etc.), buffets chauds et froids, plats cuisinés et pâtisseries maison. Comptoirs d'alimentation fine. Service de chef à domicile. Beauport et Cartier sont seulement des points de service sans cuisine faite sur place.

CHEF CHEZ SOI
1280, av. Chanoine-Morel, QUÉBEC
418-704-6114
En plus d'un menu du jour à consommer sur place le midi et d'un service de chef à domicile, le Chef chez soi prépare une sélection de

plats frais et surgelés. Peut recevoir jusqu'à 20 pers. dans leur salle.

DEUX GOURMANDES, UN FOURNEAU
1646 A, ch. Saint-Louis, QUÉBEC
418-687-3389
Boîtes à lunch à partir de 6 pers. aussi sans gluten ou végétariennes. Buffet froid ou chaud, cocktail dînatoire, repas à l'assiette. Service de traiteur pour 15 à 500 pers.

LA CORNE D'ABONDANCE
1988, rue Notre-Dame, L'ANCIENNE-LORETTE
418-872-7987
Service de traiteur. Jusqu'à 1 000 pers. Bouchées chaudes et froides. Repas santé. Service de livraison.

LA PAPILLOTE
42, bd René-Lévesque O., QUÉBEC
418-529-8999
Halles de Sainte-Foy
2500, ch. des Quatre-Bourgeois, SAINTE-FOY
418-651-8284
Un grand choix de mets préparés et prêts à emporter. Grande variété de pâtes farcies. Pâtes fraîches et sauces maison. Produits du Canard Goulu (canard gavé de façon artisanale). Variété de pizzas maison. Cuisine sous-vide.

LE TRUFFÉ
2300, bd Père Lelièvre, QUÉBEC
418-681-3384
Variété de salades. Terrines. Buffets froids. Menu traiteur. Plats cuisinés sur place. Pâtisseries. Mets régionaux. Repas distinction chaud servi à l'assiette. 5 à 7. Réceptions, événements.

MAISON THAÏLANDAISE
3, bd René-Lévesque E., QUÉBEC
418-523-1849
3742A, av. des Églises, CHARNY
418-988-1880
4307, rue Saint-Félix, CAP-ROUGE
418-659-2332
Prépare une variété de plats thaïlandais sous vide; il suffit de réchauffer. Commande sur place seulement; plats savoureux et authentiques à emporter. Aucun service à domicile. Une cuisine santé, épicée et sans glutamate monosodique.

NOURCY TRAITEUR
250G, bd Wilfrid-Hamel, QUÉBEC
418-653-4051
Service de traiteur complet, conseiller en vins, personnel, location de matériel, livraison. Grande variété de boîtes à lunch. Buffets chauds et froids. Traiteur pour 5 à 7, cocktails dînatoires, mariages, concept clé en main.

PASTISSIMO
272, rue Saint-Joseph E., QUÉBEC
418-648-2805
Traiteur de fine cuisine internationale. Plusieurs mets internationaux. Buffets exotiques, cocktails dînatoires. Boîtes à lunch. Fontaine de chocolat.

PICARDIE DÉLICES ET BOULANGERIE
1029, av. Cartier, QUÉBEC
418-522-8889
1292, av. Maguire, SILLERY
418-687-9420
Tous genres de réceptions, jusqu'à 1000 pers. Plats cuisinés maison. Boîtes à lunch, buffets, canapés.

La SAQ: au coeur de la découverte

Les Québécois, c'est connu, sont curieux et apprécient la découverte de nouveaux produits. C'est pourquoi la **SAQ** offre 12 500 vins, bières et spiritueux en provenance de 66 pays. Elle les commercialise dans son réseau de 400 succursales et 400 agences et et aussi sur le site SAQ.com. Chaque année, elle renouvelle 10% de ses produits pour satisfaire les clients. Ce renouveau constant de la gamme d'alcools est le fruit d'une collaboration entre la SAQ et ses 2700 fournisseurs.

DU NOUVEAU EN 2015

Parce que la découverte passe aussi par les produits de chez nous
La SAQ souhaite faire rayonner les produits québécois et leur donner une place de choix dans ses succursales. La nouvelle section **Origine Québec** met en avant les vins québécois pour permettre à la clientèle de les découvrir et de les adopter.

De nouvelles Pastilles de goût pour les spiritueux fins
Toujours à l'affût des tendances, la SAQ a revu son offre de spiritueux afin d'en proposer une plus grande variété. Pour faciliter le magasinage, ces alcools sont maintenant présentés en magasin en deux catégories: les cocktails et les spiritueux fins. Et cinq nouvelles Pastilles de goût pour les spiritueux fins (whiskys, scotchs, cognacs et brandys) servent de repères simples pour la clientèle. En cocktail ou sur glace, les spiritueux offrent un vaste éventail de possibilités!

Accompagner dans la découverte

Qui de mieux que les experts en succursale pour guider les clients dans leurs choix? Passé maître dans l'art de prodiguer des conseils en matière d'accords vins et mets, mais surtout de comprendre les goûts et besoins, le personnel de la SAQ se distingue par sa passion, son professionnalisme et ses connaissances.

Pour tout renseignement, communiquez avec le Centre de relation clientèle de la SAQ au **514-254-2020**, au **1-866-873-2020** ou consultez la page «Pour nous joindre» de **SAQ.com.**

Les
RESTAURANTS

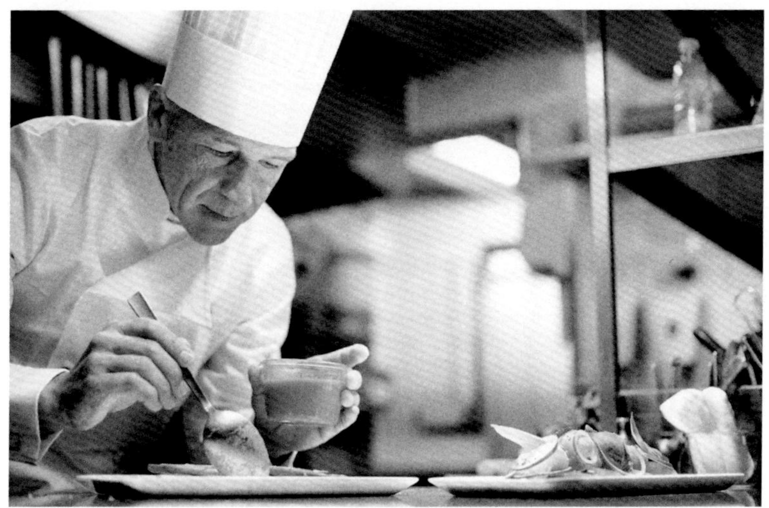

Denis Paquin, directeur du Prix Debeur, culture et tradition pour une nouvelle cuisine québécoise, **Alexandre McLann,** sous-chef à l'hôtel Holiday Inn, **Isabelle Fournier,** finissante de l'École hôtelière de Montréal Calixa-Lavallée et gagnante du Prix Debeur 2014 catégorie étudiante, **Marc-André Gondry,** chef au restaurant La Chronique, **Thomas Deschamps,** chef exécutif chez Dufort Traiteur et Réception et gagnant du Prix Debeur 2014 catégorie professionnelle, **Huguette Béraud,** vice-présidente des Éditions Debeur et **Christophe Caillaud,** chef exécutif chez Aramark *(Photo Debeur)*

Lauréats du Prix Debeur 2014, culture et tradition pour une nouvelle cuisine québécoise

Le Prix Debeur a été créé pour inciter les chefs et les étudiants en cuisine et pâtisserie à moderniser la cuisine traditionnelle québécoise **au plus grand plaisir des consommateurs gourmands avides d'authenticité.**

Cette année encore, deux volets – professionnel et étudiant – composent le concours **Prix Debeur, culture et tradition pour une nouvelle cuisine québécoise**

La catégorie professionnelle:

1re place: **Thomas Deschamps,** chef de **Dufort Traiteur** à Repentigny, avec sa recette de *Pâté au saumon façon grand-maman ou presque…*

C'est en hommage à sa grand-mère, une super cuisinière, qu'il a créé son *Pâté au saumon façon grand-maman ou presque…* «Elle est décédée peu de temps avant le concours, indique-t-il. C'était donc important pour moi de gagner pour elle.» D'origine normande, **Thomas Deschamps** est dans le métier depuis 22 ans. Son père possédait deux restaurants dans le sud de la France, mais c'est surtout la grande et fine cuisine de sa grand-mère qui l'a inspiré: «C'était ce métier que je voulais faire, un métier vite devenu une passion.» Après avoir quitté la France et voyagé beaucoup, il prend des vacances au Québec, en tombe amoureux et s'y installe en 2010. Il est aujourd'hui chef de **Dufort Traiteur** à Repentigny.

Catégorie professionnelle: Pâté au saumon façon grand-maman ou presque, de Thomas Deschamps *(Photo Debeur)*

Le pâté au saumon, il l'a découvert au Québec. «Le goût étant le patrimoine, il fallait moderniser le pâté sans le dénaturer», précise-t-il. Les éléments du sien comprennent du saumon confit à l'huile d'olive à basse température, une purée de pommes de terre (siphonnée) au cheddar vieilli, une pâte feuilletée au beurre, des carottes et du céleri saisis, des micropousses de cerfeuil et un fumet de saumon crémé. «En rassemblant le tout, on retrouve le bon goût d'époque», assure-t-il.

Il est plus que ravi d'avoir décroché le **Prix Debeur** dans sa catégorie, d'autant que c'est le deuxième concours qu'il gagne cette année, après Les Toqués de Lanaudière. **Thomas Deschamps** a plein de projets en tête, dont celui de s'associer à Dufort Traiteur pour continuer à développer l'entreprise. Il est sur la bonne voie.

Catégorie étudiante: Tarte aux bleuets déconstruite, d'Isabelle Fournier *(Photo Debeur)*

La catégorie étudiante:

1re place: **Isabelle Fournier,** finissante de l'École hôtelière de Montréal (CFP Calixa-Lavallée), employée à la **Bête à pain**, avec sa recette de *Tarte aux bleuets déconstruite.*

Elle n'a pas craint de laisser une profession lucrative, celle de technicienne en laboratoire, pour se lancer à fond dans sa passion de toujours, la pâtisserie. **Isabelle Fournier** a obtenu son DEP de l'École hôtelière Calixa-Lavallée, option pâtisserie, en août dernier. Depuis, elle travaille à la boulangerie-pâtisserie-charcuterie **La bête à pain**, rue Fleury à Montréal. Pourquoi ce grand saut dans l'inconnu? «J'aime bien manger, faire plaisir aux gens, jouer avec les saveurs, explique-t-elle. À la maison, pour relaxer, je cuisinais beaucoup. C'était donc tout naturel pour moi de réorienter ma carrière vers la pâtisserie. J'étais décidée à faire enfin ce que j'aime.»

Le **Prix Debeur** qu'elle a reçu l'a confortée dans sa décision: «J'étais fière, soulagée et contente de ce que j'avais fait. Les membres du jury ont semblé apprécier la présentation et le goût de ma *Tarte aux bleuets déconstruite.*» Après un mois de réflexion et de recherche, son choix s'est porté sur ce dessert traditionnel québécois. Les éléments de sa tarte comprennent des carrés de gelée de bleuet à l'intérieur desquels repose un bleuet frais, le tout enroulé dans de la poudre de bleuet, de la purée de bleuet nature, des bonbons de bleuet enrobés de sucre d'érable, déposés sur une masse sablée et surmontés d'un décor en sucre. Une mousse à l'érable caramélisée au sucre d'érable, chapeautée de pâte brisée, complète l'ensemble.

Acquérir de l'expérience et cheminer dans la modernisation des desserts sont pour elle des objectifs à atteindre avant d'ouvrir un jour, du moins l'espère-t-elle, sa propre pâtisserie.

Le jury:

Huguette Béraud, vice-présidente des Éditions Debeur
Christophe Caillaud, chef gérant chez Aramark
Thierry Debeur, journaliste gastronomique et vinicole, chroniqueur radio
Sous la coordination de **Denis Paquin,** directeur du Prix Debeur et directeur de la SCCPQ Montréal.

Le jugement a eu lieu le jeudi 11 septembre 2014 à 18h, dans les locaux de l'École hôtelière de Montréal, au CFP Calixa-Lavallée.

Au sujet du Prix Debeur

Actuellement, plusieurs artisans de la cuisine et de la pâtisserie travaillent fort pour moderniser la cuisine québécoise traditionnelle. Une cuisine encore rustique, certes, qui n'a jamais eu la chance d'évoluer pour atteindre les grandes cuisines du monde, et qui est restée enfermée dans les familles et dans les cabanes à sucre du Québec. Il est temps qu'elle s'affirme et trouve sa place parmi les autres. C'est ce que propose le concours **Prix Debeur 2014, culture et tradition pour une nouvelle cuisine québécoise,** un partenariat entre la Société des chefs, cuisiniers et pâtissiers du Québec et les Éditions Debeur.

Information:

Denis Paquin, directeur du concours
514-528-1083 bureau-national@sccpq.ca

LA SOCIÉTÉ DES
CHEFS, CUISINIERS & PÂTISSIERS
DU QUÉBEC

Vous pouvez facilement identifier les établissements recommandés par le guide **Debeur** grâce à cet autocollant millésimé.

CHEFS et APPRENTIS de L'ANNÉE

par Françoise Pitt

LA SOCIÉTÉ DES
CHEFS, CUISINIERS & PÂTISSIERS
DU QUÉBEC

Frédéric Laplante

Chef cuisinier de l'année

Propriétaire et chef de *La Tanière*, ce haut lieu de la gastronomie du rang Saint-Ange à Québec, **Frédéric Laplante** savoure et apprécie le titre que ses pairs viennent de lui décerner. Une reconnaissance qui vient à point nommé: depuis cinq ans, le chef Laplante consacre temps et énergie à ses recherches sur la cuisine boréale et d'avant-garde. Il a aussi élaboré un projet d'autosuffisance qui lui permettra, avec l'aide de fermiers et producteurs des alentours, de mettre en conserve ou sous vide, de déshydrater ou surgeler les produits qu'il servira l'année durant. Projet d'envergure pour des présentations sophistiquées et originales. Porte ouverte sur la cuisine inventive, qui fait éclater les textures en bouche.

Diplômé de l'École hôtelière de Laval en sciences de la restauration, Frédéric Laplante poursuit ses études en gestion hôtelière et en sommellerie à l'ITHQ. Il est par la suite sélectionné par Relais & Châteaux pour un stage de six mois à Cordeillan Bages, dirigé par Thierry Marx. C'est à son retour au Québec, en 2002, qu'il fait l'acquisition, avec sa conjointe Karen Therrien, aussi sommelière, d'un des fleurons du terroir québécois, renommé pour ses produits de venaison, La Tanière.

De sommelier, Frédéric Laplante devient chef cuisinier par la force des choses quand, quelques mois plus tard, le chef en poste décide de partir. «J'ai été plongé dans le bain, se souvient-il. Je suis un autodidacte, très manuel, j'ai aimé ça tout de suite. Je me suis découvert une nouvelle passion.» Dès lors commence la longue route des découvertes, pour lui et sa clientèle. L'expérimentation de la cuisine boréale, faite de sensations et d'essais, qu'il qualifie de cuisine profonde, réfléchie. «Nos menus découvertes, de 8, 10 ou 14 services, sont très visuels, explique-t-il. Il y a une histoire derrière chaque réalisation. On ne fait pas un plat pour faire un plat, chacun des éléments qui le composent a une raison d'être. C'est là qu'on se distingue.»

Il peut enfin récolter les fruits de son dur labeur. Depuis quelques années, Frédéric Laplante accumule honneurs, distinctions et prix prestigieux. C'est à lui que l'ITHQ a demandé de former ses étudiants pour un repas de 14 services en hommage au chef de réputation internationale, Ferran Adria. Aux produits frais issus de cultures de proximité le chef Laplante ajoute une panoplie d'instruments: germoirs pour produire ses propres pousses et germes frais, thermoplongeurs, etc. Mais il ne se décrit pas comme un chef de cuisine moléculaire: «Chez nous, tout est élaboré pour que les cinq sens soient mis à contribution, insiste-t-il. C'est à la fois une découverte et une expérience sensorielles. Un resto artistique plutôt que moléculaire.»

Ses qualités de curiosité insatiable et de persévérance l'ont mené à l'élaboration d'une nouvelle cuisine évolutive. La chef Sabrina Lemay a pris la relève aux fourneaux, permettant ainsi à Frédéric Laplante de se consacrer à la formation et à son projet d'autosuffisance. Et à son tout nouveau resto de la rue Saint-Paul à Québec, Légende par La Tanière, une formule urbaine, plus accessible. Mais la même philosophie, sans le menu évolutif: «Le gibier demeure l'âme de La Tanière», conclut-il.

Sébastien Bonnefis
Chef pâtissier de l'année

«Ah! Ça fait plaisir», laisse tomber **Sébastien Bonnefis** en réaction à son titre de Chef pâtissier de l'année: «Le cœur qui débat, un immense bonheur devant cet aboutissement de tous mes efforts et cette reconnaissance de mes pairs.» Il se dit content aussi pour sa conjointe, car les huit dernières années n'ont guère été faciles; il cumulait deux jobs, enseignant au *Collège Mérici* et copropriétaire et chef pâtissier chez Paillard. Depuis, il a pris la sage décision qui s'imposait: la vente de ses actions à son associé chez Paillard pour se consacrer uniquement à l'enseignement des techniques de gestion de restauration.

C'est par le biais de cours de cuisine à l'École hôtelière de Villefranche-de-Rouergue, en France, qu'il arrive finalement en pâtisserie, voulant ajouter une corde à son arc. C'est le coup de foudre. Le titre de Maître pâtissier lui est conféré après l'obtention de son brevet de maîtrise. À 24 ans, il est couronné Meilleur apprenti pâtissier-chocolatier-confiseur-glacier du département de l'Aveyron. Au Québec, l'aventure commence en 1993. Il est tout de suite engagé à la pâtisserie Au Palais d'or à Québec. Il passe ensuite à la célèbre table de Serge Bruyère, comme chef pâtissier-traiteur.

Il avoue avoir été un peu décontenancé à son arrivée au Québec par la pâtisserie qu'on y offrait alors. Il a vécu ce passage à vide comme une expérience de plus. «C'était encore le moka, se rappelle-t-il, alors qu'on n'en faisait plus en France.» Mais l'amélioration s'amorçait déjà et il ne regrette pas d'avoir persévéré, tant s'en faut: «L'évolution de la pâtisserie a été extraordinaire. Avec le recul, je me trouve mieux ici qu'en France, où les patrons montrent toujours la même exigence et la concurrence est aussi féroce. Moi qui ai souvent travaillé six jours sur sept, quelquefois 12 heures par jour, j'ai appris des Québécois à équilibrer le travail et la vie personnelle.»

C'est un généraliste, qui aime toutes les facettes de son métier, sans aucun doute parce qu'il le maîtrise parfaitement, dont notamment les deux principaux volets, bien différents, la pâtisserie en boutique et la pâtisserie en restauration. Ces dernières années chez Paillard, ce sont ses macarons qui faisaient fureur: 60 sortes et un million de macarons en trois ans! Il admet avoir appris à connaître les Québécois par la gastronomie. «C'est ce qui m'a motivé, insiste-t-il. Ils aiment bien manger. Ils écoutent et deviennent vite des connaisseurs, qui recherchent la qualité.» Chez Paillard, s'il confectionnait toujours les grands classiques de la pâtisserie française, il les remettait au goût du jour.

Son métier d'enseignant le comble. «Les étudiants d'aujourd'hui font preuve de motivation, estime-t-il. Ils sont intéressés à tout ce qui se passe dans le monde. Aussi nous obligent-ils constamment à nous mettre à jour.» C'est la raison pour laquelle, en 2006, la crainte de devenir un professeur déconnecté l'a fait retourner sur le marché du travail, chez Paillard.

Ses principales qualités de chef et d'enseignant: minutie, souci du détail, fiabilité, respect de la parole donnée, patience et persévérance, qu'il essaie de transmettre à ses étudiants. Heureux sont-ils d'avoir comme professeur ce chef pâtissier émérite.

Marie-Ève Langlois
Apprentie cuisinière de l'année

Elle avait participé au même concours l'an dernier et était arrivée deuxième. Son but cette année: la victoire, rien d'autre. Les membres du jury ont surtout apprécié ses techniques de travail et ses plats goûteux. À 23 ans, **Marie-Ève Langlois** a déjà une feuille de route impressionnante. C'est un job d'étudiante dans un restaurant de sushis qui l'allume et lui fait réaliser qu'elle doit en faire son métier. Après un DEP en cuisine professionnelle à l'ITHQ, elle obtient son diplôme en cuisine actualisée en 2013. Elle collectionne prix et bourses et vient de remporter la médaille d'argent au Junior Chef's Challenge 2014 de la CCFCC.

En juillet 2011, elle apprend au couple royal, Kate et William, comment cuisiner le soufflé de homard qu'il allait manger le soir même à l'ITHQ. À l'été 2013, elle fait un stage de trois mois avec le chef Yoann Conte à la Nouvelle Maison de Marc Veyrat à Annecy, une expérience difficile mais qui lui a permis de bien se distinguer.

Elle est maintenant chef de partie chez *Patrice Pâtissier*. «Avec Patrice, j'apprends à bien travailler les légumes en saison, à en conserver le goût authentique tout en apportant une touche inusitée, précise-t-elle. Les clients apprécient l'équilibre de nos saveurs entre le salé, le sucré et l'acidité.» Cette façon différente de faire l'inspire. Le plus important reste d'avoir du plaisir à exercer son beau métier. Un Sceau rouge en pâtisserie viendra compléter sous peu ses multiples talents.

Ses principales qualités: un sens inné de l'organisation, l'art de diriger une équipe, la curiosité, la capacité de s'ouvrir aux nouvelles techniques et de s'adapter rapidement. La persévérance aussi, car l'an dernier, ce sont ses desserts qui lui ont fait perdre la première place. Elle a donc décidé d'aller travailler pour un pâtissier passionné, qui imprime sa marque. Déjà en route pour le prochain titre d'Apprentie pâtissière de l'année...

Élisabeth Bertrand

Apprentie pâtissière de l'année

Surprise, mais combien fière d'avoir décroché le titre. Car après avoir remporté la médaille d'argent aux Olympiades régionales de la formation professionnelle, **Élisabeth Bertrand** était si déçue d'avoir échappé l'or qu'elle a eu besoin des dons de motivateur de Philippe Giry, son professeur de pâtisserie au *Centre de formation professionnelle Jacques-Rousseau*, pour la remettre en selle et l'encourager. Aussi ne taritelle pas d'éloges sur lui. «Il m'a appris à maîtriser mes techniques, précise-t-elle. On a mis beaucoup d'efforts, des heures et des heures de pratique, et cela a porté ses fruits.» Le jury a apprécié ses techniques de travail et son sens de l'organisation.

Elle se souvient d'avoir, enfant, beaucoup cuisiné avec sa mère. Un oncle chef cuisinier l'a aussi inspirée. Au cours secondaire, elle a fait des arts plastiques, de sorte qu'elle s'est tout naturellement dirigée en pâtisserie: «La création artistique et la pâtisserie, ça se rejoint», affirme-t-elle. Elle travaille à la production des entremets à La Gascogne, qui approvisionne cinq boutiques. Elle va donc pouvoir se perfectionner dans chacun des modules de la pâtisserie et compléter l'apprentissage en entreprise.

Ce qu'elle réussit le mieux? Le travail de précision, pour les gâteaux de mariage notamment. Elle fait preuve de minutie et vise la perfection. «Là, j'excelle et j'adore», tranche-t-elle. Un mets au goût qui explose en bouche, qui laisse une bonne note à la fin du repas, c'est ce qu'elle recherche. «Ceux qui ont le talent de faire découvrir de nouvelles saveurs, de moderniser la pâtisserie, ressortiront dans ce métier, croit-elle. Il faut proscrire la fadeur, réinventer les desserts traditionnels.»

À ses talents cette travailleuse acharnée ajoute les qualités de minutie, de facilité d'apprentissage, d'efficacité. Elle se dit organisée, sociable, autonome et responsable. Des projets en vue? «Continuer de travailler en boutique et d'acquérir de l'expérience.» À 20 ans à peine, on a tout son temps. **D**

Introduction et cotation

Nouveau!
Cotation 5 étoiles

Depuis 30 ans, nous attribuons un maximum de quatre étoiles aux restaurants alors que la plupart des systèmes nord-américains accordent un maximum de cinq étoiles. Dans ce dernier cas, il semble que cela souligne mieux l'«excellence», car dans l'esprit de la plupart des gens la note parfaite est cinq étoiles et non pas quatre. Pour notre guide des vins (*Le Petit Debeur*), nous donnons déjà des cotes de cinq étoiles. Afin d'uniformiser le système d'évaluation de nos guides et aussi de l'aligner sur le système d'évaluation nord-américain, nous avons décidé d'adopter dorénavant cinq étoiles pour la plus haute évaluation du *Guide Debeur*.

ÉVALUATION

10/20	★	: digne de mention.
12/20	★★	: bon.
14/20	★★★	: très bon.
16/20	★★★★	: excellent.
18/20	★★★★★	: haut de gamme.

[ER]: [en **É**valuation ou en **R**éévaluation]. Cette mention stipule que, soit l'établissement est trop récent, soit il a subi un changement lui valant une période probatoire (il sera donc évalué ou réévalué), soit les évaluateurs ont un doute.

Précisions

Chaque restaurant est évalué selon sa catégorie culinaire et son type de cuisine. Un trois étoiles cuisine française ne sera pas comparé à un trois étoiles cuisine italienne. Chaque catégorie a ses critères et concepts gastronomiques qui ne peuvent s'appliquer à tous les genres de cuisine. Les évaluateurs se basent sur des critères précis qui sont, par ordre d'importance, la cuisine, le service, le décor et l'ambiance.

Spécialités

Les mets que nous publions dans les spécialités y sont à titre indicatif, pour fournir une couleur culinaire, une idée de ce que les restaurants peuvent offrir. Il est évident que la plupart ne vont pas conserver le même menu toute l'année, sauf peut-être certains de ses classiques.

Qualité de l'information

Nos listes de restaurants et de boutiques sont mises à jour chaque année et modifiées en cas de changement notable. Les commentaires sont traités de la même façon. Cet ouvrage est avant tout un guide et non un annuaire exhaustif... Notre choix est délibéré et arbitraire, mais il se veut représentatif de la gastronomie au Québec. Enfin, tous les articles sont nouveaux afin de vous offrir une information actualisée.

Les informations contenues dans cet ouvrage ont été vérifiées avec grand soin et sont données à titre indicatif. Elles n'ont aucune valeur contractuelle et n'engagent ni leur auteur, ni l'éditeur, ni les personnes intéressées. Elles font partie de notre contenu rédactionnel et doivent être considérées comme un service à nos lecteurs, non comme de la publicité. **Aucun établissement n'a payé pour y figurer.** Le choix est à notre seule discrétion.

Politique d'évaluation

Tous les restaurants sont visités incognito. On réserve sous un faux nom, on déguste, on paye notre addition et on s'en va. C'est la seule façon valable, selon nous, de vous rapporter les expériences gastronomiques de façon honnête, objective et impartiale.

Notre évaluation est TOUJOURS faite sur place, mais les renseignements complémentaires dont nous avons besoin sont obtenus par téléphone. Le restaurateur, qui n'a jamais été au courant de notre visite chez lui, peut se méprendre et penser que notre évaluation sera basée sur cet appel. Inconcevable! Pis encore lors de la mise à jour annuelle, juste avant de mettre sous presse: nos recherchistes appellent tous les restaurants pour vérifier certains points qui n'ont rien à voir avec nos évaluations ou nos commentaires. Ce travail indispensable à la bonne qualité de l'information est encore confondu avec celui de nos journalistes. Pourtant, nos factures sont la preuve de nos visites. Désolés pour les esprits chagrins (les mauvaises langues?), il va falloir vous y faire!

Enfin, les évaluations figurant sur cette liste sont subjectives et reflètent les opinions de nos journalistes gastronomiques. Au lecteur maintenant de faire sa propre expérience, de se forger une opinion.

Abréviations des prix

Prix: T.H. = **T**able d'**H**ôte - **C.** = **C**arte (moyenne de prix pour une entrée, un plat principal et un dessert, du moins cher au plus cher) - **F.** = **F**orfait (table d'hôte à laquelle il manque un plat)

Lorsqu'il y a un sommelier

Les restaurants, qui ont un sommelier professionnel accrédité par l'**Association canadienne des sommeliers professionnels (ACSP),** sont indiqués dans la liste des restaurants du guide **Debeur,** par la représentation du logo de l'ACSP (voir ci-contre).

Informations gourmandes toute l'année sur www.debeur.com

ALGÉRIEN - ARGENTIN

Restaurants de Montréal

ALGÉRIEN

AU TAROT ★★★
500, Marie-Anne E., MTL
Tél.: 514-849-6860
SPÉCIALITÉS: Pastilla (poulet et pigeon dans une pâte feuilletée). Couscous à la souris d'agneau. Couscous royal (agneau, poulet, merguez). Tajines (de canard au miel et épices, d'agneau aux pruneaux et de poulet au citron). Différentes sortes de briks (sorte de pâte filo farcie). Gâteau au miel. Baklava. Pâte d'amande.
PRIX Midi: (fermé)
Soir: C. 28$ à 46$ T.H. 22$ à 34$
OUVERTURE: 7 jours 17h à 23h. Fermé 24 et 25 déc., 1er janv. et les 2 sem. de la construction.
NOTE: T.H. 4 serv. Couscous sans gluten ou couscous d'épeautre. Pâtisseries orientales. Service de traiteur. Valet de stationnement. Service de livraison. Ouvert le midi 6 pers. minimum. Musique orientale.
COMMENTAIRE: Nourédine Kara, le propriétaire, vous accueille avec beaucoup de gentillesse, dans son coin de pays à Montréal, l'Algérie, pays d'Afrique du Nord bordant la mer Méditerranée. Au son d'une musique d'ambiance adéquate, Nourédine dépose tranquillement, un à un, les différents plats composant les fameux couscous de son pays. Les portions sont réellement généreuses et les cuissons justes. Le décor est sans prétention, mais confortable. On s'y sent bien. Le thé à la menthe est servi dans la plus pure tradition.

AVIS

Depuis 30 ans, nous attribuons un maximum de quatre étoiles aux restaurants alors que la plupart des systèmes nord-américains accordent un maximum de cinq étoiles. Afin d'uniformiser le système d'évaluation de nos guides et aussi de l'aligner sur le système d'évaluation nord-américain, nous avons décidé d'adopter dorénavant cinq étoiles pour la plus haute évaluation du *Guide Debeur.*

LES RITES BERBÈRES ★★
4697, rue de Bullion, MTL
Tél.: 514-844-7863
SPÉCIALITÉS BERBÈRES: Assortiment d'entrées. Chekchouka. Shorba. Merguez faites maison. 10 sortes de couscous. Brochettes d'agneau. Méchoui. Baklava maison. Assortiment de desserts maison. Thé à la menthe.
PRIX Midi: (fermé)
Soir: C. 29$ à 40$
OUVERTURE: Mar. à dim. 17h à 23h. Fermé lun.
NOTE: Apportez votre vin.
COMMENTAIRE: C'est le propriétaire qui fait la cuisine. Musique berbère. L'assiette est bonne dans l'ensemble, mais le service manque d'attention. Il est lent, désabusé.

ARGENTIN

L'ATELIER D'ARGENTINE ★★★
355, rue Marguerite-d'Youville, VIEUX-MTL
Tél.: 514-287-3362
SPÉCIALITÉS: Terrine de pieuvre, roquette, flocons de piments chipotle, limette, huile d'olive. Empanadas. Bavette de flanchet grillée avec chimichurri et sauce criolla. Crème renversée à la vanille, caramel au lait de coco.
PRIX Midi: F. 20$
Soir: C. 33$ à 61$
OUVERTURE: Lun. et mar. 11h30 à 22h. Mer. à ven. 11h30 à 1h du mat. Sam. 10h30 à 1h du mat. Dim. 10h30 à 22h. Fermé 25 déc. et 1er janv.
NOTE: Très grande sélection de vins argentins, 50% d'importation privée. Mer. à sam. spécial après 22h30: entrée et plat 22,50$. D.J. et percussions jeu. et ven. soir. Lun. à ven. 5 à 8, boissons, cocktails, vins au verre 6$.
COMMENTAIRE: Beau décor moderne avec ses séparations en

verre, son style résolument moderne et ses sièges confortables... Par contre, l'assiette a changé du tout au tout avec des mets argentins revisités. La chef nous propose des viandes, bien sûr, on s'y attendait, mais aussi des légumes apprêtés de façon intéressante et savoureuse. Le service est extrêmement courtois.

ASIATIQUE

BLEU CARAMEL ★★★
4517, rue de La Roche, MTL
Tél.: 514-526-0005
SPÉCIALITÉS 70% JAPONAISES. 30% CORÉENNES: Assiette de dégustation de sushis. Tempura. Teriyaki. Kalbi bulgogi. Gyoza mandoo (raviolis coréens). Kimchi. Dakalbi (poulet mariné épicé). Thon grillé au sésame.
PRIX Midi: (fermé)
Soir: C. 26$ à 50$
OUVERTURE: Lun. à sam. 17h à 23h. Fermé dim.
NOTE: T.H. soir 70$/2 pers. Service de traiteur, occasions spéciales, événements culturels, réceptions, petits groupes.
COMMENTAIRE: Restaurant nippo-coréen et salon de thé. L'endroit n'est pas spacieux, mais chaleureux et sympathique. Côté cuisine, un bon choix de spécialités coréennes et japonaises. La chef propriétaire propose des sushis à la façon de son pays d'origine, la Corée. On peut aussi y siroter, assis sur un tatami, plusieurs variétés de thés de Chine, du Japon, du Viêtnam, de la Corée et de la Thaïlande.

CÔ BA ★★★★
1124, av. Laurier, OUTREMONT
Tél.: 514-908-1889
SPÉCIALITÉS: Rouleau au homard. Crevettes sautées aux feuilles de basilic thaï et à la citronnelle. Thon tataki, salade wakame et mangue. Nouilles pad thaï au poulet et aux crevettes. Rouleau Cô Ba: fraise, mangue, pétoncle épicé et crevettes tempura. Beignets aux bananes.
PRIX Midi: (fermé)
Soir: C. 23$ à 50$ T.H. 20$ à 25$
OUVERTURE: Dim., mar. à jeu. 17h à 22h. Ven. et sam. 17h à 23h. Fermé lun., 24, 25 déc. et 1er janv.
NOTE: Bar à sushis. Fenêtres coulissantes.
COMMENTAIRE: Une très bonne cuisine vietnamienne, savoureuse, avec un léger mélange de mets thaï et japonais. Il y a aussi un bar à sushis. Les très belles présentations sont un réel plaisir pour les yeux. Formule «apportez votre vin». Thé vert excellent, parfumé au jasmin et joliment présenté. Très beau salon privé avec tatami pour environ 14 personnes. Service professionnel et très courtois.

MISO ★★★
4000, rue Sainte-Catherine O., MTL
Tél.: 514-908-6476
SPÉCIALITÉS CUISINE FUSION ASIATIQUE: Huîtres fraîches avec sauce ponzu gingembre. New-style sashimi. Tataki de thon rouge saisi à blanc au sel de mer. Thon blanc grillé nanami, émulsion à la menthe. Magret de canard poêlé, œufs de caille. Combinaison de sushis. Sashimi de thon cajun.
PRIX Midi: F. 14$ à 22$
Soir: C. 36$ à 61$ T.H. 30$ à 60$
OUVERTURE: Lun. à ven. 11h30 à 14h30. Dim. à mer. 17h à 22h. Jeu. à sam. 17h à 23h. Fermé 25, 26 déc., 1er et 2 janv.
NOTE: T.H. soir 4 serv. 50$.
COMMENTAIRE: Restaurant au concept fusion asiatique et sushi-bar. Vaste sélection de plats du Japon et asiatiques. Cuisine de qualité naviguant entre le classicisme et l'innovation.

ODAKI ★★★★[ER]
1836, rue Sainte-Catherine O., MTL
Tél.: 514-846-1268
SPÉCIALITÉS CUISINE FUSION ASIATIQUE: Sashimis. Makis, Sushis. Crevettes sautées avec sauce. Riz frit japonais. Pad thaï. Canard ou porc terriyaki.
PRIX Midi: Buffet à volonté 12$ à 17$
Soir: C. 11$ à 25$ Buffet 24$ à 30$
OUVERTURE: Lun. à sam. 11h30 à 15h et 17h à 23h. Dim. 11h30 à 15h et 16h à 22h30. Fermé 24 et 25 juin.
NOTE: Buffets midi maki 12$, sushi 17$. Buffet sushi soir 24$ à 30$. Menu combo et pour emporter.
COMMENTAIRE: Ce restaurant de sushis et de sashimis du centre-ville ouest est un «must» pour son ambiance autant que pour sa cuisine. Les sushis sont excellents. La cuisine fusion à l'asiatique marie subtilement les saveurs et les parfums de toute l'Asie.

SOY ★★★★
5258, bd Saint-Laurent, MTL
Tél.: 514-499-9399
SPÉCIALITÉS: Crevettes croustillantes sautées au wok, garnies d'ail. Pétoncles tempura, sauce miso et sésame. Saumon grillé aux 7 épices, mayonnaise miso. Morue avec croûte au gingembre. Canard à la sichuanaise servi avec pain à la vapeur. Bœuf kalbi grillé façon coréenne.
PRIX Midi: T.H. 13$ à 15$
Soir: C. 28$ à 33$ T.H. 20$ à 27$
OUVERTURE: Lun. à mer. 11h30 à 22h. Jeu. et ven. 11h30 à 23h. Sam. 17h à 23h. Dim. 17h à 22h. Fermé 25 déc.
NOTE: Menu dégustation 9 serv. 36$. T.H. soir 4 serv. Brunch pour la fête des Mères. Dumplings frais du jour. Carte des vins.
COMMENTAIRE: Le restaurant est presque toujours plein. La cuisine de Suzanne Liu est toujours savoureuse et l'accueil est très sympathique. Les plats sont merveilleusement pensés. Subtil équilibre entre tradition et modernité.

CAJUN

LA LOUISIANE ★★[ER]
5850, rue Sherbrooke O., MTL
Tél.: 514-369-3073
SPÉCIALITÉS: Crevettes à la créole. Galettes de crabe, mayonnaise créole. Alligator, frites, mayonnaise aux câpres. Jambalaya de crevettes et poulet. Poisson noirci. Entrecôte cajun Louisiane. Côte de bœuf dinosaure fumée. Tarte aux pacanes, aux deux chocolats.
PRIX Midi: (fermé)
Soir: C. 21$ à 52$ F. 24$ à 32$
OUVERTURE: 7 jours 17h30 à 22h. Fermé 25 déc. et 1er janv.
NOTE: Carte des vins.
COMMENTAIRE: Décor assez typique, disparate. Une salle à manger divisée en deux, une moitié est occupée par un mobilier genre bistro et l'autre par la cuisine, où l'on peut voir les cuisiniers faire cuire, flamber, crépiter et concocter des mets furieusement bons et épicés. Musique jazz et blues.

CHINOIS

CHEZ CHINE aujourd'hui ★★★★[ER]
Holiday Inn Select
99, av. Viger O., MTL
Tél.: 514-878-4049
SPÉCIALITÉS CANTONAISES: Variété de dimsum maison. Crevettes au chili et noix glacées au miel. Poisson entier cuit à la vapeur. Homard sauté au gingembre, oignons verts. Canard laqué à la pékinoise.
PRIX Midi: Dimsum 14$ C. 23$ à 35$
Soir: C. 31$ à 43$ T.H. 26$ à 32$
OUVERTURE: Lun. à dim. 11h30 à 14h. Mer. à sam. 17h30 à 21h30.
NOTE: Buffet au petit déjeuner. Dimsum 7 jours 11h30 à 14h.

AVIS

Dans les restaurants végétariens des pays d'Asie tels que la Thaïlande, la Chine, la Malaisie, tous les plats portant les appellations de viandes, de poissons et de fruits de mer sont strictement faits à base de produits végétaux.
Les chefs utilisent les ingrédients (légumes, soja, seitan, farine de gluten et autres produits végétaux) qu'ils manipulent afin de leur donner les formes, les textures et les saveurs rappelant la viande, le poisson et les fruits de mer.

Canard laqué, 2 serv. 48$. T.H. régionales d'Asie. T.H. soir 4 serv. Environnement Feng Shui.
COMMENTAIRE: Le restaurant est installé dans le quartier chinois, en face du Palais des congrès. Très beau décor chinois, typique et élégant, avec pagode, petit ruisseau et bassin animés de poissons vivants dans l'hôtel. Cuisine cantonaise authentique et raffinée, mais on y offre également une cuisine continentale.

CUISINE SZECHUAN ★★★
2350, rue Guy, MTL
Tél.: 514-933-5041
SPÉCIALITÉS: Crabe épicé. Fleur de Tobu et tranches de poisson à la szechuan. Haricots verts sautés. Filet de poisson pané et légumes assortis, sauce épicée. Poulet au poivre sichuanais avec épinards. Bœuf ou poulet au cumin. Dumplings épicés.
PRIX Midi: F. 12$
Soir: C. 19$ à 37$
OUVERTURE: Lun. à ven. 11h30 à 22h. Sam. et dim. midi à 22h.
NOTE: Réserver son vin 2 jours d'avance. Bière et saké.
COMMENTAIRE: La chef et propriétaire de ce restaurant est sichuanaise. Elle propose une cuisine authentique et sans compromis de cette région très montagneuse et difficile d'accès du centre-ouest de la Chine. Une cuisine épicée et savoureuse.

JARDIN DE JADE-POON KAI ★★★
67, la Gauchetière O., MTL
Tél.: 514-866-3127
SPÉCIALITÉS SZECHUANNAISES: Buffet tous les jours (une centaine de plats, dimsums).
PRIX Midi: F. 10,25$
Soir: F. 14$ à 15$
OUVERTURE: 7 jours 11h à 22h.
NOTE: Prix buffet la fin de semaine 14,80$.
COMMENTAIRE: Un buffet qui offre le choix d'une centaine de plats. Tout est frais et savoureux. Dépaysement assuré.

LIN LIN ★★
3434, rue Saint-Denis, MTL
Tél.: 514-270-9939
SPÉCIALITÉS: Vermicelles sautés et crevettes. Ravioli du chef. Pétoncles aux piments forts. Ravioli à l'agneau. Ravioli au homard ou au canard et champignons à la vapeur ou sautés. Bœuf du chef.
PRIX Midi: T.H. 10$ à 12$
Soir: C. 20$ à 30$ T.H. 16$ à 28$
OUVERTURE: Lun. 17h à 22h. Mar. à dim. 11h30 à 22h.
NOTE: Restaurant sur 2 étages. Dumplings faits maison. Raviolis faits à la main.
COMMENTAIRE: Cette femme chef propriétaire, médecin et même spécialiste en neuro-immunologie, œuvre dans son restaurant accueillant de la rue Saint-Denis. Lin Wang nous fait savourer la cuisine du nord-est de la Chine d'où elle est originaire. Il faut goûter ses «jiaozis» raviolis chinois, comme on les apprête dans le nord de la Chine. Un véritable délice!

L'ORCHIDÉE DE CHINE ★★★★★
2017, rue Peel, MTL
Tél.: 514-287-1878
SPÉCIALITÉS: Côtes levées à l'ail. Crevettes géantes sautées à la sauce piquante. Filet de poisson au gingembre. Bœuf à l'orange. Canard croustillant dans une crêpe chinoise. Poulet tranché au poivre sichuanais et épinards croustillants. Bœuf sauté sauce piquante à l'ail.
PRIX Midi: T.H. 16$ à 24$
Soir: C. 22$ à 49$
OUVERTURE: Lun. à ven. 11h45 à 14h30. 7 jours 17h30 à 21h30. Fermé 24, 25 déc. et 1er janv.
NOTE: Ouvert depuis 1985. Salle privée 40 pers.
COMMENTAIRE: Le cadre est élégant, le service cordial. Cuisine chinoise dans la tradition de New York. L'un des meilleurs restaurants chinois en ville. Vraiment très bon !

MR. MA ★★★★
1, pl. Ville-Marie, #11209, MTL
Tél.: 514-866-8000
SPÉCIALITÉS 70% SICHUANAISES 30% CANTONAISES: Crevettes sichuanaises. Canard de Pékin. Morue noire charbonnière. Poulet général Tao. Bœuf sauce à l'orange. Canard croustillant.
PRIX Midi: T.H. 20$ à 35$
Soir: C. 26$ à 57$ T.H. 20$ à 35$
OUVERTURE: Lun. et mar. 11h30 à 15h et 17h à 22h. Mer. à ven. 11h30 à 22h30. Sam. 17h à 23h. Fermé dim. et du 23 déc. au 4 janv.
NOTE: Menu dégustation 60$ à 80$. Stationnement gratuit après 17h.
COMMENTAIRE: Le propriétaire met l'accent sur la fraîcheur extrême et sur les saveurs des produits, principalement les fruits de mer. Service attentif et discret. Décor assez confortable, nappes blanches, salle à manger un peu grande.

RESTAURANT RUBY ROUGE ★★★★[ER]
1008, rue Clark, MTL
Tél.: 514-390-8828
SPÉCIALITÉS 70% CANTONAISES, 30% SICHUANAISES: Dimsums. Nid d'oiseau aux fruits de mer. Huîtres à la vapeur, sauce de fèves noires. Crevettes géantes, sauce sucrée et épicée. Homard cuit au four, au gingembre. Porc barbecue. Canard à la pékinoise ou laqué.
PRIX Midi: C. 15$ à 27$
Soir: C. 15$ à 31$ T.H. 33$ à 45$ pour 2
OUVERTURE: 7 jours 8h30 à 22h.
NOTE: Dimsum 2,50$ à 3,25$. Chaque midi une centaine de variétés. Repas congelés pour famille à emporter. Carte des vins.
COMMENTAIRE: Restaurant situé à l'étage, fréquenté par de très nombreux Chinois à l'heure du lunch. Le dimsum est un vrai régal; il y a plus de choix les sam. et dim. La salle est immense. Il est préférable de prendre place près des cuisines pour s'assurer que les bouchées soient les plus chaudes possible.

SZÉCHUAN ★★★★
400, Notre-Dame O., VIEUX-MTL
Tél.: 514-844-4456
SPÉCIALITÉS 80% SICHUANAISES type New York. 20% HUNANAISES: Crevettes géantes, sauce au miel. Crevettes à la Sichuan. Bœuf au parfum d'orange ou au poivre noir. Languettes de porc sauce à l'ail. Poulet général Tao.
PRIX Midi: T.H. 16$
Soir: C. 22$ à 49$ T.H. 18$
OUVERTURE: Lun. à ven. 11h30 à 14h30. Lun. à jeu. 17h à 22h. Ven. et sam. 17h à 22h30. Fermé dim. et du 23 déc. au 3 janv.
NOTE: Sur 2 étages: grande salle en haut, salle plus intime en bas. Carte des vins.
COMMENTAIRE: Cet établissement du Vieux-Montréal offre une cuisine sichuanaise et hunanaise dans la tradition de New York. Toujours égal. Un des plus anciens restaurants sichuanais en ville.

TONG POR ★★★
12242, bd Laurentien,
VILLE SAINT-LAURENT
Tél.: 514-393-9975
SPÉCIALITÉS 50% CANTONAISES, 30% THAÏLANDAISES ET 20% VIETNAMIENNES: Dimsum. Poulet épicé à la citronnelle. Salade thaïlandaise de homard. Fruits de mer sel et poivre. Poisson à la vapeur sauce aux fèves noires.
PRIX Midi: C. 14$ à 32$
Soir: Idem
OUVERTURE: 7 jours 10h30 à 23h.
NOTE: T.H. pour 2 à 10 pers. 23$ à 218$.
COMMENTAIRE: Ce restaurant sert une variété de bons mets chinois, thaïlandais, vietnamiens et d'excellents dimsums. Variété accrue sam. et dim.

YUAN ★★★
2115, Saint-Denis, MTL
Tél.: 514-848-0513
SPÉCIALITÉS VÉGÉTARIENNES: Bouillon d'aubergine et tofu japonais. Tofu, gingembre, basilic frais. Végé poulet à l'impérial. Végé poisson au citron. Végé fruits de mer croustillants au sel et poivre. Combo maki et sushi. Assiette variée de végé viande à la mode Yuan.
PRIX Midi: T.H. 17$
Soir: C. 16$ à 24$ T.H. 17$
OUVERTURE: Mar. à ven. 11h à 15h et 17h à 22h. Sam. et dim. midi à 16h et 17h à 22h. Fermé lun.
NOTE: Sur la rue Sherbrooke à l'angle de la rue Saint-Denis. Plats congelés pour végétariens à emporter. Buffet midi 13$, sam. et dim. soir 20$.
COMMENTAIRE: Le premier restaurant de cuisine végétarienne taïwanaise à Montréal. Ici, le propriétaire et les employés sont tous végétariens. Les produits végétariens sont importés de Taïwan au goût et sous forme de poisson, de viande, etc. On peut se les procurer à la boutique dans la cour intérieure.

CONTINENTAL

CHEZ DELMO ★★★
275, Notre-Dame O., VIEUX-MTL
Tél.: 514-288-4288
SPÉCIALITÉS: Caviar de la mer Caspienne. Cocktail de crevettes. Salade de crabe des neiges. Doré à la meunière, légumes de saison grillés. Pétoncles meunière. Saumon poché sauce hollandaise. Fish and chips. Homard Thermidor ou Newburg. Millefeuille chilien.
PRIX Midi: F. 25$
Soir: C. 35$ à 87$
OUVERTURE: Lun. à ven. 11h30 à 14h30. Lun. à sam. 17h30 à 22h30. Fermé dim.
COMMENTAIRE: Le service est charmant et bien fait, répondant à nos attentes. L'assiette est très bonne, mais on pourrait faire un gros effort pour ce qui est des présentations.

CHEZ MA GROSSE TRUIE CHÉRIE ★★★[ER]
1801, Ontario E., MTL
Tél.: 514-522-8784
SPÉCIALITÉS: Cochonne à s'en lécher les doigts (côte levée fumée, frites au parmesan, salade de céleri rave et betterave à l'huile de thym et citron). Joues de cochon confites, purée de pommes et céleri-rave. Moules cochounettes (crème, lard fumé, champigons), frites au parmesan.
PRIX Midi: F. 20$
Soir: C. 41$ à 57$ F. 30$ à 37$
OUVERTURE: Mar. à sam. 17h à 22h30. Dim. et lun. ouvert sur réserv. Automne: mer. à ven. 11h à 14h30. Mar. à sam. 17h à 22h30.
NOTE: Méga tout cochon à partager 35$/pers. Vins d'importation privée. Vins et bières du Québec. Sorbet maison. Grande table, 14 à 20 pers. pour groupe. Réserv. en ligne avec opentable.com. Fumoir maison. Mobilier recyclé. Stationnement gratuit (80 voitures). Salles privées. Réseaux sociaux.
COMMENTAIRE: Décor de taverne très tendance avec quelques trouvailles et une bonne ambiance. La terrasse, moderne et sympathique, possède un espace couvert. On y sert une cuisine savoureuse, solide et copieuse. On recommande les viandes. La carte des vins comporte des vins du Québec.

GIBBY'S ★★
298, pl. d'Youville, VIEUX-MTL
Tél.: 514-282-1837
SPÉCIALITÉS: Huîtres Rockefeller. Langoustines d'Islande grillées. Poissons frais grillés ou pochés. Homard 2 lb. Carré d'agneau grillé ou à la provençale. Entrecôte coupe Gibby's. Filet mignon, pommes de terre Montecarlo, asperges, salade verte. Crème brûlée. Crêpes jubilée.
PRIX Midi: (fermé)
Soir: C. 42$ à 84$
OUVERTURE: Lun. à ven. 17h30 à 23h. Sam. et dim. 17h à 23h.
NOTE: Huit à douze sortes de poissons frais tous les jours. Terrasse pour l'apéritif, dans une cour intérieure. Salon à l'étage avec foyer. Personnel en costume folklorique. Stationnement gratuit avec service de valet.
COMMENTAIRE: Très orientée vers les cars de touristes, la cuisine ne semble pas vouloir faire de gros efforts pour suivre l'évolution de la cuisine au Québec. Service aimable. Ambiance d'antan.

LA FONDERIE (Montréal) ★★
964, rue Rachel E., MTL
Tél.: 514-524-2100
SPÉCIALITÉS DE FONDUES: Carpaccio de filet mignon de bœuf. Soupe à l'oignon au vin blanc. Raclette suisse et québécoise. Fondues chinoise, bourguignonne, neuchâteloise, dégustation. Fondue au chocolat.
PRIX Midi: (fermé)
Soir: C. 33$ à 59$ T.H. 33$ à 45$
OUVERTURE: Dim. à jeu. 17h à 22h. Ven. et sam. 17h à 23h. Fermé 24, 25 déc.
NOTE: Ouvert midi sur réserv. 15 pers. et plus. Festin de fondues 33$ à 45$. Péché à deux 78$ à 88$/2 pers. Restaurant climatisé. Réserv. en ligne. Stationnement avec navette gratuit ven. et sam., de nov. à avr.
COMMENTAIRE: Le décor est coquet, familial, un poil conservateur, mais on s'y sent bien. Intelligents jeux de miroir qui agrandissent l'avant de la salle; celle-ci est bien découpée, favorisant des coins conviviaux. Plusieurs variétés de fondues mais on devrait faire un effort sur la qualité. Service aimable, un peu lent.

LES FILLES DU ROY ★★★[ER]
Hôtel Pierre du Calvet
405, rue Bonsecours, VIEUX-MTL
Tél.: 514-282-1725
SPÉCIALITÉS: Pétoncles sauce au Ricard. Osso buco braisé à l'ancienne. Filet mignon aux épices. Filet de cerf glacé au miel, sauce poivrade et canneberges, purée de pommes de terre. Gâteau à l'érable. Gâteau mousse au chocolat.
PRIX Midi: C. 25$ à 42$
Soir: C. 46$ à 73$ F. 38$ à 48$
OUVERTURE: 7 soirs 18h à 22h30. Jeu. à dim. 11h à 15h. Brunch dim. 11h à 14h.
NOTE: Menu-terrasse en été. Menu soir 5 serv. 55$. Menu végétarien ou sans gluten sur demande. On peut bavarder avec les perroquets dans la serre. Salle musée avec exposition des sculptures en bronze de M. Trottier, le propriétaire, et d'autres artistes.
COMMENTAIRE: Dans un décor très ancien, on retrouve tous les éléments du Québec d'autrefois. Un peu comme dans un musée, on se sent carrément transporté dans une autre époque, en l'occurrence, celle des coureurs des bois, mais avec le luxe des grandes familles montréalaises des

18e et 19e siècles. C'est, malgré tout, très beau, voire surtout très romantique. Mais pas un romantisme de dentelle, non, un romantisme solide, puissant, de marchand bien nanti. La carte n'a rien d'original ni de très inventif, mais l'assiette est bonne et copieuse. Elle se veut traditionnelle, classique, avec une connotation dite québécoise.

L'Ô ★★★
Hôtel Novotel
1180, de la Montagne, MTL
Tél.: 514-871-2151
Hôtel: 514.861.6000
SPÉCIALITÉS: Risotto de pétoncles et queue de homard. Cuisse de canard confite, pommes du Yukon, haricots verts et bacon, réduction au sirop d'érable. Fish and chips sauce tartare. Classique crème brûlée. Tiramisu.
PRIX Midi: T.H. 20$
Soir: C. 28$ à 47$
OUVERTURE: 7 jours 11h30 à 22h. Petit déjeuner lun. à ven. 6h à 10h, sam. et dim. 6h30 à 10h30. Fermé après 18h les 24 et 25 déc.
NOTE: Sélection de 20 vins au verre et d'importation privée. Petit déjeuner gratuit enfant 16 ans et moins. Terrasse de style lounge avec bar et sofa. Brunch fête des Mères, fête des Pères, Pâques et sur réservation.
COMMENTAIRE: Décor moderne où la symbolique de l'eau, du feu et de la terre est représentée. Il a été créé par l'un des décorateurs du célèbre Hôtel Georges V, à Paris. La carte propose une cuisine de type continental. Une cuisine de simplicité et de fraîcheur. Service très courtois et plein de bonne volonté.

MAESTRO S.V.P. ★★★
3615, bd Saint-Laurent, MTL
Tél.: 514-842-6447
SPÉCIALITÉS: Huîtres fraîches. Crevettes à la noix de coco. Assiette de fruits de mer (bruschetta, palourdes, satay de crevettes, crabe des neiges, moules vapeur, calmars, demi-homard, crevettes à la noix de coco). Moules marinières, frites maison. Crème brûlée.
PRIX Midi: (fermé)
Soir: C. 32$ à 72$
OUVERTURE: 7 jours 16h à 20h. Fermé 24, 25 déc. et du 4 au 25 janv.
NOTE: Moules à volonté dim. et lun. Mar. à jeu. tapas de fruits de mer, 3$ à 15$. Bar d'huîtres fraîches, à l'année, provenant des États-Unis (Washington, New York) et du Canada. Poissons variés frais tous les jours. Crabe royal 99$.
COMMENTAIRE: Un des rares restaurants à servir essentiellement des fruits de mer et des poissons. L'assiette est copieuse et bien présentée. Le décor emprunte un style bistro moderne. Menus sur ardoise. L'atmosphère devient conviviale quand le service y contribue.

MÉCHANT BŒUF ★★★
124, rue Saint-Paul O.,
VIEUX-MTL
Tél.: 514-788-4020
SPÉCIALITÉS: Tartare de saumon, bœuf ou bison. Côtes levées braisées au sirop d'érable et Jack Daniel's. Demi-poulet de grain mariné aux épices et aux herbes. Méchant burger, bacon, fromage bleu, gruyère et oignons caramélisés. Filet mignon, purée de pommes de terre maison. Brownie tiède de fourré au caramel, crème glacée à la vanille.
PRIX Midi: (fermé)
Soir: C. 35$ à 69$
OUVERTURE: Dim. à mer. 17h à 23h. Jeu. à sam. de 17h à minuit trente.
NOTE: Bar cru. Huîtres. Duo de chansonniers mar. et mer. soir., D.J. jeu. à sam. T.H. groupe 10 pers. et plus 24$ à 47$.
COMMENTAIRE: L'assiette est excellente, généreuse et agréablement présentée. On propose un choix de mets traditionnels de brasserie et de cuisine continentale faite de produits frais de qualité. C'est vraiment très bien, bon et copieux. Décor confortable, moitié bistro, moitié discothèque, avec un immense comptoir de bar sur un côté.

MOISHE'S ★★★
3961, bd Saint-Laurent, MTL
Tél.: 514-845-3509
SPÉCIALITÉS: Salade de légumineuses. Foie haché. Morue noire de l'Alaska cuite au charbon, huile et citron. Poulet spécial Moishes. Chiche-kebab mariné. Bifteck de côte ou de surlonge. Filet mignon sur œuf. Tarte Tatin.
PRIX Midi: (fermé)
Soir: C. 39$ à 93$
OUVERTURE: Dim. à mar. 17h à 22h. Mer. 17h30 à 23h. Jeu. et ven. 17h30 à minuit. Sam. 17h à minuit. Fermé 24, 25 déc. et 1er janv.
NOTE: Stationnement gratuit. T.H. de 21h à minuit 25$ jeu. à sam. Réserv. sur opentable.com
COMMENTAIRE: Grand spécialiste du bifteck et du poisson frais. Une institution à Montréal.

NEWTOWN ★★★★[ER]
1476, rue Crescent, MTL
Tél.: 514-284-6555
SPÉCIALITÉS: Salade niçoise à l'ancienne, thon confit, œuf dur, tomates, lardons, oignons, haricots du Québec. Club sandwich au crabe de Nouvelle-Écosse, frites maison. Crumble fraises et rhubarbe, glacé vanille et bourbon.
PRIX Midi: F. 20$ T.H. 24$
Soir: C. 27$ à 71$
OUVERTURE: Lun. à jeu. midi à 22h. Ven. midi à 23h. Sam. 14h à 23h. Dim. 14h à 22h.
NOTE: Un premier étage style bistro branché, on mange au bar ou à des tables basses. L'endroit idéal pour se faire voir. Au second étage, c'est une élégante salle à manger, grande, aérée et bien éclairée.
COMMENTAIRE: Bel établissement résolument moderne, tout comme l'assiette. Plusieur chefs s'y sont succédés ces dernières années sans y rester longtemps.

Restaurant-Jardins
LE CASTILLON ★★★★
Hilton Montréal Bonaventure
900, rue de la Gauchetière O., MTL
Tél.: 514-878-2992 878-2332
SPÉCIALITÉS: Club sandwich au homard. Bavette de bœuf Angus, frites maison. Hamburger Angus, foie gras. Filet de saumon, salsa d'ananas et fraises. Tarte au chocolat noir.
PRIX Midi: T.H. 26$ à 39$
Soir: C.51$ à 78$ T.H. 39$
OUVERTURE: 7 jours midi à 22h30. Petit déjeuner 7 jours 6h30 à midi.
NOTE: Buffet petit déjeuner 7 jours, continental 21$, complet 24$. Piscine extérieure chauffée en hiver. Bar soleil de juin à août au bord de la piscine. Menu pour végétariens et pers. allergiques. Brunch Noël, Nouvel An, fête des Mères. Réserv. opentable.com.
COMMENTAIRE: Restaurant perché sur le toit au 17e étage. Le décor du Castillon est haut de gamme tout comme le service. La salle à manger est de facture élégante et classique. On profite d'une très belle terrasse en été, avec son jardin, son ruisseau peuplé de très beaux poissons, et même ses arbres. Unique à Montréal! Le chef Louis Rodaros propose une cuisine continentale avec quelques touches internationales. Il cultive ses fines herbes et ses légumes sur le toit-terrasse de l'hôtel.

RIB'N REEF ★★★
8105, bd Décarie, MTL
Tél.: 514-735-1601
SPÉCIALITÉS: Homard frais au goût du client. Pattes de crabe d'Alaska. Tartare de thon Yellowfin. Salade César préparée à votre table. Côte de bœuf cuite lente-

ment au four. Steak au poivre. Rib steak et patate au four. Cerises Jubilée flambées.
PRIX Midi: F. 29$ à 40$
Soir: C. 51$ à 128$
OUVERTURE: Lun. à mer. 11h30 à 23h. Jeu. à sam. 11h30 à minuit. Dim. 16h30 à 23h. Fermé 24 déc.
NOTE: Bœuf premier choix Midwest américain. Viande cuite sur gril au charbon de bois. Viandes vieillies à sec. Arrivage de poisson journalier et de homard deux fois par semaine, par avion. Pattes de crabe de l'Alaska et homard au poids. Choix de caviar.
COMMENTAIRE: Décoration confortable et luxueuse. La cave à vin est imposante, 800 sortes de vin, 12 000 bouteilles, et l'on peut même y organiser des repas pour 10 à 30 personnes. On recommande la viande cuite sur le gril au charbon de bois qui est excellente. Service familial et aimable. Danny Cousineau, l'ancien chef de la défunte Queue de cheval, dirige les fourneaux.

VARGAS ★★★★
Steak house, sushis
690, bd René-Lévesque O., MTL
Tél.: 514-875-4545
SPÉCIALITÉS: Huîtres Rockefeller. Satay au bœuf grillé, sauce thaïlandaise aux arachides. Côte de bœuf. Filet mignon qualité Angus canadien vieilli à la perfection. Rib steak. Pizza sushi. Crème brûlée.
PRIX Midi: F. 16$ à 21$
Soir: C. 23$ à 89$
OUVERTURE: Lun. à ven. 11h à 23h. Sam. et dim. 17h à 23h. Fermé midi jours fériés et 25 déc. toute la journée.
NOTE: Dégustation de sushis 5 serv. 50$. Les sushis ne sont pas servis entre 14h30 et 17h. Réserv. pour 5 à 7 sur la terrasse. Réserv. salle semi-privée pour groupe.
COMMENTAIRE: Décor classique et de bon goût, voire raffiné. Une cuisine de style steak house et fruits de mer, élaborée avec des produits frais de haute qualité. Leur spécialité c'est la côte de bœuf. Les portions sont très généreuses et conviennent parfaitement aux gros mangeurs de qualité, l'un n'empêchant pas l'autre. Bon choix de vin, nettement dominé par les vins rouges, quelques demi-bouteilles, et un choix raisonnable de vin au verre. Service professionnel et attentif.

CORÉEN

5000 ANS ★★
2176-A, rue Sainte-Catherine O., MTL
Tél.: 514-932-7565

AVIS

Kimchi: Le kimchi est un condiment d'accompagnement. Il existe une grande variété de kimchis. Les ingrédients de base (chou, radis, concombre) ne s'y retrouvent pas tous nécessairement en même temps et ils ne sont pas tous piquants, contrairement à une croyance populaire. C'est selon les saisons, les régions et même les traditions familiales.

SPÉCIALITÉS: Salade de tofu. Bibimbap (riz à la vapeur assorti de légumes et de viande). Haimui Pajean (crêpe coréenne de fruits de mer). Barbecue coréen. Crème glacée au thé vert.
PRIX Midi: C. 19$ à 31$
Soir: Idem
OUVERTURE: Lun. à jeu. midi à 23h. Ven. et sam. midi à minuit. Dim. 17h à 23h.
NOTE: Barbecue coréen à volonté, 22$. Salle privée pour groupes de 50 pers. sur réserv.
COMMENTAIRE: Une carte à prédominance coréenne. Des plats préparés avec soin, tels que le Pajean et Bibimbap, qui permettent d'apprécier une cuisine encore trop peu connue.

LA MAISON DE SÉOUL ★★★
5030, rue Sherbrooke O., MTL
Tél.: 514-489-3686
SPÉCIALITÉS: Jap Chae (nouilles de pommes de terre). Bibimbap (riz avec bœuf, légumes marinés et œuf au plat). Bulgogi (émincé de bœuf mariné, grillé avec sauté de légumes). Jeangol (fondue de fruits de mer). Tempura de crème glacée.
PRIX Midi: F. 12$ à 14$
Soir: C. 17$ à 47$
OUVERTURE: Lun. à sam. 11h30 à 15h et 17h à 22h30. Fermé dim, 24 et 25 déc., 1er janv. et jours fériés.
NOTE: Commandes sur internet et livraison payées en argent comptant seulement.
COMMENTAIRE: On va à La Maison Séoul pour sa cuisine authentique jusque dans les moindres détails. Le kimchi est bien dosé et frais, ce n'est pas un plat, mais un accompagnement (voir avis dans cette section).

MIGA ★★★
432, rue Rachel E., MTL
Tél.: 514-842-4901
SPÉCIALITÉS: Bibimbap (bœuf, œuf, courgette, champignon, carotte, chou, riz). Cim Chibap (kimchi, bœuf, légumes et riz). Kalbi (côte de bœuf). Bulgogi. Gâteau de riz.

PRIX Midi: C. 16$ à 21$
Soir: Idem T.H. 18$
OUVERTURE: Lun. à ven. 11h30 à 15h. Lun. à sam. 17 à 21h30. Fermé dim.
NOTE: Lun. à ven. un plat différent en spécial chaque midi. Mets à emporter.
COMMENTAIRE: Bon et pas cher. Kyung Hee Yoo, originaire de la Corée du Sud, vous réserve un accueil tout en courtoisie et en délicatesse, dans ce restaurant qu'elle exploite avec sa sœur et son fils.

RESTAURANT 5000 ANS ★★★
3441, rue Saint-Denis, MTL
Tél.: 514-845-8902
SPÉCIALITÉS: Crêpe aux fruits de mer. Chulpan cuisiné sur la table, soupe et petit bibimbap inclus. Barbecue coréen (côte de bœuf, cuisiné sur la table). Dolsot bibimbab (riz, légumes, bœuf, œuf).
PRIX Midi: F. 19$ à 52$
Soir: Idem
OUVERTURE: Lun. à jeu. 11h à 22h. Ven. à dim. 11h à 23h.
NOTE: Barbecue coréen sur la table, 2 pers. 34$. Pas de dessert.
COMMENTAIRE: Le nom de ce restaurant évoque les 5000 ans d'histoire de la Corée. Les assaisonnements s'harmonisent parfaitement avec les plats de cette cuisine coréenne classique. Très bon rapport qualité-prix.

RESTAURANT LA MAISON DU BULGOGI ★★
2127, rue Sainte-Catherine O., MTL
Tél.: 514-935-9820
SPÉCIALITÉS: Jap Chae (nouilles de pommes de terre). Fondue aux fruits de mer. Bulgogi (bœuf barbecue mariné grillé). Bœuf et julienne de légumes. Gea Uk: porc épicé. Duk Bokji: gâteau de riz épicé. Hae Mul Jun Gol. Pa Jun (crêpe style coréen).
PRIX Midi: T.H. 7$ à 10$
Soir: T.H. 9$ à 20$
OUVERTURE: Dim. à jeu. 11h à 22h. Ven. et sam. 11h à 23h.
NOTE: Bœuf BBQ 40$/2 pers.
COMMENTAIRE: Le Bulgogi est un plat national coréen. Il est fait de lamelles de viande marinées, puis grillées à la table. La salle est grande et sans personnalité. La cuisine de type familial est goûteuse. Les prix sont doux.

CRÊPERIE

LA CRÊPERIE DU VIEUX-BELOEIL ★★★★★
Voir section MONTÉRÉGIE
Sans contredit, la meilleure crêperie au Québec !

ÉGYPTIEN

LE PHARAON ★★★
595, bd Côte-Vertu,
VILLE SAINT-LAURENT
Tél.: 514-744-9898
SPÉCIALITÉS: Bouillon de molokheya, riz, jarret de bœuf ou poulet. Plat végétarien, falafel égyptien, aubergines frites et koshari. Grillade mixte (chiche kebab, kofta, taouk). Gigot d'agneau. Poisson frit ou grillé. Konafa à la crème fleur d'oranger. Om ali (feuilleté, lait et noix).
PRIX Midi: T.H. 15$
Soir: C. 20$ à 35$ T.H. 20$
OUVERTURE: Mar. et mer. 17h à 23h. Jeu. à dim. 11h à 23h. Fermé 25 et 31 déc. et 1er janv.
NOTE: Menu dégustation avec thé à la menthe 20$. Service de traiteur.
COMMENTAIRE: Anciennement Café Jounieh. Le café shisha n'est plus là, ce qui explique le changement de nom. Nourriture familiale, très bien faite, remplie des parfums suaves de la Méditerranée orientale. Beaucoup d'épices aromatiques. Des parfums, des saveurs à n'en plus finir. Ambiance très conviviale de café-terrasse, qui nous transporte dans les villes égyptiennes. La terrasse a beaucoup de succès et le propriétaire ajoute des tables et des chaises au fur et à mesure que les clients arrivent. C'est l'endroit pour jouer au «Tric-trac» et souper en écoutant des chansons égyptiennes.

ESPAGNOL

PINTXO ★★★
256, rue Roy E., MTL
Tél.: 514-844-0222
SPÉCIALITÉS: Bajoues de bœuf braisées. Œufs brouillés à la morue. Foie gras au torchon, oignons caramélisés. Carré de cerf en croûte de pistaches. Boudin noir, chutney aux pommes. Nougat glacé aux noix de Grenoble, poires et coulis de fraises.
PRIX Midi: F. 24$
Soir: C. 34$ à 58$ F. 38$
OUVERTURE: Mer. à ven. midi à 14h. Lun. à sam. 18h à 23h. Dim. 18h à 22h. Fermé les 24 , 25, 31 déc., 1er janv. et du 4 au 7 janv.
NOTE: Midi, menu Pintxo (4) et dessert 29$. Carte des vins. Vins espagnols. 80% d'importation privée. Réserv. sur opentable.com.
COMMENTAIRE: Pintxo en basque ou tapas en espagnol, ce sont des petites bouchées délicieuses dont on commande plusieurs variétés pour composer son menu. Ici, c'est à la fois un plaisir des yeux tout autant que du goût. Décor chaleureux et intimiste.

TAPEO ★★
511, rue Villeray, MTL
Tél.: 514-495-1999
SPÉCIALITÉS: Crevettes à l'ail. Pétoncles aux lardons. Pieuvre gril-

lée. Croquettes de morue. Fideos (pâtes courtes, saucisson, crevettes, champignons, aïoli aux amandes). Morue aux artichauts.
PRIX Midi: F. 20$
Soir: C. 19$ à 64$
OUVERTURE: Mar. à ven. midi à 15h et 17h30 à 23h. Sam. 17h à 23h. Dim. 17h à 22h. Fermé 24, 25, 31 déc. et 2 prem. sem. de janv.
NOTE: Ouvert lun. pour groupe min. 30 pers. Paella pour deux env. 50$. Il faut compter manger 3 à 4 tapas minimum et un dessert de 6$ à 10$.
COMMENTAIRE: Restaurant sur deux étages, au décor de bistro, simple et moderne, dans un quartier populeux. Le menu est inscrit dans des cercles sur un mur genre tableau noir. La jeune chef, Marie-Fleur St-Pierre, a écrit un livre sur les tapas aux éditions de l'Homme. Une sorte de prolongation de son savoir-faire, dont on se régale au Tapeo. Une cuisine conviviale, créative et spontanée. Service enthousiaste et courtois. Ont un second restaurant: Meson restaurant général espagnol, au 345, Villeray.

FRANÇAIS

ALEXANDRE ET FILS ★★★★ (bistro)
1454, rue Peel, MTL
Tél.: 514-288-5105
SPÉCIALITÉS: Gambas grillées sur risotto d'orge. Quenelles de brochet. Foie gras de canard. Choucroute alsacienne au champagne. Épaule d'agneau à la semoule de couscous. Homard froid parisien. Bavette à l'échalote. Cassoulet toulousain. Fondant au chocolat. Gâteau café de Paris. Nougat glacé.
PRIX Midi: T.H. 24$ à 38$
Soir: C. 37$ à 72$
OUVERTURE: 7 jours midi à 2h du matin.
NOTE: Côte de bœuf pour 2, 46$/pers. Terrasse et brasserie parisienne au rez-de-chaussée, John Sleeman pub au 2e étage. Bon choix de bières. Salon à cigares au 2e étage. Piste de danse sur réserv. Stationnement 6$ le soir.
COMMENTAIRE: Alexandre présente une table sympathique dans un cadre débordant d'ambiance parisienne où la carte bistro, des plus appétissantes, nous fait faire un tour d'horizon des régions de France, de quoi satisfaire tous les goûts.

À L'OS ★★★
5207, bd Saint-Laurent, MTL
Tél.: 514-270-7055
SPÉCIALITÉS: Tartare de bison, vinaigrette aux cèpes et au porto. Terrine de foie gras. Filet mignon à l'os. Steak d'espadon grillé. Pain perdu chocolat au lait et noisettes.
PRIX Midi: (fermé)
Soir: C. 51$ à 86$ T.H. 44$ à 70$
OUVERTURE: Mar. à dim. 18h à 23h. Fermé lun. Fermé 24 au 26 déc. et 1er janv.
NOTE: Menu dégustation 5 serv. 60$.
COMMENTAIRE: La salle à manger est simple et confortable. Belle vaisselle bien adaptée aux mets présentés. La cuisine est ouverte sur un côté de la salle à manger. Une assiette française revisitée, créative, savoureuse et intéressante. Une cuisine qui étonne! Les cuissons sont justes, les saveurs, bien mariées et les garnitures, bien adaptées. Si on boude un peu le sel, par contre on n'a pas peur d'utiliser et de mettre en valeur les épices avec beaucoup de doigté. N'oubliez pas d'apporter votre vin.

APOLLO RESTAURANT ★★★★
1333, rue Université, MTL
Tél.: 514-274-0153
SPÉCIALITÉS: Pieuvre braisée, crevettes, succotash et crème fraîche. Kobia, cavatelli, rapinis, tomates séchées, coulis d'olives. Mignon de veau, courgettes, polenta, champignons, sauce à l'argousier.
PRIX Midi: T. H. 18$ à 30$
Soir: C. 43$ à 61$
OUVERTURE: Lun. à ven. 11h30 à 14h30. Lun. à sam. 17h30 à 22h. Fermé dim., 25 déc. et 1er janv.
NOTE: Menu bar terrasse toute la journée. Service de traiteur. Menu change chaque semaine. Menu découverte à l'ardoise.
COMMENTAIRE: Ce restaurant, installé dans un antique presbytère construit en 1876, offre une cuisine moderne et agréable dans un décor accueillant et élégant, complètement refait par le nouveau propriétaire, le chef médiatique Giovanni Apollo. Même si l'on ne décline plus chaque plat, l'assiette reste un must autant pour le goût que pour le coup d'œil. Initiateur de la cuisine moléculaire à Montréal, le chef Apollo n'en fait pas pour autant une religion. Il l'utilise pour ce qu'elle apporte de bon dans sa cuisine. Service compétent selon la personne qui vous sert.

ARIEL ★★★[ER]
2072, rue Drummond, MTL
Tél.: 514-282-9790
SPÉCIALITÉS: Pieuvre laquée, salade de légumes grillés, hommos fumé aux agrumes. Volaille de Cornouailles, frites, ketchup de poivrons rouges, mayonnaise au sésame, salade de chou, rattes. Guimauve maison, petits fruits, financier grillé.
PRIX Midi: F. 19$ à 26$
Soir: C. 32$ à 50$
OUVERTURE: Lun. à ven. 11h30 à 14h. Lun. à sam. 18h à 22h. Fermé dim., jours fériés et 2 sem. à partir du 24 déc.
NOTE: Jardin intérieur. Le menu change aux deux mois et la carte quotidiennement. Sélection de fromages québécois artisanaux. Bar à vins (plus de 700 sortes). Sélection de portos (15 sortes). Vins au verre et demi-bouteilles.
COMMENTAIRE: La cuisine n'est plus tout à fait ce qu'elle était. C'est un peu la valse des chefs et ce n'est pas toujours heureux. Un peu désabusé, le propriétaire semble pourtant s'en accommoder. Décor convivial et confortable.

AU 5e PÉCHÉ ★★★ (bistro)
4475, rue Saint-Denis, MTL
Tél.: 514-286-0123
SPÉCIALITÉS: Ris de veau, purée de carottes au beurre noisette, amandes, pancetta. Tataki de longe de phoque des Îles de la Madeleine. Omble chevalier, salade de homard, hareng boucané. Vol-au-vent de rognons de veau, topinambours.
PRIX Midi: (fermé)
Soir: C. 27$ à 58$
OUVERTURE: Mar. et mer. 17h30 à 22h. Jeudi à sam. 17h30 à 23h. Fermé dim. et lun.
NOTE: Chef patissière sur place. Belle sélection de vins d'importation privée et biologique (100%). Salle privée 35 à 55 pers., à l'étage.
COMMENTAIRE: La cuisine est excellente. Il s'agit là d'un bon chef qui aime ce qu'il fait, et cela paraît jusque dans l'assiette. Il serait originaire du Nord de la France. La carte des vins comporte une bonne douzaine de variétés d'importation privée. Le service est très courtois, compétent et accommodant.

AU PETIT EXTRA ★★★ (bistro)
1690, rue Ontario E., MTL
Tél.: 514-527-5552
SPÉCIALITÉS: Pavé de morue, salade de pieuvre, purée aux olives et aux pistaches. Entrecôte de bœuf, beurre au poivre vert, frites maison. Ris de veau aux câpres et citron. Confit de canard, salade landaise. Fondant au chocolat. Crème brûlée.
PRIX Midi: F. 15$ à 21$
Soir: C. 37$ à 51$ F. 21$ à 29$
OUVERTURE: Lun. à ven. 11h30 à 14h30. Jeu. à sam. 17h30h à 22h30. Dim. à mer. 17h30 à 22h.

Fermé 24 et 25 déc., 1er janv. et 24 juin.
NOTE: Belle carte des vins d'importation privée à prix raisonnables. Menu saisonnier. Salle Le lion d'or libre pour réceptions privées sur demande (180 pers.) ou spectacles. Petite salle privée 50 pers.
COMMENTAIRE: Fidèle à lui-même malgré les années. Genre bistro, on affiche le menu sur une ardoise. Ambiance bistro conviviale.

AU PIED DE COCHON
★★★ (bistro)
536, rue Duluth E., MTL
Tél.: 514-281-1114
SPÉCIALITÉS: Hamburger de foie gras. Carpaccio de canard. Boudin maison. Canard en conserve. Tête de cochon confite au gras de canard, rôtie au four, servie avec un homard. Pied de cochon farci au foie gras. Pomme au four à l'érable. Pouding chômeur.
PRIX Midi: (fermé)
Soir: C. 27$ à 87$
OUVERTURE: Mer. à dim. 17h à minuit. Fermé lun. et mar.
NOTE: Plats pour emporter. Les fenêtres sur l'avant du resto s'ouvrent en été. Le menu change régulièrement. Plateau de fruits de mer en saison.
COMMENTAIRE: Le chef propriétaire est un passionné du foie gras qu'il décline de multiples façons avec succès. Il nous sert une cuisine française avec quelques spécialités québécoises. Une assiette copieuse, généreuse et très savoureuse, qui vous laisse repus. Nous avons aimé la finition de la viande au four à bois qui lui donne un croustillant savoureux. Ambiance bistro, un peu bruyante, très animée, sans prétention. Décor simple, tables de bois sans nappe. Service attentif et passionné. Carte des vins bien adaptée et bien présentée.

BEAVER HALL ★★★ (bistro)
1073, Côte du Beaver-Hall, MTL
Tél.: 514-866-1331
SPÉCIALITÉS: Salade repas de chèvre chaud, saumon fumé. Fish and chips du Beaver Hall. Tartare de bœuf coupé au couteau. Bavette grillée à l'échalote, frites et salade. Foie de veau poêlé, échalotes confites et pommes boulangère. Crème brûlée. Mousse au chocolat.
PRIX Midi: F. 15$ à 33$
Soir: C. 26$ à 59$ F. 36$
OUVERTURE: Lun. 11h30 à 15h. Mar., mer. 11h30 à 22h. Jeu. et ven. 11h30 à 23h. Sam. 17h à 23h. Fermé dim. et jours fériés.
NOTE: Demi-bouteille incluse dans le F. du soir. Cave à vin d'importation privée. Musique d'ambiance.
COMMENTAIRE: L'assiette est excellente et digne du chef Jérôme Ferrer, aussi propriétaire du restaurant Europea (★★★★★ restaurant de l'année Debeur 2010). Belles présentations, saveurs et fraîcheur sont au rendez-vous. Un vrai plaisir! Rien à redire sur la carte des vins, bien adaptée avec un bon choix de vins au verre. Le service est jeune et bien dirigé.

BIRKS CAFÉ PAR EUROPEA
★★★★ (bistro)
1240, Square Phillips, MTL
Tél.: 514-397-2468
SPÉCIALITÉS: Pétoncles géants, risotto crémeux aux champignons et parmesan. Épaule d'agneau confite en croûte d'herbes, piquillos farcis à la ricotta, noix de cajou et légumes verts. Mousse à la lime, duo de ganaches au chocolat noir et au lait.
PRIX Midi: F. 25$ à 27$
OUVERTURE: Repas, lun. à ven. 11h à 14h30. Ouverture du café et salon de thé, lun. à mer. 10h à 18h. Jeu. et ven. 10h à 21h. Sam. 10h à 17h. Dim. midi à 17h.
NOTE: Ouvert 7 jours. Plats salés le midi seulement. On peut manger des collations gourmandes (à partir de 14h) ou des pâtisseries, des chocolats, des compositions de crèmes glacées durant les heures d'ouverture de la bijouterie. L'heure du thé 26,50$: plateau avec scones, macarons, verrines, canapés, thé.
COMMENTAIRE: Il ne manquait plus qu'un écrin pour la fabuleuse cuisine du chef Ferrer, propriétaire de plusieurs établissements de renom, dont le fameux Europea (★★★★ restaurant de l'année Debeur 2010). Il l'a trouvé: la maison Birks à Montréal. Installés sur la mezzanine de la bijouterie, on y mange dans un décor bistro de luxe où le service se fait à pas feutrés sur le tapis «mur à mur». On y a bu de l'eau minérale dans des verres de cristal Murano. Et toute la vaisselle est du même calibre. L'après-midi est réservé au salon de thé pour y boire des thés d'exception et y manger des collations gourmandes. Le midi et certains soirs, on y déguste l'excellente cuisine du chef Jérôme Ferrer à des prix très attrayants, compte tenu de la qualité et de l'endroit. La formule se veut bistro, oui, mais quel bistro!

BISTRO CHEZ ROGER
★★★ (bistro)
2316, rue Beaubien E., MTL
Tél.: 514-593-4200
SPÉCIALITÉS: Pieuvre grillée, petite salade grecque. Côte de bœuf entière pour deux. Surf and turf (filet de bœuf, queue de homard, crevettes gambas, risotto au crabe). Gâteau au fromage et bleuets.
PRIX Midi: (fermé)
Soir: C. 33$ à 66$
OUVERTURE: 7 jours 18h à 23h. Fermé 24, 25, 31 déc. et 1er janv.
NOTE: Ancienne taverne de quartier transformée moitié en boudoir, moitié en resto-bistro. Vins d'importation privée.
COMMENTAIRE: Le décor est moderne, agréable et confortable. La cuisine est ouverte sur la salle à manger qui se divise en deux niveaux. L'endroit est simple, jeune, sympa. La formule est facile, on ne se casse pas la tête, c'est bon et c'est copieux. Le service est jeune et compétent.

BISTRO COCAGNE
★★★★★ (bistro)
3842, rue Saint-Denis, MTL
Tél.: 514-286-0700
SPÉCIALITÉS: Foie gras poêlé du moment. Macaronnades, poêlée de champignons, tranche de foie gras, sauce au foie gras. Steak de cerf, pommes de terre ratte, lardons de sanglier, shiitakes, sauce poivrade. Pouding chômeur, glace au sirop d'érable.
PRIX Midi: (fermé)
Soir: C. 44$ à 63$
OUVERTURE: Dim. et mer. 17h30 à 22h30. Jeu. à sam. 17h30 à 23h30. Fermé lun. et mar.
NOTE: Menu dégustation saisonnier, 6 serv. 80$. Ouvert midi sur réserv. pour groupes 20 pers. et plus. Bar. Brunch à Pâques, à la fête des Mères et Montréal en lumière.
COMMENTAIRE: Un endroit à mettre dans son carnet d'adresses absolument. Le talentueux jeune chef, Alexandre Loiseau, fait une cuisine bistro merveilleuse. Du talent, des saveurs, un personnel agréable à la hauteur des plats succulents qui sont servis.

BISTRO L'AROMATE
★★★ (bistro)
Hôtel Le Saint-Martin
980, bd de Maisonneuve O., MTL
Tél.: 514-847-9005
SPÉCIALITÉS: Pieuvre du Maroc grillée, bedaine de porc, tomates confites, ratatouille et huile Arbequino fumée. Lapin de Stanstead décliné et pétoncles poêlés, purée de carottes, légumes verts, sauce aux cèpes. Côte de veau grillée, mozzarella di bufala coulante, écrasé de pommes de terre, vinaigrette à l'huile de truffe. Tarte au sucre revisitée en bouchée chaude et fondante en croûte de noix,

caramel à la fleur de sel, glace à la vanille.
PRIX Midi: F. 24$ à 35$
Soir: C. 40$ à 76$ F. 28$ à 45$
OUVERTURE: Dim. à mer. 11h30 à 22h. Jeu. et ven. 11h à 23h. Sam 11h30 à 23h. Dim 11h30 à 22h. Petit déjeuner dès 6h30.
NOTE: Produits du Québec. Cave à vin avec importations privées.
COMMENTAIRE: De style bistro, jeune, moderne et chic, le décor se joue en blanc, gris ardoise et vert amande. Ce restaurant, d'abord installé sur la rue Guy à Montréal, a déménagé ses pénates sur le boulevard de Maisonneuve. On y a gagné en espace et on en a profité pour faire une décoration encore plus invitante. Service toujours très aimable.

BISTRO LE RÉPERTOIRE ★★★ (bistro)
5076, rue Bellechasse, MTL
Tél.: 514-251-2002
SPÉCIALITÉS: Pétoncles géants à la marinière au muscadet. Côte de veau de lait à la fourme d'Ambert. Côte de veau grillée, jus aux truffes. Duo de crevettes, pétoncles et chorizo, coulis de poivrons doux. Bavette de bison sauce au porto.
PRIX Midi: T.H. 15$ à 19$
Soir: T.H. 27$ et 31$
OUVERTURE: Lun. à ven. 11h30 à 14h30. Ven et sam. 17h30 à 22h. Fermé dim.
NOTE: Menu change aux 3 semaines. Plusieurs produits locaux. Belle carte des vins, 50% d'importation privée. Réserv. de groupe 15 pers. et plus, soir en semaine et pendant le festival Montréal à table.
COMMENTAIRE: On se trouve dans un décor de petit bistro de quartier, simple et convivial. Franck Morant, le chef propriétaire, propose une cuisine française à laquelle il a donné une couleur internationale. Les portions sont copieuses, les saveurs, généreuses. C'est une cuisine sans prétention, honnête et gentiment présentée. Le service rapide et attentif. La carte des vins propose un bon choix de vins d'importation privée et surtout un bon choix de vins au verre, ce qui est très bien pour un bistro.

BONAPARTE ★★★★
Auberge Bonaparte
443, rue Saint-François-Xavier, VIEUX-MTL
Tél.: 514-844-4368
SPÉCIALITÉS: Goujonnette de sole de Douvres, meunière d'herbes et pignons de pins. Raviolis de champignons parfumés à la sauge fraîche. Navarin de homard à la vanille. Mignon de bœuf rôti, cinq poivres et cognac. Crème brûlée de foie gras. Soufflé au chocolat.
PRIX Midi: T.H. 18$ à 29$
Soir: C. 42$ à 72$ T.H. 35$
OUVERTURE: Lun. à ven. 11h30 à 14h. 7 jours 17h30 à 22h30. Fermé midi jours fériés. Fermé 25 déc. et 1er janv.
NOTE: Menu dégustation 7 serv. 68$. Petit déjeuner complet. 10 choix de tables d'hôte le midi, 5 le soir. 4 tables en balcon. Salle privée La Verrière. Section resto-bar. Mets spéciaux sur demande pour personnes allergiques, végétariennes et intolérantes au gluten. Ouvert depuis 1984.
COMMENTAIRE: Les salles à manger sont claires, l'espace bien découpé et aéré. La section hôtel comprend 30 chambres et une suite, et le restaurant, 3 salles à manger, dont une en forme de serre. Cuisine excellente et raffinée, service agréable.

BORIS BISTRO ★★★ (bistro)
465, rue McGill, MTL
Tél.: 514-848-9575
SPÉCIALITÉS: Peperonata sur chèvre. Salade de crevettes pochées, mayonnaise à l'huile de homard. Duo de tartares de poisson. Risotto au canard, pleurotes et sauge. Cuisse de lapin à la moutarde noire et huit poivres. Marquise au chocolat, caramel au beurre salé. Nem aux framboises fraîches et chocolat blanc.
PRIX Midi: T.H. Aut-hiv. 18$ à 29$
Soir: C. 32$ à 52$
OUVERTURE: Mai à août: lun. à dim. midi à 23h. Sept. à avril: lun. à ven. 11h30 à 14h. Mar. à ven. 17h à 22h. Sam. 18h à 22h. Fermé à la période des fêtes.
NOTE: Pas de T.H. le midi en été. Choix élaboré d'une trentaine de vins au verre d'importation privée par Boris Bistro. Mineurs acceptés uniquement sur la terrasse jusqu'à 20h. Îlot de verdure urbain coupé de la rue. Réserv. préférable.
COMMENTAIRE: L'assiette est bonne dans l'ensemble. Le service est jeune, dévoué et très gentil. Décor zen, musique jazz branché. L'été, il y a une très grande terrasse où l'on mange à l'ombre des arbres ou des parasols. Ambiance agréable, un peu perturbée par la circulation de la rue McGill.

CHEZ LA MÈRE MICHEL ★★★★★
1209, rue Guy, MTL
Tél.: 514-934-0473
SPÉCIALITÉS FRANÇAISES CLASSIQUES: Barquette aux oignons doux, mesclun à l'huile d'olive. Scampis à la provençale. Omble de l'Arctique grillé à la graine de moutarde. Tournedos de bœuf, béarnaise, champignons, frites. Soufflé Grand Marnier et chocolat. Feuilleté aux fraises maison.
PRIX Midi: (fermé)
Soir: C. 44$ à 89$ T.H. 39$

OUVERTURE: Mar. à sam. 17h30 à 21h30. Fermé dim., lun. et 25 déc.
NOTE: Ouvert lun. pour groupes à partir de 20 pers. Une des belles caves à vins de Montréal qu'il est possible de visiter. Plusieurs salons souterrains, dont une cave champenoise. Belle variété de vins à prix raisonnables. Serre vitrée. Jardin en façade.
COMMENTAIRE: Le décor est chaleureux tout en ayant de la classe, l'ambiance est cossue et calme. Nous préférons le salon jardin d'hiver et la petite salle attenante, avec leur allure seigneuriale provençale, décorés de magnifiques photos de René Delbuguet, de plantes et de panneaux de cuivre émaillé. Dans ce joli décor, Micheline Delbuguet, l'une des premières femmes-chefs du Québec, nous sert une cuisine toujours aussi délicieuse avec la complicité du chef Stéphane Falvo, de solides classiques français, à base de produits frais et naturels.

CHEZ LÉVÊQUE ★★★★ (bistro)
1030, av. Laurier O., MTL
Tél.: 514-279-7355
SPÉCIALITÉS: Foie gras au torchon à l'armagnac, baies d'argousier, pain aux épices. Boudin noir aux pommes. Raviolis de ris de veau, réduction de jus de viande, champignons de saison. Loup de mer grillé flambé au pastis. Soles de Douvres flambée au calvados. Filet mignon Rossini.
PRIX Midi: T.H. 22$
Soir: C. 29$ à 89$ T.H. 35 $
OUVERTURE: Lun. à ven. 11h à minuit. Sam. et dim. 10h à minuit.
NOTE: Huîtres, crabes, crevettes et homards en saison. Service de traiteur et plats cuisinés à emporter. Foie gras maison et gibier du Québec à l'automne. Danse le 31 déc. Salle privée au 2e étage avec équipements multimédias, 30 pers. Menu 22$ après 21h.
COMMENTAIRE: Chez Lévêque, tout tourne autour du thème des évêques. Des icônes un peu partout illustrent des évêques gourmands. Cela va jusque dans les toilettes où l'on entend de la musique grégorienne. Ici, on sert une cuisine savoureuse, faite de solides classiques de bistro français. Un vrai resto-bistro français, genre brasserie, sympathique et confortable. Maison de confiance.

CHEZ QUEUX ★★★
158, rue Saint-Paul E.,
VIEUX-MTL
Tél.: 514-866-5194 866-5988
SPÉCIALITÉS: Ris de veau aux morilles. Tartare de filet de bœuf. Poêlée de foie gras de canard, inspiration du moment. Filet mignon et poêlée de crevettes au whisky. Chateaubriand et sa bouquetière découpé en salle. Crème brûlée à la fleur d'oranger.
PRIX Midi: (fermé)
Soir: C. 50$ à 81$ T.H. 47$
OUVERTURE: Mar. à jeu. et dim. 17h à 22h. Ven. et sam. 17h à 22h30. Fermé lun. et 2 sem. en janv. Terrasse l'été, 7 jours 11h à minuit.
NOTE: Menu-terrasse 12$ à 17$, l'été. Carte des vins de plus de 300 étiquettes. Service au guéridon en salle, mets flambés. Ven. et sam. valet de stationnement 15$.
COMMENTAIRE: Un repère pour les gourmands? Oui! On s'y sent bien? Oui! Voici une autre institution de Montréal. Un de ces restaurants qui ne se démodent pas parce qu'ils ont une telle personnalité qu'on imagine mal déguster les classiques français de la carte dans un cadre différent. Un classicisme confortable, voire douillet, renforcé par l'extrême courtoise du personnel qui répond promptement à vos attentes. Ouvert depuis 1973.

CHEZ SOPHIE ★★★★ (bistro)
1974, rue Notre-Dame O., MTL
Tél.: 438-380-2365
SPÉCIALITÉS: Œuf croustillant, mousseline de pommes de terre, poêlée de champignons et épinards, émulsion de lard, jus de bœuf corsé. Pétoncles rôtis, ziti à la crème truffée, poêlée de champignons, asperges, émulsion de cèpes. Pain perdu, caramel beurre salé, glace à la vanille maison, noix de pécan.
PRIX Midi: T.H. 25$
Soir: C. 50$ à 68$
OUVERTURE: Mar. à ven. 11h30 à 14h30. Lun. à sam. 17h30 à 22h30. Fermé dim. et 2 sem. en janv.
NOTE: Propriétaires accueillants.
COMMENTAIRE: Chez Sophie est un joli petit restaurant de cuisine française avec une touche italienne. Installé à la place d'un magasin d'antiquité qui lui a laissé la moitié de son espace. Décor moderne et de bon goût, avec un comptoir de bar dans le prolongement de la cuisine, où règne la chef copropriétaire Sophie Tabet. Celle-ci propose une cuisine créative, savoureuse et joliment présentée. Des cuissons justes, des assemblages harmonieux et des assaisonnements adéquats. Nous avons eu un véritable coup de cœur pour l'œuf norvégien. Pour ce qui est des vins, Marco Marangi, son conjoint, a de vraies trouvailles. On dirait même qu'il devine votre goût pour vous servir ce qu'il y a de mieux en accord avec la cuisine de Sophie. De plus, ses vins au verre sont d'un très bon rapport qualité-prix.

CODE AMBIANCE ★★★
1874, rue Notre-Dame O., MTL
Tél.: 514-939-2609
SPÉCIALITÉS: Ris de veau croustillants aux agrumes. Tartare de saumon frais, fumé et gravlax. Tartare de filet de biche, champignons frais et séchés, huile de truffe. Longe d'agneau australien aux épices d'Antep. Rosace de porc séché maison aux piments espagnols, fromage tête de moine. Foie gras poêlé, moelleux noisettes et chocolat zéphyr. Charlotte aux fruits.
PRIX Midi: T.H. 19$ à 24$
Soir: C. 42$ à 66$
OUVERTURE: Lun. à ven. 11h30 à 14h. Mar. et mer. 17h30 à 21h30. Jeu à sam. 17h30 à 22h. Fermé dim., dernière sem. d'août et 25 déc. au 5 janv. Été: fermé lun. midi.
NOTE: Menu change aux saisons. Cave à vin, 90% d'importation privée. 18 ans et plus. Festival Montréal à table. Ambiance feutrée.
COMMENTAIRE: Ce restaurant offre un décor résolument moderne, très beau et confortable. Code Ambiance, c'est avant tout une ambiance où la convivialité, la qualité et l'originalité sont mises en honneur. L'assiette est française et propose de solides classiques bien revisités, savoureux et joliment présentés.

EUROPEA ★★★★★
Restaurant de l'année Debeur 2010
1227, rue de la Montagne, MTL
Tél.: 514-398-9229
SPÉCIALITÉS: Calmars citronnés structurés en tagliatelles, œuf de caille poché, croûton d'encre de sèche au beurre à l'ail. Foie gras poêlé. Étude sur le champignon (gnocchi, mousseline de romano, lamelle de foie gras, truffe, champignons poêlés). Joues de veau du Québec braisées lentement, panais et pommes fondantes.
PRIX Midi: T.H. 35$
Soir: C. 87$ à 107$ T.H. 90$
OUVERTURE: Mar. à ven. midi à 14h, 7 jours 18h à 22h. Fermé 24, 25 déc. et 1er janv.
NOTE: T.H. soir 5. serv. Groupes sur réserv. Menu dégustation 10 serv. 119,50$. 2 tables du chef de 4 pers., petit salon de 4 à 6 pers. pour l'apéritif. Forfait sommelier 5 verres de vins en accord avec les mets 74,50$. Service de traiteur. Stage en cuisine dim. à ven. de 15h30 à 17h, 55$ (tablier et verre de vin offerts).

COMMENTAIRE: Originaires du sud-ouest de la France, ils sont trois associés passionnés, deux cuisiniers et un maître d'hôtel. Ils ont ouvert ce restaurant en 2002 pour mettre en valeur les produits du Québec avec tout leur talent et leur passion. Ils sont tombés amoureux de notre belle province qui le leur rend bien. Le restaurant est souvent plein le midi et il vaut mieux réserver. Un des plus beaux restaurants de Montréal. Les salles à manger s'étendent sur deux étages. Élu l'un des 10 meilleurs restaurants au monde par Trip Advisor, Europea fait aussi son entrée dans les Grandes Tables du Monde.

H4C PLACE ST-HENRI
★★★★ (bistro)
538, place Saint-Henri, MTL
Tél.: 514 316-7234
SPÉCIALITÉS: Mousse de foie de volaille caramélisée, amélanchiers, vinaigre balsamique. Filet de flétan, girolles, tombée d'épinards, gâteau aux oignons. Pieuvre, falafel de petits pois, yaourt, concombre, chayotte, piment d'Espelette. Gnudi (quenelles) de ricotta, bouillon, poêlée de champignons. Chocolat, caramel, airelles, nougatine.
PRIX Midi: (fermé)
Soir: C. 42$ à 70$
OUVERTURE: Mar. à sam. 17h à 23h. Dim. 10h à 15h. Fermé lun.
NOTE: Superbe décoration, situé dans une ancienne poste. Vins au verre à partir de 7,50$. Salle privée jusqu'à 20 pers., sur réserv.
COMMENTAIRE: Installé dans une ancienne poste, ce très bel établissement mérite qu'on s'y arrête et même qu'on fasse un détour. Une salle à manger au coup d'œil agréable et surtout confortable même si on y joue la carte bistro. Enfin bien assis! La carte est courte, mais alléchante, et annonce une garantie de fraîcheur. Sous la direction de l'ancien chef du Réservoir, ce restaurant propose une cuisine française revisitée. Les saveurs y sont exaltées de très belle façon. Les présentations sont magnifiques et l'on se plaît à les regarder longuement avant d'entamer son plat. Tout y est bien pensé, les saveurs s'épaulent l'une l'autre en une harmonie réussie. Service compétent, attentif et super aimable.

HAMBAR ★★★★[ER] (bistro)
Hôtel Saint-Paul
355, rue McGill, VIEUX-MTL
Tél.: 514-879-1234
SPÉCIALITÉS: Salade de homard Hambar. Gnocchi, prosciutto et champignons sauvages. Côte de bœuf pour deux, os à la moelle. Churros au chocolat.
PRIX Midi: F. 20$ à 25$
Soir: C. 39$ à 63$
OUVERTURE: Lun. à ven. 11h30 à 14h30. Sam. et dim. 11h à 15h. Lun. à dim. 17h30 à 23h.
NOTE: Coin d'Youville et McGill. 25 vins au verre. Carte des vins, 300 inscriptions en majorité d'importation privée. Salle privée au 2e étage, 100 pers. Plateau de charcuteries et bar à huîtres 14h30 à 16h30.
COMMENTAIRE: Le décor, très design, chic et bien éclairé, est vraiment agréable. La cuisine propose une assiette moderne, savoureuse et harmonieuse dans l'ensemble. À souligner l'extrême gentillesse et l'attention constante des serveurs et des serveuses.

KITCHEN GALERIE
★★★ (bistro)
60, rue Jean-Talon E., MTL
Tél.: 514-315-8994
SPÉCIALITÉS: Foie gras poêlé sur tarte Tatin, sauce caramel demi-glace. Huîtres travaillées oui et non. Parfait de foie gras, compote d'oignons caramélisés. Côte de bœuf rôtie en face à face. Pot de foie gras cuit au lave-vaisselle, gelée de muscat au poivre long.
PRIX Midi: (fermé)
Soir: T.H. 29$ à 40$
OUVERTURE: Mar. à sam. 18h à 23h. Fermé dim. et lun. Fermé du 22 déc. au 22 janv. Fermé semaines de la construction.
NOTE: Menu change tous les jours. Carte des vins change chaque semaine. 150 étiquettes, à partir de 39$.
COMMENTAIRE: Pas de carte, mais une table d'hôte qui reflète ce que le chef trouve quotidiennement au marché. Il est jeune, enthousiaste et créatif, et cela s'exprime jusque dans l'assiette. Celle-ci est savoureuse et présentée de façon originale. Le décor est celui d'un bistro tout petit, mais convivial. La cuisine est dans la salle, derrière le comptoir.

LABARAKE
Caserne à manger ★★★ (bistro)
3165, rue Rachel E., MTL
Tél.: 514-521-0777
SPÉCIALITÉS: Soupe à l'oignon. Salade César XXL. Calmars frits. Bavette de bœuf échalotes confites. Magret de canard. Fish and chips de morue. Tartare de bœuf œuf mollet frites. Tartare de saumon. Burger de bœuf Angus. Clafoutis de mère-grand. Mousse au chocolat de l'Académie.
PRIX Midi: F. 15$
Soir: C. 30$ à 60$
OUVERTURE: Lun. à ven. 11h30 à 14h30. Dim. 10h à 14h. 7 jours 17h30 à 22h30. Fermé sam. midi.
NOTE: Plats à partager, Plateau de charcuteries et fromages 28$ et Côte de veau 500g 42$. Repas des ouvriers 15$.
COMMENTAIRE: Installé dans les murs d'une ancienne caserne de pompiers, ce restaurant propose une cuisine française généreuse, créative, gentiment présentée et élaborée avec des produits frais du terroir. Lu sur leur site «Aujourd'hui, il s'agit toujours d'une caserne, mais à manger, aménagée en bar-restaurant très tendance et convivial». L'équipe est composée d'anciens du restaurant Le Saint-Gabriel. Ambiance sympathique, menu simple comportant de solides classiques de bistro français, mais aussi des spécialités plus continentales. Bonne sélection de vins au verre à prix très abordable.

LA COUPOLE ★★★★ (bistro
Hôtel Le Crystal de la Montagne
1325, René-Lévesque O., MTL
Tél.: 514-373-2300
SPÉCIALITÉS: Salade estivale: chicorée, concombre, radis marinés, œufs de caille, fleurs de pensée. Joue de porc braisée, écrasé de pommes de terre, sauté courgettes, d'épinards, mini-tomates. Fondue à l'érable, gâteau éponge, fraises.
PRIX Midi: F. 25$
Soir: C. 49$ à 77$ T.H. 40$ à 45$
OUVERTURE: 7 jours midi à 15h et 17h à 23h. Petit déjeuner 6h30 à 10h30.
NOTE: T.H. avant spectacle centre Bell, service rapide, 17h à 19h, 40$. Salon privé et menu de groupe jusqu'à 50 pers. Le sommelier est meilleur ouvrier de France.
COMMENTAIRE: C'est moderne, c'est beau, c'est central: on s'y sent bien. Surtout si l'on est assis dans les confortables sièges rouges près de la vitre qui donne sur René-Lévesque. La chef Audrey Fortin est aussi pâtissière et propose une cuisine française de qualité. Le service répond adéquatement aux attentes. La carte des vins est appropriée et présente un grand choix de vins au verre.

LA GARGOTE ★★
351, pl. d'Youville, VIEUX-MTL
Tél.: 514-844-1428
SPÉCIALITÉS: Tartare de bœuf. Foie gras de canard au torchon aromatisé au cidre de glace, chutney de fruits. Crevettes et pétoncles en broches de romarin. Magret de canard rôti au miel et aux figues. Fondant au chocolat et nougatine.
PRIX Midi: T.H. 17$ à 22$
Soir: C. 39$ à 56$ F. 20$ à 26$

OUVERTURE: Lun. à ven. midi à 14h30. 7 jours 17h30 à 22h. Fermé dim. et lun. soir en hiver.
NOTE: La table d'hôte change tous les jours. Superbe terrasse en été. Feu de foyer en hiver. Ouvert depuis 1996.
COMMENTAIRE: Un petit restaurant de quartier chaleureux, où l'on sert une cuisine sans beaucoup d'originalité, mais honnête et généreuse, voire familiale. La salle à manger rappelle les bons petits restos de France. Service très attentif et aimable. Un restaurant de tradition, simple et réconfortant.

LALOUX ★★★ (bistro)
250, av. des Pins E., MTL
Tél.: 514-287-9127
SPÉCIALITÉS: Pétoncles, gnocchi à la parisienne, buccin et fleur d'ail. Tartare de bœuf saisi, graines de moutarde marinées, tomates cerises, vinaigrette au babeurre. Foie de veau, polenta à l'ail rôti, sauge, bresaola maison. Tarte au citron, guimauve au romarin, espuma de yaourt aux agrumes, sorbet au pamplemousse.
PRIX Midi: F. 15$ à 19$
Soir: C. 36$ à 58$
OUVERTURE: Lun. à ven. 11h45 à 14h30. 7 jours 17h30 à 22h30. Fermé 1er janv. et midi jours fériés.
NOTE: La carte évolue en fonction des produits locaux bio-écoresponsables. Menu saisonnier, dégustation au gré du chef 62$. Cave à vin, 80% d'importation privée, bonne sélection. 12 vins au verre. Vins naturels et biologiques. Salle pour groupes, 55 pers.
COMMENTAIRE: Décor typiquement bistro français, très parisien et service à l'avenant. Le chef Jonathan Lapierre-Rehayem a travaillé dans plusieurs excellents restaurants de Montréal. Respectueux de l'environnement.

LA MAISON DU MAGRET ★★★[ER] (bistro)
102, rue Saint-Antoine O., VIEUX-MTL
Tél.: 514-282-0008
SPÉCIALITÉS: Foie gras au torchon, salade, chutney aux figues, pain de figues. Magret de canard, légumes, frites, sauce au foie gras. Gâteau basque, pâte brisée, ganache au chocolat.
PRIX Midi: T.H. 20$
Soir: C. 27$ à 64$ T.H. 30$
OUVERTURE: Lun. à ven. 11h à 15h. Mar. et mer. 17h30 à 20h. Jeu. à sam. 17h30 à 22h. Fermé dim.
NOTE: Espace gourmand avec les plats de la carte à emporter, produits locaux et de la Maison du magret. Carte des vins à dominante Sud-Ouest de la France. Desserts maison.
COMMENTAIRE: À mi-chemin entre le restaurant et le bistro de luxe, ce restaurant a été aménagé dans une ancienne banque. Quoique le mot bistro implique un bar ou encore un comptoir où l'on peut manger ou boire un verre, l'endroit respire le style et la convivialité d'un bistro de qualité. À part les desserts, tout ici tourne autour du thème du canard. Si vous aimez le foie gras, les magrets, le confit ou les manchons, c'est un incontournable.

LA SALLE À MANGER ★★★ (bistro)
1302, Mont-Royal E., MTL
Tél.: 514-522-0777
SPÉCIALITÉS: Carpaccio de saison. Buns vapeur au porc effiloché. Ceviche de flétan de Gaspésie, salsa maison, tomates cerise, origan. Royale de lapin de Stanstead au foie gras.
PRIX Midi: (fermé)
Soir: C. 39$ à 61$
OUVERTURE: 7 jours 17h à minuit. Fermé 24, 25 déc. et 1er janv.
NOTE: Brunch pour occasion spéciale. Cochonnet rôti pour 12 pers. sur réserv. Charcuterie maison, viande vieillie sur place. 350 à 375 sortes de vins, dont 25 au verre. Sélection de vins natures.
COMMENTAIRE: Une exellente formule qui marche à fond, ambiance sympa, mais vraiment très bruyante. La cuisine est très bien faite, succulente, copieuse et bien servie. On sent que le chef aime ce qu'il fait, il y a de la recherche dans le mariage des éléments qui composent chaque plat. Le menu n'est pas monotone. Le personnel sait travailler et peut faire vite à l'occasion. Le décor surprend par sa simplicité recherchée de bistro d'autrefois, décoration pensée.

LA SOCIÉTÉ ★★★ (bistro)
Loews Hôtel Vogue Montréal
1415, de la Montagne, MTL
Tél.: 514-507-9223
SPÉCIALITÉS: Soupe à l'oignon. Foie de veau, oignon caramélisé, purée de pommes de terre. Loup de mer méditerranéen rôti, ail, légumes sautés. Gâteau au fromage miel et lavande, sorbet à la lime.
PRIX Midi: T.H. 16$
Soir: C. 38$ à 57$ F. 23$
OUVERTURE: 7 jours 11h à 15h et 17h à 23h.
NOTE: Lun. 50% de réduction sur la carte des vins. Menu cocktail 15h à 17h. Mar. soir: huîtres et pinces de crabe 1$. Ven. «5 à huî-

tres» 1$. Jeu. martini 9$. Service de valet 10$.
COMMENTAIRE: Plusieurs restaurants se sont succédés dans cet hôtel au fil des ans, souhaitons que celui-ci perdure. Décor tout à fait brasserie parisienne avec son plafond en verre Tiffany qui donne une lumière mordorée dans la salle. C'est beau, c'est spacieux et dépaysant. Dans une autre pièce, un superbe bar où l'on peut aussi manger et où l'on sert des cocktails et autres boissons. L'assiette est bien présentée et c'est très bon. Service agréable.

L'AUBERGE SAINT-GABRIEL
★★★★[ER]
426, rue Saint-Gabriel,
VIEUX-MTL
Tél.: 514-878-3561
SPÉCIALITÉS: Filet de flétan, mousseline de chou-fleur, sommités grillées, haricots verts, citron, noisettes et beurre façon bordelaise. Chateaubriand de l'Auberge, effeuillé de sucrine, frites maison, béarnaise moderne, jus traditionnel. Tarte citron, gelée de citron infusée, crème onctueuse au citron, meringue légère.
PRIX Midi: F. 25$ à 35$
Soir: C. 47$ à 77$
OUVERTURE: Jeu. et ven. 11h30 à 14h30. Mar. à jeu. 18h à 22h. Ven. et sam. 18h à 23h. Fermé dim. et lun.
NOTE: Menu dégustation 95$. Réserv. de groupe. 3 salles de banquet 70, 120 et 150 pers. Brunch à Pâques et fête des Mères. Cave à vin. Bar. Service de traiteur à domicile. Terrasse extérieure. Stationnement à l'arrière du restaurant. Annexé au nightclub Le Velvet.
COMMENTAIRE: Il est situé au cœur du Vieux-Montréal. L'assiette est belle et savoureuse, faite avec des produits frais et bien traités. Des mets d'influence française, italienne et asiatique. Aussi, quelques plats de cuisine traditionnelle québécoise. Le chef Éric Gonzalez n'y dirige plus les cuisines. À surveiller.

L'AUTRE SAISON ★★
2137, rue Crescent, MTL
Tél.: 514-845-0058
SPÉCIALITÉS FRANÇAISES CLASSIQUES: Scampis à la provençale. Crevettes au Pernod. Foie gras poêlé. Carré d'agneau à la provençale. Confit de canard, frites maison. Filet mignon, sauce béarnaise. Soufflé au Grand Marnier ou au chocolat.
PRIX Midi: F. 22 à 24$
Soir: C. 42$ à 92$ T.H. 26 à 36$
OUVERTURE: Lun. à ven. 11h30 à 23h. Sam. 17h à 23h. Fermé dim. et jours fériés.
NOTE: Mer. à sam. pianiste 18h à 23h. Cave à vin plus de 25 000 bouteilles. Gibier: caribou, ours, wapiti. Champignons sauvages en saison (morilles, chanterelles...).
COMMENTAIRE: Belle maison victorienne du 19e siècle. Un décor surchargé, un peu «over the top», mais qui peut plaire selon les goûts. On y sert une cuisine française très classique, bonne, mais qui pourrait être mieux présentée.

LE CAFÉ DES BEAUX-ARTS
★★★★ (bistro)
1384, rue Sherbrooke O., MTL
Tél.: 514-843-3233
SPÉCIALITÉS: Boudin maison, purée de pommes fruits à la vanille, topinambours, confiture de tomate, sauce au cidre. Tartine campagnarde bio aux champignons sauvages rôtis, œuf mollet, emmenthal. Foie de veau en croûte de champignons et noix, purée de légumes racines, sauce balsamique. Tarte citron et meringue.
PRIX Midi: F. 21$ à 26$
Soir: C. 39$ à 53$ F. 21$ à 26$
OUVERTURE: Mar. à dim. 11h30 à 14h30. Mer. 17h30 à 21h. Fermé lun., 25 déc. et 1er janv. Suivre les horaires du musée.
NOTE: Ouvert sur réserv. de groupe 15 à 200 pers. avec menu adapté. Bar et belle sélection de vins au verre.
COMMENTAIRE: L'établissement est installé dans les murs du Musée des beaux-arts de Montréal (côté sud) au 2e étage, décoré de toiles. C'est très chaleureux, moderne. L'assiette est excellente et bien présentée. Service courtois.

LE CLUB CHASSE ET PÊCHE
★★★★
423, rue Saint-Claude, MTL
Tél.: 514-861-1112
SPÉCIALITÉS: Pétoncles poêlés à la crème de citron et purée de fenouil. Risotto au cochonnet braisé, lamelles de foie gras. Surf and turf. La bombe: tarte au caramel et au chocolat, sorbet de chocolat 80%.
PRIX Midi: (fermé)
Soir: C. 62$ à 78$
OUVERTURE: Mar. à sam. 18h à 22h30. Fermé dim., lun., 24, 25 déc. et 1er janv.
NOTE: Carte des vins, près de 500 étiquettes.
COMMENTAIRE: Une des excellentes tables de Montréal. On s'y sent bien et l'atmosphère y est calme. Une cuisine de saveurs, où le gibier et le foie gras sont très bien travaillés. Belle présentation des assiettes. Une bonne adresse !

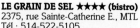

LE GRAIN DE SEL ★★★★ (bistro)
2375, rue Sainte-Catherine E., MTL
Tél.: 514-522-5105
SPÉCIALITÉS: Boudin artisanal, betteraves et pommes de terre au cheddar. Boudin maison frit, pétoncles caramélisés, purée de légumes à la vanille. Flétan de la Nouvelle-Écosse. Paris-Brest. Boudin chocolat, banane caramélisée.
PRIX Midi: F. 14$ à 20$
Soir: C. 31$ à 52$
OUVERTURE: Mar. à ven. 11h30 à 14h. Jeu. à sam. 18h à 22h. Fermé dim et lun. Fermé les 2 sem. de la construction et du 24 déc. au 5 janv.
NOTE: Salle semi-privée 25 pers.
COMMENTAIRE: Le décor est plutôt simple, sans prétention, genre bistro français. L'assiette est excellente. Le chef copropriétaire, Jean-François Bonin, propose une cuisine simple et savoureuse, une cuisine conviviale où les produits frais saisonniers sont utilisés avec créativité et brio. Service haut de gamme. Vaut largement le détour!

LE MARGAUX ★★★★ (bistro)
5058, av. du Parc, MTL
Tél.: 514-448-1598
SPÉCIALITÉS: Pétoncles poêlés, salsa de mangue. Ris de veau en persillade. Trilogie autour du canard. Côte de veau aux morilles. Noisettes de veau réduction au porto, foie gras poêlé. Assiette autour du chocolat.
PRIX Midi: T.H. 19$ à 33$
Soir: C. 40$ à 65$ T.H. 45$
OUVERTURE: Mar. à ven. 11h30 à 14h. Mer. à sam. 17h30 à 22h. Fermé dim., lun., et mar. soir. Fermé 25 déc. au 1er janv.
NOTE: Le midi, plats du jour à emporter, 9$ à 20$. Le soir, T.H. 4 services.
COMMENTAIRE: La décoration est celle d'un café bistro, un peu dépouillée, sobre. Tableaux modernes sur un côté. Nappes blanches recouvertes de papier. Belle vaisselle moderne, blanche et épurée. L'assiette est agréable et très savoureuse. Une authentique et belle cuisine de bistro français. Une adresse à mettre dans ses carnets.

LE MAS DES OLIVIERS ★★★
1216, rue Bishop, MTL
Tél.: 514-861-6733
SPÉCIALITÉS: Gâteau de crabe. Soupe de poisson (pescadou). Médaillon au thon bleu, à la façon du Mas. Bar noir du Pacifique au vermouth. Steak sauvage. Carré d'agneau à la provençale. Moelleux au chocolat. Profiteroles au chocolat, glace vanille.
PRIX Midi: T.H. 18$ à 42$
Soir: C. 42$ à 73$ T.H. 31$ à 45$
OUVERTURE: Lun. à ven. midi à 15h. Mar. à sam. 17h30 à 22h30. Dim. et lun. 17h30 à 22h. Fermé du 23 déc. au 6 janv.
NOTE: Ouvert depuis 1966.
COMMENTAIRE: C'est un peu comme ces bons petits restaurants que l'on rencontre sur les routes de France. On y trouve un accueil chaleureux dans un décor néo-provençal. C'est un endroit confortable qui dégage beaucoup d'ambiance et une atmosphère des plus sympathiques. Le service est courtois et efficace. Une institution à Montréal.

LEMÉAC ★★★ (bistro)
1045, av. Laurier O., OUTREMONT
Tél.: 514-270-0999
SPÉCIALITÉS: Gaspacho aux deux tomates. Tartare de bœuf ou de saumon. Onglet de bœuf et frites. Boudin maison, sauce au cidre, purée de céleri-rave. Pain perdu, glace confiture de lait.
PRIX Midi: F. 19$ à 27$
Soir: C. 37$ à 78$
OUVERTURE: Lun. à ven. 11h45 à minuit. Sam. et dim. 10h à minuit. Fermé 25 déc. et 1er janv.
NOTE: Après 22h, spécial à prix fixe 25$ (plus de 25 choix d'entrées et plats principaux). Suggestions du chef en surplus de la carte du soir. Carte de vin, plus de 500 références et plusieurs importations privées.
COMMENTAIRE: C'est beau, c'est élégant, c'est spacieux, mais l'atmosphère fait un peu défaut, un peu froide. L'assiette est savoureuse et bien construite. On y sert une très bonne cuisine de bistro français évolutive. Service aimable.

LE MONTRÉALAIS ★★★
Hôtel Fairmont Reine Elizabeth
900, bd René-Lévesque O., MTL
Tél.: 514-861-3511
SPÉCIALITÉS: Millefeuille de légumes, vinaigrette balsamique. Smoked meat, poitrine de bœuf marinée, pain de seigle, moutarde douce. Filet de flétan en croûte de basilic et citron, pistou de roquette.
PRIX Midi: T.H. 29$
Soir: C. 36$ à 61$ T.H. 38$ à 42$
OUVERTURE: 7 jours midi à 22h. Dim. brunch 11h30 à 15h.
NOTE: Salle privée 100 pers.
COMMENTAIRE: Suite à la fermeture du légendaire Beaver Club, il ne reste que le bistro bar Le Montréalais pour offrir une bonne table à l'hôtel Fairmont Le Reine Élizabeth. Le décor bistro de luxe, élégant, dans le style de l'hôtel pourrait être un peu rafraîchi. On entend cependant qu'il y aurait un projet de rénovation. Quant à la cuisine elle s'exprime avec des accents méditerranéens et est exécutée avec des produits frais. On attend l'influence de Sébastien Giannini, le nouveau chef des cuisines.

L'ENTRECÔTE ST-JEAN ★★★ (bistro)
2022, rue Peel, MTL
Tél.: 514-281-6492
SPÉCIALITÉS: Salade Boston aux noix de Grenoble. Entrecôte St-Jean dans une sauce à base d'épices et de moutarde avec pommes allumette. Profiteroles au chocolat.
PRIX Midi: F. 24$ T.H. 28$
Soir: Idem
OUVERTURE: Lun. à ven. 11h30 à 23h. Sam. et dim. 17h à 23h. Fermé du 23 déc. au 7 janv.
NOTE: Existe depuis 1991. Spécial entrecôte 24$. Un seul menu.
COMMENTAIRE: On vient ici surtout pour les grillades de bœuf. On aimerait vite devenir un habitué de cet établissement agréable et honnête tant dans le concept que dans les prix qu'il offre. On en a pour son argent. Excellent rapport qualité-prix. Décor bistro français. Service courtois et attentif.

LE PARIS-BEURRE ★★★[ER] (bistro)
1226, Van Horne, OUTREMONT
Tél.: 514-271-7502
SPÉCIALITÉS: Soupe de poisson maison et sa rouille. Foie gras maison au cidre de glace et calvados. Aile de raie, beurre, câpres et citron. Ris de veau aux poires caramélisées. Magret de canard grillé sur sa peau. Crème brûlée à la vanille. Tarte Tatin.
PRIX Midi: T.H. 12$ à 18$
Soir: C. 36$ à 49$ F. 24$ à 30$
OUVERTURE: Lun. à ven. 11h30 à 14h30. Lun. à sam. 17h30 à 22h. Fermé dim., 25 déc. et 1er janv. Fermé 24 juin et 1er juil. midi. Réservez la fin de sem.
COMMENTAIRE: Ouvert depuis 1985 et toujours le même chef propriétaire en cuisine. Un bon petit restaurant genre bistro qui a su conserver les qualités d'une cuisine classique, savoureuse et fraîche au long des années.

LE POIS PENCHÉ ★★★ (bistro)
1230, de Maisonneuve O., MTL
Tél.: 514-667-5050
SPÉCIALITÉS: Soupe à l'oignon gratinée «traditionnelle». Huîtres sur écailles. Ris de veau et homard. Plateau de fruits de mer. Torchon de foie gras. Moules et frites. Tartares (bœuf, saumon). Tarte au citron meringuée. Profiteroles sauce chocolat Valrhona et glace vanille.

PRIX Midi: T.H. 23$
Soir: C. 45$ à 80$ F. 32$ à 35$
OUVERTURE: Lun. à ven. 11h à 23h. Sam. et dim. 10h à 23h. Fermé 2 et 3 janv.
NOTE: Lun. à ven., 5 à huîtres, 20$ la douzaine. Brunch 1er janv. Salles privées 30 à 70 pers.
COMMENTAIRE: Décor de brasserie parisienne qui ne manque pas de charme. Le service peut être d'une extrême gentillesse selon la personne qui vous sert. L'assiette est très bonne et il ne manque pas grand-chose pour atteindre l'excellence. Ne pas manquer les fruits de mer présentés sur glace, et que l'on peut voir dès l'entrée de la salle à manger, au bout du bar. Bon choix de vins au verre.

LE P'TIT PLATEAU
★★★ (bistro)
330, rue Marie-Anne E., MTL
Tél.: 514-282-6342
SPÉCIALITÉS: Soupe de poisson. Saumon fumé à froid maison. Foie gras maison cuit au torchon. Magret farci au canard confit et foie gras. Souris d'agneau confite 12 heures. Cerf de Boileau sauce au vin rouge. Cassoulet aux cinq viandes. Croustillant gascon glace à l'armagnac.
PRIX Midi: (fermé)
Soir: C. 48$ à 64$
OUVERTURE: Mar. à sam. 17h30 à 22h. Attention, ven. et sam. deux services: entre 17h30 et 18h30 et 20h30. Fermé en juil. et entre Noël et le jour de l'An.
NOTE: Apportez votre vin. Réserv. suggérées. Stationnement payant.
COMMENTAIRE: Dans une petite salle, au décor chaleureux, mais ordinaire, genre resto-bistro sympa. On y sert une cuisine du sud-ouest de la France, généreuse, consistante, riche et savoureuse. Il faut avoir un solide appétit pour terminer tous les plats gentiment présentés de manière un peu rustique, mais combien réconfortants pour l'âme. Une cuisine vraie, sans chichi, conviviale, authentique.

LE QUARTIER GÉNÉRAL
★★★★ (bistro)
1251, rue Gilford, MTL
Tél.: 514-658-1839
SPÉCIALITÉS: Foie gras poêlé et pressé en terrine, craquant aux noisettes pralinées. Caille farcie aux champignons portobello et panée, purée d'artichaut, salade de haricots verts. Côte de veau du Québec grillée, beurre maître d'hôtel au foie gras et noisettes. Marquise au chocolat.
PRIX Midi: F. 20$
Soir: C. 42$ à 47$ T.H. 38$ à 43$
OUVERTURE: Lun. à ven. 11h30 à 14h30. 7 jours 18h à 22h.
NOTE: Apportez votre vin. Cuisine ouverte. Foyer.
COMMENTAIRE: Ce restaurant offre un beau moment de gastronomie simple, abordable et savoureuse. La cuisine est ouverte sur une salle à manger à la décoration sobre, voire zen, mais conviviale. Le menu est écrit à la craie sur de grands tableaux noirs et propose une cuisine française gentiment interprétée et mise au goût du jour. Les présentations sont agréables et sans prétention. Le service est très bien fait, avec doigté et intelligence.

LES 3 PETITS BOUCHONS
★★★ (bistro)
4669, rue Saint-Denis, MTL
Tél.: 514-285-4444
SPÉCIALITÉS: Planche de charcuterie. Tartare de veau façon vitello Donato. Tartine de champignons sauvages. Côte de bœuf grillée. Tartiflette au morbier. Poisson du jour.
PRIX Midi: (fermé)
Soir: C. 33$ à 60$
OUVERTURE: Lun. à sam. 18h à 23h. Fermé dim. et jours fériés.
NOTE: Menu qui varie selon le marché. 300 étiquettes de vins naturels d'importation privée.
COMMENTAIRE: Les propriétaires sont trois passionnés du vin. Une carte inscrite à la craie sur des tableaux noirs, peints directement sur les murs, nous propose une cuisine croustillante et savoureuse, style bistro français. Les présentations sont originales et appétissantes. Le service est bien fait, les conseils sont judicieux et la passion est là.

LES CONS SERVENT
★★★ (bistro)
5064, rue Papineau, MTL
Tél.: 514-523-8999
SPÉCIALITÉS: Pieuvre poêlée, purée d'avocat, chorizo maison, racines de persil. Papardelle de canard confit, brocoli et peau de canard croustillante. Aile de raie, aspirations grenobloises de pamplemousse. Pot de crème et chocolat 66%.
PRIX Midi: (fermé)
Soir: C. 29$ à 44$
OUVERTURE: Dim. à mer. 17h30 à 22h. Jeu. à sam. 17h30 à 23h. Fermé 24, 25 déc. et 1er janv.
NOTE: Charcuteries maison. Marinades maison pour emporter. T.H. mar. soir 28$. Carte des vins 100% bio et d'importation privée. Le sommelier est aussi vigneron. Groupes jusqu'à 20 pers. sur réserv.
COMMENTAIRE: Pourquoi ce nom? «C'est un jeu de mots, explique le serveur, il y a les conserves et puis on essaie de faire les cons, mais vous allez voir, on est très professionnels, par contre!» Ce fut le cas. Si la tenue vestimentaire est décontractée, le service est tout à fait professionnel et attentif. Pour l'assiette, c'est très bon, une formule bistro français. La salle à manger, avec son mur rempli de conserves et de livres, est résolument bistro, chaleureuse et conviviale.

LES TEMPS NOUVEAUX
★★[ER] (bistro)
815, bd de Maisonneuve E., MTL
Tél.: 514-419-4141
SPÉCIALITÉS: Tarte fine, champignons et fromage de chèvre. Magret de canard, purée de célerirave, fèves edamame et topinambours. Poutine à l'effiloché de lapin.
PRIX Midi: T.H. 18$ à 24$
Soir: C. 36$ à 49$ T.H. 32$ à 38$
OUVERTURE: Lun. à ven. 11h30 à 14h30. Mar. à sam. 17h à 22h. Fermé sam. midi et dim. toute la journée.
NOTE: Mar. à ven. «apéro sympa» 17h à 19h. Bar dans la salle à manger. Salle privée pour groupes jusqu'à 18 pers. sur réserv. Ouvert dim. et lun. pour groupes. Carte des vins, 30 étiquettes.
COMMENTAIRE: Ce petit bistro de l'hôtel propose une cuisine familiale, mais où le chef suit un peu trop la mode des cuissons «légères». Des légumes à peine blanchis puis saisis, très croquants, ne sont pas ma tasse de thé. Je les aime cuits à point, ni trop ni trop peu, ce qui évite le goût végétal qui ne se marie pas toujours aux viandes et aux poissons. Et puis des pommes de terre presque crues, je déteste. Le chef pourrait faire aussi un effort pour les présentations. Service très aimable.

LE VALOIS ★★[ER]
25, place Simon-Valois, MTL
Tél.: 514-528-0202
SPÉCIALITÉS: Calmars à la plancha, coulis pimientos del piquillos. Faux filet de bœuf vieilli 60 jours, échalotes. Croquettes de fromage de chèvre, panko, noix caramélisées, crémeux de betterave rouge, pommes. Burger de canard et foie gras en escalope.
PRIX Midi: F. 18$ à 25$
Soir: C. 28$ à 57$
OUVERTURE: 7 jours 11h à 23h. Été: ven. et sam. 11h à minuit. Fermé 24, 25 déc. et 1er janv.
NOTE: F. 22$ à partir de 21h30. Plats du chef à l'ardoise, tous les soirs. Petit déjeuner 7 jours, 9h à 11h. Carte des vins 250 étiquettes, 100% d'importation privée.
COMMENTAIRE: Voilà une cuisine de brasserie français tradi-

tionnelle. les assiettes sont généreuses dans les proportions, elle manque un peu de relief, mais c'est quand même bon! Le service est très gentil, accommodant, un peu lent. Le décorateur Luc Laporte a conçu un décor moderne et vaste.

L'EXPRESS ★★★ (bistro)
3927, rue Saint-Denis, MTL
Tél.: 514-845-5333
SPÉCIALITÉS: Soupe de poisson. Salade de confit de canard. Soupe de poisson. Mousse de foie de volaille aux pistaches. Terrine de foie gras de canard. Pieuvre aux lentilles. Loup de mer frais. Os à moelle au gros sel. Onglet, beurre à l'échalote. Tartare de bœuf. Pot-au-feu. Île flottante.
PRIX Midi: C. 17$ à 66$
Soir: Idem
OUVERTURE: Lun. à ven. 11h30 à 2h du matin. Sam. 10h à 2h du matin. Dim. 10h à 1h du matin. Petit déjeuner 8h à 11h30. Fermé soir du 24 déc. et 25 déc.
NOTE: Carte des vins 95% d'importation privée. 10 000 bouteilles.
COMMENTAIRE: Une valeur sûre à Montréal. La formule bistro par excellence! Un peu cher, mais c'est toujours plein. Un des meilleurs steaks tartares de Montréal.

MAISON BOULUD ★★★★★
Hôtel Ritz Carlton
Restaurant de l'année Debeur 2013
1228, rue Sherbrooke O., MTL
Tél.: 514-842-4224
et 1-800-363-0366
SPÉCIALITÉS: Raviolo au jaune d'œuf coulant, ricotta di bufala, girolles du Québec. Bœuf tomate: filet de bœuf Angus grillé à l'origan, variation de tomates, jus aux olives noires. Coulant au chocolat, crémeux de caramel, glace au lait caramélisé.
PRIX Midi: F. 35$ T.H. 42$
Soir: C. 64$ à 95$
OUVERTURE: Lun. à ven. midi à 14h30. Dim. à jeu. 18h à 22h. Ven. et sam. 18h à 22h30. Sam. et dim. brunch midi et 14h30.
NOTE: Menu dégustation 5 serv. 90$. Carte des vins de plus de 500 étiquettes. Bar au restaurant.
COMMENTAIRE: Le chef Daniel Boulud, propriétaire de nombreux restaurants à travers le monde, a commencé son ascension à New York où il obtient trois macarons Michelin pour son restaurant Daniel. Un macaron vient de lui être enlevé en octobre 2014. Il propose ici une assiette française contemporaine raffinée, créative, chaleureuse et conviviale, magnifiquement élaborée par le chef Riccardo Bertolino, un ancien du restaurant Daniel. Quant au décor, il a été redessiné par le designer japonais Kazushige Masuya, avec un retrouve le côté zen, épuré, mais avec beaucoup de classe et d'équilibre. Le service est professionnel et attentif.

MARCHÉ DE LA VILLETTE ★★★ (bistro)
Quartier des Arts
324, rue Saint-Paul O.,
VIEUX-MTL
Tél.: 514-807-8084
SPÉCIALITÉS: Gaspacho. Soupe à l'oignon gratinée. Assiette de charcuteries sur planche. Feuillantine comtoise. Cassoulet royal. Choucroute alsacienne. Fondue aux fromages. Cronuts.
PRIX Midi: F. 20$
Soir: C. 21$ à 66$ F. 20$
OUVERTURE: Lun. à jeu. 9h30 à 18h. Ven. 9h30 à 22h. Sam. 8h30 à 22h. Dim. 8h30 à 18h.
NOTE: Vins au verre. Accordéon ven. et sam. soir. Dim. parties de bureau, soirées privées, mariages. Plateau de charcuteries composé par le client à partir de 29$.
COMMENTAIRE: On y mange bien, pour un prix abordable, les assiettes sont copieuses, le service décontracté et sympathique. Des sandwichs fourrés de charcuteries maison aux solides plats régionaux, tout est servi dans un grand brouhaha de conversation qui essaie de couvrir la musique de ritournelles françaises, sur fond d'accordéon. Le papa Jean-Pierre Marionnet était un boucher charcutier hors pair qui connaissait bien son métier. Nicole, son épouse et Ludovic, son fils, perpétuent la tradition des recettes de famille.

MONSIEUR B ★★★
371, rue Villeneuve E., MTL
Tél.: 514-845-6066
SPÉCIALITÉS: Tartare de saumon, mayonnaise épicée, salade de fenouil et roquette. Poêlée de champignons sauvages, tortellini au brie, émulsion d'épinards. Bavette de bœuf Black Angus, polenta crémeuse au cheddar, poêlée de champignons en persillade, sauce au poivre vert de Madagascar.
PRIX Midi: (fermé)
Soir: C. 37$ à 51$ T.H. 48$
OUVERTURE: 7 jours 17h30 à 23h.
NOTE: Menu dégustation 6 serv. 48$.
COMMENTAIRE: Façade ordinaire, petit resto de quartier, mais pour ceux qui osent pousser la porte et affronter son décor minimaliste, la surprise les attend dans l'assiette. Un jeune chef s'affaire dans une petite cuisine qui ressemble à une cage. Il est inventif, imaginatif et va au-delà de la cuisine traditionnelle. Dans chaque assiette se révèle un talent

inattendu, des mariages qui surprennent, mais qui restent en équilibre. Les mets sont délicieux, simples dans leurs saveurs, mais toujours avec ce je-ne-sais-quoi qui se marie délicatement.

M SUR MASSON
★★★[ER] (bistro)
Bistro de quartier
2876, rue Masson, MTL
Tél.: 514-678-2999
SPÉCIALITÉS: Soupe à l'oignon, gruyère réserve. Tartare de bœuf ou de saumon. Champignons du jour. Foie de veau rôti, purée à l'ail, sauce lyonnaise. Profiteroles à la fleur d'oranger.
PRIX Midi: F. 18$
Soir: C. 41$ à 64$
OUVERTURE: Lun. à ven. 11h30 à 17h. Lun. à mer. 17h30 à 22h. Jeu. à sam. 17h30 à 23h. Dim 10h à 15h. Fermé sam. midi et dim. soir.
NOTE: Service de traiteur. Plats végétariens.
COMMENTAIRE: La cuisine est simple et savoureuse. Le service, chaleureux, compétent et attentif. Le propriétaire et le chef ont changé. À surveiller.

PÉGASE ★★
1831, rue Gilford, MTL
Tél.: 514-522-0487
SPÉCIALITÉS: Foie gras poêlé du moment. Carré d'agneau aux 2 moutardes. Lapin de Stanstead, sauce au chorizo. Carré de biche, sauce à l'orange. Tarte Tatin, caramel à la fleur de sel. Mourir de chocolat 70% (mousse, ganache).
PRIX Midi: (fermé)
Soir: C. 44$ à 53$ T.H. 39$ à 47$
OUVERTURE: Mar. à dim. 18h à 21h30. Ven. et sam. 2 serv. 18h et 21h.
COMMENTAIRE: Au rez-de-chaussée d'une petite maison centenaire, un petit resto sympa avec une quinzaine de petites tables nappées de blanc, mais recouvertes d'un napperon de papier. On propose une cuisine française avec des produits frais. Service très aimable, compétent, mais un peu lent. Apportez votre vin.

RENOIR ★★★★★
Restaurant de l'année Debeur 2009
Hôtel Sofitel le Carré Doré
1155, rue Sherbrooke O., MTL
Tél.: 514-788-3038
SPÉCIALITÉS: Tartare de truite écossaise au sel fumé, gelée de ciboulette, yaourt au citron vert, toast à la truffe d'été. Agneau du Québec: Selle rôtie et épaule braisée, jardinière de légumes, lardons biologiques, gelée de sapin. Risotto aux tomates des champs et safran, sorbet aux tomates, fromage bucatta, micro basilic.
PRIX Midi: F. 29$
Soir: C. 53$ à 66$ T.H. 57$
OUVERTURE: 7 jours midi à 15h et 17h à 22h30. Petit déjeuner 7 jours 6h à 11h.
NOTE: Formule 30 minutes le midi 28$, 4 services et le café. T.H. De_light (500 calories). T.H. multichoix décomposable en combinaisons. Nouveau menu chaque mois.
COMMENTAIRE: Constamment à la recherche de produits frais régionaux de qualité, le chef Olivier Perret, originaire de la Bourgogne, met l'accent sur les saveurs franches et la beauté des présentations. Le décor est chic et moderne; le service, très professionnel, rapide et attentif. On offre une carte des vins intéressante avec une excellente variété de vins au verre. Roland DelMonte, Meilleur ouvrier glacier de France, est devenu le chef pâtissier de l'établissement.

RESTAURANT CHRISTOPHE
★★★
1187, Van Horne, MTL
Tél.: 514-270-0850
SPÉCIALITÉS: Médaillon de foie gras poêlé au caramel de bleuets. Carré d'agneau en croûte de thym et romarin, tapenade. Millefeuille de fruits rouges, mousse au chocolat blanc.
PRIX Midi: (fermé)
Soir: C. 46$ à 65$
OUVERTURE: Mar. à sam. 18h à 22h. Fermé dim., lun. et jours fériés.
NOTE: Menu découverte 5 serv. 55$. Menu homard 5 serv. 52$. Menu végétarien et pour enfants sur demande. Salons privés de 6 à 40 pers. sur réserv. Menu change aux saisons. Festival Montréal en lumière. Ouvert sur réserv. de groupe.
COMMENTAIRE: Christophe Geffray, nous propose une cuisine française savoureuse, avec mise en valeur des produits du Québec. Ambiance cosy et chaleureuse, service courtois. N'oubliez pas d'apporter une bonne bouteille de vin.

RESTAURANT ÔTHYM
★★ (bistro)
1112, bd de Maisonneuve E., MTL
Tél.: 514-525-3443
SPÉCIALITÉS: Tarte tatin de foie gras, figues et échalotes confites. Saumon boucané, beurre wakamé. Magret de canard en croûte de sel de Guérande, sauce Ôthym citronnée. Ribs de bison, salade de chou à l'estragon. Dessert de fruits de saison.
PRIX Midi: T.H. 18$ à 21$
Soir: C. 40$ à 62$

OUVERTURE: Mar. à ven. 11h30 à 14h30. Dim. à mer. 18h à 22h. Jeu. à sam. 18h à 23h.
NOTE: Réserv. conseillée.
COMMENTAIRE: Un petit bistro sympathique, sans prétention, pas très confortable, mais au service gentil quoiqu'un peu lent. Le menu est affiché sur des tableaux noirs. On sert une cuisine simple, assez savoureuse et gentiment présentée.

RESTAURANT VALLIER ★★[ER]
425, rue McGill, VIEUX-MTL
Tél.: 514-842-2905
SPÉCIALITÉS: Bavette de bœuf marinée, sauce à l'échalote. Pâté chinois au canard confit, ketchup aux fruits maison. Raviolis de portobella, canard effiloché confit.
PRIX Midi: F. 19$ à 26$
Soir: C. 29$ à 52$
OUVERTURE: Lun. à ven. 11h30 à 22h. Sam. 11h à 23h. Dim. 10h à 22h.
NOTE: Plats québécois renouvelés.
COMMENTAIRE: Ce que l'on aime tout d'abord ici, c'est l'ambiance. Un restaurant qui a une âme, on s'y sent bien. L'assiette est généreuse et bonne, sans prétention, une cuisine d'inspiration française avec quelques spécialités québécoises. Quant au service, il est attentif, professionnel.

SINCLAIR ★★★[ER]
Hôtel Le Saint-Sulpice
414, rue Saint-Sulpice,
VIEUX-MTL
Tél.: 514-284-3332
SPÉCIALITÉS: Escabeche, rouille, tapenade d'olives noires. Assiette de grillades de la rôtisserie: viande et volaille de grains. Cœur de filet de bœuf de l'Île du Prince-Édouard, lit d'épinards à l'ail confit, purée de pommes de terre, beurre aux écrevisses. Semifreddo enrobé de chocolat noix de Grenoble.
PRIX Midi: T.H. 25$
Soir: C. 39$ à 72$
OUVERTURE: Lun. à ven. midi à 14h30. 7 jours 17h à 23h. Petit déjeuner à partir de 6h30.
NOTE: Menu dégustation 6 serv. 60$, avec les vins 50$ de plus/pers. Bar à l'intérieur. Salle privée 60 à 80 pers.
COMMENTAIRE: Lors de notre première visite, l'assiette était excellente, les saveurs harmonieuses. Notamment un risotto garni de champignons sautés à l'huile de truffe. Une belle réussite! Le chef faisait un bel effort pour les présentations, quelquefois originales, voire spectaculaires et inventives. Nous étions prêts à donner 4 étoiles à la cuisine. Mais lors de notre 2e visite, ce ne fut pas aussi bien. Entre autres, une cassolette de fruits de mer assez ordinaire. Notre évaluation a donc tenu compte des deux visites. Le service, aimable, pourrait être un peu plus raffiné. Au moment de mettre sous presse, on apprend que le chef a changé. À suivre.

TOQUÉ ! ★★★★★
Restaurant de l'année Debeur 2005
900, pl. Jean-Paul Riopelle, MTL
Tél.: 514-499-2084
SPÉCIALITÉS: Terrine de foie gras, fraises, meringue, compote de rhubarbe et gelée de fraise. Pétoncles princesse, eau de canneberge. Magret de canard, ravioles, compotée d'algues, carottes, purée de feuilles de radis, sauce à la camomille. Bavarois à la poire, crème au vin jaune, poire pochée, caramel et poudre d'olive.
PRIX Midi: F. 25$ à 52$
Soir: C. 65$ à 91$
OUVERTURE: Mar. à ven. 11h30 à 13h45. Mar. à jeu. 17h30 à 22h. Ven. et sam. 17h30 à 22h30. Fermé dim. et lun. Fermé autour du 24 déc. au 3 janv.
NOTE: Réserv. préférable. Menu dégustation 7 serv. 117$, avec 5 verres de vin 197$, avec 7 verres 222$. Très belle cave de 8 000 bouteilles et 420 étiquettes de vin, on y accède par une cage de verre. Valet de stationnement 15$/véhicule.
COMMENTAIRE: Le chef propriétaire, Normand Laprise, nous propose des mets qui tirent leur inspiration de la cuisine française et québécoise, pour tout dire, nord-américaine évolutive. Une cuisine qui utilise les produits frais du marché avec un accent particulier sur la mise en valeur des produits du Québec. Toutes les assiettes sont très joliment décorées sur un ton art déco, qui ajoute au plaisir de manger.

VERTIGE ★★★
540 av. Duluth E., MTL
Tél.: 514-842-4443
SPÉCIALITÉS: Carpaccio de bœuf aux saveurs asiatiques. Raviolis de crevettes avec lait de coco au curry. Ris de veau croustillant façon Rossini (foie gras poêlé, huile de truffe). Fondant au chocolat.
PRIX Midi: (fermé)
Soir: C. 26$ à 71$
OUVERTURE: Mar. à jeu. 17h30 à 22h. Ven et sam. 17h30 à 23h. Fermé dim. et lun. Fermé 25 déc. et 1er janv.
NOTE: Menu découverte terre ou mer 4 serv. 39$. Menu dégustation 6 serv. 59$ et 7 serv. 69$. Menu tapas mar. et mer. 6 tapas 29$. Salle semi-privée jusqu'à 25 pers., sur réserv.
COMMENTAIRE: Une très belle cuisine, avec de la recherche. Le décor est un peu vieillot avec ses tentures et ses fauteuils rouges, mais c'est confortable et on y mange bien. Service très professionnel. Le menu dégustation offre un bon rapport qualité-prix.

XO LE RESTAURANT ★★★★★
Hôtel Saint-James
355, rue Saint-Jacques,
VIEUX-MTL
Tél.: Tél.: 514-841-5000
SPÉCIALITÉS: Tartare et Rockefeller: Tartare de bœuf saisi et d'huîtres, ragoût d'escargots de mer et moelle, espuma de béarnaise. Blanquette de veau: Trio de veau de lait, meringue à l'oignon grillé, têtes de violon, morilles, jeunes navets. Fraises et rhubarbe: Carpaccio de fraises, pudding à la rhubarbe, glace au lait de chèvre.
PRIX Midi: F: 25$ à 40$
Soir: C. 55$ à 73$
OUVERTURE: Lun. à sam. 11h à 15h. Mar. à sam. 18h à 21h30. Dim. 11h à 15h. Petit déjeuner à partir de 7h.
NOTE: Menu midi change tous les mois. Menu dégustation 6 serv. 94$, accord mets et vins 70$. Cave à vin 98% en importation privée. Menu bar 7h à 23h. Le service de valet pour la voiture et le vestiaire sont gratuits.
COMMENTAIRE: XO Le Restaurant est installé dans l'ancien hall de la Banker's Hall. L'entrée de l'établissement est riche et imposante, plafond haut, large couloir, décor impressionnant. Mais ce n'est rien comparé à l'intérieur du restaurant. Le décor, d'une autre époque, fascine par sa richesse, son luxe élégant, dorure, couleurs, colonnes immenses montant jusqu'aux mezzanines, escaliers imposant à grande volée, hauteur du plafond, verrière du fond de la salle, alcôves, mobilier, etc. Le calme des lieux, le professionnalisme du service gentiment prévenant, la qualité du menu rempli de surprises à venir, la présentation des plats, leur composition artistique, tout s'est assemblé pour nous procurer une excellente soirée. C'était divin! Le chef, Julien Robillard, est à la hauteur de la beauté de l'établissement. Une réelle réussite dans le mariage des arômes, la délicatesse des saveurs, et la fraîcheur des ingrédients choisis. Desserts magnifiques, autant dans la présentation que dans la gourmandise. De l'audace, de l'équilibre, surprenant et délicieux. Une cuisine surprenante, toute en douce harmo-

nie, un morceau de bonheur à partager!

GREC

FAROS ★★★
362, Fairmount O, MTL
Tél.: 514-270-8437
SPÉCIALITÉS: Grande sélection de poissons grillés. Pieuvre grillée, riz et légumes. Thon au gingembre, wasabi, sauce soya. Côtelettes d'agneau grillées, jus de citron, huile d'olive. Espadon ou bar noir grillé. Côtes de veau grillées. Baklava maison.
PRIX Midi: (fermé)
Soir: C. 34$ à 80$
OUVERTURE: 7 jours, 17h30 à 23h. Fermé 24, 25 déc. et 1er janv.
NOTE: Carte des vins, 50 étiquettes. Service de valet de stationnement gratuit 18h à minuit.
COMMENTAIRE: Nous y avons dégusté, entre autres, un bar noir grillé à point et d'une grande finesse, des crevettes sauce tomate et fromage feta très savoureuses. Les assiettes sont généreusement remplies, impossible de manger un repas au complet. On nous a servis avec attention, courtoisie et professionnalisme. Le décor chaleureux fait penser à une taverne grecque avec, en plus, un étal de légumes et de poissons. Beaucoup d'ambiance!

MILOS ★★★★
5357, av. du Parc, MTL
Tél.: 514-272-3522
SPÉCIALITÉS: Tranches de courgette et d'aubergine légèrement frites, tzatziki maison, fromage saganaki. Pieuvre grillée de la Méditerranée, façon sashimi. Crevettes géantes du Mexique grillées. Thon Big Eyes servi bleu, champignons shiitake et asperges. Crème glacée au baklava.
PRIX Midi: T.H. 25$
Soir: C. 59$ à 108$
OUVERTURE: Lun. à ven. midi à 15h. Dim. à mer. 17h30 à 23h. Jeu. à sam. 17h30 à minuit. Fermé midi sam. et dim. .
NOTE: Menu dégustation 5 serv. 75$/pers. T.H. soir 25$ après 22h. Restaurant sœur Cava par Costa Spiliadis ouvert pour événements sur réserv. 60 pers.
COMMENTAIRE: Fait venir 4 fois par semaine des produits des États-Unis, du Maroc, du Portugal et de la Grèce. Une institution à Montréal. On y mange, à de petites tables aux nappes à carreaux bleus, des poissons frais que l'on choisit sur l'étal de glace, que l'on pèse et que l'on cuit pour vous avec des fines herbes. Le prix varie en fonction du produit et du poids. C'est excellent et l'ambiance y est formidable, surtout lorsqu'il y a du monde. Cher le soir cependant.

RODOS ★★
5583, av. du Parc, MTL
Tél.: 514-270-1304
SPÉCIALITÉS: Soupe aux lentilles et poisson. Assiette de fruits de mer. Crevettes, pétoncles, espadon, thon, calmar frit, loup de mer ou côtelettes d'agneau grillées avec pommes de terre et légumes. Moussaka. Baklava.
PRIX Midi: T.H. 20$
Soir: C. 29$ à 60$ T.H. 38$
OUVERTURE: Lun. à sam. 11h à 22h. Dim. 17h à 22h. Fermé 25 déc.
NOTE: Menu dégustation 38$, dim. à ven. Ouvert dim. midi sur réserv.
COMMENTAIRE: On sert une cuisine grecque traditionnelle, très familiale, généreuse. Le décor est très beau et dépaysant au possible. Dès l'entrée, on est subjugué par les pots de géraniums et d'hibiscus en fleurs, ainsi que par la petite terrasse-balcon-tonnelle qui abrite trois tables. À l'intérieur, c'est la Grèce: murs blancs, sol de tomettes, arcades, fausses fenêtres à petits carreaux, tables avec des nappes blanches, sous-nappes à carreaux, grandes potiches de terre cuite, assiettes aux couleurs vives accrochées aux murs, une véritable carte postale!

HAÏTIEN

CASSEROLE KRÉOLE ★★★
Traiteur, plats à emporter, lunch sur place
4800, rue de Charleroi, MTL-NORD
Tél.: 514-508-4844
et 514-800-2540
SPÉCIALITÉS: Soupe de giraumon. Poulet créole. Griot de porc grillé au four servi avec bananes pesées et salade. Cabri (gigot de chèvre en sauce). Gâteau rhum et raisins.
PRIX Midi: C. 16$ à 26$
Soir: Idem jusqu'à 19h30
OUVERTURE: Mar. à ven. 11h à 19h30. Sam. 11h à 18h.
NOTE: Sam. spécial fritay et bouillon. Traiteur et plats à emporter. Musique créole et latine.
COMMENTAIRE: Deux chefs haïtiens Hans Chavannes et Kenny Pelissier, sympathiques et accueillants, une serveuse au sourire magique. On s'y sent bien. Un décor frais et très simple, fait de planches de bois brut peintes de couleurs vives, une belle ambiance qui rappellent les Antilles. Des textes décorent les murs. Le prix du lunch, taxes comprises, est difficile à battre. Outre le petit resto, ils ont aussi une boutique ouverte jusqu'à 17h. Des produits faits maison sont en vente: sauce Pikliz, marinade pour la viande, sirop à la cannelle, purée de piments, huiles aromatisées. Attention, c'est chaud ce qui veut dire très fort en créole.

INDIEN

RESTAURANT GANDHI ★★★★
230, rue Saint-Paul O.,
VIEUX-MTL
Tél.: 514-845-5866
SPÉCIALITÉS: Agneau tikka (mariné aux épices et rôti au four tandouri). Saumon tandouri. Biryani au poulet. Poulet korma. Prawn poori (crevettes piquantes sur crêpes indiennes). Poulet au beurre. Poulet tikka masala (cuit au four d'argile). Tandouri naan (pâte à pain cuit au four tandouri).
PRIX Midi: F. 17$ à 25$
Soir: C. 25$ à 50$ T.H. 27$ à 35$
OUVERTURE: Lun. à ven. 11h30 à 14h. 7 jours 17h30 à 22h30. Jours fériés de semaine, fermé le midi seulement.
NOTE: Menu végétarien, menu dégustation. T.H. pour groupe.
COMMENTAIRE: Musique de fond indienne, flaveurs chargées de mystère, plats aux couleurs chatoyantes. Salle à manger agréable, élégante, nappes blanches et serviettes de tissu. Serviette chaude pour s'essuyer les mains. Service aimable. Un beau choix de mets indiens. Cuisine de l'est de l'Inde agrémentée de mets du Bangladesh. Certains plats sont mis au goût du Québec.

INDONÉSIEN

NONYA ★★★★
151, av. Bernard O., MTL
Tél.: 514-875-9998
SPÉCIALITÉS: Soupe Laksa (curry jaune, vermicelles, poulet, crevettes, œufs de caille). Crevettes grillées, salade de coco rapé. Ragoût de bœuf traditionnel de Sumatra. Brochettes d'agneau grillé, sauce aux arachides. Riz collant noir, lait de coco. Crème brûlée à la feuille de pandan.
PRIX Midi: (fermé)
Soir: C. 30$ à 36$ T.H. 27$
OUVERTURE: Mar. à sam. 17h30 à 23h. Fermé dim. et lun. Fermé 25 déc. et 1er janv.
NOTE: Musique de fond traditionnelle indonésienne jusqu'à 23h.

Rijsttafel (plats de dégustation pour 2 pers. et plus) 40$ et 45$ par pers.
COMMENTAIRE: Nonya signifie madame. Le seul restaurant indonésien à Montréal. La cuisine est toujours bonne, dépaysante et authentique. Les propriétaires (un frère et une sœur) sont très accueillants. Ivan, le chef copropriétaire a fait ses études dans une école hôtelière suisse. Il cuisine des plats savoureux avec de belles présentations.

INTERNATIONAL ET MÉTISSÉ

AVIS

Cette section dite internationale ou encore métissée se veut un mélange de cultures, une tendance à la mondialisation d'une cuisine toujours à la recherche de son identité... ou qui s'en fiche. Néanmoins, le résultat est souvent très réussi. Voici quelques bonnes et belles tables qui méritent notre intérêt.

ACCORDS ★★★★
212, rue Notre-Dame O.,
VIEUX-MTL
Tél.: 514-282-2020
SPÉCIALITÉS: Macreuse de bœuf ferme Nordest, betteraves jaunes rôties, oignons marinés, sauce chimichurri, cresson, curcuma. Truite en trois temps, rillettes au carvi, truite façon gravlax, poêlée à l'unilatérale, yaourt à l'ail confit. Macaron à l'eau de rose: crémeux au chocolat et aux épices, poire pochée, zeste de pamplemousse confit, coulis à la menthe sauvage.
PRIX Midi: F. 25$
Soir: C. 42$ à 52$
OUVERTURE: Lun. à ven. 11h30 à 15h et 17h30 à 22h30. Sam. et dim. 17h30 à 22h30.
NOTE: Menu basé sur des assiettes partagées. Une cinquantaine de vins au verre. Une carte des vins avec plus de 400 références.
COMMENTAIRE: Une carte originale tant par le contenu que par l'humour. Par exemple, on vous recommande le Foie grassouillet selon les indications de votre médecin, ou le dessert Trempe ton biscuit. Et puis pour chaque plat on suggère deux vins: l'accord, un bon choix, et le désaccord, un vin dont l'harmonie avec le plat peut surprendre. Enfin, on propose la conciliation, un forfait de deux vins pour comparer l'un et l'autre avec le mets choisi. Des mariages subtils et bien faits. Un vrai bonheur! Très belle cuisine du chef Marc-André Lavergne. Le personnel, très courtois et surtout passionné, a une bonne connaissance des vins.

BISTROT LA FABRIQUE
★★★ (bistro)
3609, rue Saint-Denis, MTL
Tél.: 514-544-5038
SPÉCIALITÉS: Terrine de fromages coulants du Québec, jambon de pays, marmelade de pommes, graines de moutarde. Tarte fine, marmelade de champignons, tartare de bœuf, copeaux de vieux cheddar, vinaigrette balsamique. Lapin, bacon, patates douces, haricots rouges, dattes au chorizo, betteraves.
PRIX Midi: (fermé)
Soir: C. 33$ à 59$
OUVERTURE: Mar. à sam. 17h30 à 22h30. Dim. 17h30 à 21h30. Dim. brunch 10h30 à 14h30. Fermé 24 au 27 déc.
NOTE: Salle privée, groupe 20 à 75 pers., sur réserv. Cuisine centrale ouverte. Carte des vins 100% d'importation privée, 75% biologique, 80 étiquettes.
COMMENTAIRE: Tout le décor tourne autour d'une cuisine installée au milieu de la salle à manger. On dirait que les tables et les clients essaient tant bien que mal de s'approprier un bout de plancher, tandis que les cuisiniers s'affairent à préparer des plats à l'origine incertaine, mais combien originaux et savoureux le plus souvent. On est tout à la fois dans la cuisine et dans la salle à manger. C'est jeune, c'est sympa, et surtout cela sort des sentiers battus. Une cuisine conviviale qui étonne, et c'est le but, sinon pourquoi aller au restaurant? Carte des vins bistro adaptée.

BRASSERIE LES ENFANTS TERRIBLES ★★★ (bistro)
209, ch. de la Rotonde,
ÎLE DES SŒURS
Tél.: 514-508-6068
SPÉCIALITÉS: Pâté chinois. Tartare de bœuf. Tartare de saumon. Fish and chips. Côtes levées de porc, salade de chou maison, frites. Pouding chômeur. Club sandwich pistaches, framboises, crème mascarpone.
PRIX Midi: F. 15$ à 23$
Soir: C. 27$ à 60$
OUVERTURE: Lun. et mar. 11h30 à 21h30. Mer. à ven. 11h30 à 23h. Sam. 9h30 à minuit. Dim. 9h30 à 21h30. Fermé soir du 24 déc. Fermé 25 déc. et 1er janv.
NOTE: Carte sur ardoise renouvelée tous les jours (poisson +

création). Produits québécois. Menu pour enfants. Stationnement gratuit.
COMMENTAIRE: Service attentionné, gentil, professionnel, évoluant en un ballet bien réglé dans la vaste salle à manger. Ambiance sympa, un peu bruyante à cause de la musique très rythmée et des conversations enthousiastes des clients. Malgré le bruit, on se sent bien. Cuisine de brasserie pas compliquée mais réjouissante. Les assiettes sont généreuses, bien savoureuses et présentées de façon moderne. Enfin une adresse à recommander sur l'Île-des-Sœurs.

BRASSERIE LES ENFANTS TERRIBLES ★★★ (bistro)
1257, av. Bernard O.,
OUTREMONT
Tél.: 514-759-9918
SPÉCIALITÉS: Salade de betteraves cuite en croûte de sel et chèvre chaud. Tartare de saumon. Bavette de bœuf, beurre maître d'hôtel, frites maison. Côtes levées de porc, sauce BBQ maison, frites et salade de chou. Fraises en variation de goût et texture. Club sandwich pistaches, framboises, crème mascarpone.
PRIX Midi: F. 16$ à 24$
Soir: C. 27$ à 57$
OUVERTURE: Lun. 11h30 à 23h. Mar. à ven. 11h30 à minuit. Sam. 9h30 à minuit. Dim. 9h30 à 23h.
NOTE: Ambiance chaleureuse. Carte sur ardoise renouvelée tous les jours. Produits du terroir québécois.
COMMENTAIRE: L'endroit est résolument bistro. La salle à manger tourne autour d'un imposant comptoir de bar. En ce qui concerne l'assiette, c'est très bon. On sent ici une bonne volonté manifeste et beaucoup de fraîcheur dans l'ensemble. Service sympa.

CAVALLI ★★★★[ER]
Restaurant - Bar
2042, rue Peel, MTL
Tél.: 514-843-5100
SPÉCIALITÉS: Assiette de charcuteries et fromages italiens. Ceviche de poisson frais du marché. Côte de bœuf tomahawk grillée et au four, légumes frais du marché. Sunday à l'ananas rôti, noix de coco, lime.
PRIX Midi: T.H. 26$ à 32$
Soir: C. 48$ à 73$
OUVERTURE: Lun. à ven. midi à 15h. Lun. 17h30 à 22h. Mar. à sam. 17h30 à 23h. Fermé dim. Fermé du 24 déc. au 6 janv., sauf 31 déc.
NOTE: D.J. jeu. et sam. 21h à 3h du mat.
COMMENTAIRE: Resto in. Très beau décor, où l'on a su tirer parti d'un espace ingrat. Très belles assiettes savoureuses. Service professionnel, jeune et attrayant.

CHEZ L'ÉPICIER bar à vin ★★★★ (bistro)
311, rue Saint-Paul E.,
VIEUX-MTL
Tél.: 514-878-2232
SPÉCIALITÉS: Bisque de homard, croûton de fromage Blackburn, crème fraîche en persillade. Suprême de pintade de monsieur Bernier, cromesqui de cuisse confite farcie de foie gras, velouté de pumpernickel, jus acidulé mélasse et xérès. Club sandwich au chocolat, frites d'ananas, salade crémeuse de melon à la menthe.
PRIX Midi: (fermé)
Soir: C. 46$ à 71$
OUVERTURE: 7 jours 17h30 à 22h. Fermé du 1er au 15 janv.
NOTE: Menu dégustation 7 serv. 85$. Service de traiteur. Salon privé 60 pers.
COMMENTAIRE: Le chef Laurent Godbout, chef de l'année SCCPQ 2006 et lauréat du Prix Debeur 2006, nous propose toujours une très belle assiette pleine de saveurs, une cuisine généreuse et bien présentée. Aussi chef copropriétaire du restaurant Attelier Archibald à Granby.

CHEZ VICTOIRE ★★★ (bistro)
1453, rue Mont-Royal E., MTL
Tél.: 514-521-6789
SPÉCIALITÉS: Sashimi de truite des Bobines, baies d'argousier. Salade de tomates, mozzarella di bufala. Terrine de foie gras, purée de pistaches, pain brioché. Tataki de thon albacore. Panna cotta à la vanille, fraises de M. Legault, rhubarbe, crumble citron et coriandre.
PRIX Midi: (fermé)
Soir: C. 39$ à 58$ T.H. 30$ à 50$
OUVERTURE: Lun. à dim. 17h à minuit.
NOTE: Produits du terroir, ferme à 25km de Montréal, légumes 50% bio. Patchworks des années 50 au mur.
COMMENTAIRE: Bistro de quartier de style rétro, sympa. Tout s'organise autour du bar, la mezzanine plonge sur le bar. Cuisine qui suit les saisons, recherchée ou bistro selon les plats, mais accessible. Même propriétaire que Confusion sur la rue Saint-Denis.

COMMUNION ★★★[ER] (bistro)
135, rue de la Commune O.,
VIEUX-MTL
Tél.: 514-937-6555
SPÉCIALITÉS: Gâteau de crabe de Gaspésie. Tartare de bœuf, truffe, salade aux herbes. Brownie au chocolat noir, granité au gingembre, lime et bleuets, coulis de chocolat blanc.
PRIX Midi: Été: C. 27$ à 39$
Soir: C. 38$ à 60$
OUVERTURE: Mer. à sam. 17h à 22h. Sam. et dim. 10h à 15h. En été, mar. à ven. 11h30 à 15h, mar. à sam. 17h à 22h.
NOTE: Club œnophile mer. soir. Ven. soir Festibulles: trio de bulles 15$. Midi menu enfant 8$. Salle privée 20 pers.
COMMENTAIRE: Une cuisine bistro inventive, savoureuse, recherchée dans les ingrédients, simple et vraie dans le goût, servie dans un environnement agréable. Décoration alliant le moderne des éclairages, les murs de pierre anciens et les poutres de bois. Un lieu sympathique, jeune et dynamique.

DECCA77 ★★★★
1077, rue Drummond, MTL
Tél.: 514-934-1077
SPÉCIALITÉS: Carré d'agneau, purée de pois verts, petits fruits et oignons confits. Pétoncles rôtis, ail vert, purée de patates brûlées et caramel de tomate. Soufflé à la fraise.
PRIX Midi: T.H. 19$ à 29$
Soir: C. 30$ à 66$
OUVERTURE: Lun. à ven. 11h30 à 14h30. Lun. à sam. 17h à 23h. Fermé dim. et jours fériés.
NOTE: Lounge au 2e étage. Deux bars à cocktails. Cocktails pour 125 pers. Prix spéciaux (5 à 7) tous les jours.
COMMENTAIRE: Décor très design. L'assiette est résolument internationale. On affiche la cuisine contemporaine, inspirée du marché. C'est excellent! Très belle carte des vins avec de grands formats. Le service est professionnel et attentionné.

GARDE-MANGER ★★★
408, Saint-François-Xavier,
VIEUX-MTL
Tél.: 514-678-5044
SPÉCIALITÉS: Huîtres. Gerk crabe. Plateau de fruits de mer (crevettes, pétoncles vivants, crabes et huîtres). Risotto de fruits de mer (calmar, crevettes, pieuvre), fond de homard. Short ribs de bœuf braisés à l'espresso. Sandwich à la crème glacée. Gâteau aux framboises.
PRIX Midi: (fermé)
Soir: C. 53$ à 76$
OUVERTURE: Mar. à dim. 18h à 23h. Fermé lun. et jour de l'An.
NOTE: Jeu. à sam. bar ouvert jusqu'à 3h du matin 18 ans et plus. Bar à huîtres.
COMMENTAIRE: Le décor rappelle les pubs ou brasseries québécoi-

ses d'antan avec des murs de briques, de vieilles boiseries, des étagères avec livres et objets hétéroclites. Tout cela donne beaucoup d'ambiance. La carte est écrite sur un tableau noir au mur, avec quelques vins pour la sélection du jour. Le chef Chuck Hughes et son second Josh Lauridsen mélangent les cuisines française et italienne, revues et corrigées à la nord-américaine. Leur spécialité, ce sont les fruits de mer. Il y a d'ailleurs un plat typique de l'endroit, un plateau de fruits de mer, une sorte d'orgie de mollusques de toutes sortes. Ont aussi le restaurant Le Bremmer, 361, rue Saint-Paul Est, dont la cuisine est tenue par Danny Smiles.

GUS ★★★
38, rue Beaubien E., MTL
Tél.: 514-722-2175
SPÉCIALITÉS: Nachos au foie gras. Salade César traditionnelle. Côtes de porc, marinade au babeurre. Gâteau au chocolat.
PRIX Midi: F. 14$ à 20$
Soir: C. 40$ à 57$
OUVERTURE: Jeu. et ven. 11h30 à 13h30. Lun. à sam. 17h30 à 22h. Fermé dim.
NOTE: Carte des vins, 50% vins natures. Portes coulissantes créant une semi-terrasse l'été.
COMMENTAIRE: Le chef Fergusson propose une cuisine simple mais toujours bien travaillée et généreuse. Service compétent et attentif.

LAURIE-RAPHAËL ★★★★★
Hôtel Le Germain
2050, rue Mansfield, MTL
Tél.: 514-985-6072
SPÉCIALITÉS: Homard poché au beurre, légumineuses d'été, champignons et amandes Marcona. Salade de tomates, melon, ricotta, ail noir. Faux-filet de bœuf grillé, champignons abalone, arachides, aubergines et sauce aux huîtres. Gâteau crème fraîche, mousse mascarpone, cerises au sirop d'Amaretto, glace au lait d'amande.
PRIX Midi: T.H. 25$ à 39$
Soir: C. 60$ à 75$ T.H. 65$
OUVERTURE: Lun. à ven. 11h30 à 14h. 7 jours 18h à 22h30.
NOTE: Menu-surprise 4 serv. midi 39$, soir 65$. Menu gastronomique 8 à 10 serv. 120$. T.H. du soir Chef-chef (menu à l'aveugle, au choix du chef). La boutique LR au rez-de-chaussée est ouverte 7 jours, 9h à 22h.
COMMENTAIRE: C'est luxueux, très tendance, à la mode. Cependant, les tables sont un peu petites pour la grandeur des plats, pour le confort des convives ou tout simplement pour un établissement haut de gamme. Le chef propriétaire Daniel Vézina propose une cuisine internationale avec une base très française malgré tout, mais repensée avec goût et créativité. Le service est aimable et assez compétent.

LE CHIEN FUMANT ★★★[ER] (bistro)
4710, de Lanaudière, MTL
Tél.: 514-524-2444
SPÉCIALITÉS: Calmars Chinatown. Tartare de bœuf coréen. Gnocchi à la parisienne, morilles, moelle, escargots. Flanc de porc Donair. Ribsteak pour deux. Toblerone «cheesecake».
PRIX Midi: (fermé)
Soir: C. 39$ à 84$
OUVERTURE: Mar. à dim. 18h à 2h du mat. Brunch dim. 10h à 15h. Fermé 2 sem. vacances construction et temps des fêtes.
NOTE: Plats à partager. Sélection d'alcools forts. Spécialisé dans les cocktails classiques.
COMMENTAIRE: Un bistro qui a l'allure d'un pub anglais et où l'on mange très bien. Le menu est inscrit sur un tableau noir sur le mur. C'est écrit tellement petit que l'on doit se lever pour le lire. Des plats internationaux élaborés avec des produits frais. Une assiette savoureuse et inventive. Un mélange de genres, mais très bien réussi. Un peu cher cependant.

LE COMPTOIR CHARCUTERIES ET VINS ★★★
4807, bd Saint-Laurent, MTL
Tél.: 514-844-8467
SPÉCIALITÉS: Plateau de charcuteries maison. Ceviche de crevettes, raviolis de lardons, échalotes confites, pignons, purée de courge à la ricotta. Salade de fraises, panacotta, feta de chèvre, basilic, pignons de pin, citron.
PRIX Midi: F. 17$ à 21$
Soir: C. 27$ à 47$
OUVERTURE: Mar. à ven. midi à 14h. 7 soirs 17h à minuit. Fermé 24 au 27 déc. et 1er au 3 janv.
NOTE: Grand choix de vins importés et natures. Cocktails maison. Menu à l'ardoise.
COMMENTAIRE: Restaurant de forme allongée. De la petite salle, on voit les cuisiniers travailler derrière un comptoir qui délimite la cuisine. Le chef fait toute sa charcuterie lui-même qu'il sert sur une planche de bois. Formule sympa. Chacun compose son menu selon son appétit. Décor avec beaucoup de bois. Rien d'époustouflant, mais un endroit très bon et bien sympathique.

LE FILET ★★★
219, av. Mont-Royal O., MTL
Tél.: 514-360-6060
SPÉCIALITÉS: Tataki de wagyu, aubergines, miso. Tartare de thon, œuf confit et nori. Rillettes de maquereau fumé, huile, citron, toast. Risotto au crabe, asperges, jus de crustacé. Cavatelli, joue de veau, copeaux de foie gras. Carré au sirop d'érable, crème fraîche, pacanes.
PRIX Midi: (fermé)
Soir: C. 41$ à 62$
OUVERTURE: Mar. à sam. 17h45 à 23h. Fermé dim. et lun. Fermé 24 et 25 déc. et 1er janv.
NOTE: Poisson sous toutes ses formes.
COMMENTAIRE: Les propriétaires du Club Chasse et pêche se sont associés avec deux compères pour ouvrir ce restaurant situé sur le plateau entre le boulevard Saint-Laurent et l'avenue du Parc. Une cuisine orientée vers la mer, mais qui offre quand même quelques viandes aux réticents. Une cuisine de saveurs et de charme!

LE LOCAL ★★★ (bistro)
740, rue William, MTL
Tél.: 514-397-7737
SPÉCIALITÉS: Tartare de saumon à l'huile de truffe et lime. Salade de betteraves jaunes, fromage de chèvre, huile de truffe, œuf en Panko, lardons. Raviolis de ricotta à l'effiloché de canard confit. Assiette de mignardises et petits fours du moment.

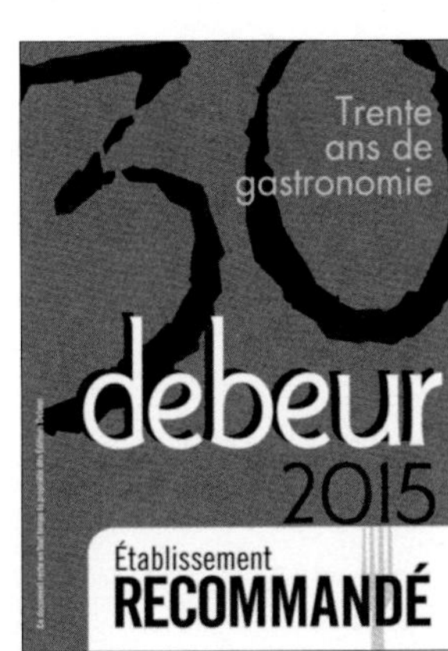

Vous pouvez facilement identifier les établissements recommandés par le guide **Debeur** grâce à cet autocollant millésimé.

PRIX Midi: F. 23$, T.H. 27$
Soir: C. 28$ à 63$
OUVERTURE: Lun. et mar. 11h à 23h. Mer. à ven. 11h à minuit. Sam. et dim. 17h30 à minuit. Fermé 25 déc., 1er janv. et jours fériés.
NOTE: Inspiration de la brigade variant tous les soirs. Cave à vin 70 crus, 80% d'importation privée. Réserv. avec opentable.com. Salles corporatives 50 à 70 pers.
COMMENTAIRE: C'est plein tout le temps, ou presque. Pour l'assiette, le chef se lâche dans une cuisine française aux accents internationaux. Bonne carte des vins. Si vous êtes amateur de vin, vous ne serez pas déçu! Service jeune, aimable et attentif. Stationnement très facile et abordable tout autour de l'établissement.

LE MONTRÉAL ★★★
Resto à la carte
Casino de Montréal
1, av. du Casino, MONTRÉAL
Tél.: 514-392-2709
SPÉCIALITÉS: Crevettes géantes en tempura, coulis de poire et de litchis, coulis de mangue à la cardamome verte. Foie gras poêlé, fruits exotiques du marché. Langoustines en chapelure d'herbes, légumes du moment, riz, beurre à l'ail. Côtes levées (16 oz), sauce Jack Daniel's et à l'érable. Carré d'agneau rôti (30 minutes) ou côtelettes d'agneau grillées. Tiramisu revisité. Trilogie de crèmes brûlées.
PRIX Midi: F. 17$ à 21$
Soir: C. 30$ à 87$
OUVERTURE: Lun. à sam. 11h30 à 14h30. Dim. à jeu. 17h à 23h. Ven. 16h30 à 23h. Sam. 16h30 à minuit.
COMMENTAIRE: Le Montréal, bénéficie d'un décor agréable, complètement refait, avec une cuisine ouverte sur la salle et seulement séparée par des parois vitrées. On peut voir les chefs s'affairer à préparer les plats. La carte propose des mets de cuisine internationale avec une propension aux mets italiens. L'assiette est bonne, voire très bonne selon les plats choisis, avec des présentations en général agréables. Les cuisines sont toujours sous la responsabilité du chef Jean-Pierre Curtat qui dirige tous les restaurants du casino. Le service est bien fait et bien encadré par les anciens de Nuances. Il faut savoir que ceux-ci sont aussi sommeliers et peuvent vous faire faire quelques belles expériences gastronomiques. Et, belle surprise, Claude Magazzinich, le maître d'hôtel est toujours là pour diriger les opérations.

LES 400 COUPS ★★★★ (bistro)
400, Notre-Dame E., VIEUX-MTL
Tél.: 514-985-0400
SPÉCIALITÉS: Pâté de foie landais, rhubarbe, cornichons, pommes, oxalys. Omble chevalier, seigle, fenouil, armillaires de miel, argousier, sauce Part des anges. Crème au citron, mousse au gingembre, amandes, sorbet melon.
PRIX Midi: F. 22$, T.H. 28$
Soir: C. 47$ à 63$
OUVERTURE: Jeu. et ven. 11h30 à 13h30. Mar. à sam. 17h30 à 22h30. Fermé dim. et lun., 25 déc. et 1er janv.
NOTE: Menu dégustation 5 services 75$, accord mets et vins 120$. Menus pour pers. allergiques, végétariens et végétaliens sur demande. Cuisine saisonnière.
COMMENTAIRE: Une équipe prometteuse occupe les cuisines de ce restaurant. Guillaume Cantin, jeune chef bourré de talent, est aux fourneaux, Brian Verstraten est le chef pâtissier et William Saulnier orchestre le choix des vins. On y sert une cuisine fine, élégante, extravagante dans ses saveurs, qui sort vraiment de l'ordinaire. Beaucoup de recherche, de créativité, d'audace, de fraîcheur, belle utilisation des produits du Québec. De quoi satisfaire les palais les plus aventureux. On y vient non pas pour manger, mais pour se faire surprendre. Les chefs prennent des risques et y réussissent bien, le plus souvent. Dépaysement garanti!

LE ST-URBAIN ★★★★ (bistro
96, rue Fleury O., MTL
Tél.: 514-504-7700
SPÉCIALITÉS: Gnocchi à la ricotta, jus de volaille crémé, girolles de la Côte-Ouest. Pétoncles du Maine poêlés, petits pois, maïs, buccins, émulsion d'orange au safran. Espadon grillé, calmars, haricots verts, salade frisée, sauce vierge. Sandwich à la crème glacée, menthe, chocolat blanc, fraises, ganache au chocolat.
PRIX Midi: F. 21$ à 23$
Soir: C. 46$ à 55$
OUVERTURE: Mar. à ven. 11h30 à 14h et 17h30 à 22h. Sam. 17h30 à 22h. Fermé dim., lun., 23 juin au 3 juil. et le temps des fêtes.
NOTE: Menu dégustation 7 serv., 70$, prévoir 2h30. Produits de saison du Québec.
COMMENTAIRE: Si le décor est assez ordinaire et d'une simplicité à toute épreuve, le vrai plaisir, c'est dans l'assiette qu'on le trouve. Elles sont très savoureuses et généralement bien présentées.

Et l'on ne lésine pas sur les ingrédients frais de grande qualité. Fier d'être recommandé par Océan Wise garant d'une pêche responsable. Le service est compétent dans l'ensemble, courtois et «friendly». Vins d'importation privée dont 20 servis au verre.

M:BRGR ★★★ (bistro)
2025, rue Drummond, MTL
Tél.: 514-906-0408
SPÉCIALITÉS: Burger végétarien, tomates et aïoli, poivrons rouges rôtis. Salade de poulet grillé asiatique. Le gros Zak (boulettes bœuf AAA, cheddar, sauce veloutée rose épicée, oignons hachés, cornichons, laitue, tomates). Burger de bœuf kobe, tomates fraîches, aïoli à la truffe. Biscuit aux pépites de chocolat épais et crème glacée.
PRIX Midi: Boîte à lunch 13$
Soir: C. 26$ à 64$
OUVERTURE: Lun. 11h30 à 22h. Mar. à jeu. 11h30 à 23h. Ven. 11h30 à minuit. Sam. midi à minuit. Dim. midi à 22h.
NOTE: On peut composer son burger à son goût. Burger très spécial 100$: 2 boulettes de bœuf Kobe, bacon, ananas grillé, foie gras, fromage Piave Del Vecchio, porc effiloché, champignons porcinis, aÏoli au miel truffé, carpaccio de truffe, frites de patates douces et régulières, oignons frits, roquette, tomates cerises demi-sèches.
COMMENTAIRE: C'est jeune, c'est sympathique et chaleureux, tout comme le service d'ailleurs. Un décor moderne, très dans le vent, avec un long bar sur un côté qui fait face à une immense murale, un photomontage illustrant le centre-ville de Montréal. L'assiette se résume à une cuisine que l'on pourrait qualifier de fast-food, mais qui atteint, quelquefois, un niveau presque gastronomique.

PASTAGA ★★★
Vin nature & restaurant
6389, bd Saint-Laurent, MTL
Tél.: Tél.: 438-381-6389
SPÉCIALITÉS: Saumon de l'Atlantique mariné, rattes crémeuses et salmon jerky râpé. Asperges du Québec grillées, œuf à 64 degrés et magret fumé. Poitrine de porcelet laquée à l'érable, pancake et marinade de panais.
PRIX Midi: F. 15$ à 22$
Soir: C. 37$ à 49$
OUVERTURE: Jeu. à sam. 17h à minuit. Ven. 11h30 à 14h. Dim. à mer. 17h à 22h. Brunch sam. et dim. 10h à 14h. Fermé 25 déc.
NOTE: Produits locaux, principalement biologiques. Camion de rue M. Crémeux (bouffe de rue) lors d'événements de la ville (festival Juste pour rire), privés ou corporatifs. Les plats changent suivant les produits de saison.
COMMENTAIRE: L'établissement est installé dans les anciens locaux du restaurant Apollo, maintenant déménagé au centre-ville de Montréal. Le décor a été amélioré (on y est mieux assis), il est plus convivial aussi et deux tables ont été installées dans la cuisine avec un écran plat au mur pour suivre les matchs sportifs. Les chefs sont Martin Juneau, gagnant du prix du meilleur chef canadien 2011, anciennement chef de La Montée de lait puis du Newtown, et Louis-Philippe Breton, de la défunte Montée de lait. Ils nous proposent une cuisine savoureuse, généreuse et légère. Service courtois et convivial tout comme la cuisine et le reste de l'établissement.

PULLMAN ★★★★[ER] (bistro
3424, av. du Parc, MTL
Tél.: 514-288-7779
SPÉCIALITÉS: Calmars et oignons frits, salsa verde. Tartare de cerf et chips maison. «Grilled-cheese» de cheddar au porto. Gravlax de saumon à la russe. Mini burger de bison, pommes allumettes. Truffes au chocolat. Churros à la cannelle. Brownie au coulis de cerise.
PRIX Midi: (fermé)
Soir: C. 22$ à 38$
OUVERTURE: Dim. à mar. 16h30 à minuit. Mer. à sam. 16h30 à 1h du mat.
NOTE: Bar à vin. Spécialisé dans les vins et tapas. Le service est assuré seulement par des sommeliers formés. Formule trio de vins thématique chaque semaine.
COMMENTAIRE: C'est presque tout le temps plein: il vaut mieux réserver. Ce resto très branché sert des mets originaux de qualité, très savoureux, dans des portions qui se rapprochent des tapas. La clientèle est plutôt jeune, le service aussi, mais il est compétent et surtout très aimable. Dans un décor unique, l'ambiance est conviviale et animée. Une très belle carte des vins de plus de 300 références, présente aussi un grand choix de vins au verre.

RESTAURANT DE L'INSTITUT ★★★
Hôtel de l'Institut
3535, rue Saint-Denis, MTL
Tél.: 514 282-5155
SPÉCIALITÉS: Ravioles de boudin noir aux mûres et à l'origan. Pétoncles marinés à l'huile de coriandre. Suprême de canard frotté à l'orange et au café. Longe de porcelet au laurier frais. Pomme au four sur sablé breton, crémeux au yogourt et glace vanille. Cannoli d'aubergine et chocolat à la ricotta, orange confite.
PRIX Midi: F. 20$
Soir: C. 41$ à 54$ T.H. 52$
OUVERTURE: Lun. à ven. midi à 13h30. Mar. à sam. 18h à 21h. Petit déjeuner lun. à ven. 7h à 9h30, sam. et dim.7h30 à 10h30. Fermé jours fériés et 2 sem. aux fêtes.
NOTE: Midi menu express 20$. T.H. soir 5 serv. 52$. Promotions fréquentes mar. et mer. soir T.H. 25$ et 35$. Comptoir pour manger et prendre un verre. Réserv. souhaitable. Accessible aux personnes à capacité restreinte. Stationnement payant. Menu saisonnier.
COMMENTAIRE: Restaurant d'application où travaillent les étudiants finissants de l'ITHQ. Belle décoration, ambiance coloniale élégante. La carte est internationale. Présentations recherchées et saveurs sont au rendez-vous. Service gentil, manquant parfois de formation selon la personne. C'est normal puisqu'il s'agit d'une école hôtelière. Très bon choix de vins au verre.

RESTAURANT LA CHRONIQUE ★★★★★
104, av. Laurier O., MTL
Tél.: 514-271-3095
SPÉCIALITÉS: Tataki de thon, grosse crevette en tempura, concassé d'avocat, champignon armillaire de miel, laque de soya et érable, mayonnaise épicée. Paella à ma façon. Agneau de Kamouraska, ratafia de boudin et olives. Trilogie de chocolat Valrhona.
PRIX Midi: F. 26$ à 38$
Soir: C. 68$ à 84$
OUVERTURE: Mar. à ven. midi à 14h. 7 jours 18h à 22h. Fermé 24 et 25 déc., 1er et 2 janv., fête du Travail.
NOTE: Menu de saison. T.H. soir 5 serv 90$. Menu dégustation avec foie gras 7 serv. 115$, avec vins au verre 195$. Menu thématique dernier mer. du mois 99$. Brunch à Pâques et fête des Mères.
COMMENTAIRE: Ce restaurant propose une cuisine très créative et savoureuse, d'inspiration française, mais avec des escapades orientales, italiennes, etc. Marc De Canck, le chef propriétaire, est un passionné. Un incontournable!

RESTAURANT PER TE ★★★
371, rue Guizot E., MTL
Tél.: 514-389-3000
SPÉCIALITÉS: Crevettes géantes tempura. Gnocchi aux tomates et au basilic. Médaillon de cerf aux

petits fruits et porto. Côte de veau grillée sauce aux porcinis. Tortelli de homard. Tiramisu à la minute.
PRIX Midi: F. 20$ à 30$
Soir: C. 36$ à 64$ F. 20$ à 30$
OUVERTURE: Mar. à ven. 11h à 15h et 17h30 à 22h. Sam. 17h à 22h. Fermé dim., lun., et 24, 25 et 31 déc.
NOTE: Soirées gastronomiques quatre fois par an, 150$/pers. incluant vins, menu dégustation, service et taxes. Appeler pour les dates.
COMMENTAIRE: Dans un décor à la fois simple, classique et élégant, le maître d'hôtel et copropriétaire Luigi De Rose propose une cuisine internationale avec une dominante italienne. Son associé, le chef Richard Cadet, de parents zaïrois mais né en Belgique, est au Québec depuis 1995 et ne compte pas repartir de sitôt. Tant mieux, car ses assiettes sont savoureuses et généreuses. Voici donc une belle équipe qui nous montre de la convivialité et du plaisir à travailler. Luigi est aux petits soins avec chaque table également et répond rapidement aux désirs des clients. Il aime son métier, qu'il maîtrise parfaitement, son contact est des plus chaleureux.

ROBIN DES BOIS ★★
Le resto bienfaiteur
4653, bd Saint-Laurent, MTL
Tél.: 514-288-1010
SPÉCIALITÉS: Soupe dahl (lentilles rouges, crème sure, coriandre, huile de lime). Curry doux de fromage halloumi. Salade de canard confit. Poitrine de poulet de grain farcie au parmesan, épinards, enroulée de bacon maison.
PRIX Midi: F. 12$ à 24$
Soir: C. 18$ à 39$ F. 13$ à 25$
OUVERTURE: Hiver: lun. à ven. 11h30 à 22h. Sam. 17h à 22h. Fermé dim. Été: lun. à sam. 17h à 22h. Fermé les 2 sem. construction. Préférable de réserver.
NOTE: Plats végétariens et menu sans gluten. Été, cours de cuisine donné par le chef, pour les 10 à 13 ans. Ven. midi à 14h menu 15$ servi par les enfants du camp. Musiciens mer. soir. Réservations pour événements.
COMMENTAIRE: Robin des Bois est un organisme à but non lucratif dont tous les profits sont versés à des organismes de charité. À part les chefs et les gérants, tout le personnel est bénévole. L'ambiance y est des plus conviviales et agréable. De style bistro, le décor est sans chichi, tout comme le service, à cause de la grande gentillesse des bénévoles. L'assiette est bonne.

ROSALIE ★★[ER]
1232, rue de la Montagne, MTL
Tél.: 514-392-1970
SPÉCIALITÉS: Croquettes de canard, trempette aigre-douce aux pommes et canneberges. Saumon poché, salade de quinoa et roquette, vinaigrette érable et sésame. Bavette grillée, sauce aux échalotes, légumes du marché, frites maison. Crème brûlée au chocolat blanc.
PRIX Midi: T.H. 21$
Soir: C. 24$ à 72$
OUVERTURE: Lun. à ven. 11h à minuit. Sam. et dim 17h à minuit. Fermé 24 et 25 déc.
NOTE: Four à bois pour pizza. Pizza à la napolitaine maison. Salon 20 pers. dans cellier privé. Événements corporatifs au 3e étage.
COMMENTAIRE: On voit souvent des Ferraris ou des Porches stationnées devant la porte. Ambiance branchée, beaucoup d'animation, musique rythmée et jazzée qui joue si fort qu'on a peine à s'entendre. Des plats de brasserie standard, desserts délicieux. Service assez rapide. Un endroit pour les habitués de la vie trépidante urbaine.

VERSES ★★★ (bistro)
Hôtel Nelligan
100, rue Saint-Paul O.,
VIEUX-MTL
Tél.: 514-788-4000
SPÉCIALITÉS: Duo de foie gras, purée de figues, glace burrata. Flétan, feuille d'algue, olives, fraises, agrumes. Singe moqueur: chocolat noir, dacquoise banane et noisettes.
PRIX Midi: F. 21$ à 24$
Soir: C. 48$ à 69$
OUVERTURE: Lun. à ven. midi à 14h. Dim. à mer. 17h30 à 22h. Jeu. à sam. 17h30 à 22h30. Petit déjeuner 7 jours 6h30 à 10h30.
NOTE: Bar 7 jours, 11h à 22h30. Midi T.H. annoncée à la voix ainsi qu'un plat en soirée. Menu dégustation 6 serv. 85$. Carte de vin 80% d'importation privée.
COMMENTAIRE: Dans un décor paisible et agréable, un peu colonial, on propose ici une carte bistro de luxe. Choix des vins bien adapté. Service soigné et professionnel. On y sert également une carte en terrasse sur le toit avec une vue superbe sur le port du Vieux-Montréal et l'église Notre-Dame.

IRANIEN

MAISON DE KEBAB ★★★
820, av. Atwater, MTL
Tél.: 514-933-0933
et 514-933-7726
SPÉCIALITÉS: Soupe ash (iranienne). Aubergines grillées et tomates. Kebab au poulet ou au filet mignon. Kabieeh (2 brochettes, bœuf haché et riz). Assiette du chasseur (3 brochettes de 3 viandes et 2 sortes de riz). Baklava.
PRIX Midi: F. 10$ à 12$
Soir: C. 17$ à 33$ F. 10$ à 12$
OUVERTURE: 7 jours 11h30 à 23h.
NOTE: Thé gratuit à volonté. Ne sert pas d'alcool. Argent comptant seulement. Forfait midi lun. à ven. seulement. Spécial du jour. Repas pour 2 pers. 34$. WIFI disponible.
COMMENTAIRE: L'établissement propose diverses spécialités authentiquement iraniennes. À essayer pour le dépaysement et l'aventure. Service très aimable et attentif, dans la langue iranienne, si vous le voulez. Décor très ordinaire, familial, mais on vient là surtout pour manger. Ce serait le meilleur restaurant iranien à Montréal, pour l'assiette.

ITALIEN

BÉATRICE ★★★
1504, rue Sherbrooke O., MTL
Tél.: 514-937-6009
SPÉCIALITÉS: Tartare de thon, crevettes tempura, câpres, œufs de caille au safran. Pieuvre grillée, champignons, chou de Bruxelles, haricots blancs et feta. Taglioni maison, sauce rosée. Côte de veau milanaise. Agnelotti, sauce aux champignons. Pain perdu aux noisettes, glace au café, crème anglaise parfumée au Frangelico.
PRIX Midi: Été T.H. 32$ à 38$
Soir: C. 46$ à 98$ Été T.H. 32$ à 38$
OUVERTURE: Hiver: Lun. à sam. 18h à 23h. Fermé midi et le dim. Été: 7 jours midi à 15h et 18h à 23h. Fermé 24, 25 déc. et 1er janv.
NOTE: Cave à vin. Service de valet le soir.
COMMENTAIRE: Bice a changé de nom pour Béatrice. Décor spacieux et élégant, bon chic bon genre. Très belle assiette. Service stylé.

BIS ★★
1229, rue de la Montagne, MTL
Tél.: 514-866-3234
SPÉCIALITÉS: Carpaccio de pieuvre à l'orange. Taglioni au Barbaresco (vin) et truffes blanches. Côte de veau farcie Valdostana. Pâtes au ragoût d'agneau. Figues et prosciutto grillé, copeaux de fromage parmigiana et balsamique. Linguines aux fruits de mer. Cannoli à la ricotta.

PRIX Midi: T.H. 23$ à 26$
Soir: C. 37$ à 78$
OUVERTURE: Lun. à ven. 11h30 à 23h. Sam. et dim. 17h à 23h. Fermé 24 et 25 déc., 1er et 2 janv.
NOTE: Spécialités truffe blanche en saison et escalope de veau de lait. Menu moins de 495 calories. Menu végétarien et sans gluten.
COMMENTAIRE: L'assiette est sympathique, italienne, classique, de type familial. Le service est très courtois, voire convivial. Ce restaurant pourrait faire mieux compte tenu des prix pratiqués.

CASA CACCIATORE ★★★
170, rue Jean-Talon E., MTL
Tél.: 514-274-1240
SPÉCIALITÉS: Crevettes à la Mike (à l'ail, très épicées). Capresa (tomates, bocconcini). Agneau sauce au romarin et vin blanc. Gnocchi sauce rosée. Veau Pavarotti. Tagliolini alla Gigi (pâtes en sauce flambées au cognac). Linguini pescatore. Tiramisu. Crêpe au mascarpone.
PRIX Midi: T.H. 18$ à 24$
Soir: C. 33$ à 64$ T.H. 28$ à 44$
OUVERTURE: Lun. à ven. 11h30 à 23h30. Sam. et dim. 16h30 à 23h30. Fermé du 24 au 26 déc., le 1er janv. et à Pâques.
NOTE: Pâtes maison. Ouvert depuis 1981.
COMMENTAIRE: Une bonne cuisine, de type plutôt familial, au goût simple et en portions copieuses. Peu ou pas de présentation dans les assiettes. Une cuisine sans surprise. Pâtes maison.

DA EMMA ★★★
777, rue de la Commune O., MTL
Tél.: 514-392-1568
SPÉCIALITÉS ROMAINES: Thon à la marinière. Fettucine aux champignons (aux cèpes). Escalope de veau sauce au vin. Scaloppine alla zingara. Straccetti (carpaccio de bœuf sauté) à l'espadon. Boulettes de veau sauce à la viande. Agneau au four. Petit cochon de lait. Panna cotta.
PRIX Midi: C. 33$ à 81$
Soir: Idem.
OUVERTURE: Lun. à ven. midi à 14h. Lun. à sam. 18h à 22h30. Fermé sam. midi et dim. Fermé en mars.
NOTE: Pâtes fraîches. Stationnement gratuit.
COMMENTAIRE: Après être descendu par un escalier de pierre au décor très dépouillé, on ouvre une lourde porte de fer, genre pare-feu. Et là, c'est la magie! Dès que l'on pénètre dans la grande salle à manger, au plafond soutenu par de superbes piliers de pierre, on est tout de suite pris en charge par un personnel courtois qui nous installe, à notre convenance, à l'une des jolies tables nappées de blanc. Un immense bar longe l'un des côtés de la salle. Les chefs propriétaires, Emma-Risa et Lorenzo Aureli, proposent une excellente cuisine familiale italienne, sans chichi ni prétention, mais très savoureuse. Service professionnel et attentif.

DA VINCI ★★★★
1180, rue Bishop, MTL
Tél.: 514-874-2001
SPÉCIALITÉS: Osso buco, lit de risotto avec rapini, parmesan. Linguini pescatore (aux fruits de mer). Carpaccio di manzo (bœuf). Côte de veau de lait, purée de pommes de terre et légumes. Tiramisu maison.
PRIX Midi: C. 42$ à 78$
Soir: Idem
OUVERTURE: Lun. à ven. 11h30 à 23h. Sam. 17h à 23h. Fermé dim., 25 déc., 1er janv.
NOTE: Vaste sélection de vins de toute l'Italie. Lounge au rez-de-chaussée ouvert lun. à sam. 17h à 1h du mat.
COMMENTAIRE: Le chef Ferrante propose une fine cuisine, mais pas snob pour un sou. La carte présente une alléchante variété de mets savoureux. Dans cette maison du 19e siècle, le décor est élégant, mais sans ostentation. Il y a plusieurs salles, dont une de genre bistro. Les produits sont frais et bien apprêtés. Service aimable, très accueillant et attentionné.

FERRARI ★★★ (bistro)
1407, rue Bishop, MTL
Tél.: 514-843-3086
SPÉCIALITÉS: Mousse de foie de volaille au parfum de truffe blanche. Fettucine Gigi. Tagliani Buccia, beurre, huile d'olive et zeste de citron. Lapin au vin blanc. Escalope de veau, champignons et truffe. Tiramisu.
PRIX Midi: T.H. 17$
Soir: C. 24$ à 47$ T.H. 29$ à 34$
OUVERTURE: Lun. à ven. 11h30 à 22h. Sam. 17h30 à 22h. Fermé dim. et jours fériés.
NOTE: 6 variétés de pâtes fraîches maison, 16 choix de sauces. Vente de café importé d'Italie et d'huile d'olive maison parfumée au basilic.
COMMENTAIRE: On propose une cuisine italienne traditionnelle familiale. Les portions sont justes et savoureuses. Les pâtes fraîches sont particulièrement bonnes, voire incontournables. Petite carte des vins avec une majorité de vins italiens. Service rapide, précis et attentif.

GRAZIELLA ★★★★
Complexe 116
116, rue McGill, MTL
Tél.: 514-876-0116
SPÉCIALITÉS: Gnocchi à la tomate. Pieuvre braisée au vin blanc, haricots, cannelloni, flan de porc fumé, compotées d'oignons. Osso buco à la milanaise. Risotto (selon l'humeur du chef). Tarte fine au chocolat, glace au mascarpone et marsala. Tarte à l'orge, ricotta et vanille.
PRIX Midi: F. 27$
Soir: C. 49$ à 75$
OUVERTURE: Lun. à ven. midi à 14h30. Lun. à sam. 18h à 22h. Fermé sam. midi. Fermé dim., jours fériés, dern. sem. de juil. et 1re sem. d'août.
NOTE: Carte des vins recherchée (200 à 250 bouteilles). Salle privée 80 pers.
COMMENTAIRE: Graziella Battista lui a donné son prénom, tout simplement. Le décor est moderne, chaleureux, élégant et bien conçu. La cuisine trône au centre de la salle à manger. L'assiette propose une cuisine du nord de l'Italie, interprétée par Graziella de jolie façon, toute en saveurs et en sensibilité. Les pâtes sont faites maison. Le service est aimable.

IL BOCCALINI ★★★
1408, rue de l'Église,
VILLE SAINT-LAURENT
Tél.: 514-747-7809 et 747-1002
SPÉCIALITÉS: Bresaola (prosciutto, roquette, parmesan). Linguini alla Gigi (jambon, champignons, fromage crème, échalote). Pizza romana, saucisse italienne, champignons, poivrons. Calamar et zucchini frits. Linguini aux fruits de mer, palourdes, calmar, crevettes. Tiramisu. Soufflé au chocolat. Limoncello.
PRIX Midi: F. 16$ à 24$
Soir: C. 26$ à 56$ T.H. 28$ à 34$
OUVERTURE: Mar. à ven. 11h à 15h et 17h à 22h. Sam. 16h à 23h. Fermé dim., lun. et jours fériés.
NOTE: Situé entre Décarie et Sainte-Croix. Stationnement gratuit à partir de 17h à la bibliothèque nationale. Plats à emporter.
COMMENTAIRE: Service impeccable, chaleureux et rapide. Cuisine très bien les viandes de veau. Si la devanture ne paie pas de mine, à l'intérieur, c'est l'ambiance de l'Italie et c'est excellent.

IL CORTILE ★★★
Passage du musée
1442, rue Sherbrooke O., MTL
Tél.: 514-843-8230
SPÉCIALITÉS: Gnocchi sauce au gorgonzola et épinards. Papardelles aux champignons sauvages.

Salade de fruits de mer. Risotto porcini (cèpes et champignons sauvages). Émincé de veau aux champignons sauvages. Escalope de veau, citron et vin blanc. Tiramisu.
PRIX Midi: F. 23$ à 40$
Soir: C. 34$ à 51$ F. 27$ à 44$
OUVERTURE: 7 jours 11h30 à 14h30 et 17h à 22h.
NOTE: Salle privée, 35 pers. sur réserv.
COMMENTAIRE: Le décor est confortable et très agréable, surtout l'été, lorsque la salle à manger s'étend sur la cour intérieure, agrémentée de fleurs et de plantes vertes. Ambiance garantie, rehaussée par le service à l'italienne plutôt chaleureux, attentif et rapide. Une cuisine italienne classique, généreuse et savoureuse. La carte des vins propose un choix exclusif de vins italiens. Soirée réussie, si vous êtes placé au centre de l'espace-terrasse. On se croirait en Italie.

LA CANTINA ★★★
9090, bd Saint-Laurent, MTL
Tél.: 514-382-3618
SPÉCIALITÉS: Pieuvre grillée. Filet de veau de lait Charlevoix, champignons King pleurote, sauce au vin. Gnocchi maison au fromage ricotta maison. Linguini avec rapini et lardons. Jarret de veau en blanc. Fraises au vinaigre balsamique.
PRIX Midi: T.H. 24$ à 45$
Soir: C. 32$ à 70$ T.H. 24$ à 45$
OUVERTURE: Lun. à ven. 11h30 à 22h30. Sam. 17h à 23h. Dim. 17h à 22h. Fermé 25 déc. et Pâques.
NOTE: Antipasto chauds et froids. Carte des vins d'environ 100 étiquettes, dont certains d'importation privée.
COMMENTAIRE: On trouve ici l'ambiance chaleureuse des restaurants italiens d'il y a quelques années. Le décor est ancien mais confortable. L'accueil est courtois et souriant, le patron va de table en table pour voir si tout va bien et si vous ne manquez de rien, bref c'est l'endroit où l'on se sent bien pour commencer un repas coloré et ensoleillé, comme en Italie. Une assiette expressive qui nous raconte une histoire, celle de la Méditerranée, une cuisine généreuse et relevée comme il faut, qui met les produits en valeur et les traite bien, en fait. Service compétent et chaleureux... à l'italienne.

LA DIVA ★★★[ER]
1273, bd René-Lévesque E., MTL
Tél.: 514-523-3470
SPÉCIALITÉS: Fusilli a la Norcina (sauce rosée, saucisse hachée et champignons). Bisque aux moules safranées. Saumon au poivre rose. Rognons de veau. Moules au vin blanc. Foie de veau à la vénitienne. Tortellini. Penne Romanov. Escalope Diva. Tiramisu.
PRIX Midi: F. 16$ à 23$
Soir: C. 27$ à 56$ F. 26$ à 30$
OUVERTURE: Lun. à ven. 11h30 à 14h30. Mar. à sam. 17h à 22h. Ouvert dim. sur réserv. Fermé du 24 déc. au 2 janv., deux sem. de la construction et midi jours fériés.
NOTE: Spécialisé dans les pâtes et les abats. Foyer.
COMMENTAIRE: Une bonne cuisine italienne à des prix raisonnables. Les pâtes y sont bonnes et les sauces excellentes. Nous recommandons les légumes et les viandes marinées en entrée. Rien d'original dans le décor sauf que l'on s'y sent bien. Service rapide et courtois.

LA MOLISANA ★★★
1014, rue Fleury E., MTL
Tél.: 514-382-7100
SPÉCIALITÉS: Gnocchi maison. Penne Molisana au saumon fumé. Pizza au prosciutto, bocconcini. Osso buco à la casalinga (jarret de veau, champignons, sauce demi-glace). Risotto pescatore (aux fruits de mer). Tiramisu. Panna cotta maison.
PRIX Midi: T.H. 10$ à 20$
Soir: C. 24$ à 56$ T.H. 19$ à 36$
OUVERTURE: Mar. à dim. 11h à minuit. Lun. 17h à 23h. Fermé 24 déc.
NOTE: Menu-terrasse 10 choix 10$ dim. à jeu. Pizzas au four à bois. 2 salles de réception 25 à 125 pers.
COMMENTAIRE: La cuisine est généreuse quoiqu'un peu timide dans les saveurs, mais on s'y sent à l'aise et tout est fait pour nous satisfaire.

LE PETIT ITALIEN ★★
1265, rue Bernard O.,
OUTREMONT
Tél.: 514-278-0888
SPÉCIALITÉS: Linguines maison aux fruits de mer. Penne au confit de canard. Linguines Buongustaio (prosciutto, raisin, poulet, basilic, ail et vin blanc). Osso buco de veau, ragoût tomaté de légumes, pâtes fregula. Tiramisu. Cannolo, ricotta, zeste d'orange. Crème brûlée au Galliano.
PRIX Midi: F. 18$ à 19$
Soir: C. 17$ à 57$ F. 25$ à 30$
OUVERTURE: Lun. à mer. 11h30 à 22h. Jeu. et ven. 11h30 à 23h. Sam. 17h à 23h. Dim 17h à 22h. Sam. et dim. brunch 10h à 15h.
NOTE: Belle carte de vins avec 120 étiquettes de vins italiens.
COMMENTAIRE: L'endroit est bruyant, mais très sympathique. Dans un décor style bistro européen (redessiné par Zebulon Perron, de Materia design), on sert une cuisine italienne de type familial, bonne dans l'ensemble. Les prix sont raisonnables et le rapport qualité-prix est bon. L'accueil est chaleureux, le service très aimable.

RESTAURANT-BAR OTTO ★★★★[ER]
Hôtel W Montréal
901, Square Victoria, MTL
Tél.: 514-395-3180
SPÉCIALITÉS: Tartare de thon et guacamole. Risotto aux champignons sauvages, joue de veau braisée, truffe noire et parmesan. Morue noire au four, marinée à la citronnelle et miso, radis japonais. Carré d'agneau, champignons, purée de pommes de terre aux truffes, sauce à l'érable et pommes caramélisées.
PRIX Midi: T.H. 22$ à 33$
Soir: C. 43$ à 72$
OUVERTURE: Lun. à ven. 11h30 à 15h. 7 jours 17h30 à 23h. Petit déjeuner lun. à ven. 6h30 à 11h. Brunch à la carte sam. et dim. 7h à 14h.
NOTE: Spéciaux du chef la fin de semaine. Menu terrasse de style tapas l'été, 17h30 à 23h, 10$ à 25$.
COMMENTAIRE: Installé dans un hôtel-boutique du quartier des affaires, près de la tour de la Bourse, ce restaurant offre une très belle table dans un décor moderne actuel. L'ambiance est feutrée et confortable. La carte propose des mets italiens avec une influence asiatique. Sans parler de cuisine fusion, on trouve ici, au travers de belles présentations, des mets italiens revisités ou plutôt actualisés au goût BCBG. Les cuissons sont justes, les portions sont généreuses et c'est très bon.

RISTORANTE DIVINO ★★
3500, Côte-Vertu, # 105, MTL
Tél.: 514-333-0088
SPÉCIALITÉS: Aubergine gratinée. Linguine aux fruits de mer. Risotto de la semaine. Osso buco à la milanaise. Veau au vin de Marsala ou piccata (citron). Côtelettes d'agneau grillées, légumes, purée ou pâtes. Tarte Tatin maison. Tiramisu.
PRIX Midi: F. 15$ à 30$
Soir: C. 23$ à 52$ F. 16$ à 35$
OUVERTURE: Lun. à jeu. 11h à 22h. Ven. 11h à 23h. Sam. 16h à 23h. Dim. 16h à 22h. Fermé 1er janv.
NOTE: Poissons frais du jour. Moules à volonté lun. à mer. 13,95$. Section privée pour groupes jusqu'à 100 pers.

COMMENTAIRE: Le propriétaire tenait une boulangerie à Antibes, entre Cannes et Nice, dans le sud de la France. Ras-le-bol de la France, il arrive au Québec avec femme et enfants et rachète cet établissement pour y perpétuer une cuisine italienne familiale très savoureuse. Le chef n'a pas peur de mettre des aromates, de l'ail, des épices et tout ce qui apporte cette couleur méditerranéenne si agréable. Les portions sont très généreuses. Le décor, de type méditerranéen, est immense, et le son résonne un peu lorsqu'il y a du monde. L'ambiance est agréable, et, dès l'entrée, la bonne odeur des cuisines vous prend dans les narines et vous met en appétit. Service courtois, rapide et compétent.

TOMATE BASILIC ★★★★
12585, rue Sherbrooke Est, MTL
Tél.: 514-645-2009
SPÉCIALITÉS: Gravlax de saumon maison sur croûtons, mousse de fromage à l'aneth, cornichons. Foie de veau aux herbes et vinaigre de vin rouge, pâtes aux herbes et tomates. Jarret d'agneau braisé à la milanaise, linguini au beurre et herbes, gremolata fraîche. Tarte aux framboises et chocolat blanc, fromage mascarpone. Tiramisu.
PRIX Midi: F. 11$ à 24$
Soir: C. 21$ à 39$ F. 19$ à 29$
OUVERTURE: Dim. à mer. 11h à 22h. Jeu. à sam. 11h à 23h.
NOTE: Menu 21h/21$, 3 choix d'entrées, 5 choix de plats principaux, si vous arrivez après 21h. Carte des vins 90% d'importation privée, 200 étiquettes. Comptoir de mets et sauces maison à emporter. Menu enfant, coin cinéma.
COMMENTAIRE: En route pour se rendre à ce restaurant, on se demandait si cela valait le coup d'aller si loin. Eh bien oui, c'est réellement un excellent restaurant italien. Joliment décoré, divisé avec goût, intime, sympathique et agréable. Harmonie de gris soutenu avec des points rouges. Nous avons fait là un excellent repas cuisiné généreusement avec des produits savoureux et honnêtes. Ici pas de chef vedette ni des rock stars de la cuisine. Très bon service. Nous avons apprécié le vin au verre servi de la bouteille à la table. Un resto italien qui vaut le détour!

JAPONAIS

AZUMA ★★★
5263, bd Saint-Laurent, MTL
Tél.: 514-271-5263
SPÉCIALITÉS: Salade de thon épicé. Crabe à carapace molle. Morue noire marinée cuite au four. Chawanmushi (flan aux œufs, fruits de mer et poulet). Gyoza (dumplings style japonais). Glace au thé vert. Sésame noir, mousse au chocolat.
PRIX Midi: F. 13$ à 16$
Soir: C. 19$ à 49$
OUVERTURE: Mar. à ven. midi à 14h30. Mar. à jeu. 17h30 à 21h30. Ven. et sam. 17h30 à 22h. Fermé dim. et lun., 25 déc., 1er janv., 24 juin et 1er juil.
NOTE: Poisson du jour. Plateau repas servi avec crevettes et légumes tempura, 4 morceaux de makimono (sushis), légumes assortis, salade et soupe. Fondue japonaise pour deux 54$.
COMMENTAIRE: Un des restaurants qui sert du vrai sushi. Le chef propriétaire japonais fait une cuisine authentique et de qualité. Rapport qualité-prix intéressant. Les prix sont raisonnables.

ISAKAYA ★★★★
3469, av. du Parc, MTL
Tél.: 514-845-8226
SPÉCIALITÉS: Carpaccio de hiramé usuzukuri. Feuilleté d'anguille. Cocktail de thon. Gobo tempura. Sushis. Pétoncles de mer grillés sauce gingem-beurre. Crevettes «roche» frites style popcorn. Filet de morue noire misoyaki grillé.
PRIX Midi: F. 9$ à 13$
Soir: C. 28$ à 42$ F. 19$ à 26$
OUVERTURE: Mar. à jeu. 11h30 à 14h et 18h à 21h30. Ven. 18h à 22h30. Sam. 17h30 à 22h. Dim. 17h30 à 21h. Fermé lun., 25 déc. et 1er janv.
NOTE: Spécial du midi Bento (Bento = boîte à lunch), isakaya bento: sushi, sashimi, tempura, poulet servi avec salade ou soupe miso, 13$.
COMMENTAIRE: Une des meilleures cuisines japonaises de Montréal. Le chef propriétaire est japonais. Entre tradition et modernité, les plats sont merveilleusement pensés. Toujours des produits d'une grande qualité, surtout les poissons. Prix raisonnables.

JUN I ★★★★★
156, av. Laurier O., MTL
Tél.: 514-276-5864
SPÉCIALITÉS: Sashimi de pétoncles, bar, omble chevalier, thon à queue jaune, saumon biologique, 5 sauces.Trio Kaiso (salade d'algues wakamé, vinaigrette au shiso). Maguro taru (tartare de thon, champignons et huile de truffe). Mille crêpes, vanille de Madagascar, sauce caramel amer et banane.
PRIX Midi: T.H. 29$ à 31$
Soir: C. 65$ à 89$
OUVERTURE: Mar. à ven. 11h30 à 14h. Lun. à jeu. 18h à 22h. Ven. et sam. 18h à 23h. Fermé dim., 24, 25 déc. et 1er janv.
NOTE: Carte des vins. Sakés importés.
COMMENTAIRE: JUN I veut dire «pure passion». L'ancien chef de Soto a ouvert ce restaurant en mai 2005. Le décor évoque la forêt québécoise. Côté cuisine, la tradition japonaise s'allie aux nouvelles tendances. Création de plats et de sushis avec une variété de bons produits et un mélange de saveurs.

MAÏKO SUSHI ★★★★
387, rue Bernard O., MTL
Tél.: 514-490-1225
SPÉCIALITÉS: Perles Maïko (6 morceaux de truite en sushi flambé, foie gras, sauce truffe). Crevettes popcorn de roche, huile de truffe et sésame. Volcano (4 tranches patates frites servies avec un mélange de chair de crabe, de goberge et de mayonnaise épicée). Délice Maïko, crabe d'Alaska légèrement frit roulé dans une feuille de soja, sauce à l'huile de truffe.
PRIX Midi: T.H. 14$ à 22$
Soir: C. 31$ à 62$ T.H. 31$ à 47$
OUVERTURE: Lun. à ven. 11h30 à 14h30. Lun. à dim. 17h à 23h. Fermé 24, 25 déc. et 1er janv.
NOTE: Bar à sushis. T.H. soir 4 serv. Spécialité: Soleil de Maïko (galette de riz croustillant, tartare de thon, tobiko, fromage fondant). Aussi un restaurant à Dollard-Des-Ormeaux. Arrivage de poissons du Japon (rouget, kamikaï...) chaque fin de semaine.
COMMENTAIRE: Restaurant de quartier. Trois belles salles se succèdent. Le décor est élégant avec des nappes blanches et des chaises en cuir de couleur beige foncé. La chef propriétaire est vietnamienne. Les sushis, sashimis et makis sont frais. Le service est fait avec gentillesse et attention. Agréable terrasse pour les beaux jours.

MIKADO ★★★★★
399, av. Laurier O., MTL
Tél.: 514-279-4809
SPÉCIALITÉS: Hotaté limé ré (pétoncles frais, pâte de prune, shiso-yuzu, mayo wasabi). Rouleau au homard farci à la chair de crabe. Limé no sachi shiitake (crevettes et pétoncles sautés au sichimi). Albacore tataki (thon blanc). Crabe à carapace molle. Sushi Maki. Tarte aux pommes Mikado.
PRIX Midi: T.H. 14$ à 22$
Soir: C. 24$ à 54$
OUVERTURE: Lun. à ven. 11h30 à 14h30. Dim. à mer. 17h30 à 22h. Jeu. à sam. 17h30 à 23h. Fermé 24 et 25 déc.

NOTE: Omakase, menu dégustation 6 à 8 serv. 65$ à 95$ le soir. Bento (boîte à lunch de 6 plats ou tapas).
COMMENTAIRE: La salle est vivante, offrant une variété de sushis et de sashimis frais de qualité préparés par les chefs Kimio et Ryo. Le chef propriétaire est vietnamien. Il y a plus de dix ans que le chef Kimio apprête les sushis. Par rapport aux Japonais, toujours très traditionnels dans ce genre de cuisine, ce chef vietnamien aborde le sushi en toute liberté, avec plus de créativité. Sa création Kamikazé est même copiée par les autres Japonais en ville.

SAKURA ★★★
3450 Drummond, MTL
Tél.: 514-288-9122
SPÉCIALITÉS: Kaiso (salade d'algues, vinaigrette au sésame). Sakura (sashimi, crevettes, pétoncles, saumon). Loveboat (variété de sushis, tempura et yakitori). Sakura gozen (demi-homard teriyaki, crevettes tempura, sushis, salade). Homard tempura.
PRIX Midi: T.H. 12$ et 15$
Soir: C. 25$ à 54$ T.H. 20$
OUVERTURE: Lun. à ven. 11h30 à 14h30. Lun. à dim. 17h à 22h. Fermé 25 déc. et 1er janv.
NOTE: Happy combo 17$ à 20$. Spécial du jour change quotidiennement. Fondue/2 pers. préparée à votre table 63$.
COMMENTAIRE: La propriétaire est japonaise, les serveuses sont toutes habillées en costumes de style japonais. Cet établissement fait partie des 4 ou 5 restaurants appartenant à des propriétaires japonais traditionnels. Tous les plats sont illustrés, même les desserts et les cocktails sont présentés en photos. Les illustrations sont appétissantes, en plus d'aider les clients à faire leur choix parmi les nombreux plats japonais.

SHO-DAN ★★★★
2020, rue Metcalfe, MTL
Tél.: 514-987-9987
SPÉCIALITÉS: Phoenix (rouleau de feuille soya, goberge, avocat, mangue, oignon frit, thon rouge). Besame Mucho (tartare de thon, tempura, crevette, feuille de soya). Pizza (galette de riz frite, mayonnaise épicée, thon rouge, saumon fumé, tobiko). Mont-blanc (crème glacée vanille, chocolat tempura, coulis de fruits).
PRIX Midi: F. 15$ à 25$
Soir: C. 34$ à 70$
OUVERTURE: Lun. à ven. 11h30 à 14h30. Lun. 17h à 22h. Mar. à mer. 17h à 22h30. Jeu. à sam. 17h à 23h. Fermé dim., 24, 25 déc., 1er janv. et le midi jours fériés.
NOTE: Réserv. préférable. Spécial midi: sushis pour 2 pers. 46$. Salons privés, groupes 8 à 12 pers., sur réserv. Stationnement payant.
COMMENTAIRE: Un couple, qui aimait les sushis avec passion, a ouvert un restaurant japonais avec les chefs sushis du Mikado. Comme le restaurant est situé au cœur du centre-ville, le midi, il faut réserver. Les chefs sont motivés à créer selon le goût du client.

TATAMI ★★★
140, rue Notre-Dame O., MTL
Tél.: 514-845-5864
SPÉCIALITÉS: Taboo: queue de homard, crabe épicé, thon, saumon, avocat, concombre, tobico, feuille de soya. Club sandwich de fruits de mer. Dragon ball: crevette tempura, thon épicé, batonnet de crabe, coriandre, feuille de miso. Tara: crevette tempura, crabe épicé, saumon, avocat, feuille de miso.
PRIX Midi: C. 11$ à 17$
Soir: C. 12$ à 42$ F. 14$ à 30$
OUVERTURE: Lun à ven. 11h30 à 14h30. Lun. à jeu. 17h à 21h30. Ven. et sam. 17h à 22h. Dim. 16h à 21h. Fermé midi sam. et dim. Été: dim. 15h à 21h30.
NOTE: Table aquarium. Salle privée jusqu'à 40 pers. sur réserv. Carte des vins, 5 variétés de sakés froids. Demi-terrasse (portes s'ouvrant sur l'extérieur).
COMMENTAIRE: La propriétaire est vietnamienne. Les sushis et les sashimis sont d'une fraîcheur irréprochable. On peut même les déguster à une table recouvrant un aquarium d'eau salée.

TRI EXPRESS ★★★
1650, av. Laurier E., MTL
Tél.: 514-528-5641
SPÉCIALITÉS: Salade ceviche de fruits de mer. Pétoncles et pamplemousse. Salade de filet mignon. Sushis. Omakase: maki tempura (le croquant), concassé de homard dans une feuille de concombre (le divin). Filet mignon à la manière de Tri. Le St-Joseph: maki (tartare de thon et saumon, homard). Sashimi à la manière de Tri (thon, saumon, vivaneau).
PRIX Midi: F. 16$ à 19$
Soir: F. 20$ à 40$
OUVERTURE: Mar. et mer. 11h à 21h. Jeu. et ven. 11h à 22h. Sam. et dim. 16h à 22h. Fermé lun.
NOTE: Menu dégustation 5 serv. 42$. Menu pour 2 pers. 40$ à 60$.
COMMENTAIRE: Maître sushi, le chef Tri Du a ouvert son propre petit restaurant depuis février 2006, après avoir travaillé chez Kaizen et au Petit Treehouse. Une très petite salle dont ce maître sushi est évidemment l'âme du lieu avec ses créations et ses ingrédients d'une très grande fraîcheur. Ce sont parmi les meilleurs sushis en ville.

ZEN YA ★★★★
486, Sainte-Catherine O., MTL
Tél.: 514-904-1363
SPÉCIALITÉS: Rouleau de homard, cresson, avocat. Chirashi sushi. Galette de saumon. Bar chilien, nouilles et légumes sautés. Homard motoyaki. Spécial Omakase: assiette de sushis et de sashimis, robata (grillades). Bento box.
PRIX Midi: T.H. 16$ à 27$
Soir: C. 24$ à 71$
OUVERTURE: Lun. à ven. 11h30 à 14h30. Lun. à dim. 17h30 à 22h30. Fermé jours fériés, 25 déc. et 1er janv.
NOTE: Tables de tatamis, 12 pers. Salle karaoké. Menu saké.
COMMENTAIRE: Ce restaurant signe son concept par «Une nouvelle expérience japonaise». Il est situé à l'étage d'un bâtiment anonyme de la rue Sainte-Catherine O. Immense et longue salle peinte en noir pour dissimuler la brique et le plancher. Des lignes modernes de verre et de métal forment un élégant décor contemporain. Le menu est long et varié.

LIBANAIS

AVIS

Les restaurants libanais n'offrent pas tous des spectacles de danseuses du ventre, avec orchestre, chanteurs ou autres. Mais quand cela est prévu, ces spectacles commencent en général vers 22h. La clientèle libanaise arrive alors vers 21h et quitte au petit matin. Renseignez-vous avant d'y aller. Il est préférable de réserver.

DAOU ★★★
519, rue Faillon E., MTL
Tél.: 514-276-8310
SPÉCIALITÉS: Fatouche. Feuilles de vigne (yabrak). Hommos. Taboulé. Kebbe nayé. Poitrine de poulet marinée. Rouget frit. Saumon grillé. Shish-kebab. Agneau grillé. Rakakat (feuilleté au fromage). Baklava. Crêpe farcie au fromage et sirop d'érable.
PRIX Midi: C. 26$ à 53$
Soir: Idem
OUVERTURE: Mar. à sam. 11h30 à 22h. Dim. 11h30 à 21h. Fermé lun. Fermé 25 déc., 1er et 2 janv.

NOTE: Plat du jour le midi. Arak (boisson alcoolisée libanaise).
COMMENTAIRE: Décor très ordinaire, genre salle de banquet d'hôtel. Service en chemise blanche, gilet et pantalons noirs, rapide, attentif, aimable, de style bistro. Aucune présentation dans l'assiette, mais le goût est là et la générosité des portions aussi. Entreprise familiale.

LA SIRÈNE DE LA MER ★★★★
114, rue Dresden,
VILLE MONT-ROYAL
Tél.: 514-345-0345
SPÉCIALITÉS: Gâteau de crabe. Friture de La Sirène (fines lamelles frites de courgettes et aubergines). Calmars frits. Machawi grillé (brochettes poulet, filet mignon ou viande hachée). Pieuvre ou bar du Chili grillés. Thon épicé en croûte au sésame. Katayef (crêpe farcie au fromage et sirop). Halawet el-jiben (pâte semoule farcie au fromage, sirop de rose).
PRIX Midi: F. 15$ à 25$
Soir: C. 29$ à 55$
OUVERTURE: Dim. et lun. midi à 21h30. Mar. à ven. midi à 22h. Sam. midi à 22h30. Fermé 25 déc. et 1er janv.
NOTE: T.H. lun. à ven. Concept de plats à partager. Carte des vins, 100 étiquettes. Cellier dans la salle à manger. Mer. soir huîtres à moitié prix 15$/dz. Salle privée, équipement électronique 60 pers.
COMMENTAIRE: Belle salle à manger au décor classique et très sobre. Le service aimable et bien fait. Les plats sont servis chauds. On peut choisir son poisson à la poissonnerie (poissons importés de la Méditerranée) qui fait partie de l'établissement. Les poissons sont toujours frais et le chef les prépare selon votre goût.

MAROCAIN

LA MENARA ★★★
256, rue Saint-Paul E.,
VIEUX-MTL
Tél.: 514-861-1989
SPÉCIALITÉS: Jarret d'agneau aux pruneaux. Pastilla au poulet et amandes. Couscous royal, poulet, merguez et agneau. Tajine de poulet aux olives, citrons confits. Méchoui au gigot d'agneau. Loup de mer poêlé, tombée de tomates, citrons confits. Gâteau amandes et miel. Thé à la menthe.
PRIX Midi: (fermé)
Soir: C. 41$ à 58$ T.H. 42$
OUVERTURE: 7 jours 17h à 22h. Ouvert sur réserv. le midi et pour groupes 15 pers. et plus.
NOTE: T.H. 42$ sam. soir avec spectacle. Danseuse de baladi jeu. à sam. à partir de 20h30.
COMMENTAIRE: Décor typiquement marocain. Dans une partie de la salle, on est un peu comme dans une tente touareg. On mange assis sur des coussins à des tables basses en cuivre ouvragé.

MÉDITERRANÉEN

ANDIAMO ★★★★ (bistro
La Méditerranée par Europea
1083, Côte du Beaver Hall, MTL
Tél.: 514-861-2634
SPÉCIALITÉS: Authentique soupe de poissons de roche de la Méditerranée, croûtons dorés, pot de rouille. Moules marinières au chorizo et vin blanc. Pétoncles saisis au citron confit, risotto aux porcinis, salade organique d'herbes fraîches. Calmars en croûte de parmesan et pavot, limette et sauce tartare. Filet de veau en croûte provençale, pommes de terre Pont-neuf, sauce pleurote. Crème catalane. Tiramisu.
PRIX Midi: F. 20$ à 29$
Soir: C. 30$ à 44$ F. 20$ à 29$
OUVERTURE: Lun. à ven. 11h30 à 14h. Ven et sam. 17h30 à 22h. Fermé dim. et 25 déc.
NOTE: Décor méditerranéen. Musique d'ambiance.
COMMENTAIRE: Cet excellent restaurant méditerranéen aux allures bistro fait partie du groupe Europea. La cuisine est originale, inventive autant dans les saveurs que dans les présentations. C'est frais et délicieux! Une cuisine parfumée et ensoleillée de la Méditerranée. Service compétent, attentif et agréable. On y retourne volontiers.

BYLA.BYLA. ★★★
Resto-bar café
1395, av. Dollard, LASALLE
Tél.: 514-368-1888
SPÉCIALITÉS MÉDITERRANÉENNES ET CONTINENTALES: Filet de saumon en croûte, sauce pico de gallo. Côtes levées, carré de côtes babyback, frites. Bifteck d'entrecôte 14 oz, coupe sterling, légumes et pommes de terre. Côte de veau de lait, sauce balsamique aux figues, pommes de terre et légumes. Verrines gourmandes.
PRIX Midi: C. 20$ à 28$
Soir: Idem
OUVERTURE: Lun. à sam. 10h à 14h. Mer. à sam. 17h à 22h. Fermé 1er janv.
NOTE: Stationnement très accessible.
COMMENTAIRE: Byla Byla est un dérivé du mot espagnol bailar (danser). Sauf qu'ici on ne danse pas, on cuisine. Et plutôt bien. Des spécialités continentales (steaks et fruits de mer), mais revues et parfumées aux senteurs de la Méditerranée, avec quelques touches d'épices nord-africaines. C'est réellement très bon, voire excellent! Tout ici est fait à la minute avec des produits frais, ce qui explique le délai du service quelquefois lent. Les présentations sont assez belles et agréables à l'œil. Décor café bistro confortable et gentiment aménagé.

O.NOIR ★★[ER]
1631, Sainte-Catherine O., MTL
Tél.: 514-937-9727
SPÉCIALITÉS: Crevettes marinées aux herbes. Short ribs BBQ, chips de patates douces maison, rémoulade de céleri-rave. Osso buco braisé au vin rouge et tomates. Profiteroles aux poires, sauce chocolat. Gâteau moelleux aux bleuets, coulis de fraises.
PRIX Midi: (fermé)
Soir: F. 34$ T.H. 41$
OUVERTURE: 7 jours, 11h à 13h sur réserv. 15 pers. min. Soir deux services, 17h15 à 18h15 et 20h30 à 21h30. Fermé 25 déc. et 1er janv. Réserv. recommandée.
NOTE: Dim. soir musique live. Carte des vins, plus de 50% d'importation privée.
COMMENTAIRE: Un restaurant où l'on mange dans le noir total, une expérience unique. Non seulement on comprend mieux le monde des non-voyants, mais on apprécie mieux ce que l'on mange. Sans la vue, nos autres sens s'intensifient pour savourer l'arôme et le goût de la nourriture. Le chef met l'accent sur la qualité des mets, sur les saveurs. Une cuisine simple, consistante et savoureuse. Mais on ne saura jamais si c'est bien présenté.

OSCO! ★★★
Hôtel InterContinental Montréal
360, rue Saint-Antoine O., MTL
Tél.: 514-847-8729
SPÉCIALITÉS: Pétoncles en croûte de cèpes, polenta crémeuse aux truffes. Risotto d'effiloché de canard, tomates confites, noix de pin. Noisette d'agneau au romarin, asperges grillées au chèvre, cipollinis au jus. Râble de lapin en tapenade d'olives, mousseline de pois verts au mascarpone, citron confit.
PRIX Midi: F. 26$
Soir: C. 40$ à 62$ T.H. 39$
OUVERTURE: 7 jours 11h à minuit. Petit déjeuner à partir de 6h30.
NOTE: Concept de plats à partager. Cellier, 800 bouteilles d'importation privée. Tapas au bar le Sarah B à l'heure du lunch ou

pour continuer la soirée (11h30 à 1h du mat.). Menu à l'ardoise change quotidiennement. Brunch fête des Mères, Noël, jour de l'An, Pâques. Salle privée 18 pers.
COMMENTAIRE: Les éléments du décor sont modernes, l'ambiance est de style brasserie de luxe. À l'entrée, une cage de verre abrite un cellier avec un grand choix de vins. Pour les vins au verre, un chariot chargé de bouteilles dans des seaux à glace, incluant des blancs et des rosés, est roulé jusqu'à votre table. La cuisine est méditerranéenne d'influence française. Le service est d'une gentillesse extrême.

RESTAURANT L'AUTRE VERSION ★★★★[ER]
295, rue Saint-Paul E., VIEUX-MTL
Tél.: 514-871-9135
SPÉCIALITÉS: Foie gras poêlé, Recioto di Soave, gâteau aux pommes caramélisées, fleur de sel. Terre et mer, filet mignon, purée de céleri-rave, champignons sauvages, carottes glacées, os à moelle panko, sauce demi-glace, homard cuit sous-vide. Gâteau au fromage, croustade sauge et romarin, coulis de framboises, perles moléculaires de Sortilège.
PRIX Midi: F. 24$
Soir: C. 42$ à 71$
OUVERTURE: Lun. à ven. 11h30 à 14h. Mar. à sam. 17h30 à 22h. Fermé dim. et lun. soir, 25 déc. et 2 premières sem. de janv. Été, 7 soirs 17h à 22h.
NOTE: Menu dégustation soir, 8 serv. 75$, accord mets et vin 130$. Soirée dégustation de vin avec vignerons internationaux 150$.
COMMENTAIRE: Beau décor moderne et confortable. De belles présentations dans les assiettes. Une cuisine de parfums qui déborde le cadre méditerranéen avec des goûts d'un peu partout dans le monde.

MEXICAIN

BISTRO CACTUS ★★[ER] (bistro)
4461, rue Saint-Denis, MTL
Tél.: 514-849-0349
SPÉCIALITÉS: Saumon mariné au basilic, flambé à la tequila. Ceviche. Guacamole. Crevettes tropicales sautées, sauce au basilic, coriandre et gingembre. Burritos. Jalapeno relleno (farci au fromage et au bœuf). Enchiladas. Fajitas. Plateau mexicain. Tacos. Poulet mole (sauce au piment et cacao).
PRIX Midi: C. 21$ à 36$
Soir: Idem
OUVERTURE: Hiver: dim. à mer. 16h à 22h. Jeu. 16h à 23h. Ven. et sam. midi à 23h. Été: dim. à jeu. midi à 22h. Ven. et sam. midi à 23h. Fermé 24 et 25 déc.
NOTE: Bar de danse CACTUS (salsa, merengue, cumbia, bachata) sur deux étages. Inscription à des cours de danse sur demande. Jeu. pratique de salsa dès 20h.
COMMENTAIRE: Le décor est propre et chaleureux, les banquettes sont dures et le mobilier est en bois peint. La carte propose des mets mexicains assez bien typés avec quelques adaptations. Les plats sont délicieux et surtout très copieux.

CASA DE MATÉO ★★★
440, rue Saint-François-Xavier, VIEUX-MTL
Tél.: 514-844-7448 et 286-9589
SPÉCIALITÉS: Crevettes à la tequila. Cactus gratinado. Enchiladas. Mole vert (avec canard) ou rouge (avec poulet). Tamal au poulet. Poulet mariné et grillé à la mangue. Fajitas au poulet, aux crevettes et filet mignon. Crème brûlée mexicaine. Banane flambée.
PRIX Midi: F. 13,50$
Soir: C. 36$ à 51$
OUVERTURE: Lun. à sam. 11h à 23h. Dim. 15h à 23h.
NOTE: T.H. soir/groupe 6 pers. Ven. et sam. de 19h à 22h30, musiciens mexicains (mariachi) aux tables. Auberge avec 22 chambres.
COMMENTAIRE: Choix de tapas, burritos, enchiladas, quesadillas, tortillas, enfin le soleil du Mexique dans votre assiette. Décor approprié et agréable. C'est bon et ce n'est pas cher.

CHIPOTLE ET JALAPENO ★★
1481, rue Amherst, MTL
Tél.: 514-504-9015
SPÉCIALITÉS: Crevettes sautées à la crème de chipotle. Mole poblano, poulet, piment, noix, cacao. Cochinita pibil, petit cochon mariné avec l'épice achiote, orange, cuit vapeur avec feuille plantain.
PRIX Midi: F. 15$
Soir: C. 27$ à 37$
OUVERTURE: Lun. et mar. 10h à 16h. Mer. à sam. 10h à 22h. Dim. 10h à 20h. Fermé jours fériés.
NOTE: Cours de cuisine mexicaine sur réserv. Petite épicerie au 1er étage, au-dessus du restaurant. Bières mexicaines. Vins latino-américains ou espagnols. Margaritas maison, saveurs variées. Brunch: café à volonté, jus et salade de fruits inclus.
COMMENTAIRE: Tout petit et sans prétention, mais une cuisine honnête, authentique et sincère. Le genre de petit restaurant de quartier comme on en trouve au Mexique.

LE PETIT COIN DU MEXIQUE ★★
2474, rue Jean-Talon E., MTL
Tél.: 514-374-7448
SPÉCIALITÉS: Soupe de fruits de mer. Entrée mixte (sopes, guacamole, tacos, quesadilla). Chile poblanorelleno (piments mexicains farcis de fromage). Crevettes chipotle. Tacos al pastor (porc mariné). Enchilada verte ou de mole. Chilaquiles rouges ou vertes. Gâteau trois laits. Pêche rompope.
PRIX Midi: F. 10$ à 12$
Soir: C. 15$ à 33$ T.H. 12$ à 19$
OUVERTURE: Mar. et mer. 11h30 à 21h. Jeu. à sam. 11h à 22h. Dim. 11h à 21h. Fermé lun., 25 déc. et 1er janv.
NOTE: Produits mexicains. Menu de fruits de mer (ceviche, poisson, brochette de crevettes). Service de traiteur sur réserv.
COMMENTAIRE: Un petit restaurant sympa, une cuisine simple et savoureuse typiquement mexicaine, que l'on peut accompagner de bières du pays, de téquila ou de margarita. Pour continuer l'expérience, ne pas oublier de goûter aux desserts. Ambiance familiale.

RESTAURANT LIMON ★★★
2472, Notre-Dame O., MTL
Tél.: 514-509-1237
SPÉCIALITÉS: Chilaquiles (tortillas de maïs sautés, sauce verte ou rouge, feta, œuf miroir, brouillé ou dur, choix végétarien). Guacamole avec totopos (nachos). Camarones adobados (crevettes grillées, sauce crémeuse au chipotle et achiote, fruits et légumes sautés). Tarte à la lime et tequila.
PRIX Midi: F. 15$
Soir: C. 26$ à 62$
OUVERTURE: Lun. à ven. 11h30 à 23h. Sam. et dim. 10h à 23h. Heure de fermeture peut varier.
NOTE: Ambiance lounge. Salle privée pour événement 18 pers. Importation privée de vins et tequila.
COMMENTAIRE: Rien dans le décor ne fait penser à un restaurant mexicain. À part d'originales, très belles et grandes photos de chiens chihuahuas (qui tient son nom d'un état du Mexique), ainsi qu'un tableau d'une Mexicaine révolutionnaire armée, on ne retrouve pas d'éléments décoratifs thématiques du Mexique. Une salle à manger aux lumières tamisées, confortable, incluant un long bar sur un côté, où l'on pourrait tout aussi bien manger un spaghetti sauce bolognaise qu'un steak au poivre. Le propriétaire, Ricky Dee, animateur à Rouge 107,3 FM, veut faire quelque chose de différent et de non conventionnel. L'assiette est très bonne et diversifiée. Joli coup d'œil. Service jeune extrê-

mement gentil, accommodant et répondant rapidement aux besoins du client.

TAQUERIA MEX ★★
4306, bd Saint-Laurent, MTL
Tél.: 514-982-9462
et 514-573-5930
SPÉCIALITÉS: Burrito de crevettes, de poulet, de steak ou végétarien. Tacos. Quesadilla au poulet ou végétarienne. Guacamole maison. Nachos au fromage fondu. Tostada (salade). Ranchero au poulet, au steak ou végétarien. Enchilada au poulet. Churos maison (beigne au caramel). Flan de coco.
PRIX Midi: C. 20$ à 27$
Soir: Idem
OUVERTURE: Lun. à ven. 11h30 à 22h. Sam. et dim. midi à 22h. Fermé 24, 25, 31 déc. et 1er janv.
NOTE: Musique latine continuelle. Bières et sangria mexicaines. Margarita et mojito maison. Daïquiris aux fruits (mangue, fraise, framboise).
COMMENTAIRE: Situé en face du parc Vallières, voici un petit resto sympathique au décor ordinaire, mais très coloré. Le décor fait plus penser à un restaurant-minute qu'à un restaurant, sauf que la ressemblance s'arrête là. Les assiettes sont généreuses, toutefois il n'y a pas de dessert à la carte. En résumé: amusant, intéressant, sympathique, consistant, parfumé, sans prétention!

PÉRUVIEN

CALLAO ★★★
114, av. Laurier Ouest., MTL
Tél.: 514-227-8712
SPÉCIALITÉS LATINO MODERNES D'INFLUENCE PÉRUVIENNE: Ceviche de poisson, jus de lime, piment rocoto, pomme de terre douce. Anticucho de poulpe ou de bœuf. Tiradito de poisson.
PRIX Midi: (fermé)
Soir: C. 39$ à 52$
OUVERTURE: Lun. à sam. 17h30 à 22h.
NOTE: Spéciaux saisonniers. Bar à Pisco. Table du chef.
COMMENTAIRE: Cuisine fraîche du marché latin. Le chef propriétaire se trouve à la tête de trois restaurants dont celui-ci, plus Madre et Madre sur Fleury.

MADRE ★★★ (bistro)
2931, rue Masson, MTL
Tél.: 514-315-7932
SPÉCIALITÉS LATINO MODERNES D'INFLUENCE PÉRUVIENNE: Ceviche classique de pétoncles au jus de lime. Tacos aux crevettes et haricots noirs. Jarret d'agneau braisé, bière et coriandre, cassoulet de haricots. Gâteau à la cannelle, aux trois laits, avocat et ananas en sorbet.
PRIX Midi: (fermé)
Soir: C. 33$ à 40$ F. 26$ à 33$
OUVERTURE: Lun. à sam. 17h30 à 22h.
NOTE: Le prix des plats principaux inclut une entrée. Stationnement facile.
COMMENTAIRE: Mario Navarrete Jr, chef propriétaire, propose une cuisine «nuevo latino», nouvelle cuisine latine d'influence péruvienne, de son pays d'origine. L'assiette est réellement très savoureuse, simple et créative, et constitue une découverte et un plaisir des sens. Le décor est minimaliste, un peu comme dans un couloir, tout en longueur, avec des tons de brun très foncé. On y est servi avec beaucoup d'amabilité.

MADRE SUR FLEURY ★★★
124, rue Fleury O., MTL
Tél.: 514-439-1966
SPÉCIALITÉS LATINO MODERNES D'INFLUENCE PÉRUVIENNE: Ceviche classique de pétoncles au jus de lime. Tacos aux crevettes et haricots noirs. Jarret d'agneau braisé, bière et coriandre, cassoulet de haricots. Gâteau à la cannelle, aux trois laits, avocat et ananas en sorbet.
PRIX Midi: (fermé)
Soir: C. 33$ à 40$ F. 26$ à 33$
OUVERTURE: Lun. à sam. 17h30 à 22h.
NOTE: Le prix des plats principaux inclut une entrée.
COMMENTAIRE: Anciennement «À table», ce restaurant a changé le nom pour devenir «Madre sur Fleury». Le chef propriétaire Mario Navarrete Jr, a changé aussi la vocation internationale du restaurant pour revenir vers sa spécialité et ses origines: la cuisine péruvienne savoureuse et revisitée par lui et ses assistants. Une cuisine latine avec la technique française.

MOCHICA ★★★★
3863, rue Saint-Denis, MTL
Tél.: 514-284-4448
SPÉCIALITÉS: Bar péruvien étuvé. Causa (étagé de crabe, de poisson, de pommes de terre, avocat et maïs). Tartare de lama. Steak d'alpaga grillé. Anticucho de corazon (cubes de cœur de veau marinés, grillés, pesto de huacatay, patates douces, manioc et maïs géant).
PRIX Midi: (fermé)
Soir: C. 31$ à 60$ T.H. 39$
OUVERTURE: Mar. à jeu. 17h à 22h. Ven. à dim. 17h à 23h. Fermé lun.
NOTE: Menu «Mer», menu «Terre». Viande de lama et poisson corvina en exclusivité. Ouvert lun. et midi sur réserv. pour groupe de 10 pers. T.H. 6 serv. soir 39$. Vins péruviens d'importation privée.
COMMENTAIRE: Harmonie des couleurs, vitrines d'artefacts, collection de masques, bas-reliefs, nous transportent dans un resto-musée à la gloire des Mochicas. Service courtois, compétent et attentif. Le serveur connaît bien les plats qu'il sert. La cuisine est bonne. Les mets servis surprennent et dépaysent par la nature des aliments utilisés, parfois inconnus pour nous. Ils nous permettent de voyager et nous donnent envie d'en apprendre davantage sur le Pérou.

PUCAPUCA ★★
5400, bd Saint-Laurent, MTL
Tél.: 514-272-8029
SPÉCIALITÉS: Agillo (poisson, ail, piment jaune du Pérou). Chupe de camarones (velouté de crevettes). Carapulca (Poulet ou porc, arachides et pommes de terre séchées). Poulet arachides et coriandre. Sudado de pescado (sauce aux piments jaunes péruviens, coriandre, tomates, poisson). Foie de veau sauté aux légumes, piments jaunes du Pérou. Filet de porc maigre à la sauce adobo (trois herbes et bière). Sorbets.
PRIX Midi: F. 8$
Soir: C. 16$ à 23$ T.H. 15$
OUVERTURE: Mar. à ven. midi à 14h30. Jeu. à sam. 18h à 23h. Ouvert sur réserv. dim. et lun. midi et soir, mar. et mer. soir. Fermé 24, 25 déc., 1er janv. et 24 juin.
NOTE: Choix de poissons frais. Plats du chef chaque soir. Musique latino-américaine. Carte des vins (15 étiquettes) majoritairement sud-américains.
COMMENTAIRE: Un petit restaurant péruvien de style café-bistro, aux murs peints en rouge et au sol en béton coloré, aux chaises dépareillées et aux tables bancales. La cuisine péruvienne, à l'origine familiale, n'est pas forcément très épicée. C'est selon les mets. Service très sympathique et familial.

PORTUGAIS

CASA VINHO ★★★
3750, rue Masson, MTL
Tél.: 514-721-8885
SPÉCIALITÉS: Saucisson portugais à l'ail et à l'huile d'olive. Croquettes de morue ou de crevet-

tes. Filets de sardine poêlés, huile, ail et oignon. Calmars grillés. Pieuvre grillée. Côtes levées, poulet, saucisse, frites maison, salade. Crème brûlée. Natas de l'univers (petit gâteau).
PRIX Midi: (fermé)
Soir: C. 18$ à 41$ T.H. 22$ à 27$
OUVERTURE: Mar. à dim. 17h à 21h30. Fermé lun., 24, 25, 26 déc., 1er et 2 janv.
NOTE: Cave à vin, 40 étiquettes, 50% d'importation privée. Bières des Îles de la Madeleine. Ouvert midi sur réserv. à partir 12 pers., avec menu établi.
COMMENTAIRE: La façade n'attire pas l'attention. On pourrait passer tout droit sans remarquer qu'il y a un restaurant. Mais une fois à l'intérieur, on se sent au Portugal. Une belle ambiance, le fado joue en toile de fond en permanence. Un menu simple met à l'honneur une cuisine portugaise familiale authentique, faite de produits naturels et frais, apprêtée avec beaucoup de soin et d'honnêteté. C'est délicieux et copieux.

CHEZ DOVAL ★★
150, rue Marie-Anne E., MTL
Tél.: 514-843-3390
SPÉCIALITÉS: Pieuvre grillée. Crevettes sautées, vin blanc, citron, ail. Calmars, sardines, morue, poulet ou caille grillés. Casserole de fruits de mer. Steak à la portugaise au curry. Porc et palourdes. Tartelette aux œufs. Pouding au riz. Crème caramel.
PRIX Midi: T.H. 12$ à 14$
Soir: C. 19$ à 39$
OUVERTURE: 7 jours midi à 23h. Fermé 25 déc. et 1er janv.
NOTE: Poissons frais grillés. Nouvelle T.H. chaque jour.
COMMENTAIRE: Il y a deux salles à manger: l'une a gardé sa décoration des années 1970, aux murs crépis flanqués de quelques assemblages de briques rouges et de chaises de type saloon; l'autre a des allures de bistro avec bar et gril. L'ambiance est chaleureuse. On y mange une cuisine traditionnelle portugaise de type familial, généreuse et savoureuse, servie avec amabilité et nonchalance. Petit choix de bons vins portugais.

CHEZ LE PORTUGAIS ★★★
4128, bd Saint-Laurent, MTL
Tél.: 514-849-0550
SPÉCIALITÉS: Soupe caldo verde. Bacalhau a braz (morue, pommes de terre et œufs). Boudin au porto et ananas. Poulet grillé à la portugaise. Filet mignon, fromage bleu et porto. Côtelettes d'agneau grillées. Crevettes style Açores. Délices du ciel (biscuits, crème fouettée, sirop au jaune d'œuf).
PRIX Midi: T.H. 17$
Soir: C. 30$ à 43$ T.H. 20$ à 26$
OUVERTURE: Dim. et mar. à ven. 11h30 à 15h. Mar. à dim. 17h à 23h. Fermé lun.
NOTE: Bonne sélection de vins et de portos. Cours sur les portos. Menu dégustation 5 serv. 35$, 6 serv. 45$. Menu midi express 10$. Poissons frais et fruits de mer.
COMMENTAIRE: Le chef propriétaire, Henrique Laranjo, propose une cuisine traditionnelle, savoureuse et authentique, où l'on perçoit la volonté de faire plaisir. Les présentations sont agréables, les portions généreuses et l'esprit est là! On se sent bien dans ce décor simple, ensoleillé et joyeux. Le service est très aimable et accommodant. Un excellent rapport qualité-prix.

FERREIRA CAFE ★★★★[ER]
1446, rue Peel, MTL
Tél.: 514-848-0988
SPÉCIALITÉS: Pieuvre grillée façon Lagareiro, salade tiède de poivrons rôtis. Casserole aux fruits de mer. Sardines rôties à la fleur de sel. Pavé de morue noire en croûte de cèpes, réduction de porto. Bouillabaisse de poissons et fruits de mer en cataplana. Côte de veau grillée, sauce madère.
PRIX Midi: F. 24$ à 45$
Soir: C. 44$ à 82$
OUVERTURE: Lun. à ven. 11h45 à 15h. Dim. à mer. 17h30 à 23h. Jeu. à sam. 17h30 à minuit. Fermé 24, 25, 31 déc. et 1er janv.
NOTE: Cave à portos (100 sortes). Menu après 22h, 2 serv. 24$. Poissons entiers et fruits de mer importés du Portugal.
COMMENTAIRE: Le décor est agréable avec ses deux salles à manger aux teintes dominantes de jaune et de bleu, ses chaises en bois peint, sa vaisselle rustique. Le four à bois de la salle basse et sa cuisine ouverte sur la mezzanine apportent une note chaleureuse. La cuisine est généreuse et bonne, la carte des vins est très intéressante. Pourtant, l'endroit devrait peut-être se renouveler un peu.

LE SOLMAR ★★
111 et 115, rue Saint-Paul E., VIEUX-MTL
Tél.: 514-861-4562
SPÉCIALITÉS: Pétoncles sautés au chorizo. Cataplana de fruits de mer. Filet mignon à la portugaise. Filet de porc et palourdes poêlés, flambés au cognac, déglacés au fond de veau. Escalope de veau au porto sec. Gâteau aux amandes maison. Poires au vin rouge.
PRIX Midi: F. 10$ à 20$
Soir: C. 32$ à 71$ F. 16$ à 33$
OUVERTURE: 7 jours midi à 23h.
NOTE: Deux salles, une salle ouverte toute la journée. Plat du jour à partir de 12$. Sélection intéressante de portos depuis 1900 et de vins rouges depuis 1968. Menu gastronomique 4 serv. 48$.
COMMENTAIRE: Ce restaurant portugais, situé dans un bâtiment deux fois centenaire, est ouvert depuis 1979. La salle à manger est très belle, chaleureuse et confortable; la cuisine, simple et copieuse. La fin de semaine ou lors du festival d'avril ou d'automne, les soirées fados apportent une très bonne ambiance.

L'ÉTOILE DE L'OCÉAN ★★★
101, rue Rachel E., MTL
Tél.: 514-844-4588
SPÉCIALITÉS: Tapas. Pieuvre et calmars marinés et grillés. Casserole de palourdes et de porc Alentegana. Bacalhau (morue séchée). Saucisses portugaises flambées à la grappa. Paella. Plat mixte (poisson et fruits de mer grillés au four). Cataplana de fruits de mer.
PRIX Midi: T.H. 15$ et 18$
Soir: C. 25$ à 49$ T.H. 25$ à 30$
OUVERTURE: 7 jours 11h30 à 23h. Fermé le 25 déc.
NOTE: Musiciens sam. dès 19h. Salle privée 85 pers.
COMMENTAIRE: Décor très agréable, coloré et chaleureux. On se sent transporté au Portugal. L'ambiance est intime, assez animée et confortable. Le service se montre hyper aimable, très accommodant, mais excessivement lent lorsqu'il y a beaucoup de monde. La cuisine propose des grillades au charbon de bois, des poissons frais et des fruits de mer. Il y a aussi une bonne sélection de vins, de portos et de fromages.

PORTUS CALLE ★★★★
4281, bd Saint-Laurent, MTL
Tél.: 514-849-2070
SPÉCIALITÉS: Carpaccio de morue salée. Pieuvre grillée. Bouillabaisse. Filet de porc et palourdes à la coriandre. Bife à la portugaise, surlonge grillée, sauce chorizo vin blanc, pommes paille, moutarde, œuf confit à l'huile d'olive. Pasteis de natas (tartelette portugaise aux œufs).
PRIX Midi: T.H. 21$
Soir: C. 37$ à 67$
OUVERTURE: Lun. à ven. 11h45 à 15h et 18h à 23h. Sam. 18h à 23h. Fermé dim. Fermé 24, 25 déc., 1er janv. et jours fériés.
NOTE: Service de valet gratuit jeu. à sam. soir.
COMMENTAIRE: Dans cet établissement, les fruits de mer et les poissons sont à l'honneur et on y sert d'excellentes tapas. Les poissons frais du jour sont affichés sur un tableau noir mobile. Très

belle cuisine, pleine de saveurs et de délicatesse avec, en plus, la fraîcheur et la générosité. Le service est compétent, attentif et courtois. Bonne ambiance. Décor moderne des années cinquante. Portus Calle est le nom romain de la ville de Porto.

RESTAURANT HELENA
★★★★ (bistro
438, rue Mc Gill, VIEUX-MTL
Tél.: 514-878-1555
SPÉCIALITÉS: Caldo verde (soupe verte). Tapas. Feijoada de mariscos (ragoût de fruits de mer aux fèves de Lima, calmar, crevettes, palourdes, moules, mijotés à la portugaise). Parillada. Morue charbonnière onctueuse de l'Alaska, purée de pois chiche, sauce au vin rouge. Effiloché de morue salée confit à l'huile d'olive, grelots et oignons perlés.
PRIX Midi: T.H. 22$
Soir: C. 44$ à 93$
OUVERTURE: Lun. à ven. 11h30 à 14h30. Lun. à sam. 17h30 à 23h. Fermé sam. midi, dim., 25 déc. et 1er janv.
NOTE: Salle privée 36 pers, sur réserv.
COMMENTAIRE: Une excellente table qui déborde un peu la cuisine portugaise par ses accents plus méditerranéens. Mais le goût et le plaisir sont là, sans compromis. Belles présentations des assiettes, sans pour autant tomber dans l'extravagance. Le décor est moderne, voire tendance, mais imprégné de la culture portugaise. Le service est très aimable, mais lent et quelque peu inattentif.

SALVADORIEN

LA CARRETA ★★★
350, rue Saint-Zotique E., MTL
Tél.: 514-273-8884
SPÉCIALITÉS: Tamal (bouillon, pain de maïs, poulet). Carreton (riz, poulet, crevettes). Albondigas (boulettes de viande salvadoriennes). Guacamole. Pupusa (galette garnie de fromage ou de viande). Burritos. Fajitas au poulet. Quesadillas. Trio de tacos. Arroz à la plancha (crevettes, poulet, riz). Steak à l'oignon sauté (avec riz et salade). Plantain grillé. Beignet frit, sauce chaude.
PRIX Midi: C. 18$ à 43$
Soir: Idem
OUVERTURE: Dim. à mer. 11h à 22h. Jeu. à sam. 11 h à 23h. Fermé 25 déc. et 1er janv.
NOTE: Divers types de combos (combo typico: pupusa, yuka, enchilada). Boissons salvadoriennes traditionnelles. Sangria blanche ou rouge, piña colada, margarita, mojito maison.
COMMENTAIRE: Idéal pour se décontracter en famille ou entre amis. Une pupuseria, petit restaurant spécialisé en cuisine salvadorienne qui ne paie vraiment pas de mine. On dirait deux anciennes boutiques aménagées, tant bien que mal, en un seul établissement. Mais, c'est sympathique et le service aussi, très souriant et aimable. On y mange très bien et pour pas cher.

THAÏLANDAIS

AVIS

Dans les restaurants végétariens des pays d'Asie tels que la Thaïlande, la Chine, la Malaisie, etc., tous les plats portant les appellations de viandes, de poissons et de fruits de mer, sont strictement faits à base de produits végétaux. Les chefs utilisent les ingrédients (légumes, soja, seitan, farine de gluten et autres produits végétaux) qu'ils manipulent afin de leur donner les formes, les textures et les saveurs rappelant la viande, le poisson et les fruits de mer.

CHAO PHRAYA ★★★★★
50, av. Laurier O., MTL
Tél.: 514-272-5339
SPÉCIALITÉS: Salade de mangue et homard. Dumplings, sauce au beurre d'arachides. Crevettes grillées aux feuilles de menthe, piment et oignons rouges. Filet de poisson, sauce aux trois saveurs épicées. Poulet au cari vert, lait de coco et basilic.
PRIX Midi: (fermé)
Soir: C. 31$ à 50$
OUVERTURE: Dim. à mer. 17h à 22h. Jeu. à sam. 17h à 23h.
NOTE: Musique thaïlandaise. 2e étage privé, 50 pers.
COMMENTAIRE: La fraîcheur des ingrédients, la préparation des plats, au fur et à mesure des commandes, contribuent à l'excellence de la nourriture. D'ailleurs depuis son ouverture en 1988, ce restaurant n'a rien perdu de sa popularité. Il est recommandé de réserver.

CHU CHAI ★★★
4088, rue Saint-Denis, MTL
Tél.: 514-843-4194
SPÉCIALITÉS VÉGÉTARIENNES THAÏLANDAISES: Bouchées cinq saveurs. Crevettes panées sel et poivre. Brochette de poulet à la sauce d'arachides. Canard au carry rouge et noix de coco. Bœuf au piment et basilic.
PRIX Midi: F. 10$ à 18$
Soir: C. 26$ à 38$ T.H. 50$
OUVERTURE: Mar. à sam. 11h à 14h. Dim, mar. et mer. 17h à 22h. Jeu. à sam. 17h à 23h. Fermé lun., 25 déc. et 1er janv.
NOTE: Restaurant flexitarien. Cuisine santé, végétalienne et sans glutamate. T.H. soir 4 serv. comprend un cocktail. Loft privé 50 pers.
COMMENTAIRE: Premier restaurant de fine cuisine végétarienne thaïlandaise. Cuisine végétarienne authentique et traditionnelle comme en Thaïlande. Tous les plats portant les appellations de viande, fruits de mer sont strictement faits à base de produits végétaux. Au Chuch Bistro, adjacent à la maison mère, on sert une gastronomie végétalienne sans produit animal, sans GMS dans une ambiance conviviale et décontratée. On peut emporter les mets chez soi ou manger sur place.

PHAYATHAÏ ★★★★
1235, rue Guy, MTL
Tél.: 514-933-9949
SPÉCIALITÉS: Soupe au lait de coco, galanga. Salade poulet et mangue verte. Pinces de crabe, piments maison. Fruits de mer sautés au basilic. Pad thaï. Poisson entier frit à la sauce aux piments. Poulet au cari Panang, crevettes citronnelle. Poulet au cari vert et au lait de coco.
PRIX Midi: T.H. 14$ à 18$
Soir: C. 26$ à 39$
OUVERTURE: Mar. à ven. 11h30 à 14h30. 7 jours 17h à 22h30. Fermé 25 déc., 1er janv. et 24 juin.
NOTE: Carte des vins.
COMMENTAIRE: Cuisine authentique et beaucoup de fraîcheur. Le mariage des divers ingrédients tropicaux est bien équilibré. Service courtois.

TALAY THAÏ ★★★
5697, ch. Côte-des-Neiges, MTL
Tél.: 514-739-2999
SPÉCIALITÉS: Tom yam kung (soupe aux crevettes et citronnelle). Poulet Bangkok. Choix de crevettes, poulet ou filet de poisson au cari rouge. Pad thaï. Bœuf sauté à l'ail, poivrons et feuilles de basilic. Rouleau froid avec poulet, œuf, carotte, coriandre et laitue. Panier doré de poulet, oignons, petits pois avec sauce thaï.
PRIX Midi: F. 10$
Soir: C. 20$ à 29$ F. 18$
OUVERTURE: Lun. à ven. 11h à 22h. Sam. à dim. (fermé le midi) 16h à 22h. Fermé 1er juil., 24, 25 déc. et 1er janv.
NOTE: Carte des vins.
COMMENTAIRE: Un restaurant de cuisine traditionnelle thaï, dans un cadre agréable typiquement thaïlandais, situé à l'étage.

THAÏ GRILL ★★★★★[ER]
5101, bd Saint-Laurent, MTL
Tél.: 514-270-5566
SPÉCIALITÉS: Tom yam kung (soupe épicée, citronnelle et crevettes). Crevettes chuchee au curry rouge. Panaaeng gai (cari rouge traditionnel avec poulet, sauce arachides et noix de coco). Poulet aux cajous. Bar rayé cuit à la vapeur, sauce au herbes thaïlandaises et gingembre. Salade de mangues fraîches.
PRIX Midi: C. 29$ à 37$
Soir: Idem
OUVERTURE: Jeu. et ven. 11h30 à 23h. Sam. à mer. 17h30 à 23h. Fermé 25 déc. et 1er janv.
NOTE: Ambiance et décoration thaïlandaises. Stationnement privé.
COMMENTAIRE: Une cuisine thaï très authentique, l'une des meilleures de Montréal. Service féminin attentif en costume traditionnel. Une vaste salle au décor provenant uniquement de la Thaïlande, à la fois somptueux et plein de charme avec son foisonnement d'orchidées. Toujours plein, donc assez bruyant.

THAÏLANDE ★★★★
88, rue Bernard O., MTL
Tél.: 514-271-6733
SPÉCIALITÉS: Fruits de mer au cari rouge à la marmite. Mok Pla (filet de poisson au lait de coco, cari rouge, enrobé de feuille de bananier, cuit à la vapeur). Filet de poisson, jus de lime. Ped Krob (canard croustillant, sauce épicée). Crème brûlée au thé de jasmin.
PRIX Midi: T.H. 12$ à 17$
Soir: C. 22$ à 49$ F. 33$ à 42$
OUVERTURE: Mer. à ven. 11h30 à 14h. 7 jours 17h à 22h30. Fermé 24, 25 déc. et 1er janv.
NOTE: Carte des vins. Réserv. en ligne sur opentable.com.
COMMENTAIRE: Sans aucun doute, une des meilleures tables thaï à Montréal. C'est un réel bonheur de goûter la cuisine de ce restaurant qui utilise toujours les meilleurs produits. Il faut goûter le Mok Pla (filet de poisson), un plat du nord de la Thaïlande, d'où le propriétaire est originaire.

TIBÉTAIN

SHAMBALA ★★★
3439, rue Saint-Denis, MTL
Tél.: 514-842-2242
SPÉCIALITÉS: Bha-Le (pain semblable au pain indien). Thenthuk (soupe-repas garnie de nouilles, bœuf, poulet ou légumes). Momos (raviolis farcis de bœuf ou de tofu, fromage, pommes de terre). Shamdey (poulet ou bœuf au curry).
PRIX Midi: F. 9$
Soir: C. 17$ à 23$ T.H. 14$ à 17$
OUVERTURE: Jeu. et ven. midi à 15h. Ven. et sam. 17h à 23h. Dim. à jeu. 17h à 22h.
NOTE: Thé tibétain. Menu pour 3 pers. 60$.
COMMENTAIRE: Depuis des siècles, du fait de leur proximité, les cultures chinoises et indiennes ont influencé la cuisine tibétaine. Fervents bouddhistes, les Tibétains sont pourtant carnivores. Un rude climat en haute altitude et un sol rocailleux font en sorte que le Tibet est pauvre en végétation. La consommation de viande est une affaire de survie.

TURC

RESTAURANT SU ★★★
Restaurant-traiteur
5145, rue Wellington, VERDUN
Tél.: 514-362-1818
SPÉCIALITÉS: Pâtes fraîches traditionnelles turques (yogourt à l'ail, sauce tomate). Cuisse de lapin braisée, sauce aux griottes, mélange d'épices. Kebab d'agneau et aubergine. Poisson du jour grillé. Pâtes kadaif farcies au fromage, sirop de sucre.
PRIX Midi: (fermé)
Soir: C. 35$ à 52$
OUVERTURE: Mar. à sam. 17h à 22h. Fermé dim. et lun.
NOTE: Menu change selon les produits disponibles. Menu découverte 4 à 5 serv. 55$ à 65$. Potager sur le toit.
COMMENTAIRE: Perdu dans un quartier à vocation commerciale et ouvrière, ce restaurant propose une cuisine familiale turque. La propriétaire est une cuisinière passionnée, et ce, depuis l'enfance. C'est bon et sincère. Le service est gentil et attentionné. L'ambiance est agréable. A aussi ouvert un autre restaurant, Barbounya, au 234, Laurier Ouest.

VIETNAMIEN

HOÀI HU'O'NG ★★
5485, rue Victoria, MTL
Tél.: 514-738-6610
SPÉCIALITÉS: Soupe tonkinoise. Crevettes à la canne à sucre. Brochettes de porc barbecue, rouleaux aux cheveux d'ange. Bœuf au poulet à la citronnelle. Crêpe vietnamienne aux crevettes, porc et salade.
PRIX Midi: F. 8$ à 20$
Soir: C. 15$ à 30$ F. 9$ à 23$
OUVERTURE: Mar. à dim. 11h à 15h et 17h à 22h. Fermé lun.
NOTE: Midi express 7,50$. Soir express 8,75$. Spécial pour familles: soupe (poisson, crevettes ou poulet), poisson mijoté dans terrine, crevettes sautées aux épices, poulet sauté, salade avec crevettes et porc, bœuf en cubes sautés sur feu vif.
COMMENTAIRE: Affaire familiale. Toute la famille est à l'œuvre dans ce restaurant. On y mange bien à des prix très raisonnables.

ONG CA CAN ★★[ER]
79, rue Ste-Catherine E., MTL
Tél.: 514-844-7817
SPÉCIALITÉS: Grillades. Sautés au wok. 7 spécialités au bœuf (potage, fondue maison, 3 sortes de rouleaux, bœuf grillé, galantine). Sauté de poulet avec feuilles de basilic. Nouilles croustillantes sautées aux légumes, à la viande ou aux fruits de mer.
PRIX Midi: F. 11$ à 16$
Soir: C. 22$ à 37$ T.H. 21$ à 23$
OUVERTURE: Mar. à ven. 11h30 à 14h. Mar. à sam. 17h30 à 21h. Fermé dim. et lun.
COMMENTAIRE: Une entreprise familiale considérée comme l'une des meilleures pour les mets vietnamiens. Personnel pas toujours aimable.

PHO BANG NEW YORK ★★★
1001, bd Saint-Laurent, MTL
Tél.: 514-954-2032
SPÉCIALITÉS: Rouleaux de printemps, porc, crevettes. Soupe tonkinoise au bœuf, crevettes, poulet, citronnelle et légumes. Vermicelles au poulet grillé et rouleaux impériaux. Poisson arc-en-ciel, fèves jaunes, farine tapioca, lait de coco.
PRIX Midi: C. 14$ à 21$
Soir: Idem
OUVERTURE: 7 jours 10h à 21h30. Fermé 25 déc.
NOTE: Soupe piquante à la citronnelle (seul. sam. et dim.).
COMMENTAIRE: Très bon pho (resto spécialisé dans les soupes tonkinoises aux nouilles de riz à base de bouillon de bœuf). Ce restaurant affiche très souvent complet.

PHO TAY HO ★★★
6414, rue Saint-Denis, MTL
Tél.: 514-273-5627
SPÉCIALITÉS: Soupe tonkinoise. Salade de bœuf saignant au citron. Salade de poulet et abats. Poisson grillé, sauce aux crevettes. Porc barbecue avec vermicelles et salade. Nouilles frites aux légumes et fruits de mer.

PRIX Midi: T.H. 12$
Soir: C. 16$ à 35$ T.H. 12$
OUVERTURE: Mer. à lun. 10h à 21h. Fermé mar.
NOTE: Carte des vins. Paiement interac ou comptant seulement.
COMMENTAIRE: Les Vietnamiens aiment se retrouver en famille dans ce restaurant. Il offre une grande variété de plats et affiche souvent complet midi et soir.

RESTAURANT PHO LIEN ★★
5703, ch. Côte-des-Neiges, MTL
Tél.: 514-735-6949
SPÉCIALITÉS: Soupe piquante. Pho (soupe tonkinoise, 16 variétés). Salade de papaye verte. Galettes de riz grillées avec œuf. Côtelette de porc grillée avec riz et salade. Bœuf grillé avec vermicelles de riz.
PRIX Midi: F. 13$ à 14$
Soir: C. 16$ à 22$ F. 15$ à 16$
OUVERTURE: Lun. à ven. 11h à 22h. Sam. et dim. 10h à 22h. Fermé mar.
NOTE: Ven. à dim. soupe piquante. Attention: paiement comptant seulement.
COMMENTAIRE: Ce resto est situé dans le quartier multiculturel par excellence de Côte-des-Neiges. Comme de nombreux restaurants vietnamiens, Pho Lien se spécialise dans la soupe tonkinoise. Le bouillon a un goût remarquable. Il faut aussi essayer le dessert trois couleurs, délicieux ! Un peu bruyant.

RESTAURANTS DE LA BANLIEUE DE MONTRÉAL

OUEST DE L'ÎLE DE MONTRÉAL

AUBERGE DES GALLANT qué
Voir section MONTÉRÉGIE (RÉGION Vaudreuil-Soulanges).

LE SURCOUF ★★★ fra
51, rue Sainte-Anne,
SAINTE-ANNE-DE-BELLEVUE
Tél.: 514-457-6699
SPÉCIALITÉS FRANÇAISES: Bisque de homard. Pétoncles gratinés au parmesan sur lit de poireaux. Scampi à la provençale. Foie gras poêlé. Foie de veau à l'échalote. Filet mignon au poivre flambé au cognac. Tournedos de filet mignon. Crème brûlée. Profiteroles au chocolat.
PRIX Midi: F. 15$ à 20$
Soir: C. 37$ à 86$ T.H. 34$ à 55$
OUVERTURE: Mar. à ven. 11h30 à 14h. Mar. à dim. 17h30 à 21h. Fermé 24 au 26 déc. et sem. de relâche scolaire.
NOTE: Menu bistro 25$. Véranda vitrée. Foyer créant une ambiance chaleureuse.
COMMENTAIRE: Le restaurant est installé dans une petite maison de ville. On y sert une cuisine typiquement française traditionnelle, avec une formule bistro intéressante.

RIVE SUD DE MONTRÉAL

BISTRO DES BIÈRES BELGES ★★ bel
2088, rue Montcalm,
SAINT-HUBERT
Tél.: 450-465-0669
SPÉCIALITÉS BELGES: Soupe à l'oignon à la bière Maudite. Tartares (bœuf ou saumon). Moules frites: marinière, dijonnaise, sichuannaise, au roquefort, Thaï. Carbonnade flamande, braisé de bœuf à la Trois Pistoles. Pieuvre grillée. Gaufre de Bruxelles, sorbet aux framboises et à la Blanche de Chambly.
PRIX Midi: F. 9$ à 22$
Soir: C. 19$ à 48$
OUVERTURE: Lun. à jeu. 11h à 22h. Ven. 11h à 23h. Sam. 17h à 23h. Dim. 16h à 22h. Fermé 25 déc., 1er janv. et midi jours fériés.
NOTE: Plat du jour le midi. 14 préparations de moules différentes servies avec frites. Un bon choix de 120 bières, dont plus de 50% d'importation privée et quelques bières québécoises de qualité. Terrasse l'été.
COMMENTAIRE: Petit resto belge sympa, surtout en été lorsqu'on peut manger sur la terrasse (quoiqu'un peu bruyante à cause du boul. Taschereau). Spécialité de la maison: moules et frites. Service aimable, mais lent.

BISTRO V ★★★★ fra
2208, bd Marie-Victorin, #102,
VARENNES
Tél.: 450-985-1421
SPÉCIALITÉS FRANÇAISES: Maki de foie gras poêlé, enoki et pousses acidulées, tempura d'oignons verts, perles de lime, émulsion au soya. Duo de pétoncles poêlés et arancini de homard, bisque, écume d'orange, purée de fenouil, edamame, betteraves. Terrine pralinée, boudin au thé vert, mousse ivoire, melon mariné.
PRIX Midi: F. 14$
Soir: C. 32$ à 66$ F. 25$ à 32$
OUVERTURE: Mar. à ven. 11h30 à 14h. Mar. à dim. 17h à 22h. Fermé lun.
NOTE: Menu dégustation 6 serv. 69$, accord mets et vins 104$ le soir seulement. Brunch fête des Mères. Menu enfant 9$ à 10$.
COMMENTAIRE: Voici une belle table style bistro qui rempli bien le contrat que les propriétaires se sont fixés: «bistronomie», contraction des mots bistro et gastronomie. «L'art de faire de la grande cuisine dans un petit restaurant à prix abordable». Le décor est chic et confortable, bien éclairé. Le service est courtois, professionnel, attentif et l'assiette ne manque pas de créativité, ni de goût bien sûr. Une bonne adresse!

BRAVI ★★★ ita
2794, Jacques-Cartier E.,
LONGUEUIL
Tél.: 450-448-8111
SPÉCIALITÉS ITALIENNES: Cavatelli, pâtes fraîches, sauce huile et ail, tomates cerise, saucisse et épinards. Carré de veau, sauce au romarin, ail, vin blanc. Poulet grillé aux fines herbes, pâtes Romanoff, marsala et champignons. Polpette de la nona (boulettes de veau, sauce tomate, parmesan râpé).
PRIX Midi: T.H. 18$ à 26$
Soir: C. 24$ à 72$ T.H. 29$ à 47$
OUVERTURE: Lun. à mer. 11h30 à 22h. Jeu et ven. 11h30 à 23h. Sam. 17h30 à 23h. Dim. 17h à 22h. Fermé jours fériés.
NOTE: 15 sortes de pizza.
COMMENTAIRE: Les pâtes et les pizzas cuites au feu de bois sont excellentes. On propose un bon choix de vins. Le service est amical et souriant.

CERVÉJARIA
★★★★ (bistro) port
540, rue d'Avaugour #1600,
BOUCHERVILLE
Tél.: 450-906-3444
SPÉCIALITÉS PORTUGAISES: Sardinahs: sardines grillées. Frango: demi-poulet de Cornouailles mariné à la portugaise. Lulas: calmars grillés. Bife do lombo: faux-filet de bœuf et œuf miroir. Tartelette aux amandes.
PRIX Midi: F. 12$ et 18$
Soir: C. 17$ à 43$
OUVERTURE: Lun. à ven. 11h30 à 22h. Sam. et dim. 17h à 22h.
NOTE: De la bière du Portugal, une carte de vins du Portugal et d'Espagne. Commande à emporter.
COMMENTAIRE: Un restaurant tout en longueur avec un haut plafond noir, du bois, des carreaux de céramique. Dès l'entrée, des assiettes décoratives grimpent sur le mur, un vase au décor portugais, du bois lustré rehaussé des fameux carreaux de faïence bleus habillent les murs. C'est très moderne, la cuisine est ouverte sur la salle, les flammes montent

de la grille de cuisson, un comptoir vitré expose fruits de mer et poissons. Du bruit, de l'ambiance, un personnel jeune, accueillant, sympathique, heureux de vous mettre à l'aise, une bonne cuisine bien typée qui a du goût. Un établissement moderne, avec une belle ambiance du sud de l'Europe. On nous explique que la formule est tapas, mais la portion est plus copieuse qu'un tapas. Au menu, la populaire soupe Calda Verde servie avec du chorizo, des poissons, des fruits de mer, du poulet grillé, du bœuf, des tartelettes portugaises en dessert.

CHEZ LIONEL ★★★ (bistro) fra
1052, rue Lionel-Daunais #302,
BOUCHERVILLE
Tél.: 450-906-3886
SPÉCIALITÉS FRANÇAISES: Tartare de saumon façon rouleau printanier, concombre, roquette, gingembre, émulsion citron vert. Macreuse de bœuf, sauce au foie gras. Fish and chips. Pot chocolat: crémeux au chocolat noir, crumble cacao, fouetté à la vanille fraîche.
PRIX Midi: F. 17,17$
Soir: C. 35$ à 47$
OUVERTURE: Lun. à ven. 11h30 à 15h. Dim. à mer. 17h à 22h. Jeu. à sam. 17h à 23h.
NOTE: Menu sur ardoise. Vins, 97% d'importation privée. Ambiance brasserie.
COMMENTAIRE: Situé à l'emplacement de l'ancien restaurant L'autre côté de la Saulaie, le lieu a été redécoré et repensé avec bonheur. L'espace semble plus grand et on a ajouté deux terrasses chauffées. L'endroit est très agréable et on y mange bien. Il y a cependant une différence dans les présentations: certaines sont très belles alors que d'autres le sont moins. Mais, bon, on s'y sent bien et le chef Ian Perreault va pouvoir certainement s'éclater lorsque l'établissement aura atteint sa vitesse de croisière.

CHEZ PARRA
★★★[ER] (bistro) fra
181, rue Saint-Charles O.,
LONGUEUIL
Tél.: 450-677-3838
SPÉCIALITÉS FRANÇAISES: Mi-cuit de thon au sésame. Cassoulet toulousain. Pétoncles géants bisque à l'orange et curry. Acras de morue, mayonnaise au paprika. Jarret d'agneau braisé. Cervelle de veau aux câpres, beurre noisette. Gâteau palais royal.
PRIX Midi: F. 17$ à 40$
Soir: C. 28$ à 72$ F. 22$ à 50$
OUVERTURE: Lun. à ven. 11h30 à 14h30. Dim. à ven. 17h à 22h. Sam. 17h à 22h30.
NOTE: Tapas toute la soirée. Plats cuisinés, fonds et sauces, desserts prêts à emporter. Menu personnalisé pour groupe sur demande. Carte des vins, plus de la moitié d'importation privée. Menu à partager/2 pers. 60$ et 70$.
COMMENTAIRE: Le sympathique patron vous accueille à l'entrée avec une franche poignée de main (que vous lui rendrez en partant). Le service est gentil, conciliant, souriant et l'assiette est française classique, très bonne et joliment présentée. Un vrai style bistro français. Carte des vins conventionnelle, bon choix de demi-bouteilles, peu de choix de vins au verre.

COPAINS GOURMANDS
★★★ (bistro) fra
352, rue Guillaume, LONGUEUIL
Tél.: 450-928-1433
SPÉCIALITÉS FRANÇAISES: Crème brûlée au foie gras. Rognons de veau aux deux moutardes. Boudin noir en croûte. Bout de côte de bœuf braisé. Bavette de bœuf à l'échalote. Gâteau au fromage. Tarte feuilletée au sirop d'érable.
PRIX Midi: F. 14$ à 25$
Soir: C. 33$ à 60$ F. 18$ à 35$
OUVERTURE: Lun. à jeu. 11h30 à 22h. Ven. 11h à 23h. Sam. 17h à 23h. Dim. 17h à 21h. Fermé sam. et dim. midi et jours fériés.
NOTE: Desserts 6$ à 9$. Plats inscrits au tableau, changent tous les jours. Salle climatisée. Stationnement facile.
COMMENTAIRE: Un petit bistro, où l'on sert une cuisine simple et de bon goût, dans une ambiance familiale agréable. La carte est petite, mais savoureuse; le choix de vins, adapté à la carte. Les vins au verre sont servis de la bouteille à la table. Le décor est simple et confortable. Service attentionné. Deux terrasses, l'une extérieure, l'autre intérieure très bistro.

DUR À CUIRE ★★★ (bistro) fra
219, rue Saint-Jean, LONGUEUIL
Tél.: 450-332-9295
SPÉCIALITÉS FRANÇAISES: Risotto calmars et crevettes, légumes, parmesan, copeaux de foie gras. Contre-filet de bœuf, sauce au poivre, cornet de frites. Crémeux citron, foam pistaches, noix caramélisées.
PRIX Midi: F. 15$ à 20$
Soir: C. 39$ à 62$
OUVERTURE: Mar. à ven. 11h30 à 14h. Mar. à jeu. et dim. 17h30 à 22h. Ven. et sam. 17h30 à 23h.
NOTE: Côte de bœuf et paella à partager.
COMMENTAIRE: La famille de fleuristes Smiths et Frères a occupé ces locaux pendant de nombreuses années. Si l'extérieur n'a pas changé avec les nouveaux propriétaires, l'intérieur a été bien adapté à une formule bistro. Simple mais efficace. L'assiette est très bonne et le service convivial. On y retourne volontiers!

LA FONTANA
Gelati, bar & lounge ★★ ita
Quartier DIX30
6000, bd de Rome, suite 230,
BROSSARD
Tél.: 450-656-7776
SPÉCIALITÉS ITALIENNES: Salade de poitrine de poulet, tranches d'oranges, canneberges séchées, noix de Grenoble confites, fromage de chèvre, vinaigrette aux framboises. Tartare de thon, mangue, avocat, sésame. Burger de luxe, bacon à l'érable, fromage brie, épinards, tomates, chips de patate douce maison, salade.
PRIX Midi: C. 27$ à 49$
Soir: Idem
OUVERTURE: Dim. à jeu. 11h à 22h. Ven. et sam. 11h à 23h.
NOTE: Pâtes maison. Soirée des dames mardi soir. Jeudi vin à moitié prix. Stationnement souterrain gratuit.
COMMENTAIRE: Située à la mezzanine du grand hall de la salle de spectacle L'Étoile, la salle à manger s'ouvre sur une grande terrasse dominant le quartier DIX30. Le décor est moderne et épuré dans l'ensemble et bénéficie d'une belle clarté venant des grandes baies vitrées de l'établissement. Le menu est bistro avec des spécialités italiennes revisitées et bien adaptées au style du restaurant. Quant au chef cuisinier, il travaille bien mais lentement.

LA MAISON KAM FUNG
★★★★ chi
7209, bd Taschereau, BROSSARD
Tél.: 450-462-7888
SPÉCIALITÉS CHINOISES: Dimsums. Dumplings aux crevettes et au porc. Poisson et canard à la mode de Pékin. Fruits de mer. Poulet général Tao. Pad thaï. Homard avec gingembre et échalotes.
PRIX Midi: T.H. 10,95$
Soir: C. 12$ à 38$ T.H. 14$ à 30$
OUVERTURE: 7 jours 10h à 23h.
NOTE: Pas de desserts. Stationnement gratuit.
COMMENTAIRE: Le restaurant propose une grande variété de dimsums ainsi que des menus cantonais selon la tradition de Hong Kong. Pour le brunch du dimanche, il est conseillé d'y aller tôt. Nous aimons beaucoup ces petits plats savoureux, cuits à la vapeur, servis dans de petites boîtes en bois. Tout était excellent.

LA TOMATE BLANCHE
★★★★ ita
Quartier DIX30
9385, bd Leduc, #10, BROSSARD
Tél.: 450-445-1033
SPÉCIALITÉS ITALIENNES: Spaghetti à la salsa cruda, tomates fraîches et confites. Escalope de veau ai porcini (champignons porcini, brandy, noisettes, thym, demi-glace, crème, pâte aglio e olio). Risotto risi bisi (canard confit, pois verts, prosciutto). Beignet ricotta, sauce caramel à la fleur de sel.
PRIX Midi: T.h. 15$ à 21$
Soir: C. 34$ à 74$ T.H. 39$ à 41$
OUVERTURE: Lun. à ven. 11h à 14h30. Dim. à jeu. 17h à 22h. Ven. et sam. 17h à 23h.
NOTE: Antipasto à partager. Carte des vins à partir de 39$.
COMMENTAIRE: Le décor est magnifique, moderne, avec un souci du détail. Les tables sont nappées de blanc; la vaisselle et les couverts, originaux et bien dessinés. On mange dans une ambiance feutrée. La cuisine est très belle, savoureuse et faite à base de produits frais de qualité. Pas de compromis, donc. Le service est aimable. Une belle soirée! L'été, la terrasse en hauteur, avec ses parasols élégants, ajoute son charme estival.

LAURENCE ★★★ fra
578, rue Saint-Charles,
BOUCHERVILLE
Tél.: 450-641-1564
SPÉCIALITÉS FRANÇAISES: Darne de saumon fumé sur place au bois d'érable, sauce au café. Joue de veau au vin blanc. Bavette de bœuf à l'étouffée. Souris d'agneau braisée. Crêpe à la crème glacée, sauce à l'érable.
PRIX Midi: (fermé)
Soir: C. 32$ à 72$ T.H. 32$ à 48$
OUVERTURE: Ven. et sam. 17h30 à 23h. Dim. à jeu. sur réserv. uniquement. Fermé 24, 25 déc. et 1er janv.
NOTE: Ouvert le midi pour groupe de 10 pers. et plus. Tartare de cheval maison, tranché au couteau. Vérifier si ouvert avant d'y aller.
COMMENTAIRE: Le Laurence est situé dans une petite maison ancienne au cœur du Vieux-Boucherville, à deux pas de l'église. Le chef propriétaire, Yvon Lavigne, sert une cuisine française très classique, élaborée avec les produits du terroir québécois. Les présentations ne sont pas modernes, au contraire, mais l'assiette est savoureuse dans l'ensemble. Le chef y fait tout: la cuisine et le service en salle lorsqu'il y a peu de monde. Nous avons passé une très belle soirée, conviviale et rassurante, car on y trouve encore des valeurs culinaires sûres. Carte des vins adaptée.

L'AUROCHS ★★★★ cont
Quartier DIX30
9395, bd Leduc #5, 2e étage,
BROSSARD
Tél.: 450-445-1031
SPÉCIALITÉS STEAK HOUSE ET FRUITS DE MER: Crevettes tempura. Plateau de fruits de mer. Côtes levées Nagano, frites. Rib-eye 12 oz saisi à la plancha, fini au gril. Cowboy (côte de bœuf à partager). Gâteau au chocolat maison.
PRIX Midi: T.H. 16$ à 31$
Soir: C. 33$ à 104$ T.H. 39$
OUVERTURE: Lun. à jeu. 11h30 à 22h. Ven. 11h à 23h. Sam. 17h à 23h. Dim. 17h à 22h. Fermé 25 déc. et 1er janv.
NOTE: Viande de bœuf CAB. Ven. «Taittinger nocturne» champagne 90$.
COMMENTAIRE: Le décor est très design, spacieux et confortable. Une terrasse ombragée de parasols surplombe une place. Ici, c'est l'endroit pour déguster de la viande et des fruits de mer. C'est frais, excellent et bien présenté. Un plaisir pour les yeux aussi. Le service se montre compétent et agréable.

LE MÉCHANT LOUP ★★★ fra
5215, chemin Chambly,
SAINT-HUBERT
Tél.: 450-678-7767
SPÉCIALITÉS FRANÇAISES ET CONTINENTALES: Risotto de canard, effiloché de canard confit, prune, copeaux de parmesan, jus de viande, roquette, réduction de balsamique. Bavette grillée, sauce échalote, frites ou légumes. Pouding au pain grillé, chocolat 55%, ganache caramel et chocolat salé, glace vanille.
PRIX Midi: T.H. 19$ à 27$
Soir: C. 38$ à 59$ T.H. 34$ à 46$
OUVERTURE: Mar. à ven. 11h30 à 15h. Mar. à sam. 17h à 21h30. Fermé dim. et lun., 24 et 25 juin, mar. sem. de la construction. Ouvert 24 et 31 déc.
NOTE: Ardoise suit les arrivages. Bar à vin. 15 choix de vins au verre. Vins 50% d'importation privée. Ambiance conviviale. Décor qui gagne a être vu. Exposition de tableaux.
COMMENTAIRE: S'il y a un mot pour décrire l'endroit, c'est convivialité. On y est gentiment accueilli dans une maison unifamiliale bien transformée en restaurant. Le décor est chaleureux tout comme la cuisine est bonne, copieuse, sans prétention. On essaie de soigner les présentations. Une assiette française, voire continentale, classique. Carte des vins, moyen de gamme, mais de solides classiques d'un bon rapport qualité-prix.

LE MÉRIDIONAL ★★★ méd
550, chemin Chambly,
LONGUEUIL
Tél.: 450-679-4242
SPÉCIALITÉS FRANÇAISES ET MÉRIDIONALES MAROCAINES: Soupe de poisson. Crevettes sauce au safran et crème vin blanc. Tajine de poulet de Cornouailles, citron confit, olives vertes. Carré d'agneau en croûte d'épices, porto, ail rôti, miel et thym. Veau aux trois moutardes. Tajine de veau aux pruneaux. Mousse de mascarpone, lime, coulis de cerise noire.
PRIX Midi: T.H. 14$ à 20$
Soir: T.H. 20$ à 38$
OUVERTURE: Mer. à ven. 11h30 à 14h30. Mer. à sam. 17h à 22h. Lun., mar. et dim. ouvert sur réserv. 12 pers. et plus.
NOTE: Service traiteur. Menu soir 6 serv. Carte des vins de la Méditerranée seulement. Viande halal.
COMMENTAIRE: Chef Kamal (d'origine vietnamienne et marocaine) propose une cuisine méridionale et française avec des accents marocains, surtout dans son choix d'épices. Il peut aussi préparer des plats authentiquement marocains, sur demande. Nous y avons fait un repas plein de saveurs, coloré et harmonieux. La salle à manger est confortable et calme. L'épouse du chef assure le service, elle est très fière du travail de son mari. Et pour cause.

LE ROUGE ★★★ asi
Quartier DIX30
6000, bd de Rome, BROSSARD
Tél.: 450-676-8886
SPÉCIALITÉS ASIATIQUES: Rouleaux impériaux. Pad thaï au poulet et crevettes. Bœuf au poivre noir. Poulet général Tao. Chow mein cantonais. Crevettes au sel et poivre. Poulet malaisien, légèrement pané, mélange légumes et fruits. Dragon et phoenix (poulet et crevettes géantes, sauce crémeuse).
PRIX Midi: T.H. 14$ à 19$
Soir: C. 20$ à 47$ T.H. 26$ à 38$
OUVERTURE: Lun. à jeu. 11h à 22h. Ven. 11h à 23h. Sam. 11h30 à 23h. Dim. 11h30 à 22h. Fermé 25 déc.
NOTE: Situé dans le hall de la salle de spectacle L'Étoile. Carte des vins. Stationnement souterrain gratuit.
COMMENTAIRE: Cuisine chinoise avec des mets de Sichuan, de

Canton et de Hunan, et aussi des plats thaïlandais, malaisiens et mongols. C'est beau, chic et bon. Le service n'est pas mal du tout, quoiqu'il pourrait être un peu plus raffiné. Entrée imposante de la salle à manger, on a l'impression de pénétrer dans un temple gourmand gardé par des statues de soldats, grandeur nature, avec des murs peints en rouge. Les prix sont très abordables.

LE TIRE-BOUCHON
★★★ (bistro) méd
141-K, bd de Mortagne,
BOUCHERVILLE
Tél.: 450-449-6112
SPÉCIALITÉS FRANÇAISES: Salade de confit de canard, champignons, lardons. Filet de morue, piment d'Espelette, chorizo, purée basquaise. Tajine d'agneau, pruneaux, amandes et sésame. Pastilla. Couscous merguez. Délice à l'érable. Thé à la menthe comme à Marrakech.
PRIX Midi: T.H. 17$ à 29$
Soir: Idem
OUVERTURE: Lun. à ven. 11h30 à 14h. Mar. à sam. 17h30 à 22h. Fermé dim., 24, 25 déc., 1er, 2 janv. et jours fériés.
NOTE: Brunch fête des Mères. Près de l'autoroute 20. Ouvert depuis 1997.
COMMENTAIRE: Un bon petit bistro français bien stylé, installé au bout d'un petit centre commercial, qui propose une assiette très honorable et qui fait beaucoup d'effort dans la présentation. Le décor est simple et de bon goût. Le service évolue avec simplicité et compétence. Choix des vins moyen de gamme et bien adapté avec un bon rapport qualité-prix. Attention aux heures de fermeture le soir, peut fermer plus tôt si pas de clientèle.

L'INCRÉDULE ★★ fra
288, rue Saint-Charles O.,
VIEUX-LONGUEUIL
Tél.: 450-674-0946
SPÉCIALITÉS FRANÇAISES: Calmars grillés, purée de tomates séchées et poivrons grillés, couscous israélien, encre de seiche, chorizo. Pétoncles poêlés, purée de céleri-rave, ratatouille. Bavette de bœuf, sauce bordelaise, frites ou salade. Tarte au citron et meringue à l'italienne.
PRIX Midi: T.H. 17$ à 24$
Soir: C. 30$ à 58$ T.H. 27$ à 45$
OUVERTURE: Dim. à mer. 11h à 21h. Jeu. à sam. 11h à 22h. Brunch sam. et dim.
NOTE: Cellier 99% d'importation privée.
COMMENTAIRE: Un petit restaurant, au décor simple et agréable. Dans leur menu, on peut lire: «Nous optons pour des produits biologiques et locaux quand nous en avons le choix. Nous valorisons le respect de l'environnement dans tout ce que nous faisons». Un très bel engagement! L'assiette est bonne. Le service est professionnel.

L'OLIVETO ★★★★ méd
205, rue Saint-Jean,
VIEUX-LONGUEUIL
Tél.: 450-677-8743
SPÉCIALITÉS MÉDITERRANÉENNES: Feuilleté d'escargots au gorgonzola. Cavatelli, joue de veau braisée parfumée à l'huile de truffe. Pot citron, beurre citron, concassé de petit beurre, yaourt au miel.
PRIX Midi: F. 18$ à 26$
Soir: C. 30$ à 54$
OUVERTURE: Mar. à ven. 11h30 à 14h. Mar. à sam. 17h30 à 21h. Fermé dim., lun., 24 juin, du 24 déc. au 6 janv.
NOTE: Vins d'importation privée et sélection distinguée.
COMMENTAIRE: Joli petit restaurant installé depuis 1996, dans une maison de ville bleue, avec une terrasse jardin l'été. Décor douillet, parquet de bois franc, tables couvertes de blanc. On y sert une cuisine méditerranéenne recherchée.

LOU NISSART ★★★ fra
260, rue Saint-Jean,
VIEUX-LONGUEUIL
Tél.: 450-442-2499
SPÉCIALITÉS NIÇOISES ET PROVENÇALES: Salade niçoise. Pissaladière (pizza à l'oignon). Fritot de calmars. Socca (crêpe de pois chiche). Parmentier d'agneau à l'huile de truffe. Daube niçoise. Pavé de foie de veau du Québec ou ris de veau ou gambas à la provençale. Ratatouille. Nougat glacé.
PRIX Midi: F. 15$ à 19$
Soir: C. 27$ à 56$ T.H. 25$ à 39$
OUVERTURE: Mer. à ven. 11h à 14h30. Mer. à sam. 17h à 21h30. Brunch dim. 10h30 à 14h. Fermé lun., mar., 24, 25, 31 déc., 1er janv. et les sam. midi.
NOTE: Bon choix de pizzas à la provençale. Nouvelle T.H. aux 10 jours, environ 12 choix. Carte des vins d'importation privée. Grand choix de vins au verre.
COMMENTAIRE: Le décor provençal aux couleurs bleu et ocre jaune est confortable et intime. Ambiance méridionale, surtout la terrasse arrière l'été, que nous adorons. Beaucoup de spécialités typiques de la région niçoise (France, Côte d'Azur). Service très agréable et attentif.

MAKITA SUSHI ★★★ jap
5155-B, bd Grande-Allée,
BROSSARD
Tél.: 450-676-4444
SPÉCIALITÉS JAPONAISES: Tortue heaven (poisson blanc, tempura). Rouleau Makita, feuille de soya. Mongo tango (tartare de thon et de saumon avec mangues et patates douces). Pizza aux sushis. Lady in red. Makita. Sashimis au choix du chef. Love Boat. Kudamono (rouleaux aux fruits sur coulis de mangue).
PRIX Midi: C. 27$ à 42$
Soir: Idem
OUVERTURE: Mer. à ven. 11h à 14h. Lun. à sam. 16h à 22h. Fermé lun. et mar. midi. Fermé dim., 25 déc. et 1er janv.
NOTE: Love Boat, assiette/2 pers. 37$. Spécial du chef 25$ et 30$.
COMMENTAIRE: Mal situé, ce petit restaurant japonais n'attire pas l'attention. L'intérieur très zen, net et propre, ne comporte que quelques tables et une cuisine ouverte. Cuisine savoureuse, à l'interprétation toute personnelle, mais combien magnifique. Une cuisine pleine de saveurs, alliant le croustillant avec la rondeur. Plus simplement, on peut passer une commande à manger sur place ou à emporter.

MESSINA ★★★ ita
Le resto-club de classe affaires
329, rue Saint-Charles O.,
VIEUX-LONGUEUIL
Tél.: 450-651-3444
SPÉCIALITÉS ITALIENNES: Plateau antipasto (saumon fumé, tomates, mozarella di bufala, crostini au fromage de chèvre chaud, fine pizza végétarienne). Assiette de saumon de notre fumoir. Linguini crevettes et fromage de chèvre. Agnelotti aux champignons sauvages. Poêlée d'escargots aux pommes et calvados. Veau parmigiana. Tiramisu maison.
PRIX Midi: T.H. 13$ à 17$
Soir: C. 26$ à 65$ T.H. 18$ à 43$
OUVERTURE: Lun. à ven. 11h à 23h. Sam. et dim. 16h à 23h. Fermé 25 déc. et 1er janv.
NOTE: 5 salles de réception, 350 pers. Brunch pour la fête des Mères et occasions spéciales.
COMMENTAIRE: Le décor est très beau, très novateur. C'est confortable, on se sent bien! La vaisselle est belle, moderne. Rien à dire concernant la verrerie, mais pour ce qui est des couverts en acier inoxydable, on pourrait faire un effort. L'assiette est bonne et ne manque ni de couleurs, ni de relief. Pas d'extravagance, mais une cuisine soignée, classique, dans l'ensemble. Pas de surprise! La

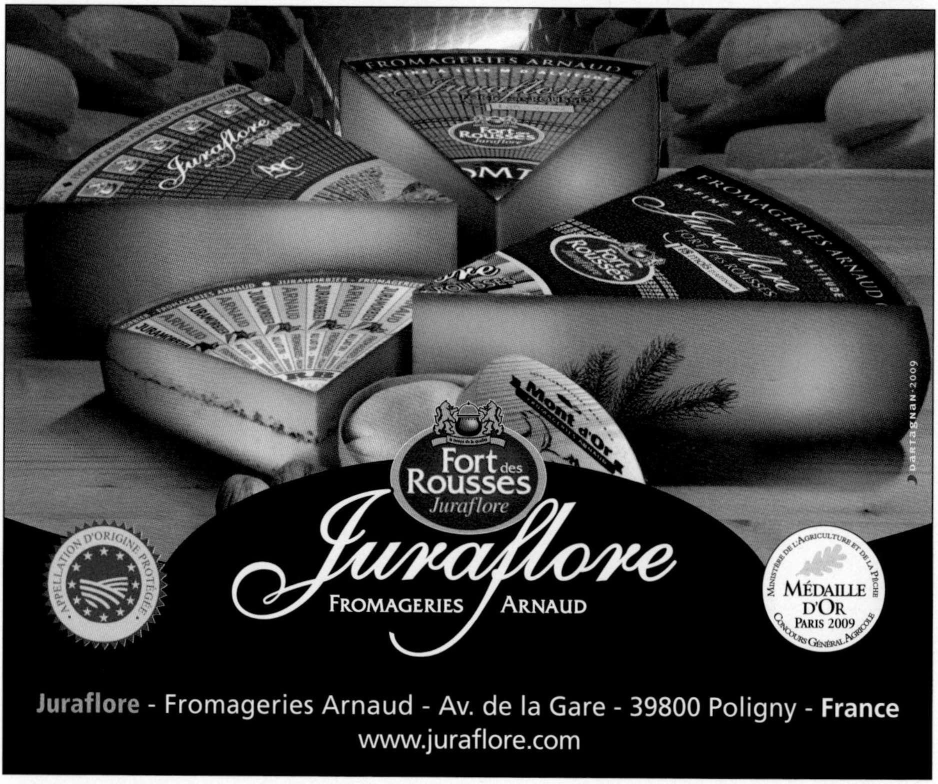

carte des vins est intéressante et comporte un choix de vins au verre, en format de 3oz ou 5oz. Cela permet de changer de vin, selon le plat, sans exagérer la consommation. Bon choix de bières.

NIJI ★★★★★ jap
Quartier DIX30
9385, bd Leduc #5, BROSSARD
Tél.: 450-443-6454
et 1-855-443-6454
SPÉCIALITÉS JAPONAISES CONTEMPORAINES: Maki foie gras. Parfait au saumon. Ceviche aux fruits de mer. Sushi et sashimi. Salade de thon gril. Bar chilien. Gyokai Tempura. Nyu Sashimi Hamachi. Kimchi Tako. Kaki au gratin. Thon Tataki. Tartare de thon. Ebi Tempura. Filet mignon Angus. Grillade Niji.
PRIX Midi: F. 14$ à 27$
Soir: C. 32$ à 70$ T.H. 42$ et 70$
OUVERTURE: Lun. à jeu. 11h30 à 14h30 et 17h à 22h. Ven. 11h30 à 14h30 et 17h à 23h. Sam. 17h à 23h. Dim. 17h à 22h. Fermé midi et jours fériés.
NOTE: Les menus dégustation, 40$ et 70$, pour 4 et 6 serv. Le stationnement au sous-sol est gratuit. On y diffuse de la musique et il donne accès au dessous du restaurant. Bento-box.
COMMENTAIRE: L'établissement, joliment décoré, comporte deux salles: la première, près du comptoir de travail, intègre une très belle cuisine ouverte. La seconde comprend une section de tatami installée sur une estrade, une table plus intime en alcôve et des tables sobrement décorées. Si la cuisine est japonaise contemporaine, le décor l'est également. Calme et élégant. Le chef propriétaire porte beaucoup d'attention à travailler avec des produits de qualité d'une très grande fraîcheur. Il utilise des ingrédients choisis avec goût et les dispose en de très belles présentations dans l'assiette ou sur des plateaux de bois. Quant au service, il est tout simplement hors pair. Discret, feutré, attentif, courtois, compétent quoi! Une excellente adresse.

NOVELLO ★★★ (bistro) ita
1052-401, rue Lionel-Daunais, BOUCHERVILLE
Tél.: 450-449-7227
SPÉCIALITÉS ITALIENNES: Mini burger Kobe au foie gras. Crevettes géantes U5, mousse de saumon, crème à l'échalote. Linguini pescatore. Filet mignon sur os. Osso buco de veau. Risotto aux champignons. Tiramisu maison 100% mascarpone.
PRIX Midi: T.H. 18$ à 27$
Soir: C. 25$ à 72$ T.H. 32$ à 52$
OUVERTURE: Lun. à ven. 11h30 à 23h. Sam. 17h à 23h30. Dim. 17h à 22h. Fermé 24, 25 déc. et 1er janv.
NOTE: Poissons frais de provenance internationale (Nouvelle-Zélande, mer Rouge et autres). Machine œnomatique, 18 sélections au verre. Jeudi thématique, lounge (boudoir), DJ sur place à partir de 21h30.
COMMENTAIRE: Dans un décor italien qui se veut haut de gamme. C'est confortable et beau, on sert une cuisine généreuse et très bonne. Si le prix peut sembler élevé, il se justifie par les quantités servies dans les assiettes. Font un excellent osso buco. On peut même se passer de l'entrée tant c'est copieux. Les présentations pourraient être améliorées. Le service est très bien fait.

OLIVIER LE RESTAURANT ★★★ fra
679, rue Adoncour, LONGUEUIL
Tél.: 450-646-3660
SPÉCIALITÉS FRANÇAISES: Terrine de foies de volaille maison. Carré d'agneau aux herbes. Turbot aux agrumes. Magret de canard au poivre vert. Abats (foie, rognons, ris de veau). Tartes (sucre, pacanes, bleuets, etc.). Profiterole au chocolat chaud.
PRIX Midi: F. 16$ à 24$
Soir: C. 27$ à 58$ F. 23$ et 39$
OUVERTURE: Lun. à ven. 11h30 à 14h. Lun. à sam. 17h30 à 21h. Fermé dim. et jours fériés.
NOTE: T.H. 4 serv. sam. 34$ à 46$. Sélection de 5 choix de fromages. T.H. change tous les jours. Plus de 100 étiquettes de vins. Terrines, sorbets et desserts maison.
COMMENTAIRE: Le chef Gérard Rogé nous propose une belle cuisine française classique. Les présentations sont simples et les saveurs sont en général franches et généreuses. Le service est courtois et chaleureux. Une cuisine goûteuse avec des cuissons justes. Le service est très gentil et avenant.

PASTA E VINO ★★★ ita
1000, av. Victoria, SAINT-LAMBERT
Tél.: 450-671-7377
SPÉCIALITÉS ITALIENNES: Trio de pâtes du jour. Osso buco milanaise. Veau sorrentino, sauce tomate demi glace, porto, champignons portobello. Escalope de veau saltimbocca (crème, prosciutto, champignons). Crème brûlée.
PRIX Midi: (fermé)
Soir: C. 28$ à 60$ T.H. 27$ à 50$
OUVERTURE: Mar. à jeu. 17h à 22h. Ven. et sam. 17h à 23h.

Dim. 17h à 21h. Fermé lun., 24, 25 déc., 1er janv. et 24 juin.
NOTE: Il est préférable de réserver. Ouvert midi sur réserv. 25 pers. Salle privée 50 pers.
COMMENTAIRE: Le resto fournit les pâtes; le client, son vin (d'où l'enseigne Pasta e Vino). L'assiette est fraîche, savoureuse et copieuse. Connaît cependant des hauts et des bas quelquefois. Certains plats mériteraient un peu plus d'ail. Le service se montre hyper gentil et accommodant. L'ambiance familiale, confortable et conviviale prend place dans un décor rafraîchissant. Un excellent rapport qualité-prix.

PIZZERIA SOFIA
L'amore della pizza ★★★ ita
Le Square Dix30
9200, bd Leduc, local 140,
BROSSARD
Tél.: 450-445-1005
SPÉCIALITÉS ITALIENNES: Arancini à la saucisse. Ossobucco de veau braisé. Lasagna bolognese. Luigine aux fruits de mer. Tiramisu. Pizza avec Nutella et fraises. Tarte citron et noix de pins. Ainsi qu'une grande variété de pizzas.
PRIX Midi: C. 28$ à 58$
Soir: Idem Pizza 16$ à 18$
OUVERTURE: Lun. à dim. 11h à 23h.
COMMENTAIRE: Endroit sympathique et chaleureux. Une pizzeria confortable, agréablement décorée, une ambiance comme on en rencontre en Italie. Le plafond est très haut comme dans une manufacture. La décoration est très claire, beaucoup d'espace pour circuler. Derrière un long comptoir deux grands fours à pizza, à l'opposé un bar avec un cellier. La sélection du menu est sobre tout en contenant des surprises dans la composition des plats. Des saveurs franches et des produits frais, un moment de bonheur, une cuisine familiale, simple, aux vrais parfums d'Italie, sans lourdeur. Le personnel est charmant, attentif, prévenant. Cet établissement bénéficie du stationnement du Dix30 fermé, gratuit et chauffé à deux pas de son entrée.

PRIMI PIATTI ★★★★ ita
47, rue Green, SAINT-LAMBERT
Tél.: 450-671-0080
SPÉCIALITÉS ITALIENNES: Pieuvre fregula vinaigrette à la marjolaine. Poisson frais avec crevettes, palourdes, moules, tomates fraîches, safran et bouillon parfumé au thym. Medaglione au bœuf et foie gras, beurre à la truffe. Pot au chocolat. Pain doré poêlé au beurre clarifié, caramel sel de mer, crème glacée vanille à l'ancienne, Cap'n Crunch.
PRIX Midi: T.H. 18$ à 25$
Soir: C. 30$ à 78$ T.H. 35$ à 48$
OUVERTURE: Lun. à mer. 11h30 à 22h. Jeu. et ven. 11h30 à 23h. Sam. et dim. 17h à 23h. Fermé jours fériés.
NOTE: Four à bois pour pizzas. 3 caves à vin, 275 sélections, 85% d'importation privée, prix très bas. 20 vins au verre.
COMMENTAIRE: Un des bons Italiens de la Rive-Sud au centre-ville de Saint-Lambert. On y mange très bien, c'est même le plus souvent excellent. Le chef n'a pas peur d'assaisonner ses plats et c'est très agréable. Il doit certainement faire la cuisine à son goût sans se baser sur le marketing alimentaire. Des mets savoureux, puissants, corsés et délicieux! Service très bien fait, le personnel répond rapidement aux demandes des clients et sait bien harmoniser les mets et les vins.

RESTAURANT BAZZ ★★★★ int
591, av. Notre-Dame,
SAINT-LAMBERT
Tél.: 450-671-7222
SPÉCIALITÉS INTERNATIONALES: Terrine de foie gras, pomme grenade, yaourt à la sapote, pain brioché. Bavette d'agneau, sauce aux épices marocaines, purée de chou-fleur au safran, tajine de légumes racines et épaule braisée. Parfait aux fraises, granité au basilic, lichen de pistache.
PRIX Midi: (fermé)
Soir: C. 46$ à 63$ T.H. 49$ à 55$
OUVERTURE: Mar. à dim. 17h30 à 22h. Fermé lun., 24, 25 déc., 1er janv. et 2 premières sem. de janv.
NOTE: Menu dégustation 6 serv. 70$ à 81$. Plateau de dégustation de desserts 14$. Salles privées 14 à 30 pers. Service traiteur «duo chefs fleur de sel».
COMMENTAIRE: Un des très bons restaurants de la Rive-Sud. Une valeur sûre à Saint-Lambert. Simon Craig, le jeune chef propriétaire, est imaginatif: rien qu'en lisant son menu, l'aventure commence. On ne s'ennuie pas avec lui, il sait apporter une touche créative, nouvelle et savoureuse. Il ne craint pas d'assaisonner, de mélanger les saveurs, d'oser de nouveaux mariages.

RESTAURANT CHEZ JULIEN
★★★ (bistro) fra
130, ch. Saint-Jean, LA PRAIRIE
Tél.: 450-659-1678
SPÉCIALITÉS FRANÇAISES: Terre et mer, filet de porc Nagano et homard, polenta crémeuse aux oignons rôtis. Carré d'agneau en croûte de thym et dijon, ratatouille aux herbes. Tartare de bœuf au couteau, cheddar fumé, tomate confite, frites. Cœur fondant au chocolat, griottes au Kirsh.
PRIX Midi: F. 18$ à 24$
Soir: C. 40$ à 63$ T.H. 38$ à 45$
OUVERTURE: Lun. à ven. 11h30 à 14h30. Mar. à sam. 17h à 22h. Fermé dim., 1er juil., 24, 25 déc. et jours fériés.
NOTE: Menu spécial «début de semaine», mar. à jeu. soir. Bières importées en fût. Soirées thématiques. 100 étiquettes de vins en spécialité et importation privée. Brunch pour Pâques et fête des Mères. Menu saisonnier.
COMMENTAIRE: Dans ce petit restaurant à l'ambiance bistro, installé au cœur du Vieux-La Prairie, on sert une cuisine fraîche, simple et bonne. On recommande le steak tartare de bœuf. La carte des vins est bien expliquée.

RESTAURANT LES CIGALES
★★★ fra
585, av. Victoria,
SAINT-LAMBERT
Tél.: 450-466-2197
SPÉCIALITÉS FRANÇAISES: Noix de ris de veau, girolles noires façon blanquette, pommes paille. Pétoncles caramélisés au beurre d'agrumes. Foie gras poêlé sur Tatin, réduction de porto. Morue fraîche d'Islande rôtie, vinaigrette tiède, aromates et herbes fraîches. Bavette grillée, sauce échalote et vin rouge. Profiterole au chocolat.
PRIX Midi: T.H. 15$ à 26$
Soir: C. 36$ à 60$ T.H. 28$ à 40$
OUVERTURE: Mar. à ven. 11h30 à 14h30 et 17h30 à 21h30. Sam. et dim. 17h à 21h30. Fermé lun. et le midi sam. et dim.
NOTE: Menu terrasse l'été 16$ à 38$. Jeudi spécial bavette-frites-salade 17$.
COMMENTAIRE: Voilà un décor charmant et chaleureux dans une maison ancienne. Les tables sont belles, le service est professionnel, rapide et discret. Le nouveau propriétaire, le chef Émile Poulier, avait déjà travaillé dans cet établissement avant de partir faire le tour du monde. Revenu à Montréal, il a travaillé dans quelques bons restaurants et a même été le majordome de Guy Laliberté, propriétaire du Cirque du Soleil. Ce bon chef propose une cuisine française de qualité, élaborée avec des produits frais et bien mis en valeur. Sa joue de bœuf est tout simplement délicieuse.

SHOJI ★★★ jap
2035A, av. Victoria,
SAINT-LAMBERT
Tél.: 450-672-5888
SPÉCIALITÉS JAPONAISES: Taru sancho (trilogie de tartares: thon blanc, rouge et saumon). Sushi pizza. Nid d'hirondelle au bœuf, poulet ou fruits de mer. Moriase (sélection de sushi, nigiri et maki). Filet akami (filet mignon) ou magret de canard cuit sur sole chauffante.
PRIX Midi: C. 9$ à 15$
Soir: C. 27$ à 47$ T.H. 35$
OUVERTURE: Mar. à ven. 11h à 14h30 et 17h à 22h. Sam. et dim. 16h à 22h. Fermé lun., 25 et 31 déc.
COMMENTAIRE: Un design très yin et yang, de noir et de blanc, sobre et harmonieux, chic et confortable. La carte est plus évoluée le soir, les plats gastronomiques y ont la vedette. Le midi, c'est bien aussi avec des forfaits de deux, trois éléments et plus. Si vous aimez la viande pas trop cuite, signalez-le à la serveuse, ce sera meilleur. N'oubliez pas d'apporter une bonne bouteille de vin. Service très aimable. Le propriétaire est jeune, le service aussi. Ils méritent beaucoup d'encouragement, car ils veulent bien faire.

SUSHI YASU ★★★ jap
835, ch. de Saint-Jean, LA PRAIRIE
Tél.: 450-659-1239
SPÉCIALITÉS JAPONAISES: Maguro Tataki (thon semi-cuit, sauce ponzu). Sushis pizza. Aile de raie frite. Tsubugai karaage (palourdes frites). Sushis (Hamachi, Unagi, Ika, Tako, etc.). Calmars grillés et frits. Una-don. Crème glacée à la fève rouge, au thé vert ou au gingembre. Banane tempura.
PRIX Midi: T.H. 11$ à 15$
Soir: C. 14$ à 42$ T.H. 21$ à 32$
OUVERTURE: Mar. à ven. 11h30 à 14h30. Mar. à jeu. 16h30 à 21h. Ven. et sam. 16h30 à 22h. Fermé dim., lun. et jours fériés.
NOTE: Maki 12 à 54 morceaux, 12$ à 56$. Maki et sushi 14 à 54 morceaux, 19$ à 68$.
COMMENTAIRE: Petit restaurant japonais en toute simplicité du décor, géré par une famille, mené par le père respectueux des traditions. Une seconde adresse sur boul. de Rome, à Brossard, où les plats sont plus familiaux. Le chef est un véritable spécialiste en sushi. Il les prépare à l'instant avec des produits d'une grande fraîcheur. Tout est très bon.

TRATTORIA LA TERRAZZA ★★★ ita
Casa da Carlo
575, av. Victoria, SAINT-LAMBERT
Tél.: 450-672-7422
SPÉCIALITÉS ITALIENNES: Risotto aux pétoncles, tomates cerises, épinards. Veau de lait, saumon fumé, sambucca, crème, échalotes françaises. Côte de veau déglacée au Grand Marnier, sauce à l'orange. Crème brûlée, noisette, capuccino. Tiramisu.
PRIX Midi: T.H. 18$ à 24$
Soir: C. 31$ à 75$ F. 22$ à 40$
OUVERTURE: Lun. à ven. 11h30 à 15h. Dim. à mer. 17h à 22h. Jeu. à sam. 17h à 22h30. Fermé 24 déc. et les 2 sem. suivantes. Fermé dim. en hiver.
COMMENTAIRE: L'endroit est sympathique, surtout l'été lorsque la terrasse est ouverte. À l'intérieur, tout respire le plaisir et la bonne humeur. Ambiance italienne, bien sûr. L'assiette est généreuse et bien travaillée par le chef, qui ne se prive pas d'assaisonner comme il convient et de colorer sa cuisine des accents savoureux de l'Italie. Bon choix de vins italiens. Le service, quant à lui, est très bien fait, avec doigté et rapidité.

TSUKIJI ★★★★ jap
1052, rue Lionel-Daunais,
BOUCHERVILLE
Tél.: 450-906-0980
SPÉCIALITÉS JAPONAISES: Carpaccio de pétoncles, émulsion au yuzu. Morue noire marinée à la pâte miso et sirop d'érable. Magret de canard au poivre de szechuan, sauce aux herbes. Sushis.
PRIX Midi: F. 20$ à 26$
Soir: C. 48$ à 64$ F. 21$ à 34$
OUVERTURE: Mar. à jeu. 11h30 à 14h et 17h à 21h30. Ven. 11h à 14h et 17h à 22h30. Sam. 17h à 22h. Dim. 17h à 21h. Fermé lun.
NOTE: Carte des vins, 50% d'importation privée.
COMMENTAIRE: Il s'agit d'une cuisine japonaise excellente, faite de produits frais. Au Japon, Tsukiji est le nom d'un très grand marché aux poissons. On a voulu ici créer le lien entre la fraîcheur des produits de ce fabuleux marché et le restaurant. Les présentations sont belles et originales, les saveurs, délicates et toutes en harmonie les unes avec les autres. Décor zen, service courtois et attentif.

VESTIBULE signé L'Aurochs ★★★★ (bistro int
Quartier DIX30
9395, bd Leduc, BROSSARD
Tél.: 450-676-4440
SPÉCIALITÉS INTERNATIONALES: Plateau d'huîtres. Pétoncles poêlés et raviolis de courge. Plateau végétarien. Guédilles au homard. Tartare du moment. Plateau de fromages du Québec.
PRIX Midi: T.H. 15$ à 23$
Soir: C. 26$ à 46$
OUVERTURE: Lun. à mer. 10h à 22h. Jeu. à sam. 11h à 2h du mat. Fermé dim.
NOTE: Stationnement intérieur gratuit. Jeu. musiciens de jazz 18h à 22h. Mar. bouteilles de vin à moitié prix. 25 à 30 choix de vins au verre, change toutes les semaines. Jeu. huîtres à partir 1$/pièce. Ven. «Taittinger nocturne» champagne 90$. Menu de saison changeant aux 8 semaines.
COMMENTAIRE: On pénètre dans un décor convivial, chaleureux, un style bistro contemporain confortable. Il y a des soirées à thème comme le jazz tous les jeudis soirs. On peut aussi y suivre les parties de hockey sur un écran géant, mais là il vaut mieux réserver. On se rappelle que Brossard est le fief du Canadien. La cuisine propose une carte principalement faite de tapas, mais aux portions convenables, très bien présentées avec un souci d'originalité et d'esthétique. Elle comporte aussi des plats principaux. Service attentif, courtois, compétent et rapide sauf au moment de régler l'addition.

VILLA MASSIMO ★★★★ ita
120, bd Taschereau, LA PRAIRIE
Tél.: 450-444-3416
SPÉCIALITÉS ITALIENNES: Osso buco milanaise. Filet mignon de cerf, sanglier ou bison. Bœuf de Kobe. Médaillon de veau au gorgonzola. Crème glacée italienne. Tiramisu.
PRIX Midi: T.H. 21$ à 31$
Soir: C. 31$ à 98$ T.H. 31$ à 55$
OUVERTURE: Lun. à ven. 11h à 23h. Sam. 17h à 23h. Dim. 17h à 22h. Fermé 25 déc. et le midi 24 juin.
NOTE: Menu dégustation 8 serv. 70$ et 140$ pour deux. Cave à vin géante (plus de 20 000 bouteilles de vin de collection). Dégustation de vins dans la cave. Création de plats au goût du client. Guitariste jeu. à sam. soir.
COMMENTAIRE: Une des meilleures tables italiennes de la Rive-Sud de Montréal. Une carte abondante, variée, dominée par la plus pure tradition italienne. Les saveurs et la générosité sont au rendez-vous. On trouve encore ici le service en salle avec les flambages, les découpages et les préparations devant le client, ce qui montre une volonté de faire bien et dans la tradition. Les pâtes, les crèmes glacées et tous les desserts sont faits maison. C'est frais et c'est bon. Excellent choix de vins.

RIVE NORD DE MONTRÉAL

BAROLO ★★ ita
2200, bd Curé-Labelle,
CHOMEDEY-LAVAL
Tél.: 450-682-7450
SPÉCIALITÉS ITALIENNES: Carpaccio de saumon ou de bœuf. Côtelettes grillées de veau. Sole de Douvres grillée. Crevettes aubergines façon Barolo. Trio de veau (aubergine, Madagascar, pizzaïola). Gnocchi fait maison façon Maria Rosa. Tiramisu. Crêpes Suzette. Cerises Jubilée.
PRIX Midi: T.H. 20$ à 24$
Soir: C. 27$ à 87$ T.H. 24$ à 35$
OUVERTURE: Lun. à ven. 11h à 23h. Sam. 17h à minuit. Fermé dim., 25 déc. et 1er janv. Fermé midi jours fériés (ouvre à 17h30).
NOTE: Poissons frais tous les jours. Carré d'agneau 2 pers. 76$. Chateaubriand 79$/2 pers. Carte de 200 vins. Salle de banquets 10 à 70 pers., sur réserv. Ouv. dim. 25 pers. et plus. On cuisine à la table sur demande.
COMMENTAIRE: Ouvert depuis 1989. Ce restaurant offre une cuisine italienne honnête avec quelques spécialités françaises.

LA FONDERIE (Laval)
★★★ cont
2133, bd le Carrefour, LAVAL
Tél.: 450-681-8234
SPÉCIALITÉS DE FONDUES: Fondues chinoise, bourguignonne, valaisanne, fromage et chocolat. Fondue La Fonderie: filet de bœuf, poulet en aiguillette, agneau aux herbes, saumon de l'Atlantique, crevettes tigrées, pétoncles des Îles et langoustine. Jarret d'agneau braisé au merlot. Brownie au chocolat. Profiteroles.
PRIX Midi: (fermé)
Soir: C. 33$ à 70$
OUVERTURE: Dim. à jeu. 17h à 21h. Ven. et sam. 17h à 22h. Fermé lun.
NOTE: Table à raclette suisse et québécoise. Menu festin 35$ à 49$. Ven. et sam. 21h, menu fin de soirée T.H. 21$.
COMMENTAIRE: Ce restaurant qui était sur la rue Lajeunesse à Montréal depuis 1986, a déménagé à Laval. Le chef est devenu propriétaire, il n'a pas changé le nom ni la vocation du restaurant. Il y a un 2e «La Fonderie» à Montréal, rue Rachel E.

L'AROMATE RESTO-BAR
★★★★ (bistro) int
Centropolis
2981, bd St-Martin O, LAVAL
Tél.: 450-686-9005
SPÉCIALITÉS FRANÇAISES: Crevettes sautées à l'émulsion orientale. Mousse de foie de volaille. Plusieurs choix de tartares (bœuf, aux 3 saumons...). Risotto multigrains au canard confit. Tarte au sucre réinventée en boule frite de caramel au sel.
PRIX Midi: T.H. 20$ à 27$
Soir: C. 35$ à 73$ F. 25$ à 35$
OUVERTURE: Lun. à mer. 11h30 à 22h. Jeu. et ven. 11h30 à 23h. Sam. et dim. 17h à 22h. Fermé dim. de janv. à avr. Fermé 25 déc. et 1er janv.
NOTE: Vente sur place de condiments d'épicerie fine signés l'Aromate. Mar. soir tartare à volonté 25$. Mer. soir 4 à 8 vins d'importation privée à 50%. Jeu. et ven. 16h à 20h sélection de martinis 2 pour 1. Sélection prestige 60% d'importation privée.
COMMENTAIRE: On retrouve la philosophie du propriétaire, Jean-François Plante, dans ce restaurant. Le bistro affiche un décor élégant, moderne, avec une très belle terrasse. Le personnel est jeune, dynamique; le service, très bien fait, professionnel. Les assiettes, servies généreusement, dégagent des arômes gourmands. Les cuissons sont réussies, la viande est tendre et parfumée. Dans chaque présentation, il y a beaucoup de verdure rafraîchissante, de légumes, de fruits avec des accents exotiques dans les sauces. Une formule qui marche.

LA VIEILLE HISTOIRE ★★★ fra
284, bd Sainte-Rose, LAVAL
Tél.: 450-625-0379
SPÉCIALITÉS FRANÇAISES: Le croc-croc de foie gras aux figues en deux temps (poêlé et au torchon). Poitrine de pintade farcie au homard, sauce américaine au cerfeuil. Bavette de bison, sauce au romarin.
PRIX Midi: (fermé)
Soir: C. 44$ à 65$ T.H. 40$ à 45$
OUVERTURE: Mar. à ven. 18h à 22h. Sam. et dim. 17h30 à 22h. Fermé lun., 25 déc. et 1er janv.
NOTE: Plats d'agneau, de bœuf et de poisson toute l'année. Menu dégustation 5 serv. 54,45$. Nouveau menu aux 4 mois. Potage servi avec plat principal à la carte. Terrasse à l'année.
COMMENTAIRE: Les propriétaires accueillent la clientèle, depuis 1983, dans cette vieille maison québécoise construite en 1835. Jolie cuisine d'origine française faite tout en sensibilité.

LE FOLICHON ★★ fra
804, rue Saint-François-Xavier,
VIEUX-TERREBONNE
Tél.: 450-492-1863
SPÉCIALITÉS FRANÇAISES: Foie gras de canard poêlé au madère et aux raisins. Foie de veau, sauce vinaigre de framboises. Bouillabaisse (poissons et crustacés). Magret de canard à la rhubarbe flambé à l'armagnac. Crème brûlée orange et Cointreau.
PRIX Midi: T.H. 13$ à 26$
Soir: C. 28$ à 60$ T.H. 29$ à 45$
OUVERTURE: Mar. à ven. 11h30 à 14h. Mar. à dim. 17h à 23h. Fermé lun., jours fériés et sem. relâche scolaire, fin fév. début mars.
NOTE: T.H. soir, 5 serv. Saumon fumé maison. Viande d'élevage (bison, cerf et caribou).
COMMENTAIRE: Restaurant très sympathique à l'intérieur. Grande terrasse de bois à l'extérieur. Très bien paysagé l'été. Et on y mange bien.

LE MITOYEN ★★★★ fra
652, pl. Publique,
SAINTE-DOROTHÉE, LAVAL
Tél.: 450-689-2977
SPÉCIALITÉS FRANÇAISES: Raviolis farcis à la queue de bœuf. Filet de veau au xérès, raviolis aux cèpes, crumble de parmesan. Mignon de cerf de Boileau, sauce aux baies d'amélanchier.
PRIX Midi: (fermé)
Soir: C. 49$ à 85$ T.H. 49,50$
OUVERTURE: Mar. à dim. 18h à minuit. Fermé lun., 24 et 25 déc., 1er et 2 janv. Ouvert en tout temps sur réserv. de 10 pers. et plus.
NOTE: Terrasse l'été. Menu dégustation 7 serv. 90$, avec les vins 130$. Brunch pour Pâques, la fête des Mères et toute occasion sur demande 20 pers.
COMMENTAIRE: Installé dans une romantique maison, cet établissement propose une cuisine française raffinée avec de beaux produits du Québec. Le chef propriétaire, Richard Bastien, sait s'entourer de chefs à la hauteur de son talent, qui font une cuisine savoureuse, avec des choix intéressants, mettant bien en valeur les produits frais utilisés. Les présentations sont soignées et délicates. La carte des vins comporte un bon choix de vins au verre. Le service est aimable, jeune et souriant, un peu sérieux parfois. Une excellente adresse.

L'IMPRESSIONNISTE ★★★ fra
245, chemin de la Grande-côte,
SAINT-EUSTACHE
Tél.: 450-491-3277
SPÉCIALITÉS FRANÇAISES CLASSIQUES: Foie gras de canard, pain grillé, gelée du moment. Confit de Filet de bar du Chili, beurre blanc. canard, frites et salade. Ris de veau glacés, sauce forestière, noix

de pin et vin rouge. Carré d'agneau en croûte d'herbes salées du Bas-du-Fleuve, sauce au piment d'Espelette. Gâteau étagé, pistaches, chocolat noir.
PRIX Midi: F. 15$ à 29$
Soir: F. 34$ à 39$
OUVERTURE: Lun à ven. 11h30 à 14h. Dim. à jeu. 17h30 à 20h30. Ven. à sam. 17h30 à 21h30.
NOTE: Extras sur le menu 5$ à 13$. Salle privée 60 pers.
COMMENTAIRE: Un joli décor, chic, tranquille et agréable. Des reproductions de peintres impressionnistes, notamment Renoir, ornent les murs. Cuisine très traditionnelle française, avec de solides classiques quelquefois adaptés au Québec. Menu de saison avec une bonne utilisation de produits frais régionaux. C'est excellent! Service agréable. Bon rapport qualité-prix, vaut le détour.

RESTAURANT AMATO ★★★ ita
192, bd Sainte-Rose, LAVAL
Tél.: 450-624-1206
SPÉCIALITÉS ITALIENNES: Escalope de veau de lait du Québec, prosciutto et figues. Penne rigate saumon fumé, poivre vert et crème. Risotto aux cèpes et truffes dans crêpe au parmesan croustillant. Jarret d'agneau braisé au romarin. Crêpes Suzette. Tiramisu.
PRIX Midi: T.H. 16$ à 24$
Soir: C. 30$ à 82$ F. 25$ à 40$
OUVERTURE: Mar. à ven. 11h30 à 14h. Mar. à sam. 17h30 à 22h. Dim. 17h30 à 21h30. Fermé entre Noël et jour de l'An.
COMMENTAIRE: Décor agréable avec ses tables aux nappes blanches et ses fauteuils antiques aux coussins rouges. Cuisine soignée. Service aimable.

RESTAURANT LE SAINT-CHRISTOPHE ★★★★ fra
94, bd Sainte-Rose, LAVAL
Tél.: 450-622-7963
SPÉCIALITÉS FRANÇAISES CLASSIQUES: Bisque de homard en soupière. Foie gras de canard au torchon, frais ou poêlé. Ris de veau de Charlevoix aux délices des bois. Saumon mariné au fenouil. Cassoulet du Languedoc. Chaud-froid au chocolat noir. Tarte des demoiselles Tatin.
PRIX Midi: (fermé)
Soir: C. 48$ à 71$ T.H. 50$ à 66$
OUVERTURE: Mar. à sam. 17h30 à 21h30. Fermé dim. et lun.
NOTE: Menu dégustation 5 serv. 85$, avec palette de vins 128$. Terrasse et galerie fleuries donnant sur un beau jardin ombragé l'été par des arbres.
COMMENTAIRE: Belle maison construite en 1912, au cœur du Vieux Sainte-Rose. Service professionnel et attentif, très bien fait, par les propriétaires. Toute la famille est à l'œuvre, même en cuisine. Le décor est toujours charmant et la cuisine est très bonne.

TOMO ★★★ jap
214, bd Labelle, ROSEMÈRE
Tél.: 450-419-8878
SPÉCIALITÉS JAPONAISES: Blue moon (tartare de thon et miel). Queue de homard roulé en sushi. Nid d'amour, légumes sautés avec bœuf, poulet, crevettes sur nid de nouilles croustillantes. Crevettes tempura. Carré d'agneau grillé, sauce maison. Crème glacée frite.
PRIX Midi: F. 10$ à 20$
Soir: C. 25$ à 52$ F. 20$ à 30$
OUVERTURE: Mar. à ven. 11h à 15h. Mar. à dim. 17h à 22h. Fermé lun. et 25 déc.
NOTE: 5 salles de tatamis. Grand stationnement gratuit.
COMMENTAIRE: L'assiette est très bonne, copieuse et joliment présentée. Le service se montre très aimable, patient et compétent. La cuisine s'ouvre sur une très grande salle à manger moderne, de sa table on regarde vers les cuisiniers qui s'affairent aux différentes préparations culinaires.

RESTAURANTS DE LA RÉGION DE MONTRÉAL

LANAUDIÈRE

LE LAPIN QUI TOUSSE ★★★ (bistro) fra
410, rue Notre-Dame, JOLIETTE
Tél.: 450-760-3835
SPÉCIALITÉS FRANÇAISES: Confit de canard aux poires. Scampi à la fleur de sel. Rognons de veau aux baies de genièvre. Foie gras poêlé. Paella (pétoncles, scampi, crevettes, moules). Filet mignon de bœuf de M. Bérard, duo de sauces (béarnaise et poivre de Madagascar). Crème brûlée.
PRIX Midi: T.H. 18$ à 23$
Soir: C. 42$ à 73$ T.H. 36$ à 45$
OUVERTURE: Mer. à sam. 11h à 14h et 17h à 21h30. Fermé dim., lun., mar. et jours fériés.
NOTE: Salle pour groupe jusqu'à 30 pers., sur réserv. Suggestions du chef tous les jours pour la T.H.
COMMENTAIRE: On ne sait plus très bien qui fait quoi dans cet établissement. La chef a formé son directeur de salle pendant deux ans, plus un stage de perfectionnement sur le foie gras en Alsace, et ils ont interverti leur rôle. La chef est responsable de la salle et lui est responsable des fourneaux. Une façon de tout savoir faire et de se rapprocher du client? En fait, il s'agit du mari et de sa femme. Cependant, on propose une assiette classique bistro savoureuse. Ambiance intime et chaleureuse.

LE PRIEURÉ ★★★★★[ER] fra
402, bd l'Ange-Gardien, L'ASSOMPTION
Tél.: 450-589-6739
SPÉCIALITÉS FRANÇAISES: Pétoncles géants à la chablisienne. Boudin noir au porto. Kraft dinner au foie gras poêlé, sauce au porto. Cuisse de canard confit, marmelade d'oignons au vin rouge. Nougat glacé aux pacanes et sirop d'érable.
PRIX Midi: T.H. 23$ à 40$
Soir: C. 47$ à 76$
OUVERTURE: Mar. à ven. 11h45 à 13h30. Mar. à sam. 18h à 21h. Fermé dim., lun., jours fériés et 2 dernières sem. d'août.
NOTE: Cave à vin (130 étiquettes).
COMMENTAIRE: Le chef Thierry Burat et son épouse nous proposent une cuisine d'inspiration française faite avec des produits frais d'ici. Une halte incontournable dans la région de Lanaudière, durant laquelle on pourra admirer la belle maison historique dans laquelle est installé le restaurant, et visiter la chapelle privée destinée aux mariages.

TENUTA Restaurant-Bar ★★★★ ita
310, Montée des Pionniers, TERREBONNE
Tél.: 450-585-6606
SPÉCIALITÉS ITALIENNES ACTUALISÉES: Cannoli déconstruit. Salade de homard, avocat, mangue, balsamique vieilli. Tartare de thon épicé, salade d'avocat, crème sure, wasabi, croustilles. Raviolis de foie gras monté au beurre de truffe. Carré d'agneau d'Alberta poêlé, sauce marsala et aux champignons. Fondant au chocolat noir, glace vanille fraîche.
PRIX Midi: F. 19$ à 34$
Soir: C. 44$ à 87$ F. 24$ à 42$
OUVERTURE: Lun. à mer. 11h30 à 22h. Jeu. et ven. 11h30 à 23h. Sam. 17h à 23h. Fermé dim., 24 et 25 déc, 24 juin, 2e sem. de la construction et lun. jours fériés.
NOTE: Carte des vins, prix Wine Spectator 2006 à 2014.
COMMENTAIRE: Un excellent restaurant italien situé en bordure d'un centre commercial, près de l'autoroute. Un décor moderne très design. Une carte italienne évolutive offrant une très belle assiette, savoureuse, faite avec des produits frais. Une belle carte de vins avec un très bon choix

de vins au verre. Un service très compétent, courtois, attentif, etT patient. Mériterait d'avoir un sommelier.

TRATTORIA GUSTO ★★★ ita
165, rue Saint-Paul, JOLIETTE
Tél.: 450-398-0888
SPÉCIALITÉS ITALIENNES: Osso buco braisé sur linguini, ail et huile. Veau portefeuille farci prosciutto, fromage provolone, mozzarella et basilic frais, sauce marsala. Jarret d'agneau braisé, polenta. Tiramisu. Cannoli sicilen maison.
PRIX Midi: (fermé)
Soir: C. 29$ à 47$ T.H. 20$ à 41$
OUVERTURE: Mar à jeu. et dim. 16h30 à 21h. Ven. et sam. 16h30 à 22h. Fermé lun., 25 déc. et 1er janv.
NOTE: 40 choix pour la T.H. du soir.
COMMENTAIRE: N'oubliez pas d'apporter votre vin et de le marier avec les mets italiens que va préparer le chef Massimo Di Cicco. Une cuisine italienne honnête et savoureuse, mettant en valeur les recettes traditionnelles typiques de l'Italie. Une adresse sympathique à fréquenter avec des amis.

LAURENTIDES

AVIS

De plus en plus de restaurants dans les Laurentides ne sont ouverts que le soir. Ils ont apparemment de la difficulté à concurrencer les restos rapides le midi et le problème s'accentue d'année en année.

AUBERGE DU VIEUX FOYER ★★★ cont
3167, 1er Rang Doncaster,
VAL-DAVID
Tél.: 819-322-2686
et 1-800-567-8327
SPÉCIALITÉS CONTINENTALES: Gravlax de saumon sur tortillas grillées, sauce à la pousse de moutarde, curry, sirop d'érable. Poitrine de canard du lac Brome, sauce aigre-douce. Médaillon de wapiti sur pain d'épices, sauce fruitée. Carré d'agneau rôti, persillade. Gâteau au fromage, compote de petits fruits. Royal au chocolat.
PRIX Midi: (fermé)
Soir: T.H. 26$ à 42$
OUVERTURE: 7 jours 17h30 à 20h. Petit déjeuner 8h à 10h.
NOTE: Réserv. requise. Mar. moules et frites à volonté. Chef pâtissier sur place. Pain, confitures maison. 35 chambres, 5 chalets. Salle de réunion et convention. Réception de mariage. Spa et centre de santé.
COMMENTAIRE: Située à la sortie de Val-David, au milieu des montagnes, cette auberge offre un agréable hébergement. En hiver comme en été, possibilité de pratiquer divers sports sur place. Le chef propriétaire, Jean-Louis Martin, propose une cuisine variée et appétissante. Son brunch du dimanche est toujours très apprécié.

AUBERGE ET RESTAURANT CHEZ GIRARD ★★ fra
18, rue Principale O.,
SAINTE-AGATHE
Tél.: 819-326-0922
et 1-800-663-0922
SPÉCIALITÉS FRANÇAISES : Cascade de pétoncles au cognac. Filet de truite au brie, parfumé à l'estragon. Foie de veau campagnard. Bison déglacé au porto. Cuisse de canard confite, sauce à l'orange. Beignets aux pommes chauds, sauce à la framboise.
PRIX Midi: T.H. 12$ à 19$
Soir: C. 27$ à 66$ T.H. 25$ à 37$
OUVERTURE: Mar. à sam. 11h30 à 14h et 17 h à 21h. Dim. 9h à 13h (petit déjeuner) et 17h à 20h. Fermé lun., 2 premières sem. de nov. Fermé mar. en hiver.
NOTE: Le midi, ajoutez 3$ à un plat à la carte pour avoir une T.H. Cave à vin 60 étiquettes. Réserv. préférable. Petit déjeuner dim. à la carte. Une des plus belles terrasses panoramiques en ville. 3 chambres 2 pers. Ouvert depuis 1955.
COMMENTAIRE: À quelques pas du magnifique lac des Sables, ce restaurant comporte deux salles à manger et deux terrasses. Cuisine agréable et parfumée, préparée avec soin par le chef propriétaire, Marco Perriard.

AUX GARÇONS ★★★★[ER] (bistro) fra
1049, rue Valiquette,
SAINTE-ADÈLE
Tél.: 450-745-1566
SPÉCIALITÉS FRANÇAISES: Foie gras au torchon, armagnac et porto. Filet de morue au beurre nantais. Mousse aux deux chocolats: toblerone et chocolat noir.
PRIX Midi: (fermé)
Soir: T.H. 21$
OUVERTURE: Dim. à jeu. 17h30 à 21h30. Ven. et sam. 17h30 à 22h.
NOTE: Menu à l'ardoise. Exposition des œuvres de Lucie Lacroix. Ven. et sam., table des Garçons 20$ à 38$.
COMMENTAIRE: Au moment de mettre sous presse, Jean-Marc Jorand quitte les fourneaux mais ne s'en va pas très loin car il va dorénavant s'occuper du service traiteur de l'établissement. Une expérience gustative originale tant dans les présentations que dans les saveurs. À suivre...

GIO'S ★★[ER] ita
11, rue de la Gare, ST-SAUVEUR
Tél.: 450-227-2411
SPÉCIALITÉS ITALIENNES: Carpaccio de filet mignon. Moules au curry et frites. Pizza Marguerita. Lasagne Casalingha. Tortellini à la Gio's. Veau parmigiana. Fondant au chocolat. Crème brûlée maison.
PRIX Midi: F. 9$ à 17$
Soir: C. 21$ à 53$ F. 25$ à 40$
OUVERTURE: Lun. à jeu. 11h à 22h. Ven. à dim. 11h à 23h.
COMMENTAIRE: On y sert une cuisine italienne savoureuse avec quelques spécialités françaises. C'est bon et gentiment présenté. Service très aimable et attentif. Carte des vins bien adaptée avec un bon choix de vins italiens.

LA CHAUMIÈRE DU VILLAGE ★★★★ fra
15, rue Principale E.,
SAINTE-AGATHE-DES-MONTS
Tél.: 819-326-3174
SPÉCIALITÉS FRANÇAISES: Duo de pétoncles et crevettes sur un coulis à la provençale. Risotto aux champignons sauvages. Loup de mer sauce homardine. Magret de canard rôti sur son gras, sauce à l'orange. Escalope de ris de veau de lait aux pleurotes. Crème brûlée à l'orange.
PRIX Midi: T.H. 16$ à 18$
Soir: C. 32$ à 58$ T.H. 23$ à 36$
OUVERTURE: Lun. à ven. 11h45 à 14h. Lun. à sam. 17h à 21h. Téléphoner pour confirmer les horaires.
NOTE: T.H. soir 4 serv. Menu dégustation 5 serv. 48$, 6 serv. 49$, 7 serv. 57$. Accès pour handicapés. Carte des vins (100 étiquettes). Plats pour pers. allergiques au lactose, au gluten et végétariennes. Fromages du Québec. Certifié terroir et saveurs du Québec.
COMMENTAIRE: Cuisine française classique, simple mais savoureuse. Le restaurant est installé dans une très charmante maison ancienne, au cœur de Sainte-Agathe-des-Monts. La terrasse avec son mobilier blanc lui donne un air romantique.

LE CHEVAL DE JADE ★★★★ fra
688, rue Saint-Jovite,
MONT-TREMBLANT
Tél.: 819-425-5233
SPÉCIALITÉS FRANÇAISES: Foie gras poêlé, poire et porto. Bouillabaisse méditerranéenne. Magret de canard, sauce foie gras et truf-

fe. Pétoncles poêlés sauce babaco, poivre rose, basilic. Truffes au chocolat noir de Tanzanie et cardamome sur pralin croustillant.
PRIX Midi: (fermé)
Soir: C. 48$ à 98$ T.H. 50$ à 60$
OUVERTURE: Mar. à sam. 17h à 22h. Fermé lun. et dim. et de mi-oct. à mi-nov.
NOTE: Canneton des Laurentides à la rouennaise/2 pers. sur réserv. Bouillabaisse avec demi-homard. Menu découverte 7 serv. 2 pers. 166$. Mets flambés en salle. Menu gastronomique pour deux, 9 serv. 196$. Ouvert midi sur réserv. 20 pers. minimum. Mets végétariens. Soirée avec les maîtres canardiers mi-avril. Vérifier si ouvert le dim.
COMMENTAIRE: Situé sur la rue principale, à l'entrée de Saint-Jovite, ce restaurant est spécialisé dans les poissons, les fruits de mer (très bonne bouillabaisse) et le canard à la presse (a vendu son 1 650e canard à la presse en 2014). En cuisine comme en salle, les propriétaires possèdent une belle expérience professionnelle. Olivier Tali, maître canardier depuis 2005, fait un clin d'œil à la cuisine moléculaire. Sa cuisine est évolutive et attrayante. Il utilise des produits naturels régionaux.

LE RAPHAËL ★★★ fra
3053, bd Curé-Labelle, PRÉVOST
Tél.: 450-224-4870
SPÉCIALITÉS NOUVELLE CUISINE FRANÇAISE: Médaillon de cerf, sauce au romarin. Cuisses de canard confites. Tartare de bison et de bœuf. Carré d'agneau à la provençale. Pommes de ris de veau aux cèpes. Nougat glacé.
PRIX Midi: (fermé)
Soir: C. 34$ à 67$ T.H. 24$ à 48$
OUVERTURE: Mer. à dim. 17h30 à 21h30. Fermé lun. et mar. sauf pour groupes.
NOTE: Moules à volonté, mer. à ven. et dim. 18,95$. Menu thématique au gré des produits de saison.
COMMENTAIRE: Depuis plusieurs années, ce restaurant offre à une clientèle fidèle des menus intéressants. Depuis que les parents se sont retirés, c'est leur fils Raphaël et sa conjointe qui ont repris la direction de la cuisine et de la salle. Réservations difficiles par téléphone, soyez persévérant.

LES COPAINS D'ABORD ★★★ (bistro) fra
Bistro urbain
804, rue de Saint-Jovite, MONT-TREMBLANT
Tél.: 819-681-7869
SPÉCIALITÉS FRANÇAISES: Plateau d'huîtres. Ceviche de pétoncles. Feuilleté de homard, sauce vanille et safran. Foie gras maison. Boudin noir maison, tombée de chou rouge, lardons, pommes et cidre. Carré d'agneau provençal. Crème glacée à la betterave et cabernet sauvignon.
PRIX Midi: C. 23$ à 49$
Soir: C. 30$ à 58$
OUVERTURE: 7 jours 17h30 à 22h. En été: 7 jours 11h30 à 14h30 et 17h30 à 22h.
NOTE: Réserv. préférable. Midi menu léger, nouvelle carte du soir aux saisons. 95 vins, 35% d'importation privée. Vaste sélection de vins au verre et en bouteille. Table d'or des Laurentides 2010 et 2011.
COMMENTAIRE: Au cœur du Mont-Tremblant, un charcutier d'origine française avait ouvert, pendant douze ans, La Petite Europe, une charcuterie où l'on pouvait déguster sur place diverses spécialités. Plusieurs années plus tard, le fils a transformé la charcuterie en bistrot français «Les Copains d'abord» (d'après la chanson de Georges Brassens). Cuisine avec beaucoup de goût et de raffinement, avec une belle carte des vins et un grand choix de vins au verre. Bon rapport qualité-prix.

LE Z-PASTA ★★★[ER] ita
Auberge Le Creux du Vent
1430, rue de l'Académie, VAL-DAVID
Tél.: 819-322-2280
et 1-888-522-2280
SPÉCIALITÉS ITALIENNES: Carpaccio de bœuf, tuile de parmesan, confiture de shiitake maison. Tagliatelles fraîches aux crevettes, roquette, piments. Tiramisu.
PRIX Midi: F. 12,50$
Soir: C. 23$ à 42$ T.H. 30$
OUVERTURE: 15 juin au 15 oct. 7 jours 11h à 21h. 15 oct. au 15 juin mer. à dim. 11h à 21h. Fermé 24 et 25 déc.
NOTE: Vins 5% d'importation privée. Vins, prix SAQ + 7$. Cours de cuisine pour 4 à 8 pers.
COMMENTAIRE: Auberge et restaurant, six chambres avec des noms de vents. On y sert une cuisine italienne sous la direction du chef Jason Bower, qui est devenu l'associé des nouveaux propriétaires. Il a travaillé à de bonnes adresses comme Bice, Primadonna et le Club privé 357c. À suivre.

L'ULTIME ★★★★[ER] fra
Estérel Suites, Spas & Lac
39, bd Fridolin-Simard, ESTÉREL
Tél.: 450-228-2571
et 1 888 Esterel (378-3735)
SPÉCIALITÉS FRANÇAISES: Mille et une feuilles de foie gras, nuances de gelée de porto et vin blanc. Pavé de flétan rôti, nage de légumes, croustille d'épices au sel noir. Filet mignon de veau de lait du Québec, ris croustillant, tanin d'épices et sa moelle. Magret de canard rôti au sel, minute de betterave rouge, compotée de légumes. Étagé de mousse au citron sur concassé de griottes, gelée de sangria.
PRIX Midi: (fermé)
Soir: C. 53$ T.H. 59$
OUVERTURE: 7 jours 17h30 à 21h30.
NOTE: Table du chef 4 pers. Possibilité de manger dans une cave à vin de plus 4 000 étiquettes. Vue sur le lac Dupuis. 200 suites. Spa et massage.
COMMENTAIRE: Il y a plusieurs offres pour manger dans cet établissement chic. La Table du chef dans la cuisine promet une expérience originale; le 360°, un bistro-bar et sa vue sur le lac; le Rok, un restaurant de grillades sur pierre; et la salle à manger proprement dite, élégante et dont la vue donne également sur le lac. C'est cette dernière que nous avons évaluée. Une table gastronomique savoureuse et joliment présentée. Beaucoup d'effort pour nous permettre de faire une belle expérience. Service impeccable.

MAESTRO ★★[ER] (bistro) ita
339, rue Principale, SAINT-SAUVEUR
Tél.: 450-227-2999
SPÉCIALITÉS ITALIENNES ET CALIFORNIENNES: Crème brûlée de foie gras. Tartare de saumon ou bœuf. Carré d'agneau rôti au four à la moutarde. Fondant au chocolat.
PRIX Midi: F. 14$ à 20$
Soir: C. 29$ à 64$ T.H. 30$ à 41$
OUVERTURE: 7 jours 11h30 à 15h et 17h à 22h. Fermé le 24 déc.
NOTE: Menu à la carte le midi 20$ à 33$. Jeu. musique live. Carte des vins, 50% d'importation privée. Menu de groupe.
COMMENTAIRE: Le décor a été complètement refait après l'incendie. La maison transformée en chalet moderne, compte deux étages en bois blond, le tout dégage une atmosphère amicale et chaleureuse. L'assiette est italienne et évolutive toujours aussi bonne.

RESTAURANT CHEZ MILOT ★★★ cont
958, rue Valiquette, SAINTE-ADÈLE
Tél.: 450-229-2838
SPÉCIALITÉS CONTINENTALES ET ITALIENNES: Poire farcie de bleu. Carré d'agneau complet rôti avec herbes, pommes de terre et

légumes. Gâteau pommes et pacanes, sauce sucre à la crème chaude.
PRIX Midi: T.H. 10$ à 28$
Soir: C. 22$ à 60$ T.H. 20$ à 34$
OUVERTURE: Lun. à ven. 11h à 14h. Dim. à jeu. 17h à 21h. Ven. et sam. 17h à 22h.
NOTE: Foyer l'hiver. Belle terrasse l'été. Brunch fête des Mères et Pâques. Menu à l'ardoise changeant chaque semaine. Produits frais de saison.
COMMENTAIRE: Sa force, c'est la continuité et une constance dans la qualité de l'accueil et de la nourriture. A une bonne clientèle qui lui est fidèle.

SALLE À MANGER L'ESTÉREL fra
Voir L'ULTIME

MONTÉRÉGIE

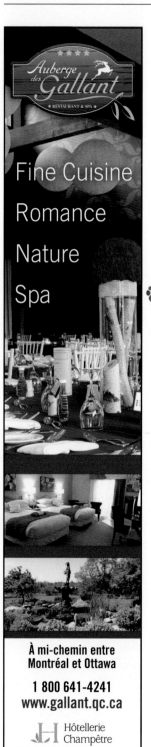

AUBERGE DES GALLANT
★★★★★ qué
1171, ch. Saint-Henri,
SAINTE-MARTHE DE VAUDREUIL
Tél.: 450-459-4241
et 1-800-641-4241
SPÉCIALITÉS QUÉBÉCOISES: Salade d'endives de Saint-Clet, pommes du Québec, noix de Grenoble. Tartare de saumon fumé maison. Foie gras poêlé du Périgord. Carré de porcelet de la ferme Gaspor, sauce diable. Bavette de bison grillée, sauce au shiitake et poivre vert. Crème brûlée à l'érable.
PRIX Midi: T.H. 25$ à 35$
Soir: C. 30$ à 78$
OUVERTURE: Sur réserv. Lun. à sam. 11h à 21h. Dim. 9h à 14h et 17h à 21h. Petit déjeuner sam. et dim. 8h à 10h.
NOTE: Sur réserv. menu gastronomique à l'érable, mars et avril, à la pomme, sept. et oct. Menus saisonniers. Menu accord mets et vin, 120$ soir, sur réserv. Visite du jardin et de la cabane à sucre. Plusieurs forfaits divertissants. Produits de l'érable à l'année.
COMMENTAIRE: L'Auberge de Linda et Gérard Gallant existe depuis 1972. Elle a été construite dans un boisé de 400 arpents, au centre d'une réserve ornithologique et d'un ravage de chevreuils. En 2012, coup de théâtre: l'auberge a brûlé à 50%. Tel le phénix, elle renaît de ses cendres plus belle et plus spacieuse grâce à l'acharnement de Linda Gallant et à son équipe. Aujourd'hui, l'Auberge des Gallant est un vaste complexe hôtelier et gastronomique, avec, en plus, trois salles de réunion et 42 chambres. La salle à manger habituelle a continué sa vocation, rehaussée de soirées thématiques de dégustation de vins animées par l'excellent sommelier Thomas Le Guilly. Une destination champêtre incontournable!

AUBERGE HANDFIELD
★★★[ER] qué
555, rue Richelieu,
SAINT-MARC-SUR-RICHELIEU
Tél.: 450-584-2226
et 514-990-0468
SPÉCIALITÉS QUÉBÉCOISES ET FRANÇAISES: Terrine de lièvre, confit de thé des bois. Confit de canard aux griottes sauvages. Jarret d'agneau au romarin. Tarte au sucre de l'érablière Handfield.
PRIX Midi: T.H. 25$ à 38$
Soir: C. 38$ à 57$ T.H. 35$ à 48$
OUVERTURE: Mi-juin à mi-oct. mer. à sam. 11h30 à 14h et 17h à 21h. Dim. 10h à 14h. Petit déjeuner 8h à 11h. Le reste de l'année, communiquer pour confirmer les horaires.
NOTE: Nouvelle T.H. soir 4 serv. aux saisons. Menu santé offert au spa. Brunch musical dim. Vins du terroir. Bar-terrasse. Cabane à sucre en mars et avr. Été: sur la terrasse BBQ le sam. soir. et buffet petit déjeuner 8h à 11h. Menu des Patriotes style cabane à sucre à l'année soir 41$.
COMMENTAIRE: Plusieurs chambres de l'auberge sont situées au bord du Richelieu. Il y a un bateau-théâtre l'été, une marina, une érablière avec cabane à sucre, des pistes pour ski de fond et vélo, en plus d'une station santé nommée Spa les thermes. Si le menu de la cabane à sucre est typiquement québécois avec ses cretons et ses oreilles de crisse, fèves au lard et soupe aux pois, celui du restaurant s'inspire davantage de la cuisine française.

BISTRO CULINAIRE -
LE COUREUR des BOIS
★★★ (bistro) fra
Hôtel Rive-Gauche - Refuge Urbain
1810, rue Richelieu, BELOEIL
Tél.: 450-467-4477
et 1-888-608-6565
SPÉCIALITÉS FRANÇAISES: Tartares du Coureur: saumon frais, bœuf et magret de canard. Bœuf Eumatimi, pavé de contre filet Prime AAA rôti. Crème brûlée à la liqueur de «Coureur des bois».
PRIX Midi: F. 21$
Soir: C. 32$ à 74$ T.H. 39$
OUVERTURE: Lun. à sam. 11h à 14h30 et 17h30 à 21h. Dim. 10h30 à 14h.
NOTE: Nouveau menu aux saisons, de concert avec les producteurs locaux. Menu découverte 75$. Brunch à l'assiette à partir de 26$, dim. 10h30 à 14h. Terrasse

semi-couverte avec vue sur le Richelieu, 30 pers. Soirée dansante 31 déc.
COMMENTAIRE: Le restaurant revampé de l'hôtel Rive-Gauche personnifie la forêt québécoise – photos d'orignaux, troncs d'arbre, raquette – et correspond bien à la cuisine de Jean-François Méthot. Sa cuisine respecte les produits de la région qu'il utilise largement, on les retrouve dans chacun de ses plats. Il a travaillé avec Renaud Cyr au Manoir des Érables, aux Trois Tilleuls, au Club Saint-Denis, a donné des ateliers au CFP Jacques Rousseau, puis est devenu chef au Coureur des bois en 2009. On parle ici de «bistronomie» : des mets créatifs et réinventés, concoctés à partir des produits du terroir montérégien et québécois, enrichis par une très belle cave à vin. Cette dernière a été récompensée par le «Best of Award of Excellence» et, en 2014, par «Wine Spectator».

BLEU MOUTARDE ★★★ fra
965, rue Richelieu, BELOEIL
Tél.: 450-464-8839
SPÉCIALITÉS FRANÇAISES ET ITALIENNES: Calmars frits, sauce tartare. Confit de canard. Moules fromage bleu, cognac et frites maison. Tartare de bœuf et frites maison. Bavette de bœuf à l'échalote et frites maison. Mignon de bœuf, sauce porto, vieux cheddar. Crème brûlée. Gâteau au fromage.
PRIX Midi: F. 14$ à 20$
Soir: C. 42$ à 73$ F. 24$ à 45$
OUVERTURE: Mar. à ven. 11h30 à 14h. Mar. à dim. 17h à 22h30. Fermé lun., 24 et 25 déc. Ouvert lun. de fin mai à début sept.
NOTE: Brunch à la fête des Mères et à Pâques. Carte des vins change régulièrement, 60% d'importation privée. Quai pour l'amarrage des bateaux.
COMMENTAIRE: Abrité dans une maison au bord du fleuve au cœur du Vieux-Beloeil, l'endroit est coquet et convivial. L'été, on peut profiter de terrasses s'étageant jusque dans le jardin qui borde les rives du Richelieu. Le chef propose une cuisine d'inspiration française et italienne avec des spécialités rappelant celles que l'on trouve dans les bistros. Nous avons apprécié le côté simple, net et franc des assiettes, tant dans les saveurs que dans les présentations. Un service convivial, une table honnête qui nous donne le goût de revenir.

ET CAETERA ★★★ cont
80, rue Saint-Mathieu, BELOEIL
Tél.: 450-281-2211
SPÉCIALITÉS CONTINENTALES ET MÉDITERRANÉENNES: Chèvre chaud, croûtons aux raisins, miel, pistaches, sur salade. Calmars frits sauce à la diable. Tartare de saumon. Bavette de bœuf à l'échalote française, frites, légumes. Carré d'agneau. Saumon en croûte d'épices du Maghreb. Mousse au chocolat et oranges confites. Crème brûlée du jour.
PRIX Midi: (fermé)
Soir: C. 33$ à 59$ T.H. 35$
OUVERTURE: Mar. à sam. 17h à 22h. Fermé dim. et lun. Fermé 25, 26 déc., 1er et 2 janv.
NOTE: Tous les plats à la carte se transforment en T.H. pour 8$ de plus.
COMMENTAIRE: Très belle maison magnifiquement aménagée en restaurant. Tout est en camaïeu de blanc. Ambiance douce et paisible, l'endroit idéal pour une belle gastronomie. L'entrée de calamars, bien savoureuse et généreuse, et la délicieuse mousse au chocolat étaient à la hauteur de nos attentes. Par ailleurs, la cuisine s'annonce méditerranéenne, mais elle s'apparente plus à une cuisine continentale aux accents méditerranéens. On y retrouve des plats inflencés par plusieurs pays. Le chef, Philippe Hamelin et son épouse Josée, tombés en amour avec Beloeil et la belle rivière Richelieu, ouvrent un premier restaurant tout au bord de l'eau, le Jozéphil. Puis une occasion se présente pour acheter une belle mai-son de maître au cœur du village. Un second restaurant, vient de naître. À force de recherche, on le nommera etc. ou plutôt de son nom latin Et Caetera.

FOURQUET FOURCHETTE ★★ qué
1887, rue Bourgogne, CHAMBLY
Tél.: 450-447-6370
et 1-888-447-6370
SPÉCIALITÉS QUÉBÉCOISES: Salade tiède aux pétoncles poêlés, saumon grillé, mesclun, échalotes grises et vinaigre de cidre. Tartare de truites fumées des Bobines (pétoncles en éventail de notre fumoir). Magret de canard, demi-glace à l'anis étoilé et Trois-Pistoles. Suprême de pintade, escalope de foie gras, pleurotes à L'Eau Bénite. Tournedos de cerf aux baies d'amélanchier à la Fin du monde. Pouding chômeur à l'érable et à la Maudite.
PRIX Midi: T.H. 12$ à 17$
Soir: C. 33$ à 55$ T.H. 26$ à 38$
OUVERTURE: De sept. à début juin: jeu. à dim. 11h30 à 21h. Début juin au 15 sept: 7 jours 11h30 à 21h. Réserv. suggérée. Fermé 24 et 25 déc.
NOTE: Menu de saison. Carte de vins québécois et de vins français. Carte de bières et de cidres du

Québec. Réserv. recommandée les fins de sem. et en période estivale. Animation sur la terrasse durant la période estivale si beau temps. Boutique avec produits du terroir. Musiciens à l'année sam. Ouvert sur réserv. de groupes pour réunions d'affaires. Stationnement gratuit.
COMMENTAIRE: Cet établissement comporte un magasin, un restaurant avec gril et un étage décoré comme une abbaye, qui sert de salle de banquet. Le décor est rustique et solide. Le menu est simple et sans prétention, d'inspiration Nouvelle France. Il propose des recettes traditionnelles québécoises, et même autochtones, cuisinées avec de la bière. Le service et l'animation en salle sont faits par des jeunes en costume d'époque. On y mange dans une belle ambiance. Très belle terrasse face au fleuve.

HOSTELLERIE LES TROIS TILLEULS ★★★★[ER] fra
290, rue Richelieu,
SAINT-MARC-SUR-RICHELIEU
Tél.: 514-856-7787
SPÉCIALITÉS FRANÇAISES: Filet de bœuf flambé à la table sauce au poivre. Crevettes géantes en tempura à la Biscayenne, jeune roquette. Foie gras poêlé, brioche en pain perdu, compote de pommes rouges, pain d'épices. Grand bonheur aux cinq chocolats.
PRIX Midi: T.H. 25$ à 30$
Soir: C. 60$ à 79$
OUVERTURE: 7 jours 11h30 à 16h et 18h à 22h30. Petit déjeuner 7h30 à 10h.
NOTE: Menu dégustation 98$, avec les vins 148$. Petit déjeuner 19,50$.
COMMENTAIRE: La propriété est harmonieusement paysagée. Les élégants bâtiments, construits au bord du Richelieu, reflètent tout le charme de la rivière. Il y a même une chapelle dans le boisé pour les mariages célébrés sur place et un spa Givenchy. Une bonne table, dans un cadre agréable, qui existe depuis 1953. À visiter été comme hiver. L'excellent chef Jacques Robert, ancien propriétaire du Tournant de la rivière, est aux fourneaux.

HÔTEL-RESTAURANT CHEZ NOESER ★★★★ fra
236, rue Champlain,
SAINT-JEAN-SUR-RICHELIEU
Tél.: 450-346-0811
SPÉCIALITÉS FRANÇAISES: Feuilleté au homard et pétoncles sauce corail. Foie gras frais poêlé. Aiguillettes d'agneau au basilic frais. Autruche sauce framboisine. Escalope de foie gras poêlée à la saveur du mois. Carré d'agneau en croûte d'épices. Magret de canard et son foie gras. Desserts de saison. Glace à l'érable maison.
PRIX Midi: (fermé)
Soir: Menu 40$ à 70$ T.H. 40$
OUVERTURE: Jeu. à dim. 17h30 à 21h. Fermé lun. à mer., 25 déc. et 1er janv. Ouvert sur réserv. 20 pers. et plus.
NOTE: Réservation préférable. Apportez votre vin (voir menu à www.noeser.com). Menu dégustation 4 à 7 serv. Menus à thème. Service de traiteur. Accessible aux handicapés. Dim. brunch sur réserv. 15 pers. et plus.
COMMENTAIRE: Ce restaurant est logé dans une maison ancestrale divisée en plusieurs petites salles. C'est une affaire familiale. Denis Noeser officie dans la cuisine pour nous concocter de succulents petits plats. Ginette, son épouse, s'occupe du service et du bien-être des clients en salle. Un endroit sympathique, romantique, où l'on mange bien et où l'on apporte son vin. L'ajout d'une chambre unique, qui se présente comme une suite luxueuse (avec terrasse, spa et foyer), en fait probablement le plus petit hôtel en Amérique du Nord.

LA CRÊPERIE DU VIEUX-BELOEIL ★★★★★ crê
940, rue Richelieu, BELOEIL
Tél.: 450-464-1726
SPÉCIALITÉS DE CRÊPERIE: Soupe à l'oignon gratinée. Crêpe au saumon fumé et crème sure. Crêpe aux fruits de mer. Crêpe œuf jambon et fromage. Crêpe aux champignons au fromage. Crêpe au cheddar fort et pommes. Crêpe fraises, chocolat et crème glacée.Crêpe banane, caramel, pacanes flambées au rhum.
PRIX Midi: F. 14,55$ à 40,25$
Soir: Idem
OUVERTURE: Hiver: mar. à ven. 11h30 à 14h et 17h à 20h30. Sam. 17h à 21h. Dim. 17h à 20h. Été: mar. à ven. 11h30 à 14h et 17h à 21h. Sam. et dim. 17h à 21h30. Fermé lun. et 23 déc. au 3 janv.
NOTE: Terrasse l'été sur une galerie en bois, abondamment fleurie, avec vue sur le Richelieu. Décor enchanteur.
COMMENTAIRE: La meilleure crêperie au Québec! Dans une ambiance chaleureuse et reposante, on y déguste d'innombrables crêpes tant au froment qu'au sarrasin. Nous en avons dénombré une cinquantaine de sortes aux garnitures salées et sucrées, dont 9 dites flamboyantes. On aimerait les essayer toutes, mais après une ou deux, il ne reste plus que la gourmandise tant on est rassasié. Une solution, partager une crêpe salée et une crêpe sucrée. Très beau décor composé de quatre ravissantes salles, dont une verrière. Les crêpes sont faites devant vous, dans la salle à manger. Et, cela sent terriblement bon!

L'ANGÉLUC ★★★ fra
480, rue Saint-Denis,
SAINT-ALEXANDRE
Tél.: 450-346-4393
SPÉCIALITÉS FRANÇAISES: Tartare de bœuf relevé au cognac, huile de truffe. Caille royale farcie aux pommes et cidre de pomme, demi-glace vin rouge. Médaillon de filet de veau, sauce bisque de homard et pétoncles.
PRIX Midi: (fermé)
Soir: T.H. 47,95$ (6 serv.)
OUVERTURE: Jeu. à dim. 18h à minuit. Fermé 22 déc. au 10 janv. et 3 sem. en été.
NOTE: 5 salles pour groupes de 10 à 28 pers. N'oubliez pas, c'est sur réservation seulement. Aucune carte de crédit ni débit n'est accepté. Seulement l'argent comptant, les chèques personnels ou de compagnies sont acceptés. Actif sur Facebook.
COMMENTAIRE: Situé au sud de Saint-Jean-sur-Richelieu, L'Angéluc est un restaurant français classique, sans prétention, mais bien. Installé dans une maison familiale, chaque pièce a été aménagée en salle à manger. Le chef propriétaire, Luc Carreau, vous propose un menu de 6 services plus le café pour un forfait de 46,95$. Quelques plats sont avec supplément, mais vous ne paierez que 7$ de plus au maximum. C'est bon et surtout c'est très copieux. Nous n'avons pu terminer nos desserts tant il y en avait. Par contre, prenez votre temps, car le service est un peu lent. Très aimable et attentif cependant. En fait, on vient ici pour y passer la soirée.

LA RABASTALIÈRE ★★★★ fra
125, rue Rabastalière O.,
SAINT-BRUNO
Tél.: 450-461-0173
SPÉCIALITÉS FRANÇAISES: Tataki de thon. Saumon mi-cuit, lit de courgette, sauce choron. Tartare de bœuf. Chateaubriand grillé/2 pers. Crêpes Suzette.
PRIX Midi: T.H. 21$
Soir: C. 55$ à 88$ T.H. 30$ à 36$
OUVERTURE: Mar. à ven. 11h30 à 15h. Mar. à dim. 17h30 à 22h. Fermé lun., du 24 au 26 déc. et 2 premières sem. de janv.
NOTE: Tartare de bœuf préparé à la table. Menu gastronomique 6 serv. 70$. Salle pour 35 pers.
COMMENTAIRE: Ouvert depuis 1979. Une table française classi-

que, savoureuse, avec une touche contemporaine. Le décor est confortable, classique lui aussi; le service, compétent et courtois; la carte des vins, très intéressante. Une belle adresse à vingt-cinq minutes de Montréal, l'endroit idéal pour les repas d'affaires. C'est calme et discret.

LE BISTRO BAR DE LA RIVE
★★ fra
1035, rue du Rivage, SAINT-ANTOINE-SUR-LE-RICHELIEU
Tél.: 450-787-9767
SPÉCIALITÉS FRANÇAISES: Bavette sautée sauce échalote, légumes du jour. Bœuf tartare. Onglet sauce au bleu.
PRIX Midi: T.H. 13,50$
Soir: C. 22$ à 31$ T.H. 17,50$
OUVERTURE: Été: Mer à dim. 11h30 à 14h30 et 17h30 à 21h. Hiver: jeu. à sam. 11h30 à 14h30 et 17h30 à 21h. Dim. brunch. Fermé 25 déc.
NOTE: Brunch musette, ambiance française. Spéciaux: mer. moules, jeu. tapas, ven. chansonnier, sam. karaoké. Importation privée de vins bio-dynamiques.
COMMENTAIRE: Le chef propriétaire Philippe Metayer enseigne la cuisine à l'Institut de tourisme et d'hôtellerie du Québec. Il s'est offert ce petit bistro planté au bord de la rivière Richelieu avec une jolie terrasse l'été où il fait bon s'arrêter lors d'une balade en voiture ou à vélo. On y sert une cuisine bistro, simple, mais bonne. Service vraiment très aimable qui fait tout ce qu'il peut pour bien faire. Certains soirs, il y a des soupers-spectacles avec des chanteurs.

LE CLAN CAMPBELL
★★[ER] fra
Manoir Rouville-Campbell
125, ch. des Patriotes Sud, MONT-SAINT-HILAIRE
Tél.: 450-446-6060
SPÉCIALITÉS FRANÇAISES: Risotto de crevettes. Tartare de bœuf, frites maison. Bavette de bœuf Angus (8 oz). Filet de bœuf Angus mariné aux herbes. Coupe de fraises, limoncello, zeste de citron vert, bavaroise aux deux citrons.
PRIX Midi: F. 21$ à 27$
Soir: C. 19$ à 63$ T.H. 45$ à 65$
OUVERTURE: Lun. à ven. 11h30 à 22h. Sam. 11h à 22h. Petit déjeuner lun. à ven. 7h à 11h. Sam. 7h à 14h (petit déjeuner ensoleillé). Dim. 7h à 10h, brunch 11h à 14h.
NOTE: T.H. sam. soir sur plats signature. Le resto et le pub ont fusionné, les plats aussi.
COMMENTAIRE: Cette imposante bâtisse au bord de l'eau est toujours aussi belle, cependant la disposition de la salle à manger pourrait être améliorée. Même si la décoration a été refaite, le couloir coupe toujours la vue magnifique sur le jardin et sur l'eau. Il faut reconnaître que la disposition des lieux est assez ingrate. Quant à la cuisine, les assiettes sont bonnes et bien présentées. Service courtois.

LE JOZÉPHIL ★★★★ fra
969, rue Richelieu, BELOEIL
Tél.: 450-446-9751
SPÉCIALITÉS FRANÇAISES ET MÉDITERRANÉENNES: Crabe-cake, mayonnaise au sriracha. Filet mignon de bœuf Angus, sauce au fromage bleu. Poêlée de pétoncles au beurre safrané. Ris de veau au madère. Crème brûlée. Gâteau au fromage marbré au chocolat.
PRIX Midi: T.H. 17$ à 20$
Soir: C. 31$ à 66$ T.H. 32$ à 40$
OUVERTURE: Lun. à ven. 11h30 à 14h. 7 jours 17h à 21h. Fermé dern. sem. de fév. et prem. sem. de mars.
NOTE: Salle privée à l'étage 35 pers.
COMMENTAIRE: Installé au bord de la rivière Richelieu à Beloeil, dans ce qui a été une école vers 1817, ce restaurant offre une vue panoramique imprenable sur la rivière, Otterburn Park sur l'autre rive et l'imposant mont Saint-Hilaire. L'été, trois terrasses en palier donnent également sur la rivière. Tables couvertes de blanc, décor tranquille et confortable, éclairage douillet. On y sert une cuisine très savoureuse et bien faite, jumelée à une belle carte des vins. Service attentif et chaleureux.

LE SAMUEL ★★★★★[ER] fra
291, rue Richelieu, SAINT-JEAN-SUR-RICHELIEU
Tél.: 450-347-4353
SPÉCIALITÉS FRANÇAISES: Demi-magret de canard fumé poêlé, mousseline de fenouil, pommes de terre sarladaises, réduction au cassis. Tartare de bœuf aux tomates séchées, salade de chou rouge, «pickles» de légumes, œuf de caille mariné, croûtons. Fondant au caramel, glace à la confiture de lait.
PRIX Midi: F. 16$ à 22$
Soir: C. 37$ à 76$
OUVERTURE: Lun. à ven. 11h30 à 14h. 7 jours 17h à 22h. Fermé 25 déc.
NOTE: Choix de fromages du Québec. Verrière climatisée avec vue sur la rivière Richelieu. Menu dégustation 5 serv. 50$, 7 serv. 70$.

COMMENTAIRE: Un décor magnifique, moderne, confortable et de bon goût s'ouvre par de grandes baies vitrées sur la rivière Richelieu. Tout est en harmonie, un réel plaisir pour les yeux, y compris l'assiette moderne, bien présentée dans l'ensemble. Le service est jeune, très gentil, plein de bonne volonté et a su s'adapter aux aspirations de l'endroit. Le restaurant tend maintenant vers la bistronomie. L'établissement semble avoir de la difficulté à garder son chef. À suivre...

LES CHANTERELLES DU RICHELIEU ★★★★ fra
611, ch. des Patriotes, SAINT-DENIS-SUR-RICHELIEU
Tél.: 450-787-1167
et 1-877-787-1167
SPÉCIALITÉS FRANÇAISES: Saumon fumé du fumoir maison, carpaccio de bison au cheddar vieilli. Filet de doré aux herbes fraîches. Pintade du terroir aux chanterelles. Ris de veau au cidre de glace Michel Jodoin. Nougat glacé avec fruits confits à l'érable.
PRIX Midi: (fermé)
Soir: C. 35$ à 52$ T.H. 30$ à 44$
OUVERTURE: Mer. à sam. 17h30 à 21h. Dim. 11h à 13h pour le brunch. Fermé dim. soir, lun. et mar. Fermé du 1er janv. au 20 mars. Ouvert pour groupes de 20 pers. minimum en tout temps.
NOTE: Nouvelles T.H. 3 et 4 serv. chaque semaine. Menu gourmand 6 serv. 64,50$. Grands vins.
COMMENTAIRE: Tenue par Patrick Vesnoc, voilà une charmante maison centenaire, plantée au bord du Richelieu, avec un quai d'amarrage pour les bateaux. Patrick crée des assiettes savoureuses avec son équipe en cuisine. Une table qui met en valeur les produits de la région du Richelieu.

LES ESPACES GOURMANDS
★★★ fra
454, chemin des Patriotes, SAINT-CHARLES-SUR-RICHELIEU
Tél.: 450-584-3112
SPÉCIALITÉS FRANÇAISES: Terrine de pintade maison marinée au vin blanc. Risotto forestière au confit de pintade, huile de truffe blanche. Saumon de l'Atlantique fumé par le chef au bois d'érable. Suprême de pintade sauce aux langoustines et cognac. Tiramisu.
PRIX Midi: (fermé)
Soir: C. 35$ à 59$ T.H. 26$ à 46$
OUVERTURE: Jeu. à dim. 17h30 à 21h30. Juin à août, mar. à dim. 17h30 à 21h30. 7 jours. réserv. de groupe 10 pers. et plus. En basse saison, vérifier les horaires.
NOTE: Ont aussi un menu bistro. Vue panoramique sur la rivière Richelieu. Stationnement disponi-

ble à l'arrière. Ouvert le midi sur réserv. de groupe 10 pers. et plus. Dim. 9h à 13h petit déjeuner. Quai pour l'amarrage des bateaux.
COMMENTAIRE: Restaurant niché dans une maison d'habitant, dans laquelle on se sent bien. Une cuisine française classique, familiale, bien faite avec le respect des produits frais. La spécialité de Michel Lesage, chef propriétaire, c'est la pintade. Monsieur et madame ont aussi une boutique de plats cuisinés et un service de traiteur au Mont-Saint-Hilaire.

MISTA ★★★ ita
955, rue Laurier, BELOEIL
Tél.: 450-464-5667
SPÉCIALITÉS ITALIENNES: Pavé de saumon braisé au vinaigre balsamique, linguines à l'encre de calmar, tomates confites, roquette fraîche. Raviolis, ricotta, épinards, confit de canard, jus de veau à la truffe. Osso buco, jarret de veau braisé 6h, minute de cavatelli, tomates séchées, épinards. Fondant de chocolat. Tiramisu.
PRIX Midi: (fermé)
Soir: C. 28$ à 57$ T.H. 20$ à 30$
OUVERTURE: Dim. à mer. 16h30 à 22h. Jeu. à sam. 16h30 à 23h.
NOTE: Foyer 4 côtés au milieu du restaurant. T.H. change chaque semaine. Dim. à jeu. menu 5 à 7 à partir de 13$. Pâtes fraîches maison. Bar à vin. Rénové en 2014.
COMMENTAIRE: Un cadre confortable et agréable, une assiette généreuse et très savoureuse, qui pourrait cependant être plus parfumée «à l'italienne». Service très aimable, mais qui manque un poil d'attention. Service de traiteur en plus.

RESTAURANT LE CÔTE À CÔTE ★★★[ER] cont
12, Saint-Mathieu, BELOEIL
Tél.: 450-464-1633
SPÉCIALITÉS CONTINENTALES: Moules et frites à volonté. Tartare de bœuf au couteau. Matelote de pétoncles, crevettes, homard, saumon et jus de veau. Côtes levées de porc braisé cuites sur le grill et au four, sauce BBQ, rhum brun. Choco-minute (mi-cuit au chocolat).
PRIX Midi: T.H. 12$ à 17$
Soir: C. 25$ à 53$ T.H. 20$ à 35$
OUVERTURE: Lun. à ven. 11h30 à 22h. Sam. et dim. 16h30 à 22h. Fermé 25 déc.
NOTE: T.H. midi sept. à mai seulement. Soirée avec musiciens, jeu. à dim. soir sur la terrasse l'été.
COMMENTAIRE: Établissement côte à côte avec le Mista. Si l'on soigne ici l'entrée et le dessert, on pourrait faire un effort pour le plat principal. Joli décor. Terrasse agréable l'été, mais sièges inconfortables. Très bon service.

RESTAURANT LE VIEUX SAINT-MATHIAS ★★★ fra
284, chemin des Patriotes, SAINT-MATHIAS-SUR-RICHELIEU
Tél.: 450-658-5613
SPÉCIALITÉS FRANÇAISES: Duo de crevettes et pétoncles à la nantaise. Salade de chèvre chaud et miel. Magret de canard grillé. Filet de poisson selon la pêche, amandine ou meunière. Carré d'agneau à la provençale. Choix de pâtes (alfredo, bolognaise, puttanesca, cardinal). Gâteau basque maison. Tarte Tatin maison.
PRIX Midi: (fermé)
Soir: C. 28$ à 50$ F. 27$ à 31$
OUVERTURE: Jeu. à sam. 17h à 21h30. Dim. 10h30 à 13h30 (brunch). Fermé lun. à mer., 25 déc. et 1er janv.
NOTE: T.H. 82$ pour 2 incluant une bouteille de vin sélection maison. T.H. change aux trois sem. 2 salles de banquet à l'étage en hiver. Réserv. préférable. Carte des vins, 25% d'importation privée.
COMMENTAIRE: Une charmante petite maison, au bord de la route qui longe la rivière Richelieu, a été transformée en restaurant par Denis et Catherine. Lui est en cuisine, tandis qu'elle sert avec diligence, attention et beaucoup de gentillesse. L'été, on peut aussi manger sur la terrasse bâtie sur le devant. L'intérieur est confortable et joliment décoré. L'assiette française classique, avec quelques plats de pâtes italiens, est vraiment bonne. La viande est tendre, les produits sont frais et goûteux. La carte des vins est bien adaptée.

RESTAURANT LYVANO ★★★ cont
4, rue Principale, FRELIGHSBURG
Tél.: 450-298-1119
SPÉCIALITÉS FRANÇAISES: Pétoncles poêlés, noix de beurre au citron et piment d'Espelette. Raviolis maison, fromage de chèvre, fines herbes, sauce épinards et citron. Filet de porc enrobé de bacon et thym, légumes, sauce au vin rouge. Pouding chômeur. Beignets sauce au chocolat faits à la minute. Gâteau au fromage et citron, sorbet aux framboises.
PRIX Midi: F. 12$
Soir: C. 33$ à 49$ T.H. 29$ à 41$
OUVERTURE: Mer. à lun. 11h30 à 21h. Hiver: fermé mer. Fermé en nov., 23 au 25 déc., 1er et 2 janv.
NOTE: Vins 70% d'importation privée. Vins du Québec.
COMMENTAIRE: Situé au cœur du village de Frelighsburg en bordure de la rivière aux Brochets, le restaurant Lyvano vous offre un menu pâtes et grillades. Terrasse surplombant la rivière coulant vivement entre de grosses roches dans un bruissement de détente. Élisabeth et Sébastien, les chefs propriétaires, proposent un menu gastronomique en soirée et de type bistro le midi. Une cuisine généreuse et savoureuse qui ne manque pas de créativité. Ambiance simple et conviviale. Service un peu lent.

SUCRERIE DE LA MONTAGNE ★★★★ suc
300, ch. Saint-Georges, RIGAUD
Tél.: 450-451-5204
ou 450-451-0831
SPÉCIALITÉS BEAUCERONNES ET QUÉBÉCOISES: Soupe aux pois du montagnard. Pain croûté cuit sur feu de bois. Jambon fumé à l'érable. Boulettes de viande. Oreilles de crisse. Tourtière de la beauceronne. Fèves au lard du chantier. Omelette soufflée de la fermière. Crêpes québécoises au sirop d'érable. Tarte au sucre maison.
PRIX Midi: T.H. 35$
Soir: T.H. 45$
OUVERTURE: 7 jours 11h à 19h30 sur réserv. Fermé 24, 25 déc. et 1er janv.
NOTE: Réserv. en tout temps. Épluchette de blé d'Inde. Méchoui. Menu végétarien. Menu composé sur demande pour groupe à partir de 8 pers. Tire. Festins du temps des sucres et du temps des fêtes. Chansonniers, animateurs, balade en carriole pour 40 pers. minimum ayant réservé leur place au restaurant. Activités de consolidation d'équipes de bureau. Hébergement: 4 chalets traditionnels avec foyer. Refuge rustique pour 60 pers. Lieu de mariage extérieur exceptionnel avec un genre de gazebo en forme de canoë dressé.
COMMENTAIRE: Probablement la plus belle cabane à sucre du Québec, dirigée par son sympathique et truculent propriétaire Pierre Faucher et son fils Stefan. On mange dans des salles anciennes et authentiques, grandes cheminées, cuisinières au feu de bois, une cuisine beauceronne savoureuse et généreuse, avec quelques recettes de famille. On peut se régaler d'un canard fumé à l'érable ou de bœuf braisé sur demande. Visites de la cabane à sucre, de la boulangerie (pain frais au feu de bois), de la bouilloire (dégustation de tire). Animation folklorique. Très beau cadre pour les familles, les mariages champêtres et les groupes d'affaires.

Restaurants
de Québec
(Québec, Sainte-Foy, Sillery,
Beauport, Cap Rouge,
Wendake)

Château Frontenac *(Photo Debeur)*

AFRICAIN

LA CALEBASSE ★★
973, av. Myrand, QUÉBEC
Tél.: 418-928-1644
SPÉCIALITÉS: Foutou (purée de maïs, sauce graine à la queue de boeuf). Mafé, sauce beurre d'arachide, couscous de manioc ou de riz. Poisson braisé, riz ou couscous de manioc, sauce tomate. Pondou (feuille de manioc, bœuf, pâte d'arachide). Yassa (poulet mariné, jus de citron et oignons caramélisés). «Black cake» (vin, café, noix et fruits séchés).
PRIX Midi: À emporter
Soir: C. 21$ à 25$ T.H. 21$ à 22$
OUVERTURE: Service aux tables jeu. à sam. 17h30 à 22h. Dim. à mer. plats à emporter et menu express.
NOTE: Cuisine africaine. Plats grillés (poulet, poisson, porc). Foutou sur réserv. de 24h.
COMMENTAIRE: La ville de Québec compte un seul restaurant africain. Déménagé récemment, ce dernier est situé à proximité de l'Université Laval. La carte est courte, mais elle comporte plusieurs plats typiques à base de volaille, d'agneau et de poisson. Une saine cuisine exotique.

AMÉRINDIEN

RESTAURANT LA TRAITE ★★★★
Hôtel-musée Premières Nations
5, pl. de la Rencontre, WENDAKE
Tél.: 418-847-2222

AVIS

Depuis 30 ans, nous attribuons un maximum de quatre étoiles aux restaurants alors que la plupart des systèmes nord-américains accordent un maximum de cinq étoiles. Afin d'uniformiser le système d'évaluation de nos guides et aussi de l'aligner sur le système d'évaluation nord-américain, nous avons décidé d'adopter dorénavant cinq étoiles pour la plus haute évaluation du *Guide Debeur.*

SPÉCIALITÉS: PREMIÈRES NATIONS AMÉRINDIENNES: Phoque en rillettes. Paillasson de l'Île d'Orléans rôti, tapenade de poivrons rouges, artichauts grillés. Lapin farci de pommes, tomates séchées, jus d'herbes du potager. Perdrix blanche rôtie, marinade mélasse et gelée de cèdre, jus d'os de wapiti.
PRIX Midi: T.H. 22$ à 42$
Soir: C. 57$ à 65$ T.H. 42$ à 80$
OUVERTURE: 7 jours 11h30 à 14h et 17h à 21h30. Petit déjeuner lun. à sam. 7h à 10h30.
NOTE: Le soir, T.H. des Nations, 4 serv. 52$. Menu découverte 6 serv. 80$ (avec accord vins et mets 140$). Cuisine du terroir du nord et des Premières Nations.
COMMENTAIRE: Martin Gagné est l'un des premiers chefs à Québec à avoir articulé une carte autour du concept de la cuisine boréale. Camerise, asclépiade, brisure de toque et poivre des dunes font partie des condiments qu'il prise autant sur des viandes plus connues (lièvre, canard, cerf, etc.) que d'autres à découvrir comme le phoque. Également, le chef a souci de changer sa carte plusieurs fois par année selon les arrivages de gibiers. Belle salle à manger apaisante décorée sans surenchère avec des références aux Premières Nations. Terrasse bucolique l'été.

ASIATIQUE

L'APSARA ★★★
71, rue d'Auteuil, QUÉBEC
Tél.: 418-694-0232
SPÉCIALITÉS: VIETNAMIENNES, CAMBODGIENNES, THAÏLANDAISES: Pad-thaï aux crevettes ou au poulet. Salade au homard à la vietnamienne. Crêpe vietnamienne. Bœuf Khemara. Poulet Oudong, sauté au gingembre. Khemara kayang (brochette de bœuf à la citronnelle et brochette de poulet). Poulet de Bangkok. Bœuf Saigon. Lychee frais (en juil.).
PRIX Midi: T.H. 11$ à 14$
Soir: C. 23$ à 35$ T.H. 28$ à 40$
OUVERTURE: Lun. à ven. 11h30 à 14h. 7 jours 17h30 à 23h. Fermé 24 déc.
NOTE: Menu midi change tous les jours. Assiette Apsara: combinaison de spécialités du Cambodge, Thaïlande et Vietnam 28$/pers. Plaisir à deux: 4 serv. apéritif et vin 80$/2 pers.Tournée asiatique incluant 2 bout. de vin 170$/4 pers. Assiette tridara vin compris 80$/2 pers. Avril: T.H. Nouvel An thaïlandais. Oct.: T.H. spécial anniversaire 1 bout. de vin compris 80$/2 pers.

COMMENTAIRE: Service familial, discret et raffiné, à la mode orientale. Excellentes fleurs de Pailin (rouleaux de printemps). Très bon bœuf khemara. Décor invitant à la joie et à la détente. Situé sur la rue d'Auteuil, l'une des plus belles rues de Québec, face au Parlement.

BORÉAL

AVIS

Nous nous posons des questions quant à cette nouvelle appellation «cuisine boréale». Car ce ne sont pas les produits (ici du nord du Québec) qui font la cuisine mais bien la façon dont on les apprête, c'est-à-dire la recette et non pas les produits seuls. Sont-ils préparés à la manière française, italienne, québécoise ou asiatique? Nous émettons donc une réserve quant à cette nouvelle appellation.

CHEZ BOULAY BISTRO BORÉAL ★★★★
Manoir Victoria
1110, rue Saint-Jean, QUÉBEC
Tél.: 418-380-8166
SPÉCIALITÉS: Cuisses d'oie et canard confites en parmentier de panais dauphinois à la racine de valériane, croustillant de graines de citrouille, pesto de fleur d'ail, jus de viande. Cheesecake à la graine de carotte sauvage, croustillant de pain d'épices boréal.
PRIX Midi: F. 14$ à 20$
Soir: C. 36$ à 59$
OUVERTURE: Lun. à ven. 11h30 à 22h30. Sam. et dim. 10h à 22h30.
NOTE: Carte des vins, 90% d'importation privée (33$ à 1500$/bout.). Salons privés 30 à 100 pers.
COMMENTAIRE: Arnaud Marchand ne cesse d'étudier le garde-manger nordique. La carte tourne au gré des saisons et chaque visite est prétexte à découvrir un nouveau mets coup de cœur, qu'il soit tiré de la rubrique poisson (avec une prédilection pour les poissons à chair grasse) ou viande (particulièrement les volailles). La joue de bison est l'un des plats vedettes. Salle élégante et un personnel en général empressé et courtois. Brunch distinctif la fin de semaine et très beau rapport qualité-prix les midis. Une table qui combine le courant boréal, une vision actualisée du bistro et la constance à l'assiette.

LA TANIÈRE ★★★★★
2115, rang Saint-Ange, QUÉBEC
Tél.: 418-872-4386
SPÉCIALITÉS: Produits de saison à thématique de venaison. Poissons et gibiers du terroir québécois. Oursin frais de Rivière-du-Loup. Caille du Cap Saint-Ignace. Filet mignon de sanglier de Saint-Augustin.
PRIX Midi: (fermé)
Soir: Menu 90$ à 150$
OUVERTURE: Mer. à sam. 17h30 à 21h30. Fermé dim. à mar. et du 22 déc. au 22 janv.
NOTE: Frédéric Laplante, chef cuisinier national de l'année 2014. Cuisine boréale d'avant-garde. Réservation. Menus Découverte 10 serv. 90$, Sensation 15 serv. 120$, Révolution 20 serv. 150$, accord mets et vin + 60$, 80$, 100$. Cave à vin 450 étiquettes.
COMMENTAIRE: Menu fait de sensations et d'expériences. Présentations sophistiquées et apprêts originaux mais bien calculés. Un service hors pair sans être guindé. Le chef Frédéric Laplante et Karen Therrien s'intéressent à la cuisine d'avant-garde (azote liquide, sphérification), qu'ils incorporent intelligemment dans les plats mettant en vedette les textures, les arômes et les saveurs boréales. Plus que jamais, ce parti pris du boréal s'affirme dans une cuisine extrêmement maîtrisée basée sur les produits de proximité.

LÉGENDE par La Tanière ★★★★ (bistro)
255, rue Saint-Paul, QUÉBEC
Tél.: 418-614-2555
SPÉCIALITÉS: Fesse et collier de cerf, courge poivrée, carottes laquées, céleri-rave en purée. Magret de canard, gésier confit, purée de panais, ragoût de pois fourrage.
PRIX Midi: T.H. 16$ à 20$
Soir: C. 38$ à 63$
OUVERTURE: Lun. à ven. 11h30 à 14h. 7 jours 17h à 22h.
NOTE: Concept de partage. Chef patissier sur place, Pawel Wlodarczyk. Accord de vin sur mesure pour chaque plat.
COMMENTAIRE: Si Légende propose une expérience préliminaire à La Tanière, il s'agit néanmoins d'une expérience (moins onéreuse) à part entière. Bien que l'environnement soit celui d'un bistro décontracté, le chef Frédéric Laplante, secondé par Émile Tremblay, carbure toujours à la même rigueur et s'illustre par la recherche-développement qui caractérise sa valorisation des produits locaux. Avec un talent unique, il préside à l'union improbable du tofu et du wapiti. Au volet Menu au doigt, de magnifiques fruits de mer, coquillages et charcuteries maison à partager.

CHINOIS

CHEZ SOI LA CHINE ★★
27, rue Sainte-Angèle, QUÉBEC
Tél.: 418-523-8858
SPÉCIALITÉS: Poulet croustillant à la mode de Sichuan. Calmar aux légumes. Canard laqué sauce shacha à la flambée. Gu-laorou (porc pané, sauce aigre-douce). Marmite chinoise (porc, bœuf, crevettes, légumes sautés). Canard sauce aux cinq parfums.
PRIX Midi: (fermé)
Soir: F. 17$ à 32$ F. 22$ à 30$
OUVERTURE: 7 jours 17h30 à 22h.
COMMENTAIRE: Restaurant très sympathique. Une cuisine chinoise typique qui conjugue authenticité des mets et un service familial attentionné mais un peu long. Outre les chaussons à la vapeur, le canard est l'une des spécialités ainsi que la marmite chinoise, un mijoté de plusieurs viandes et de fruits de mer. À retenir: on y apporte son vin.

CONTINENTAL

CHIC ALORS!
PIZZA ET TENTATIONS ★★
927, rue Jean-Gauvin,
QUÉBEC (CAP-ROUGE)
Tél.: 418-877-4747
SPÉCIALITÉS: Croustillant de chèvre (chèvre des neiges, beurre de bleuets, panko, lit de roquette). Pizza prosciutto et figues (confit d'oignons et de figues, mozarella, fromage de chèvre, figues fraîches, prosciutto, aragula, parmesan). Tagliatelles au prosciutto, sauce rosée.
PRIX Midi: F. 10$ à 14$
Soir: C. 14$ à 39$ T.H. 17$ à 29$
OUVERTURE: Dim. à mer. 11h à 22h. Jeu. et sam. 11h à 23h. Ven. 11h à minuit. Fermé 25 déc.
NOTE: Desserts maison. Menus sans gluten et pour personnes allergiques. Bar sur place, choix de cocktails maison. 10 choix de vins au verre. Service de livraison. Salle privée multimédia 40 pers.
COMMENTAIRE: Sur pâte levée (ou mince sur demande), les pizzas de Chic alors! ont pour point commun des ingrédients de qualité. Les plus classiques (fromage, pepperoni, etc.) se mêlent aux pizzas plus complexes comme la Danoise avec du fromage bleu et la Caliente d'inspiration mexicaine. Certaines créations s'avèrent plus légères, voire modernes, comme la prosciutto et figues.

Pizzas pour emporter de type prêtes-à-cuire. Plusieurs choix de vins et une sélection de desserts maison gourmands, l'une des signatures. À noter, un menu sans gluten et un choix de pâtes.

LA BÊTE BAR-STEAKHOUSE ★★★★
170-2875, bd Laurier, QUÉBEC
Tél.: 418-266-1717
SPÉCIALITÉS: Bar à huîtres. Gâteau de crabe, coulis de poivrons rouges. Salade de pieuvre et chorizo. Bœuf AAA vieilli à sec 40 à 70 jours. Blackvelvet, signé de Blanchet.
PRIX Midi: T.H. 15$ à 37$
Soir: C. 36$ à 109$ T.H. 38$ à 49$
OUVERTURE: Lun. à ven. 11h30 à 23h. Sam. et dim. 17h à 23h. Fermé 24, 25 déc. et 1er janv.
NOTE: Vivier de homard. Salle de vieillissement, viande vieillie 55 jours. Service de boucherie (commande en ligne ou sur place, livraison possible). 400 étiquettes de vins. Salle privée avec écran plasma 60 pers. Réserv. en ligne sur le site Internet.
COMMENTAIRE: Prime et AAA-Certified Angus beef, La Bête n'offre que du bœuf de qualité supérieure ou vieilli à sec à déguster dans une atmosphère à la fois sophistiquée et décontractée. Un cellier à viande permet de voir les différentes coupes proposées. Le service est avenant; la carte des vins étoffée, le choix d'accompagnements est élaboré avec, notamment, la purée de pommes de terre et cubes de foie gras. Très bon choix d'huîtres sur glace, crevettes à la livre, excellent tartare de saumon et gâteau de crabe digne de mention. Excellentes côtes levées charnues. Un service de boucherie est offert.

LA CRÉMAILLÈRE ★★★★[ER]
73, rue Sainte-Anne, QUÉBEC
Tél.: 418-692-2216
SPÉCIALITÉS: Tartare de bœuf ou saumon. Foie gras en duo (brioche maison et torchon). Pomme de ris de veau, sauce minute porto blanc. Carré d'agneau, tarte à la ricotta, citron, sarriette. Côte de veau grillée.
PRIX Midi: F. 16$ à 21$
Soir: C. 38$ à 97$ T.H. 33$ à 65$
OUVERTURE: Nov. à avr.: mar. à ven. midi à 14h et 17h30 à 22h. Sam. 17h à22h. Mai à oct.: 7 jours 17h à 22h.
NOTE: Steak tartare préparé à la table. Poissons frais du jour. Voiturier le soir. Musiciens les jours de fête. 60% des vins en importation privée.
COMMENTAIRE: L'accueil charmant du propriétaire, Beppino Boezio, témoigne du sérieux de l'établissement. La Crémaillère préserve la tradition d'une cuisine continentale bien faite, réactualisée sans trop s'éloigner de ses bases. Steve Levasseur, le nouveau chef copropriétaire, a appris à l'école de Jean-Luc Boulay. Il s'était aussi distingué à L'Intimiste à Lévis. L'une de ses forces est le travail autour des viandes (cuisson et sauces). Service courtois.

LA FENOUILLIÈRE ★★★★
3100, ch. Saint-Louis, QUÉBEC
Tél.: 418-653-3886
SPÉCIALITÉS: Tataki du Canard goulu, brioche, cassis et porto. Grenadin de porc Nagano et pétoncles BBQ. Fraises Fiset 3 façons: Panna cotta au yaourt grec, compotée à la rhubarbe, sablé breton pur beurre, sorbet au basilic.
PRIX Midi: T.H. 19$ à 27$
Soir: C. 59$ à 72$ T.H. 50$ à 60$
OUVERTURE: 7 jours 11h30 à 14h et 17h30 à 22h. Petit déjeuner de 7h à 11h.
NOTE: Carte varie selon les produits de saison. Chef patissière sur place. Super cellier à température contrôlée. 500 étiquettes de vins. Grand choix de vins au verre. Sélection de plus de 40 portos.
COMMENTAIRE: Salle à manger élégante, claire et confortable, comportant plusieurs divisions. Une belle et fine cuisine classique qui offre des assiettes généreuses et bien présentées. Le service est ponctuel et professionnel. La carte des vins propose un bon choix de grands vins. Excellente sélection de vins au verre. Maison de bonne réputation qui pourrait oser davantage.

LE CHARBON ★★★★
450, rue de la Gare du Palais, QUÉBEC
Tél.: 418-522-0133
SPÉCIALITÉS: Tartare de saumon à l'avocat. Pétoncles de mer au chardonnay. Ribsteak et steak de côte vieillis 40 jours à sec. Tartare de filet mignon Sterling Silver. Gâteau mi-amer au chocolat sans gluten.
PRIX Midi: F. 13$ à 22$
Soir: C. 32$ à 85$ T.H. 39$ à 45$
OUVERTURE: Lun. à jeu. 11h30 à 22h. Ven. 11h30 à 23h. Sam. 17h à 23h. Dim. 17h à 22h. Fermé 24 déc.
NOTE: Situé dans la magnifique gare du palais, plafond à 30 pieds de haut, architecture unique. Certains plats sont gratuits pour les enfants. Variété de coupes de viande certifiée Sterling Silver. Cuisson de fruits de mer sur blocs de sel himalayen. Cuisson au charbon de bois d'érable. Plats à emporter.
COMMENTAIRE: Une grilladerie classique, mais d'une constance qui ne se dément pas sur trois points, la qualité des viandes (et des poissons et fruits de mer), les coupes ainsi que les portions généreuses. Le service est précis, la carte des vins bien élaborée. Atmosphère chic, banquettes en cuir. Service de boucherie; un deuxième comptoir dessert le secteur Lebourgneuf.

LE CONTINENTAL ★★★★
26, rue Saint-Louis, QUÉBEC
Tél.: 418-694-9995
SPÉCIALITÉS: Crevettes flambées au whisky. Foie gras de canard. Sole de Douvres meunière. Canard à l'orange flambé. Filet mignon flambé en boîte (petite casserole). Ris de veau aux morilles. Poire au Pernod. Crêpes Suzette.
PRIX Midi: T.H. 14$ à 28$
Soir: C. 52$ à 106$ T.H. 54$
OUVERTURE: Lun. à ven. midi à 23h. Sam. et dim. 17h30 à 23h.
NOTE: Entrée d'or (dégustation de 4 mets vedettes). Homard flambé Newburg en saison. Salons privés 8 à 24 pers. 350 étiquettes de vins. Service de voiturier. Situé dans le Vieux-Québec.
COMMENTAIRE: Le Maxim de Québec. Spécialiste des flambées. Une des grandes tables. Véritable institution à Québec. L'une des dernières maisons où l'on sert encore le chateaubriand. Une adresse pour revenir aux sources d'une cuisine continentale classique.

LES TROIS GARÇONS BISTRO ★★★[ER]
1084, rue Saint-Jean, QUÉBEC
Tél.: 418-692-3900
SPÉCIALITÉS: Tartare de saumon. Hamburger «Québec 1608»: fromage 1608, oignons caramélisés, roquette fraîche et caramel balsamique. Hamburger «Le p'tit cochon»: effiloché de porc à la sauce BBQ chipotle, oignons rouges, cheddar Perron. Hamburger «Le Tom Pouce»: fromage, laitue, sauce rosée, cornichons.
PRIX Midi: F. 13$ à 18$
Soir: C. 21$ à 35$
OUVERTURE: Dim. à jeu. 11h30 à 23h. Ven et sam. 11h à minuit.
NOTE: 15 choix de vins au verre. Petit-déjeuner 7 jours, 7h à 11h30, 7$ à 15$ à la carte. Ambiance festive.
COMMENTAIRE: Pour un burger sur le pouce servi sur pain de chez Paillard avec des frites faites de pommes de terre de L'Île-d'Orléans, Les Trois Garçons sont tout indiqués. Également un choix de

salades repas, dont la César. Cadre urbain, jeune et branché. Petit déjeuner tous les jours de la semaine. Le trio de propriétaires dirige également Sapristi, une pizzeria sise au 1001, rue Saint-Jean.

PUB ST-ALEXANDRE ★★
1087, rue Saint-Jean, QUÉBEC
Tél.: 418-694-0015
SPÉCIALITÉS: Salade de saumon fumé, canneberges confites. Fish and chips. Pavé de saumon boucané à l'Iroquoise. Steak-frites. Saucisses et choucroute. Pizza et côtes levées Saint-Alexandre. Saucisses artisanales, sans gms, sans gluten.
PRIX Midi: T.H. 10$ à 22$
Soir: C. 34$ à 58$ T.H. 30$ à 36$
OUVERTURE: 7 jours 11h30 à 22h. Bar ouvert entre minuit et 3h du mat. selon l'achalandage, 18 ans et plus. Fermé 25 déc.
NOTE: Grande variété de 200 bières importées, 24 sortes de bières pression. Plus de 50 marques de scotchs malt. 10 spectacles/sem. jazz, blues, folk. 4 à 7 jazz mer. à ven.
COMMENTAIRE: Une destination pour les bières du monde et les scotchs, dont le volet restauration n'est pas accessoire et se révèle plus soigné qu'il n'apparaît. Outre les burgers garnis avec originalité comme le Downton Abbey (fromage bleu, bacon, piment banane), on y trouve la section des grillades qui offre également un rapport qualité-prix inattendu des plus satisfaisants.

RESTAURANT DU MUSÉE ★★★
1, rue Wolfe-Montcalm, QUÉBEC
Tél.: 418-644-6780
SPÉCIALITÉS: Boudin noir, purée de céleri-rave, shiitake, asperges poêlées. Queue de veau Charlevoix braisée, champignons sauvages. Poire pochée miel et lavande.
PRIX Midi: T.H. 14$ à 23$
Soir: C. 26$ à 44$ T.H. 14$ à 23$
OUVERTURE: Mar. et jeu. à dim. 10h à 17h. Mer. 10h à 20h. Ouvert lun. en été selon l'horaire du musée. Fermé lun. début sept. à fin mai. Fermé 25 déc.
NOTE: Membre Saveurs et terroir, et Kiroul. Cuisine inspirée des expositions du musée.
COMMENTAIRE: Une adresse qui ne perd pas de sa pertinence à l'heure du midi. Le chef Jean-Pierre Cloutier axe toujours sa cuisine du marché sur les produits locaux qu'il assemble avec délicatesse, usant de fleurs et de végétaux. La salle mériterait toutefois d'être rafraîchie et le service resserré afin qu'il soit en synergie avec la qualité de la table.

CRÊPERIE

CRÊPERIE LE BILLIG ★★
481, rue Saint-Jean, QUÉBEC
Tél.: 418-524-8341
SPÉCIALITÉS: Cancalaise (pétoncles, fondue de poireaux, beurre blanc au citron). Béarn (galette de sarrasin, canard confit, épinards, fromage de chèvre, confit d'oignons rouges au vin rouge). Ris de veau sautés aux pleurotes, gratin de pommes de terre feuilleté. Salidou (caramel au beurre salé maison, crème Chantilly).
PRIX Midi: T.H. 14$ à 26$
Soir: C. 20$ à 55$
OUVERTURE: Lun. à ven. 11h à 22h. Sam et dim. 10h à 22h. Fermé 25 déc. et 1er janv.
NOTE: Crêpes bretonnes traditionnelles. Plats bistro et choix à l'ardoise.
COMMENTAIRE: Une adresse sympathique à petits prix, où les crêpes copieuses sont garnies avec des assemblages originaux d'ingrédients. Également au menu de très bonnes soupes du jour et des plats bien mijotés, dont le cassoulet. Toujours aussi chaleureux, sympa et bon. Il y a désormais 48 places à la suite du déménagement.

FRANÇAIS

AUBERGE LOUIS-HÉBERT ★★★★[ER]
668, de la Grande-Allée E., QUÉBEC
Tél.: 418-525-7812
SPÉCIALITÉS: Navarin de homard entièrement décortiqué, pâtes fraîches, beurre de homard. Tartare de saumon. Pot-au-feu de fruits de mer. Suprême de canard rôti. Carré d'agneau rôti en croûte d'olives et parmesan. Trio de trois chocolats (crème glacée). Gâteau fromage et sirop d'érable.
PRIX Midi: F. 15$ à 20$
Soir: C. 44$ à 76$ T.H. 22$ à 39$
OUVERTURE: Lun. à ven. 11h30 à 14h30. 7 jours 17h à 23h. Fin juin à mi-oct. 7 jours 11h30 à 23h.
NOTE: T.H. change chaque jour. Menu change aux trois mois. Petit déjeuner en semaine, 7h à 11h. 6 salons privés 2 à 40 pers.
COMMENTAIRE: Une salle arrière au style moderne et épuré sert d'écrin à une cuisine classique dressée de manière plus contemporaine. La prestation générale s'avère plus constante que jamais. Au fil des ans, la cuisine du chef Hervé Toussaint ne perd ni sa grâce ni ce savoir-faire savoureux.

BISTRO B par François Blais ★★★★
1144, av. Cartier, QUÉBEC
Tél.: 418-614-5444
SPÉCIALITÉS: Torchon de foie gras. Risotto au goût du jour. Tartare au goût du jour. Ris de veau en croûte de maïs, gnocchi aux chanterelles. Crème brûlée du jour.
PRIX Midi: F. 17$ à 20$
Soir: C. 40$ à 63$
OUVERTURE: Lun. à ven. 11h30 à 14h. 7 jours 18h à 23h. Fermé 24 et 25 déc. Fermé midi jours fériés.
NOTE: Cuisine ouverte, 20 places assises au comptoir devant celle-ci. Menu à l'ardoise. Terrasse pour l'apéro.
COMMENTAIRE: François Blais renouvelle son ardoise au quotidien (quelques choix d'entrées et plats bien ciblés) avec les produits de saison. Sa cuisine est goûteuse et inventive sans être inutilement complexe. Réservez au comptoir pour observer sa brigade à l'œuvre. Le menu du midi se veut une introduction. À signaler le brunch de la fin de semaine ainsi qu'un volet cocktails très inspiré.

BISTRO LA COHUE ★★★
3440, ch. des Quatre-Bourgeois, SAINTE-FOY
Tél.: 418-659-1322
SPÉCIALITÉS: Carpaccio de betteraves et chèvre chaud. Pavé de foie de veau poêlé, sauce Bercy et bacon. Ris de veau, sauce crème Frangelico. Boudin noir à la crème de cognac, pommes sautées et endives. Bagdad café, praliné, ganache au chocolat blanc, montée à la Chantilly, aromatisée de café.
PRIX Midi: T.H. 16$ à 24$
Soir: C. 21$ à 55$ T.H. 26$ à 39$
OUVERTURE: Lun. à ven. 11h30 à 22h. Sam. et dim. 9h30 à 22h. Fermé lun. fériés et pour la période de Noël.
NOTE: Belle carte des vins. Choix de 25 vins au verre. Musique française. Groupe jazz sept. à juin sam. 18h à 21h30.
COMMENTAIRE: L'accueil chaleureux par les propriétaires de ce sympathique bistro se révèle une valeur ajoutée à une cuisine où les grillades (une mention spéciale pour les sauces) et les ris de veau se distinguent. Notez que la table d'hôte du midi, très étoffée, réserve de nombreuses surprises. Une salle à l'arrière permet les réunions.

ESPACE MC CHEF ★★★★
55, rue Dalhousie, QUÉBEC
Tél.: 418-694-9792
SPÉCIALITÉS: Foie gras et nem de canard, purée de pêches. Pé-

toncles snackés, risotto crémeux rouge à la betterave, poêlée de champignons. Agneau façon tajine, mijoté de pommes de terre à la chair de merguez, côte double et son rôtisson, jus corsé au vinaigre de citron et romarin, abricots séchés.
PRIX Midi: T.H. 20$
Soir: C. 61$ à 71$
OUVERTURE: Lun. à ven. 11h30 à 14h. Mar. à sam. 18h à 21h30. Fermé dim. et 1re sem. de janv.
NOTE: Cuisine à aire ouverte. Service à domicile et de traiteur. Cuisine flexible et sur mesure selon les goûts. Menu change tous les mois.
COMMENTAIRE: La chef Marie-Chantal Lepage s'est créé un lieu unique où elle peut déployer ses multiples talents. Outre l'espace resto où les convives la voient à l'œuvre, la chef, qui prise les produits locaux, offre un service de traiteur et des cours de cuisine en plus de tenir une petite table (café et sandwichs) et une boutique de produits coups de cœur. En regard de la prestation et de la générosité des produits, la chef Lepage offre l'un des meilleurs rapports qualité-prix dans sa catégorie.

L'AFFAIRE EST KETCHUP ★★★★ (bistro)
46, rue Saint-Joseph Est, QUÉBEC
Tél.: 418-529-9020
SPÉCIALITÉS: Pétoncles U10 poêlés, sauce vierge. Ris de veau, crème tartufata. Surlonge de bison de la ferme Takawana, purée de pommes de terre, sauce champignons. Brownie aux noix et au chocolat hyperfondant.
PRIX Midi: (fermé)
Soir: C. 51$ à 61$
OUVERTURE: Mar. à dim. deux services: 18h et 20h30. Fermé lun., 24, 25 et 31 déc, 1er janv. et 24 juin.
NOTE: Réserv. obligatoire. Produits du marché. Menu change tous les jours. Carte des vins 100% d'importation privée, plusieurs vins biologiques.
COMMENTAIRE: Spécialiste de la cuisine qui varie tous les jours sur l'ardoise, L'Affaire est ketchup est une vraie adresse de cuisine du marché qui n'a pas perdu de sa pertinence. Les viandes braisées y sont excellentes et le prix des vins au verre est très raisonnable. Un petit bistro chaleureux où il faut impérativement réserver.

LA GIROLLE ★★★
1384, ch. Sainte-Foy, QUÉBEC
Tél.: 418-527-4141
SPÉCIALITÉS: Poêlée de pétoncles et crevettes. Boudin noir maison, caramel d'épices. Magret de canard aux petits fruits. Feuilleté d'escargots au bleu. Ris de veau braisés aux champignons sauvages. Crème brûlée aux saveurs variées.
PRIX Midi: F. 16$ à 23$
Soir: C. 36$ à 59$ F.18$ à 37$
OUVERTURE: Mar. à ven. 11h30 à 14h. Mar., mer., dim. 17h30 à 21h. Jeu. à sam. 17h30 à 22h. Fermé lun. Fermé 24, 25, 26 et 31 déc., 1er et 2 janv., 2 dern. sem. de juil. et 1re sem. d'août.
NOTE: Carte à l'ardoise variant selon les produits de saison. Desserts 5$ à 7$. Assiette de fromages du Québec/2 pers. 11$.
COMMENTAIRE: Bien que la décoration soit d'une sobriété extrême et le service parfois expéditif le midi, La Girolle constitue une adresse fiable pour déguster une cuisine française classique mais très bien faite, où les sauces sont exquises. L'assiette est très généreuse et toujours brûlante.

LA PLANQUE ★★★★
1027, 3e Avenue, QUÉBEC
Tél.: 418-914-8780
SPÉCIALITÉS: Homard de la Gaspésie, mayonnaise à l'oursin, tomates, cresson, vinaigrette de bisque de homard, chips de pain. Pétoncles de la baie de Fundy crus, sorbet avocat, ponzu, concombre mariné, huile d'herbes. Longe rôtie, épaule BBQ, polenta, olives noires, tomates, feta, purée d'herbes, jus de cochon.
PRIX Midi: F. 15$ à 19$
Soir: C. 42$ à 50$
OUVERTURE: Mar. à ven. 11h30 à 14h. Mar. à sam. 17h30 à 22h. Fermé sam. midi, dim. et lun. Fermé 24 et 25 déc.
NOTE: Soir, menu gastronomique au comptoir cuisine ou à partager dans salon privé 50$, accords mets et vins 80$, 12 pers. max. sur réserv.
COMMENTAIRE: Le grand gagnant de l'émission Les chefs! 2011, Guillaume St-Pierre, officie dans un bistro urbain où il propose une cuisine a priori simple, fraîche et tonique orientée sur les saisons. Sa carte tourne régulièrement ainsi que les garnitures toutes plus variées les unes que les autres. Une adresse qui combine qualité à l'assiette et atmosphère décontractée et actuelle. Plus qu'une adresse tendance, La Planque démontre toujours le même sérieux et un bon niveau de créativité.

LAURIE-RAPHAËL ★★★★★
Restaurant de l'année Debeur 2005
Restaurant Atelier Boutique
117, rue Dalhousie,
VIEUX-PORT, QUÉBEC
Tél.: 418-692-4555
SPÉCIALITÉS: Tartare de bœuf, tomates cerise, réduction de balsamique, yaourt bufflonne. Fois gras et fleurs de courgette, jus de viande aux petits fruits. Pétoncle et flétan, minestrone estival, herbes maritimes, gourganes et petits pois. Gâteau aux fraises de l'Île d'Orléans.
PRIX Midi: T.H. 23$ à 29$
Soir: C. 71$ à 92$ T.H. 60$ à 115$
OUVERTURE: Mar. à ven. 11h30 à 14h et 17h30 à 22h. Sam. 17h30 à 22h. Fermé dim., lun., 24 et 25 déc. et 3 prem. sem. de janv.
NOTE: T.H. du soir Chef-chef (menu à l'aveugle, au choix du chef). Menu dégustation 5 serv. 80$, accord vins +55$, 10 serv. 115$, accord vins +75$. Menu change aux saisons. Vins au verre. Brunch fête des Mères, Pâques. Près du Musée de la civilisation. Stationnement à l'arrière.
COMMENTAIRE: Pédagogue reconnu à l'émission Les chefs!, Daniel Vézina endosse toujours son statut de chef avec le même sérieux à travers ses menus saisonniers qu'il concocte avec son fils Raphaël, une relève fiable, inspirée et très talentueuse. Leur complicité teinte positivement la prestation d'une assiette toujours axée sur les saveurs franches, l'innovation et les possibles de produits ultra-respectés. À la carte se greffent des événements ponctuels tels que le menu cabane à sucre, une initiative valorisant l'un des plus nobles produits québécois, le sirop d'érable. Le service est toujours aussi prévenant et professionnel sans être guindé.

LE BISTANGO ★★★★ (bistro)
Hôtel ALT Québec
1200, rue Germain-des-Prés,
SAINTE-FOY
Tél.: 418-658-8780
SPÉCIALITÉS: Saisie de pétoncles. Foie gras. Tartare de saumon. Tapas. Risotto de homard. Sole de Douvres meunière. Steak de thon à l'huile de noix. Carré d'agneau au fromage bleu. Dôme au chocolat. Fondant au chocolat.
PRIX Midi: T.H. 16$ à 20$
Soir: C. 26$ à 56$ T.H. 36$ à 42$
OUVERTURE: Lun. à ven. 11h30 à 15h et 17h30 à 23h. Sam. 17h30 à 23h. Dim. 8h à 14h et 17h30 à 22h. Fermé midi jours fériés et le 24 déc. Petit déjeuner lun. à ven.
NOTE: Pâtes et pâtisseries maison. Bon choix de portos de réputation. Cellier réfrigéré 900 bouteilles. Salons privés de 10 à 100 pers., sur réserv.
COMMENTAIRE: Un décor contemporain et feutré met en valeur

les cuisines respectives des chefs Sylvain Lambert et Annie Veillette qui cosignent une carte classique (tartares, carré d'agneau, ris de veau, etc.) sans être conventionnelle grâce à des garnitures foisonnantes. Service précis et alerte.

LE BISTROT CLOCHER PENCHÉ
★★★★ (bistro)
203, rue Saint-Joseph E., QUÉBEC
Tél.: 418-640-0597
SPÉCIALITÉS: Tartare de saumon au pamplemousse et poivre rose. Boudin noir. Canaille de bistro en cocotte de terre cuite, servie à la table (2 pers). Cochonnet de la ferme Turlo laqué au vinaigre d'érable. Fromage frais maison, faisselle au sirop d'érable.
PRIX Midi: F. 17$ à 20$
Soir: C. 37$ à 50$
OUVERTURE: Mar. à ven. 11h30 à 14h. Sam. et dim. 9h à 14h. Mar. à sam. 17h à 22h. Fermé dim. soir et lundi. Fermé durant les fêtes de fin d'année.
NOTE: Desserts maison. Belle carte des vins, 100% d'importation privée, dont 60% de vins biologiques, 225 étiquettes. Ouvert sam. et dim. pour le brunch.
COMMENTAIRE: De plus en plus tourné vers la cuisine dite de réconfort, le Clocher penché apporte des notes contemporaines à la blanquette de veau, réinvente la cocotte à partager, tout en mettant les producteurs à l'avant-scène (Ferme Turlo, Ferme Eumatimi). Salé ou sucré, son fromage faisselle mérite la visite. Beau lieu de découvertes viticoles et superbe brunch.

LE BOUCHON DU PIED BLEU
★★★ (bistro)
181, rue Saint-Vallier O., QUÉBEC
Tél.: 418-914-3554
SPÉCIALITÉS: Cervelle de Canut. Cromesqui, sauce gribiche. Tablier de sapeur: tripes de bœuf panées à l'anglaise. Quenelle de poisson sauce Nantua. Andouillette sauce moutarde. Boudin noir maison aux pommes. Buffet de desserts maison.
PRIX Midi: T.H. 16$ à 20$
Soir: C. 39$ à 55$ T.H. 25$ à 60$
OUVERTURE: Mer. à ven. 11h30 à 14h30 et 18h à 21h30. Sam. et dim. 10h à 14h. Sam. 18h à 21h30. Fermé 25 déc. et 3 sem. en janv.
NOTE: Cuisine de bouchon lyonnais au Québec. Vins Côtes du Rhône et Beaujolais d'importation privée.
COMMENTAIRE: Ni plus ni moins qu'une référence à Québec pour déguster des abats selon les règles du bouchon lyonnais. À la carte, des cochonnailles, du foie gras, des tripes, de l'andouillette et un ragoût d'abattis, mais également des poissons et un plat végétarien pour ceux qui les préfèrent. Une table très prodigue surtout si l'on opte pour le menu avec le défilé de saladiers, plats, desserts et fromages. Unique! Depuis juillet dernier, le bouchon s'est doté d'une buvette, Le Renard et la chouette (125, rue Saint-Vallier Ouest) avec tout ce qu'il faut pour commencer la journée et la finir en beauté autour d'un verre de vin.

LE CAFÉ DU MONDE ★★★
84, rue Dalhousie #140, QUÉBEC
Tél.: 418-692-4455
SPÉCIALITÉS: Pavé de foie gras poêlé, pain brioché aux bananes. Pavé de saumon grillé, salsa de mangue et coriandre. Tartare de bœuf ou de saumon. Confit de canard à la sarladaise laqué aux figues. Crème brûlée.
PRIX Midi: F. 15$ à 20$
Soir: C. 28$ à 74$ T.H. 34$ à 39$
OUVERTURE: Lun. à ven. 11h30 à 23h. Sam. et dim. 9h à 23h.
NOTE: Ardoise de poissons selon les arrivages. Site exceptionnel, vue sur le fleuve. Carte des vins change chaque sem. 60% d'importation privée. Vin au verre et en demi-bouteille.
COMMENTAIRE: L'arrivée du chef Éric Boutin à la barre du Café du monde se remarque particulièrement sur des tables d'hôte du midi plus soignées. Ce dernier amène également plus loin le volet fruits de mer et poissons à l'ardoise. Les apprêts sont plus recherchés qu'auparavant. Bien sûr, les classiques boudin, foie de veau et confit de canard conservent toujours la cote dans l'établissement qui sert le vin «du verre jusqu'à plus soif». À noter la sélection d'huîtres fraîches selon les arrivages. De nombreux festivals bonifient la carte régulière. Au dessert, le riz au lait justifie à lui seul la visite.

L'ÉCHAUDÉ ★★★★
73, rue Sault-au-Matelot, QUÉBEC
Tél.: 418-692-1299
SPÉCIALITÉS: Risotto au homard. Nage de poissons et mollusques au court-bouillon de homard. Tartare de saumon ou de bœuf. Confit de canard, salade et frites allumettes. Étagé de boudin et pommes de terre, crumble de noisettes, foie gras poêlé. Tarte au sucre.
PRIX Midi: T.H. 15$ à 28$
Soir: C. 45$ à 67$ F. 38$ à 57$
OUVERTURE: Lun. à ven. 11h30 à 14h30. Sam. et dim. 10h à 14h. 7 jours 17h30 à 22h.
NOTE: Menu midi 3 entrées 20$. Café espresso inclus avec le repas. Carte des vins, 250 étiquettes. 25 choix de vins au verre. Bar.
COMMENTAIRE: Depuis 1984, L'Échaudé maintient le cap sur une cuisine fraîcheur qui concilie la tendance bistro (avec les tartares et grillades) et un volet de cuisine du marché plutôt recherché. Voilà une adresse constante où l'on boit bien dans une atmosphère de grand bistro parisien. Sa salle ne vieillit pas. Une institution. Très agréable terrasse piétonnière en saison.

LE GALOPIN ★★★★
3135, ch. Saint-Louis,
SAINTE-FOY
Tél.: 418-652-0991
SPÉCIALITÉS: Foie gras poêlé. Tartares (thon, pétoncles, canard fumé, saumon, bœuf). Rôti d'entrecôte façon Rossini, sauce truffe et échalote. Ris de veau braisé, jus aux lardons et bière rousse. Crème brûlée de saison.
PRIX Midi: T.H. 17$ à 25$
Soir: C. 46$ à 81$ T.H. 36$ à 50$
OUVERTURE: Lun. à ven. 11h30 à 14h. 7 jours 17h30 à 22h. Petit déjeuner lun. à sam. 7h à 10h, dim. 7h à 9h. Fermé 24, 25, 31 déc. et 1er janv. Fermé midi jours fériés.
NOTE: Bar à tartares. T.H. soir 4 serv. Soir «menu plaisir à 2», à partir de 90$/2, bouteille de vin incluse.
COMMENTAIRE: Présentation très soignée. Cuisine avec les produits du Québec. L'établissement est doté d'un bar à tartares dont la popularité, la qualité des produits et l'originalité des assemblages ne se démentent pas. Autour de ce bar qui fait office de table froide, les convives assistent à la confection de leur tartare (bœuf, saumon...) en direct. Service professionnel et aimable.

LE MOINE ÉCHANSON
★★★[ER] (bistro)
585, rue Saint-Jean, QUÉBEC
Tél.: 418-524-7832
SPÉCIALITÉS: Gaspacho de tomates et lavande. Tarte alsacienne. Brandade de morue et de porc effiloché. Chorizo grillé, rillettes de sardines au citron confit. Petit salé aux lentilles. Choucroute. Caillette braisée. Poulet au curcuma, pieuvre au paprika, croquettes de paella.
Soir: C. 33$ à 39$
OUVERTURE: Mar. à sam. 11h à 15h. Mar. à jeu. et dim. 18h à 22h. Ven. et sam. 18h à 23h. Lun. 18h à 23h (1er juil. au 15

sept.). Fermé 24 au 26 déc. et 1er janv.
NOTE: Formule midi sandwich seulement et verre de vin 10$. Chaque saison, une région vinicole est à l'honneur dans le verre et dans l'assiette. Carte des vins, 100% vins natures d'importation privée. Formule bouchées: 16h à 19h et après 23h.
COMMENTAIRE: Découvertes viticoles des grands terroirs du monde et cuisines régionales sont ici indissociables. Bien sûr, les cochonnailles occupent un large pan de la carte, mais au fil des ans plus de poissons et de fruits de mer, ainsi que certains mets moins carnés, ont été introduits à l'ardoise saisonnière. Excellent service-conseil sur les vins.

LE PAIN BÉNI ★★★
Auberge place d'Armes
24, rue Sainte-Anne, QUÉBEC
Tél.: 418-694-9485
SPÉCIALITÉS: Boudin noir fait maison. Homard poché au beurre citronné, ris de veau croustillant. Pavé de flétan croustillant et pousses du Québec. Baba à la bière et au café.
PRIX Midi: T.H. 16$ à 20$
Soir: C. 46$ à 71$ T.H. 30$ à 48$
OUVERTURE: Juin au 1er nov. 7 jours 11h30 à 15h et 17h30 à 22h. Nov. à juin, lun. à ven. 11h30 à 13h30. Mar. à sam. 17h30 à 21h.
NOTE: Soir. repas 3 entrées 36$. T.H. midi la sem. seulement. Service de traiteur. Valet gratuit en soirée. Petit déjeuner 7h30 à 10h.
COMMENTAIRE: À l'ombre du Château Frontenac et à quelques pas de la rue du Trésor, ce restaurant transcende, et de loin, la définition d'«adresse pour touristes». Pour sa cuisine moderne qui privilégie les produits de proximité comme le porcelet de la Ferme Turlot, Le Pain béni mérite d'être découvert le soir plutôt qu'à l'heure du lunch. Forts présents dans les plats, les légumes ont droit à un traitement inspiré. Le boudin est fait maison. Décor à la fois épuré, pimpant et lumineux fort agréable.

LE PATRIARCHE ★★★★★
17, rue Saint-Stanislas, QUÉBEC
Tél.: 418-692-5488
SPÉCIALITÉS: Trilogie de gibier: marcassin bardé, haricots verts, coulis de tomates aux épices; suprême de pigeon fumé, millefeuille de pommes de terre et céleri; caribou, courgette farcie, jus à l'aulne crispé. Trilogie d'agneau: poêlé, gelée de poivrons rouges; braisé, purée de pois chiches, raviole; en merguez, semoule, légumes au Ras-el-hanout. Mourir de chocolat.
PRIX Midi: (fermé)
Soir: T.H. 85$ à 110$
OUVERTURE: Mar. à dim. 17h30 à 22h30. Été, 7 jours 17h30 à 22h30. Ouvert midi pour groupes + de 20 pers. Fermé 25 déc.
NOTE: Produits du Québec. Soirée thématique sur les vins. Cave à vin 75% d'importation privée. Sélection de vins à partir de 39$.
COMMENTAIRE: Le chef Stéphane Roth réfléchit sa cuisine selon trois vecteurs, le produit local, le gibier et la formule de déclinaison en multiples de trois qu'il maîtrise parfaitement. Sa formule unique est à la fois ludique, élégante et justifiée par un souci de mise en valeur du produit. Perfectionniste, le chef fait tout sur place, des fonds jusqu'au pain. Un restaurant à découvrir impérativement autant pour la table que la courtoisie de la brigade en salle. Suivant ce parti pris de bien faire les choses dans le respect du produit, l'équipe de Patriarche a ouvert dans l'Hôtel du Vieux-Québec (1190, rue Saint-Jean) la rôtisserie biologique Le Tournebroche.

LE QUAI 19 ★★★★
48, rue Saint- Paul, QUÉBEC
Tél.: 418-694-4448
SPÉCIALITÉS: Pétoncles de la Côte-Nord, petits pois d'ici, nage au beurre citronné, oignons nouveaux et pommes de terre parisiennes. Risotto lié au fromage fin d'ici, fleur d'ail et trompettes de la mort, chanterelles du Québec. Dessert de maïs, crème brûlée au maïs, framboises du Québec, sphère de framboise.
PRIX Midi: F. 15$
Soir: C. 29$ à 53$
OUVERTURE: 7 jours 11h30 à 14h30 et 17h à 22h. Petit déjeuner 7 jours, 7h à 11h.
NOTE: Carte des vins, 90% d'importation privée.
COMMENTAIRE: L'émission Les chefs! voit un autre de ses gagnants à l'avant-scène d'un restaurant. Ainsi, Dominic Jacques de la cohorte 2012 exerce maintenant au Quai 19 avec le respect de la saveur de la matière première et un plaisir manifeste à dresser des plats d'une élégante fraîcheur. Il est évident, au fil des visites, que Dominic Jacques sait réinventer le plateau d'huîtres autant que les pétoncles et le foie gras, deux autres produits qu'il sort de l'ordinaire.

LE SAINT-AMOUR ★★★★★
Restaurant de l'année Debeur 2011
48, rue Sainte-Ursule, QUÉBEC
Tél.: 418-694-0667
SPÉCIALITÉS: Poêlée chaude de foie gras à la fleur de sel. Pigeonneau, cuisse farcie et confite au foie gras, poêlée de champignons sauvages, jus de presse au Xérès. Ris de veau, gnocchis à la courge butternut, fondant d'oignons et épinards, jus crémeux au muscat de Samos. Distinction de chocolat Valrhona.
PRIX Midi: T.H. 18$ à 30$
Soir: C. 71$ à 112$ T.H. 65$ 5 serv.
OUVERTURE: Lun. à ven. 11h30 à 14h30. Sam. 17h30 à 22h30. Dim. à ven. 18h à 22h30. Fermé midi sam. et dim., et le midi entre Noël et jour de l'An.
NOTE: Menu dégustation 9 serv. 115$. Service de traiteur. Voiturier. Caviar de la Colombie-Britannique. «Notre Signature», palette gourmande de mignardises: chocolats, verrines, macarons et multiples tentations.
COMMENTAIRE: Établissement ouvert depuis 1978, où le foie gras est toujours l'un des produits privilégiés (en terrine, poêlé, etc.) et où les meilleurs produits (cerf de Boileau, pigeonneau Turlo, etc.) sont traités avec déférence. Dans ce restaurant de haut calibre, un service extrêmement courtois contribue à l'expérience. Des chefs étrangers viennent ponctuellement présenter leurs spécialités à l'invitation de Jean-Luc Boulay dont la réputation n'est plus à faire. De plus en plus, le chef introduit des produits tirés de la forêt boréale à ses menus. Carte des vins d'exception.

LES FRÈRES DE LA CÔTE ★★★[ER] (bistro)
1129, rue Saint-Jean, QUÉBEC
Tél.: 418-692-5445
SPÉCIALITÉS: Pissaladière. Tartare de saumon. Bouillabaisse. Foie de canard, brioche grillée, gelée de Fariquet. Fish and chips. Bavette de cheval, frites et salade. Foie de veau à la paysanne. Tarte Tatin.
PRIX Midi: F. 12$ à 19$
Soir: C. 30$ à 58$ T.H. 26$ à 28$
OUVERTURE: Lun. à ven. 11h30 à 22h. Sam. et dim. 10h30 à 22h.
NOTE: Moules-frites à volonté tous les jours sauf juil. et août. Pizzas pâte mince authentique. Cellier vitré en salle. Très belle carte des vins, 20% d'importation privée.
COMMENTAIRE: Un rendez-vous dans le Vieux-Québec pour un repas gourmand dans le sens de l'abondance et de la générosité. On y sert toujours une cuisine de type bistro au sens littéral (parfois conventionnelle), mais qui fait mouche comme le gigot d'agneau.

Un lieu animé et une équipe en salle très sympa. Le fait de déménager n'a pas altéré l'âme de ce bistro. Au contraire, l'adresse gagne en modernité. De quoi séduire une nouvelle clientèle.

LES SALES GOSSES
★★★★ (bistro)
620, rue Saint-Joseph E.,
QUÉBEC
Tél.: 418-522-5501
SPÉCIALITÉS: Trilogie de foie gras. Cobia, purée de carottes et gingembre, sauce vierge. Longe de sanglier dans son flanc, marrons, champignons. Cuisse de bisonneau, pétoncles fumés, King braisé. Crèmes glacées maison.
PRIX Midi: C. 45$ à 62$
Soir: Idem
OUVERTURE: Lun. à mer. 11h30 à 21h30. Jeu. et ven. 11h30 à 22h30. Sam. 18h à 22h30. Fermé dim., 24 et 25 déc.
NOTE: Menu dégustation 5 serv. 60$, 7 serv. 88$. Portes acordéons s'ouvrant sur la rue l'été. Cave à vin 90% d'importation privée.
COMMENTAIRE: Les Sales Gosses conjuguent bistronomie et terroir dans une carte qui tourne et valorise les produits de saison et les artisans locaux. Si l'atmosphère a peu changé depuis Les Bossus (l'ancien occupant du local), la cuisine servie témoigne d'un souci d'amener le bistro plus loin. Service décontracté mais non dépourvu d'attention pour optimiser l'expérience client. À découvrir.

PANACHE ★★★★★
Auberge Saint-Antoine
10, rue Saint-Antoine, QUÉBEC
Tél.: 418-692-1022
SPÉCIALITÉS: Pétoncles des Îles de la Madeleine. Girolles et livèche en minestrone avec gnocchi de ricotta. Canard de Saint-Apollinaire et du Canard Goulu laqué à l'érable. Ris de veau de la Mauricie en croûte de maïs, gnocchi aux champignons. Millefeuille à la vanille, petits fruits du jardin de madame Price.
PRIX Midi: T.H. 20$ à 39$
Soir: C. 59$ à 103$
OUVERTURE: Lun. à ven. midi à 14h. 7 jours 18h à 22h.
NOTE: Situé dans un ancien entrepôt maritime sous un plafond cathédrale. Menu signature 7 serv. 105$, avec vins supplément de 95$ ou 130$. Brunch jour de l'An, Noël, Pâques et fête des Mères. Salle de banquet 80 pers. Très beau cellier, choix de 700 étiquettes et plus de 12 000 bouteilles. Auditorium pour conférences, 100 pers. Auberge Saint-Antoine avec exposition d'artefacts. Quatre établissements saisonniers: Panache mobile à l'Île d'Orléans et à Québec, Café de la promenade au Quai des Cageux et Panache du parc dans le Bois-de-Coulonge à Sillery.
COMMENTAIRE: Malgré son jeune âge, Louis Pacquelin a su prendre les rênes de Panache avec brio tout en apprivoisant très rapidement les produits du Québec. Toujours dans un style de cuisine qui allie élégance, savoir-faire européen et terroir québécois, le chef intègre également la notion de gourmandise à sa carte. Certes, les plats témoignent d'un grand raffinement sans pour autant négliger l'élément épicurien (portions plus généreuses, classiques revisités, etc.) qui faisait défaut à son prédécesseur. Le sommelier Jean Moffet exerce toujours un rôle-conseil avec une judicieuse acuité. Service très courtois. Cadre patrimonial d'exception alliant confort et modernisme.

PARIS GRILL ★★★ (bistro)
Complexe Jules-Dallaire
2820, bd Laurier, QUÉBEC
Tél.: 418-658-4415
SPÉCIALITÉS: Trilogie d'abats. Carpaccio de bœuf, huile vierge aromatisée. Grands crus de tartare (10 sortes). Côtes levées de Paris Grill. Carrousel de verrines.
PRIX Midi: F. 14$ à 22$
Soir: C. 26$ à 57$ T.H. 28$ à 36$
OUVERTURE: Dim à mar. 11h à 22h. Mer. à sam. 11h à 23h. Petit déjeuner lun. à ven. 7h à 11h, brunch sam. et dim. Fermé 24 déc. au soir et 25 déc.
NOTE: Carte des vins 80 à 90% d'importation privée. Stationnement souterrain gratuit.
COMMENTAIRE: Une belle brasserie à l'ambiance parisienne où, avec quelques plats mijotés, les steaks frites et les tartares ont la vedette. Retenez la vaste sélection de vins au verre, le service professionnel et décontracté ainsi qu'une carte réjouissante de desserts.

RESTAURANT CHAMPLAIN
★★★★[ER]
Fairmont le Château Frontenac
1, rue des Carrières, QUÉBEC
Tél.: 418-692-3861
SPÉCIALITÉS: Chaud-froid de homard à la noix de coco. Poulet Chanteclerc au cidre de glace de la Face Cachée de la Pomme en deux services. Contre filet de brebis laitière cuit doucement. Filet de cerf rouge aux jeunes pousses de cèdre. 7 textures autour du sirop d'érable. Beignet au chocolat amer, compote de figues séchées au Neige Noir.
PRIX Midi: (fermé)
Soir: C. 52$ à 84$ T.H. 88$
OUVERTURE: Mar. à dim. 17h30 à 22h. Fermé lun.
NOTE: Plusieurs formules de table d'hôte à Champlain, certaines mettent à l'honneur des accords avec les vins signés François Chartier. Nouveau cellier 1600 bouteilles. Cellier à fromages du Québec dans le restaurant Champlain.
COMMENTAIRE: Fairmont Le Château Frontenac présente un nouveau visage. Complètement rénovés et réactualisés, les restaurants proposent une offre renouvelée. Le chef Stéphane Modat (L'Utopie) a pris la charge de la cuisine de Champlain. D'origine française, le jeune chef préconise une cuisine sophistiquée qui allie produits locaux, tradition française et une conception moderne de la gastronomie québécoise. Quant au bistro évolutif, Le Sam, on y avance une carte plus légère dans un cadre moins formel avec son agréable bar à cocktails. Autre destination au sein de l'établissement, le bar 1608 combine une grande sélection de vins au verre, des assiettes de fromages et de charcuteries québécoises.

RESTAURANT INITIALE
★★★★★
54, rue Saint-Pierre, QUÉBEC
Tél.: 418-694-1818
SPÉCIALITÉS: Foie gras froid crémeux, rhubarbe et compote de nectarines, brioche cacao. Saumon Sockeye mi-cuit à l'oignon fumé, oignon nouveau, mousse de ciboulette, radis, pommes nouvelles et capucines. Cuisse de canard confite, poitrine rôtie, sauce cerises, navet glacé. Abricot compoté au sirop de tussilage et mikan, Kouign Amman à l'érable, mousse de crème anglaise amandes et cormier.
PRIX Midi: T.H. 23$ à 30$
Soir: C. 89$ à 101$ T.H. 95$
OUVERTURE: Mar. à ven. 11h30 à 13h30. Mar. à sam. 18h à 21h. Fermé dim. et lun. sauf pour groupes 12 pers. et plus. Fermé 3 sem. en mars.
NOTE: Menu dégustation 8 serv. 129$, avec vin au verre si désiré.
COMMENTAIRE: Malgré la présence de grands chefs dans la région, Yvan Lebrun conserve un statut à part, celui d'orfèvre en cuisine. C'est probablement l'un des meilleurs chefs au Québec. Sa table en est une de prestige, de la mise en bouche jusqu'au dessert. De l'art à l'assiette, et ce, toujours au service des produits les plus frais, rares et fins qui soient. Le service est d'une discrétion et d'un raffinement supé-

rieurs. La salle est dirigée avec doigté et prévenance par Rolande Leclerc. L'atmosphère est relativement formelle.

RESTAURANT LE GRAFFITI ★★★★[ER]
1191, av. Cartier, QUÉBEC
Tél.: 418-529-4949
SPÉCIALITÉS: Feuilleté crevettes et pétoncles, beurre blanc aux épinards. Ris de veau, pommes et calvados. Médaillon de veau et pétoncles géants. Trilogie de canard (fondant de foie de canard, cuisse confite et magret fumé). Tarte aux pommes, sauce à l'érable.
PRIX Midi: T.H. 16$ à 27$
Soir: C. 35$ à 65$ T.H. 34$ à 44$
OUVERTURE: Lun. à ven. 11h30 à 14h30. Dim. à jeu. 17h à 23h. Ven. et sam. 17h à 23h30. Dim. 9h30 à 15h. Fermé sam. midi. Fermé 24 déc. (soir) et le 25 déc., 31 déc. (midi) et 1er janv. (midi).
NOTE: Restaurant ouvert sur la rue, belle verrière, vue sur la rue Cartier. Pâtisseries maison. Cave à vin 4 500 bouteilles, carte de vins 450 choix. Gagnant du Wine Spectator depuis 1990. Musiciens jeu. à sam. 19h à 23h.
COMMENTAIRE: Une des meilleures adresses de l'avenue Cartier. Un classique auquel on revient. Cave de réputation. Service courtois. Salons privés très intimes. Verrière toujours très convoitée par la clientèle. Décor moderne dans la salle à manger. Brunch à l'assiette de grande qualité le dimanche.

RESTAURANT SIMPLE SNACK SYMPATHIQUE ★★★
71, rue Saint-Paul, QUÉBEC
Tél.: 418-692-1991
SPÉCIALITÉS: Gâteau de crabe. Tartare de saumon au sésame, avocat, frites, salade. Ailes de canard gingembre et ail. Côtes levées légèrement fumées, frites, salade de chou maison. Jarret d'agneau du Québec, gremolata. Pot de fromage, espuma de caramel, crumble.
PRIX Midi: F. 19$ à 24$
Soir: C. 28$ à 61$
OUVERTURE: Lun. à ven. 11h30 à 22h30. Sam. et dim. midi à 22h30 en saison estivale. Hiver (nov. à mai) même horaire sauf sam. et dim. 17h à 22h30.
NOTE: Très grand choix de vins d'importation privée (85%), large sélection de vin au verre. Aucune réserv. sur la terrasse.
COMMENTAIRE: Petite table du Toast!, SSS offre une version simplifiée de la gastronomie du premier avec des tartares bien relevés et des grillades de bœuf Angus AAA. Bel endroit pour bien manger en famille ou entre amis. Depuis le printemps dernier se greffe au SSS et à Toast! le Pur Sang (830, boul. du Lac, Lac-Beauport), un bistro spécialisé dans les grillades raffinées accompagnées d'un trio de garnitures peu banales au choix (féculents, légumes, sauces).

RESTAURANT TOAST! ★★★★★
Hôtel Le Priori
17, rue Sault-au-Matelot, QUÉBEC
Tél.: 418-692-1334
SPÉCIALITÉS: Crostini de champignons frais, émulsion de volaille truffée, mozzarella di buffala fraîche. Risotto de homard poché au beurre, poireaux, tomates et parmesan. Chocophile Valhrona: bleuets du Québec mi-séchés, ganache lisse au chocolat au lait, crémeux Valhrona blanc, yaourt et caramel de bleuets translucide.
PRIX Midi: (fermé)
Soir: C. 52$ à 89$
OUVERTURE: 7 jours 18h à 22h30.
NOTE: Carte des vins avec de grandes appellations. 60% d'importation privée. Salon privé 20 pers.
COMMENTAIRE: Dix ans après le jour un, Toast! célèbre en réunissant à sa carte tous les entrées et plats sur lesquels sa réputation d'excellence s'est bâtie, dont le crostini de champignons frais (avec mozzarella di buffala) et sa résistance de suprême de canette de la ferme du Canard Goulu frit sur coffre. Disciple de Jean-Luc Boulay, le chef Christian Lemelin décline le foie gras à merveille. Très belle terrasse chauffée et couverte dans une romantique cour intérieure.

GREC

LE MEZZÉ ★★★
299, rue Saint-Paul, QUÉBEC
Tél.: 418-692-5005
SPÉCIALITÉS Pieuvre grillée, lit d'oignons rouges, réduction de balsamique. Moussaka, gratin d'aubergines à l'agneau. Gâteau au fromage feta et trilogie de figues.
PRIX Midi: F. 13$ à 20$
Soir: C. 30$ à 50$
OUVERTURE: Mar. 17h à 23h. Mer. à ven. 11h à 23h. Sam. et dim. 17h à 23h. Fermé lun., 24, 25 déc., 1er janv et 3 prem. sem. de janv.
NOTE: Repas à emporter. Carte des vins 100% d'importation privée. Alcools exclusivement grecs. Fromages importés de Grèce.
COMMENTAIRE: Le Mezzé sert de l'authentique cuisine grecque familiale avec plusieurs produits (côtelettes d'agneau, pieuvre, crevettes, etc.) vendus au poids. Tout est préparé à la minute comme dans les restaurants de bord de mer. Les calmars farcis sont extrêmement bien faits. En salle, les propriétaires sont très avenants et savent bien conseiller les clients. Jolie terrasse.

INTERNATIONAL ET MÉTISSÉ

AVIATIC - Resto Bar à vin ★★★★
450, rue de la Gare du Palais, QUÉBEC
Tél.: 418-522-3555
SPÉCIALITÉS: Pavé de bar noir rôti au miso, sauce au vin de prunes, bébé bok choy, pleurotes king, purée de pommes de terre au wasabi. Tataki de bœuf au beurre de cachou parfumé à l'huile de truffe. Noisette de cerf rôti à la mélasse et bourbon, duxelles de champignons nobles, épinards, polenta frite.
PRIX Midi: F. 17$ à 24$
Soir: C. 55$ à 62$ T.H. 42$
OUVERTURE: Lun. à jeu. 11h30 à 22h. Ven. 11h30 à 23h. Sam. 17h à 23h. Dim. 17h à 22h. Fermé Noël, midi jours fériés, lundi de Pâques et Action de grâces.
NOTE: Situé dans le Vieux-Port de Québec. Menu pour deux, le soir avec le vin, 120$ (prix varie selon menu). Salon privé, max. 30 pers. assises ou 50 pers. pour cocktail dînatoire, sur réserv.
COMMENTAIRE: Maintenant divisée en cinq sections (embarquement, décollage, en altitude, options à bord, dessert), la carte de l'Aviatic ne tourne pas pour autant le dos à l'Asie d'où proviennent les crevettes coco et l'émincé du marché de Bangkok. Sa ligne de parti internationale se fait moins tranchante, le terroir québécois plus présent et les garnitures végétales sont d'une élégante simplicité. Un autre très beau restaurant qui ne porte pas le poids des ans. Resto apprécié par une clientèle BCBG. Très bel endroit pour l'apéritif. Bar à vins et cocktails.

LE 47e PARALLÈLE ★★★
333, rue Saint-Amable, QUÉBEC
Tél.: 418-692-4747
SPÉCIALITÉS: Terrine de foie gras, marmelade de pamplemousse, truffe, vanille, gel amaretto, brioche au beurre. Tartare de bœuf à la mexicaine, tomates fumées, crème sure à l'avocat, popcorn au chili. Noix de ris de veau, croustifondant, glacé au porto, purée

d'oignons caramélisés, cheddar en feuille de brick, .
PRIX Midi: F. 17$ à 22$
Soir: C. 42$ à 71$ T.H. 45 $
OUVERTURE: Mar. à ven. 11h30 à 14h et 17h à 21h30. Sam. et dim 17h à 22h. Fermé lundi, 24 et 25 déc.
NOTE: Brunch thématique pour Pâques et la fête des Mères. Menu gastronomique 65$, accord mets et vins en surplus. On interroge les clients sur leurs allergies. Service de traiteur.
COMMENTAIRE: Situé en face du Grand Théâtre. Salle moderne et design. Très belle terrasse. Maintenant plus éclectique que mondialiste, Le 47e Parallèle tire davantage son épingle du jeu. Moins éparpillée, plus cohérente, la carte s'articule autour de produits nobles tels que du flétan et de la pintade. Ce sont les garnitures, par exemple les dattes et les épices avec la volaille, qui soulignent les influences des cuisines d'ailleurs. Ce virage lui réussit bien tout comme l'apport inestimable de la chef pâtissière Isabelle Plante (Les chefs!). Très bons tartares.

LE CERCLE ★★★[ER]
226 1/2 et 228, rue Saint-Joseph E., QUÉBEC
Tél.: 418-948-8648
SPÉCIALITÉS: Tartare de bœuf, basilic et moutarde à l'ancienne. Ris de veau en croûte, gnocchi au piment d'Espelette, champignons, asperges, coulis de carottes caramélisées, sauce truffe et lardons. Côte de porc, gremolata aux tomates, flan de porcelet rôti.
PRIX Midi: F. 13$ à 19$
Soir: C. 26$ à 54$
OUVERTURE: Lun. à mer. 11h30 à 22h30. Jeu. et ven. 11h30 à minuit. Sam. 10h à minuit. Dim. 10h à 22h30. Fermé 25 déc. et 1er janv.
NOTE: Vins 95% d'importation privée, 250 étiquettes, 20 à 25 choix de vins au verre. Cocktails maison. Salle de spectacle, galerie d'art, galerie d'art numérique. En été, on ouvre les portes vitrées. La plupart des légumes bio viennent du Cercle maraîcher, la ferme du restaurant.
COMMENTAIRE: Du 5 à 7 au brunch du dimanche, Le Cercle se veut une plaque tournante autant dans sa programmation artistique que son volet restaurant. Sa carte de grignotines couvre un large spectre, des amandes grillées au smoked meat maison, moutarde et pain inclus. L'arrivée d'Olivier Godbout s'illustre par un rehaussement dans le style des plats et les foie gras et truffe introduisent une touche bistronomique à plusieurs d'entre eux.

LE COSMOS CAFÉ ★★
575, Grande-Allée E., QUÉBEC
Tél.: 418-640-0606
SPÉCIALITÉS: Salade empereur Ming. Tartare de saumon ou de veau. Duo de filet mignon AAA et de côtes levées, choix de trois sauces. Cuisse de canard confite. Burger Highland, cheddar mi-fort, bacon, oignons frits, champignons sautés. Tortellini farcis de veau. Gâteau Coffee Crisp.
PRIX Midi: F. 13$ à 19$
Soir: C. 25$ à 59$
OUVERTURE: Dim. à ven. 11h à minuit. Sam. 11h30 à 1h du mat. Petit déjeuner 7 jours 7h à 15h. Fermé 25 déc. et 1er janv.
NOTES: Jeu. à sam. DJ 19h.
COMMENTAIRE: Le Cosmos accueille une clientèle qui aime les atmosphères branchées. La carte est diversifiée (grillades d'inspiration asiatique, pâtes, burgers, pizzas, sandwichs, etc.) et les petits déjeuners sont l'une des forces de ce resto-bar tendance. Au Cosmos de Québec, Sainte-Foy et Lévis s'est joint récemment un Cosmos dans le secteur Lebourgneuf. Avec son décor ludique, ce dernier obtient la faveur des enfants.

MONTE CRISTO L'ORIGINAL ★★★★[ER]
Château Bonne Entente
3400, ch. Sainte-Foy, QUÉBEC
Tél.: 418-650-4550
SPÉCIALITÉS: Côtelettes d'agneau, ragoût de haricots rouges, gnocchi, pancetta. Duo de bœuf wagyu braisé et petit filet mignon, purée de pommes de terre au crabe, foie gras. Gâteau redvelvet, petit gâteau au babeurre, crème fromage et gingembre, gelée de vin rouge, tire-éponge, sorbet à la griotte.
PRIX Midi: (fermé)
Soir: Menu 89$ T.H. 62$
OUVERTURE: Jeu. à sam. 18h à 22h.
NOTE: Menu dégustation 89$/pers. Coupole sur glace (fruits de mer) 100$/2 pers. Carte des vins 400 produits. Choix de vins au verre. Service de garderie gratuit dim. matin, ven. et sam. soir sur demande. Café express tous les jours, 7h à 10h. Bar cru à partir de 17h.
COMMENTAIRE: Jean-François Bélair travaille son menu gastronomique avec le souci de mettre en valeur des matières premières d'exception comme le bœuf de race wagyu. Néanmoins, le chef impose sa marque dans sa relecture du concept de grilladerie qu'il amène résolument plus loin au MC Lounge, multipliant les garnitures végétales raffinées. Sa carte d'entrées est particulièrement soignée, citons la pieuvre braisée avec pommes de terre rattes, paprika et salsa verde et son tartare de bœuf serti de tomatillos, avocat et œuf de cailles.

MONTEGO RESTO CLUB ★★★
1460, rue Maguire, SILLERY
Tél.: 418-688-7991
SPÉCIALITÉS: Carpaccio de bœuf à l'huile de truffe, duxelles champignons et artichauts. Tournedos de thon rouge, croûte de sésame, saisi sur le gril, sauce sichuanaise. Côte de veau de lait Charlevoix, tapenade d'olives noires calamata et romarin, risotto forestier. Moelleux au chocolat noir et son fondant à cœur.
PRIX Midi: T.H. 14$ à 29$
Soir: C. 35$ à 66$ T.H. 33$ à 43$
OUVERTURE: Lun. à ven. 11h30 à 14h30. Lun. et mar. 17h à 22h. Mer. à sam. 17h à 23h. Dim. 9h30 à 14h30 et 17h à 22h. Fermé sam. midi. Fermé 24 déc.
NOTE: Musiciens mer. à sam. soir dès 19h. DJ, jeu. à sam. 21h à 1h du mat. Cave à vin 2 000 bouteilles. 5 grands salons privés, 10 à 80 pers., sur réserv. On peut réserver le chef pour un menu sur mesure, 20 à 80 pers.
COMMENTAIRE: Un restaurant qui obtient toujours la cote parmi ceux qui recherchent une atmosphère festive et un menu varié. Plusieurs dégustations sous forme de déclinaisons (bœuf, saumon, etc.), les assiettes sont copieuses et colorées. Les pâtes sont préparées en demi-portions et le veau y est très bien apprêté. Salons intimes pour les groupes.

VERSA RESTAURANT-BAR ★★★ (bistro)
432, rue du Parvis, QUÉBEC
Tél.: 418-523-9995
SPÉCIALITÉS: Tartare de saumon, avocat crémeux, sésame, orange, lime. Magret de canard, dumpling de canard confit et gingembre, poêlée de shiitakes, bouillon de canard aigre-doux. Tartelette érable et pacanes: beurre d'érable, pacanes caramélisées au miel, glace vanille maison.
PRIX Midi: F. 12$ à 24$
Soir: C. 27$ à 57$ T.H. 32$ à 40$
OUVERTURE: Lun. à mer. 11h30 à 22h. Jeu. et ven. 11h30 à 23h. Sam. 17h à 23h. Dim. 17h à 22h. Fermé 24, 25 déc., 1er janv. et midi jours fériés. Du 15 oct. au 15 avril, fermé soir lun. et mar.
NOTE: Bar à huîtres toute l'année. Huîtres à 1$ au «4 à huître». Plateau de fruits de mer (homard, huîtres, palourdes, crevettes et moules). Wine Spectator 2009 à 2014. Plus de 200 références.

COMMENTAIRE: La destination huîtres à Québec. Le chef propriétaire Benoît Poliquin les sert nature sur glace ainsi que frites et au gratin. Combinant plusieurs influences (terroir québécois, Asie, cuisine française), il présente des plats à la fois généreux et dressés avec un certain minimalisme. Atmosphère branchée, particulièrement les jeudis.

ITALIEN

BELLO RISTORANTE ★★★
73, rue Saint-Louis, QUÉBEC
Tél.: 418-694-0030
SPÉCIALITÉS: Antipasto. Risotto à la bajoue de veau braisée. Tagliatelles à l'encre de sèche et aux fruits de mer, bisque au pastis. Pizza dessert à la pomme caramélisée au calvados.
PRIX Midi: F. 16$ à 20$
Soir: C. 33$ à 70$
OUVERTURE: 7 jours 11h30 à 23h.
NOTE: Pizzas au four à bois. Carte des vins 70% d'importation privée. Salon privé 16 pers.
COMMENTAIRE: Il Bello rajeunit le secteur de la rue Saint-Louis avec une restauration italienne à la mode sans que ce ne le soit au détriment de la qualité. Les pâtes très variées et gourmandes comme le spaghetti au canard et foie gras au torchon sont servies en deux formats. La carte de risottos est l'un des éléments forts du menu en raison de l'originalité des combinaisons d'ingrédients, dont le trio morue poêlée, pois verts et mascarpone. Belle terrasse à l'arrière. Personnel courtois.

CICCIO CAFÉ ★★★
875, rue Claire-Fontaine,
QUÉBEC
Tél.: 418-525-6161
SPÉCIALITÉS: Tartare de truite fumée. Mousse de foies blonds, sauce aux cèpes. Filet de saumon mariné au saké, grillé à la japonaise. Escalope de veau, champignons, pancetta. Tortellini gorgonzola et pesto de tomates séchées. Osso buco. Tiramisu au café. Crème brûlée à l'orange.
PRIX Midi: T.H. 14$ à 23$
Soir: C. 24$ à 45$ T.H. 27$ à 39$
OUVERTURE: Lun. à ven. 11h30 à 14h. 7 jours 17h à 22h. Fermé 24 et 25 déc.
NOTE: Musique d'ambiance et téléviseurs.
COMMENTAIRE: Excellentes pâtes et veau de lait. Très populaire pour dîner avant ou après le spectacle. Service attentionné. Décor moderne agréable, murs de pierres, miroirs, grandes baies vitrées. Un restaurant qui pratique toujours une politique de prix abordables au grand plaisir d'une clientèle fidèle.

LE MANOIR ★★
3077, ch. Saint-Louis, QUÉBEC
Tél.: 418-659-5628
SPÉCIALITÉS: Étagé de tartare de saumon. Gambellara (fruits de mer, fines herbes, crème au vin). Pavé de saumon en croûte d'épices. Osso buco de veau. Pizza au canard ou au saumon fumé.
PRIX Midi: F. 10$ à 22$
Soir: C. 24$ à 42$ T.H. 27$ à 38$
OUVERTURE: 7 jours 11h à 23h. Fermé 24, 25 déc. et 1er janv. Hiver, ferme à 22h dim. à mar.
NOTE: Choix d'escalopes de veau, Produits locaux. 24 variétés de pâtes. Bar à crèmes glacées molles. Bières de microbrasseries. Cave à vin, plus de 175 sortes. Une des plus belles terrasses de Québec.
COMMENTAIRE: Pour la conciliation parents-enfants, Le Manoir se positionne en restaurant intergénérationnel par excellence. Les parents y trouvent leur compte ainsi que les petits, particulièrement à l'étape du dessert avec le bar à crèmes glacées.

RESTAURANT PARMESAN ★★★
38, rue Saint-Louis,
VIEUX-QUÉBEC
Tél.: 418-692-0341
SPÉCIALITÉS: Saumon fumé de notre fumoir. Jambon prosciutto maison vieilli 3 ans. Casserole de poissons livournaise. Ris de veau aux cèpes, linguines au beurre. Côte de veau parfumée à la sauge. Osso buco. Sabayon au vinaigre balsamique maison.
PRIX Midi: F. 12$ à 18$
Soir: C. 27$ à 71$ T.H. 20$ à 32$
OUVERTURE: 7 jours midi à minuit. Fermé 24 et 25 déc.
NOTE: Dîner de Parme 60$. 20 choix de pâtes et de desserts. Vinaigre balsamique maison 12 ou 25 ans d'âge. Accordéoniste et chanteur en soirée. Collection unique et privée de 4 000 bouteilles décoratives. Deux foyers en hiver. Voiturier gratuit.
COMMENTAIRE: Atmosphère festive, service prompt quoiqu'expéditif, plusieurs menus pour deux, dont le risotto. Saumon fumé et jambon de Parme maison vieux de trois ans, faits par Luigi, le copropriétaire, à la hauteur de sa réputation.

RISTORANTE IL MATTO ★★★
850, av. Myrand, SAINTE-FOY
Tél.: 418-527-9444
SPÉCIALITÉS: Spaghetti aux boulettes de viande. Salade Rucola, prosciutto et copeaux de parmesan. Papardelles aux champignons sauvages à l'huile de truffe. Pizza 4 fromages. Cannoli à la sicilienne. Bomba (beignet frit au chocolat). Tiramisu.
PRIX Midi: F. 13$ à 19$
Soir: C. 39$ à 70$
OUVERTURE: Lun. à ven. 11h30 à 15h. Lun. à mer. et dim. 17h30 à 22h30. Jeu. à sam. 17h30 à minuit. Fermé 24 au 26 déc. et le 2 janv.
COMMENTAIRE: Une adresse à la mode très conviviale. La carte est courte, mais recèle des recettes familiales réconfortantes, dont les aubergines parmigiana et d'excellentes pâtes aux champignons. Un très bon rapport qualité-prix. Il Matto dans le Vieux-Port propose un cadre BCBG et design au cœur de l'Hôtel 71.

RISTORANTE IL TEATRO ★★★
(Le resto du Capitole)
972, rue Saint-Jean, QUÉBEC
Tél.: 418-694-9996
SPÉCIALITÉS: Pétoncles rôtis tièdes, sauce miel et moutarde, tomates, basilic. Ravioli farci de canard, sauce beurre et parmesan. Côte de veau grillée, sauce à la crème de cèpes, gratinée de fromage brie. Tendre de veau aux poires, gorgonzola, noix de pin, gratin dauphinois, légumes, ail confit. Tarte aux fruits des bois, crème pâtissière.
PRIX Midi: T.H. 15$ à 18$
Soir: C. 36$ à 77$ T.H. 32$ à 40$
OUVERTURE: 7 jours 11h à minuit. Petit déjeuner lun. à ven. 7h à 11h, sam. et dim. 7h à 13h.
NOTE: Assiette de fromages 15$. Assiette 7$ à 16$ au déjeuner. 24 choix de pâtes. Pâtes sans gluten. Menu santé, midi 14$. Salle de spectacle. Service de voiturier gratuit en tout temps.
COMMENTAIRE: Une belle table pour déguster les pâtes et les risottos. Grande sélection d'entrées authentiquement italiennes, ainsi qu'un très bon carpaccio. Superbe terrasse avec vue sur la place d'Youville, où il faut réserver. En plus de la grande sélection de pâtes et de veau (dont l'escalope alla milanese), on y trouve des tartares sans fioritures inutiles et des planches à partager à l'apéro.

RISTORANTE MICHELANGELO ★★★★★[ER]
3111, ch. Saint-Louis, SAINTE-FOY
Tél.: 418-651-6262
SPÉCIALITÉS: Carpaccio de bœuf. Bisque de crabe de Havre-Saint-Pierre. Foie gras poêlé, crème de figues, pain brioché. Saisie de ris de veau au porto, risotto floren-

tine. Mi-cuit au chocolat. Glaces maison.
PRIX Midi: T.H. 19$ à 28$
Soir: C. 45$ à 76$ T.H. 29$ à 45$
OUVERTURE: Lun. à ven. 11h30 à 14h30. Lun. à sam. 17h30 à 22h30. Fermé dim.
NOTE: Pâtes maison. Beau choix de vins italiens. Visite de la cave à vin et de ses grands crus. 30 000 bouteilles. Terrasse pour apéritif.
COMMENTAIRE: Une belle cuisine italienne très classique, notamment de succulentes pâtes fraîches. Décor design et service stylé, salons privés luxueux, très beaux celliers dans plusieurs salons. Nombreux espaces pour les réceptions intimes.

SAVINI ★★★
680, Grande-Allée E., QUÉBEC
Tél.: 418-647-4747
SPÉCIALITÉS: Antipasto. Tartare de saumon. Risotto aux fruits de mer. Fettucine au canard confit. Carré d'agneau, risotto aux champignons. Cannoli sicilien. Tiramisu.
PRIX Midi: T.H. 16$ à 20$
Soir: C. 31$ à 70$ T.H. 33$ à 38$
OUVERTURE: 7 jours 11h30 à 23h30. Fermé 24 et 25 déc.
NOTE: Pâtes fraîches maison. Table du chef dans le cellier. Service de valet. Petit menu jeu. à sam. 23h30 à 1h du mat. DJ 7 jours à partir de 21h. Musiciens mar. à ven. à partir de 19h30. Acrobate ven. et sam. 22h à 23h. 5 à 7 animés. Plus de 50 vins au verre, 600 vins différents. Prix d'excellence Wine Spectator.
COMMENTAIRE: Une adresse à la mode qui ne néglige pas sa carte composée de classiques de la cuisine italienne (pizzas, veau, pâtes) correctement exécutés et arrosés d'une sélection appréciable de vins au verre. Atmosphère très festive.

JAPONAIS

ENZO SUSHI ★★★
150, bd René-Lévesque E., QUÉBEC
Tél.: 418-649-1688
SPÉCIALITÉS: Mignon Bifu (6 oz AAA, réduction sauce porto). Bar noir chilien poêlé en cuisson lente. Ryu (thon grillé, saumon tempura, patates douces). Oyshi (galette de riz frit tempura). Geisha (sushis makis). Bouquet Enzo (sashimis). Dessert Enzo (crème glacée frite tempura).
PRIX Midi: F. 13$ à 34$
Soir: C. 31$ à 58$ F. 30$ à 40$
OUVERTURE: Lun. à ven. 11h à 14h. Lun. à jeu. 17h à 22h. Ven. et sam. 17h à 23h. Dim. 17h à 22h. Fermé jours fériés.
NOTE: Menu dégustation 2 pers. 4 serv. 65$, 5 serv. 80$. Grande sélection de vins, plus de 50% d'importation privée.
COMMENTAIRE: Un restaurant au décor zen et épuré. Nous vous conseillons d'opter pour les spécialités du chef qui n'apparaissent pas à la carte, parmi lesquelles plusieurs makis ici nappés de sauce ou en chaud-froid. À noter que les présentations sont visuellement très soignées et appétissantes. Les plats chauds sont à la hauteur des sushis. Une adresse idéale pour s'initier aux bouchées nippones. Les puristes préféreront le minimalisme des sashimis.

LE MÉTROPOLITAIN ★★★★
1188, av. Cartier, QUÉBEC
Tél.: 418-649-1096
SPÉCIALITÉS: Salade wakamé (fines algues marinées). Love boat (30 sushis, sashimis et makis). Saumon à la moutarde. Filet mignon Angus AAA sur plat chaud. Gâteau royal (frit dans tempura, farci de sorbet aux fruits des champs).
PRIX Midi: F. 12$ à 17$
Soir: C. 24$ à 49$ T.H. 26$ à 32$
OUVERTURE: Lun. à ven. 11h à 14h30 et 16h30 à 22h30. Sam. 11h30 à 22h. Dim. 11h à 22h30. Fermé 25 déc. et 1er janv.
NOTE: Décor suivant les règles du feng-shui. Salle pour 25 pers. max., sur réserv. Cartes des vins et sakés 50% d'importation privée.
COMMENTAIRE: Une référence en matière de sushis pour la grande fraîcheur des poissons, l'inventivité et la présentation soignée. Atmosphère zen. Plusieurs plats chauds à la carte. On peut aussi passer une commande à emporter chez soi.

NIHON SUSHI ★★★
1971, rue de Bergeville, QUÉBEC
Tél.: 418-687-2229
SPÉCIALITÉS: Sushi pizza, homard, sauce miel épicé, poire japonaise. Salade tataki (saumon ou thon rouge). Maki dragon (tartare de saumon, patate douce tempura, mangue, salade, croustillant). Fuji, glace au thé vert, tempura panko, coulis de fruits rouges.
PRIX Midi: F. 15$
Soir: C. 15$ à 25$ T.H. 26$
OUVERTURE: Lun. 14h à 21h. Mar. 11h à 21h. Mer. à ven. 11h à 22h. Sam. 13h à 22h. Dim. 13h à 21h. Fermé 24 déc. soir, 25 et 31 déc. et 1er janv.
NOTE: À l'angle de l'avenue Maguire. Assiette gastronomique 2 pers. 30 mcx, 48$. Carte des vins. Service traiteur à domicile, 10 pers. min.
COMMENTAIRE: Bien que la salle à manger soit d'une sobriété anonyme, la créativité de la carte compense. Outre l'utilisation de différents types de feuilles d'algue et de soya, ce sont les combinaisons d'ingrédients qui surprennent. À signaler, les rouleaux de printemps au tartare de saumon et aux crevettes panées.

RESTAURANT HOSAKA-YA ★★★
491, 3e Av. (Limoilou), QUÉBEC
Tél.: 418-529-9993
SPÉCIALITÉS: Kareage (poulet frit à la japonaise). Œufs de caille à la sauce soya (uzura tamago). Végédong: légumes de saison variés, tofu mariné. Crème glacée maison (sauce soya, wasabi, etc.).
PRIX Midi: T.H. 15$ à 18$
Soir: C. 26$ à 41$
OUVERTURE: Mar. à ven. 11h30 à 14h. Mar. à dim. 16h30 à 21h. Fermé lun., 25, 26 déc. et 1er, 2 janv.
NOTE: Tsumami: petites bouchées japonaises, style tapas. Menu à l'ardoise change chaque mois. Cuisine familiale japonaise. Sushi bar.
COMMENTAIRE: Voilà l'unique taverne japonaise à Québec. À l'adresse de Limoilou sont servis des tsumamis, ces «tapas» nippons, ainsi que d'excellents tartares, dont celui au thon blanc, et une variété enviable de sushis. Un autre restaurant, le Hosaka-Ya Ramen a ouvert au 75, rue Saint-Joseph. Dans Saint-Roch, les nouilles-repas remplacent les sushis. C'est copieux et authentique. Dans les deux cas, l'accueil est charmant et le service efficace.

YUZU le restaurant ★★★★[ER]
438, rue du Parvis, QUÉBEC
Tél.: 418-521-7253
SPÉCIALITÉS: Tartare de canard à la vinaigrette nippone. Giu sashimi à l'huile chaude (épaule de bœuf, gingembre mariné, ciboulette et sésame, chips d'ail, edamames marinés.). Magret de canard grillé, sauce au curry vert. Tartelette au yuzu, meringue à l'érable.
PRIX Midi: F. 14$ à 22$
Soir: C. 43$ à 68$
OUVERTURE: Lun. à mer. 11h30 à 22h. Jeu. et ven. 11h30 à 23h. Sam 17h à 23h. Dim 17h à 22h. Fermé 24 déc. et 1er janv.
NOTE: Réduction de 10% sur la facture nourriture lorsqu'on prend une T.H. complète en soirée. 80% d'importation privée pour le vin, 50% pour le saké.
COMMENTAIRE: Une carte révisée. Le chef Vincent Morin a abaissé le degré de complexité de ses plats sans frelater sa signature. Il fusionne toujours l'Orient et l'Occident avec ce même doigté. Plus bruyant en soirée.

MEXICAIN

SEÑOR SOMBRERO ★★★
732, av. Royale, BEAUPORT
Tél.: 418-666-5555
SPÉCIALITÉS MEXICAINES: Tacos de Cochinita (Maya). Mini taquitos (rouleaux). Enchiladas (tortillas de maïs roulées avec poitrine de poulet, sauce fromage, coriandre, oignon, crème sure, fromage gratiné). Bunuelo (crêpe croustillante, caramel, cannelle, vanille).
PRIX Midi: T.H. 15$
Soir: C. 26$ à 41$ T.H. 31$
OUVERTURE: Mar. à ven. 11h à 14h. Dim., mar. à jeu. 17h à 21h. Ven. et sam. 17h à 22h. Fermé lun. Fermé 24 déc. au 12 janv.
NOTE: Bière mexicaine ou vin avec T.H. du soir. Assiette dégustation Señor Sombrero 18$. Assiette Taco loco 17$ à 20$. Plats inspirés d'une région mexicaine différente chaque fois. Mezcal. Carte de tequila. Service traiteur et épicerie avec produits mexicains. Service au comptoir et de livraison. Internet sans fil.
COMMENTAIRE: Typiquement mexicain dans une maison ancestrale rénovée que pilote un nouveau chef propriétaire. Plat en vedette chaque jour. Le ceviche de crevettes vif et frais est à retenir particulièrement. Copieux, pas cher et savoureux.

QUÉBÉCOIS

AUX ANCIENS CANADIENS ★★★★
34, rue Saint-Louis, QUÉBEC
Tél.: 418-692-1627
SPÉCIALITÉS: Rillettes de caribou et bison, chutney de canneberges. Coureur des bois, tourtière du Lac-Saint-Jean au gibier, mijoté de bison et faisan. Assiette québécoise (tourtière, ragoût de boulettes, grillades de lard salé, fèves au lard). Aiguillettes de canard grillées, réduction à l'érable. Trois mignons (filet de cerf, wapiti, bison), sauce poivre rose. Tarte au sirop d'érable. Gâteau fromage et pommes caramélisées.
PRIX Midi: T.H. 20$ à 27$
Soir: C. 32$ à 122$ T.H. 29$ à 69$
OUVERTURE: 7 jours midi à 21h30. Fermé le midi 25 déc. et 1er janv.
NOTE: Caribou sauvage des Inuits 109$. Verre de vin ou bière compris dans T.H. du midi. Dégustation de desserts 15,95$/2 pers. À l'entrée, il y a 6 tabourets pour manger ou prendre un verre. Terrasse pour cocktails et bouchées.

AVIS

Une cuisine ne se définit pas seulement par l'utilisation des produits régionaux ni par la nationalité des gens qui la font. C'est avant tout la façon dont on travaille les produits (recettes) et la manière dont on les mange. Et ce sont uniquement ces deux points qui sont culturellement défendables. Selon nous, la cuisine québécoise doit tirer ses sources dans les recettes de nos grands-mères, des recettes que l'on ne trouve plus aujourd'hui que dans les familles et les cabanes à sucre. Il n'y a que les grands chefs qui sont capables d'élever cette tradition culinaire actuellement encore rustique, voire folklorique selon certains, au niveau de la grande et fine cuisine.

Prix d'excellence Wine Spectator 2011, 2012 et 2014.
COMMENTAIRE: La plus vieille maison d'époque de la province, la Maison Jacquet 1675. Décor d'autrefois assuré: murs épais, beaux lambrissages, placards encastrés dans les murs. Un des derniers restaurants où l'on peut savourer une cuisine québécoise traditionnelle. Offre également sur sa carte une fine cuisine française. Un peu cher mais portions généreuses.

SUISSE

LA GROLLA ★★★
815, Côte d'Abraham, QUÉBEC
Tél.: 418-529-8107
SPÉCIALITÉS: Fondue fromage suisse. Fondue la Charlevoisienne. Fondue chinoise et fruits de mer. Raclette valaisanne. Pierrade de fruits de mer ou de filet mignon AAA flambé au cognac. Café flambé La Grolla. Fondue dessert (chocolat et érable).
PRIX Midi: (fermé)
Soir: C. 34$ à 69$ T.H. 30$ à 40$
OUVERTURE: 7 jours 16h30 à 21h30.
NOTE: Grand choix de fondues au fromage et pains de boulangerie artisanale. Foyer. Ambiance suisse. Salon privé. Groupes sur réserv. le midi. Réserv. recommandée.
COMMENTAIRE: De très bonnes fondues au fromage. L'ambiance et le décor rustique font penser à un petit chalet des Alpes suisses. Petit et intime avec foyer pour se chauffer en hiver.

RESTAURANTS DE LA RÉGION DE QUÉBEC

ARCHIBALD ★★★ cont
Microbrasserie et restaurant
1021, bd du Lac, LAC BEAUPORT
Tél.: 418-841-2224
et 1-877-841-2224
SPÉCIALITÉS CONTINENTALES: Burger Archibald, bœuf Highland, bacon, cheddar, laitue, tomates, sauce Archibald. Saumon fumé de notre fumoir. Trio de bruschettas gratinées. Tartare aux deux saumons. Steak frites. Crème glacée frite.
PRIX Midi: T.H. 12$ à 17$
Soir: C. 28$ à 52$
OUVERTURE: Lun. à ven. 11h30 à 23h. Sam. et dim. 11h à minuit. Fermé 24, 25 déc. et 1er janv.
NOTE: 11 bières brassées sur place. Bières saisonnières. Ouverture prolongée selon l'achalandage (sans cuisine).
COMMENTAIRE: Située dans un très beau chalet en bois rond, la microbrasserie de Lac-Beauport brasse sur place une variété de bières. Son menu se compose de grillades et de plats revisités à la mode asiatique. Bel endroit pour l'après-ski ou l'heure du digestif. L'une des belles terrasses de Québec. Second restaurant au 1240, autoroute Duplessis, à Sainte-Foy. À ceux-ci se joignent les Archibald à Trois-Rivières et Montréal.

AUBERGE BAKER ★★★ int
8790, av. Royal, CHÂTEAU-RICHER
Tél.: 418-824-4478
et 1-866-824-4478
SPÉCIALITÉS INTERNATIONALES ET QUÉBÉCOISES: Salade de homard et céleri-rave, mayonnaise à l'huile de truffe. Cuisse d'oie confite, prosciutto, canneberges séchées en culotte, sauce au porto, confit de canneberges.Éclair au ris de veau et pleurotes de Château-Richer à la moutarde de Meaux.
PRIX Midi: F. 13$ T.H. 20$ à 24$
Soir: C. 33$ à 75$ T.H. 38$ à 63$
OUVERTURE: 7 jours 11h à 14h et 17h à 21h. Dim. brunch 10h30 à 14h. Nov., ouv. jeu. à dim. seulement.
NOTE: Menu dégustation 9 serv. 145$/2 pers. incluant un verre de porto/pers. Brunch buffet fête des Mères ou sur réserv. de groupe, 26$. Salles pour réunions et réceptions avec système Internet sans fil haute vitesse, soirées dansantes et mariages.
COMMENTAIRE: Bien située sur la côte de Beaupré, cette auberge est établie depuis 1930 dans une belle maison de ferme datant de 1840. Elle abrite sept chambres,

dont cinq d'époque bien restaurées, meublées d'antiquités, et deux modernes (studio et chalet). Le chef fait une cuisine québécoise traditionnelle et une cuisine plus créative.

AUBERGE DES GLACIS
★★★★ fra
46, route de la Tortue,
SAINT-EUGÈNE-DE-L'ISLET
Tél.: 418-247-7486
et 1-877-245-2247
SPÉCIALITÉS FRANÇAISES: Matelote à l'esturgeon de la Côte-du-Sud. Bœuf charolais du Cap, fromage de l'Île, petit ricaneux. Quenelles lyonnaises (volaille, veau ou brochet). Crème brûlée au thé Kusmi.
PRIX Midi: (fermé)
Soir: T.H. 64$
OUVERTURE: 7 soirs 18h à 23h sur réserv.
NOTE: Il est fortement conseillé de réserver. T.H. 5 serv. Ouvert le midi pour groupes. On doit passer sa commande avant 20h. Auberge 16 chambres, dont 2 suites, dans un ancien moulin à farine. Bâtisse ancestrale. À 50 minutes de la ville de Québec. Accessible aux personnes à mobilité réduite. Réserv. brunch tous les jours 23$.
COMMENTAIRE: Une table sise dans le décor enchanteur de Saint-Eugène-de-L'Islet où coule la rivière Tortue. Le chef Olivier Raffestin s'illustre encore et toujours avec ces quenelles confectionnées selon la tradition lyonnaise. Inspiré par l'environnement agroalimentaire de la région de Chaudière-Appalaches, il apporte un soin jaloux à des produits locaux au meilleur de leur saison pour les mettre en valeur. La provenance de chaque produit et le nom du fournisseur sont indiqués sur la carte. Bel assortiment de thés Kusmi.

AUBERGE LE CANARD HUPPÉ
★★★ qué
2198, ch. Royal,
SAINT-LAURENT, ÎLE D'ORLÉANS
Tél.: 418-828-2292
et 1-800-838-2292
SPÉCIALITÉS QUÉBÉCOISES: Verrine de saumon fumé maison, esturgeon fumé, cheddar. Mousse de foie gras, miroir de cidre à la canneberge, réduction de porto. Poêlée de ris de veau, pommes, prosciutto, moutarde à l'estragon. Magret de canard, poêlée de champignons au cassis, sauce au foie gras.
PRIX Midi: (fermé)
Soir: C. 31$ à 75$ T.H. 47$ à 53$
OUVERTURE: 7 jours 17h à 20h30. Réserv. obligatoires. Petit déjeuner 8h à 10h (en chambre).
NOTE: Ouvert midi pour groupe de 25 pers. et plus. Terrasse dans un milieu champêtre, éclairée le soir par des lampadaires. Un petit hôtel de 9 chambres.
COMMENTAIRE: L'endroit idéal pour bien manger en se régalant de produits du terroir, dormir et partir à la découverte des plaisirs de L'Île-d'Orléans. Le chef offre une cuisine influencée par les produits de proximité. Les présentations des plats sont sophistiquées et rehaussées de fleurs fraîches.

LA GOÉLICHE ★★★★ int
Auberge La Goéliche
22, rue du Quai,
SAINTE-PÉTRONILLE,
ÎLE D'ORLÉANS
Tél.: 418-828-2248
et 1-888-511-2248
SPÉCIALITÉS INTERNATIONALES: Salade de roquette, pétoncles juste saisis au pistou, copeaux de parmesan. Guédille de salade de homard sur pain bretzel, frites allumettes. Crevette tigrée géante, salsa de mangue. Saumon mariné à l'érable sauce chipotle. Crème brûlée à la véritable vanille.
PRIX Midi: F. 15$ à 26$
Soir: C. 38$ à 56$ T.H. 40$ à 48$
OUVERTURE: 7 jours 11h30 à 15h et 17h30 à 20h30. Petit déjeuner lun. à sam. 8h à 10h30, dim. 8h à 11h.
NOTE: Menu-terrasse carte du midi 10$ à 16$. Verrière 40 pers. ouverte sur l'extérieur. Menu collation, tapas froids 6,25$ à 15$, à commander au bar et à déguster au jardin.
COMMENTAIRE: Maison, pleine de charme, avec une superbe vue sur Québec, s'avançant telle une proue sur la pointe ouest de l'île d'Orléans. Cuisine réconfortante. Le personnel est avenant. Plusieurs petites salles donnent sur le fleuve et offrent une belle vue maritime. L'établissement est doté d'une terrasse au bord de l'eau.

LA TABLE DU CHEF ROBERT BOLDUC ★★★ fra
615, rue Jacques-Bédard,
NOTRE-DAME-DES-LAURENTIDES
Tél.: 418-841-3232
SPÉCIALITÉS: Aumonière au fromage de chèvre. Mijoté d'escargots. Terrine de gibiers régionaux. Aiguillettes de magret de canard fumées et laquées, glace de canneberges et physalis. Ris de veau poêlés, demi-glace aux champignons sauvages. Gâteau trois chocolats et petits fruits de saison.
PRIX Midi: (fermé)
Soir: T.H 35$ à 60$
OUVERTURE: Jeu. à sam. 18h à 22h. Fermé 24 et 25 déc. et mi-juillet à mi-août.
NOTE: Fumoir sur place. T.H. 5 serv. Menu «page blanche»: composition au goût du chef, 7 serv. 60$. Réserv. appréciée. Ouv. pour groupe 12 à 30 pers. en tout temps, sur réserv. Certifié Terroir et saveurs du Québec.
COMMENTAIRE: Dans un décor chaleureux, le chef Robert Bolduc accueille ses convives et les régale d'une cuisine composée de mijotés, de plats braisés réconfortants et de viandes de gibier grillées bonifiées par des sauces dignes de mention. Belle sélection de vins au verre à prix abordable.

LE MOULIN DE ST-LAURENT
★★★[ER] qué
754, ch. Royal, SAINT-LAURENT,
ÎLE D'ORLÉANS
Tél.: 418-829-3888
et 1-888-629-3888
SPÉCIALITÉS RÉGIONALES QUÉBÉCOISES: Gravlax de saumon, salsa de fraises, cassis de l'Île. Émincé de bœuf à la bière de l'Île. Pintade, sauce aux bleuets de l'Île et rhum. Filet de porc du Breton, sauce au cidre du verger Bilodeau, brie de Portneuf fondant, pommes caramélisées à l'érable. Tarte au sucre à l'ancienne.
PRIX Midi: T.H. 15$ à 22$
Soir: C. 30$ à 59$ T.H. 34$ à 55$
OUVERTURE: 1er mai au 15 oct.: 7 jours 11h30 à 14h30 et 17h30 à 20h30. Du 1er mai au 1er juin et du 2 sept. au 14 oct.: appelez pour vérifier les heures d'ouverture.
NOTE: Réserv. nécessaire. Dim. musiciens 18h30 à 21h30. Service de traiteur. 10 chalets pour hébergement. Menu change au mois. Mets à emporter.
COMMENTAIRE: Table saisonnière qui met l'accent sur les produits locaux, dans l'une des plus belles paroisses de l'Île-d'Orléans. Ambiance romantique et feutrée. Ancien moulin appuyé contre la colline, vue sur le fleuve à partir de la terrasse.

PUR SANG BISTRO GRILL
★★★ cont
830, bd du Lac, LAC BEAUPORT
Tél.: 418-841-1787
SPÉCIALITÉS: Carpaccio de bison, mousse de tête de violon, vinaigrette dissociée au bacon, laitue, balsamique. Cassolette d'escargots et champignons, crème, gratin de fromage, fleur d'ail, épinards, vinaigrette. Bajoue de veau grillée et braisée. Sandwich à la crème glacée à la bière noire et chocolat Yucatan.
PRIX Midi: (fermé)
Soir: C. 27$ à 76$ T.H. 25$ à 57$
OUVERTURE: 7 jours 17h à 22h.
COMMENTAIRE: Un bistro spécialisé dans les grillades raffinées, accompagnées d'un trio de garnitures peu banales au choix (féculents, légumes, sauces).

Prix Debeur 2014: Pâté au saumon façon grand-maman ou presque... de Thomas Deschamps *(Photo Debeur)*

CHICOUTIMI

LE LÉGENDAIRE ★★★★ cont
Hôtel Le Montagnais
1080, bd Talbot, CHICOUTIMI
Tél.: 418-543-6120
et 1-800-463-9160
SPÉCIALITÉS CONTINENTALES: Fondue de brie, parmesan, salade printanière. Saumon fumé façon carpaccio. Assiette du matelot (pétoncles, moules, filet de truite, crevettes). Haut de surlonge Prime grillé, pomme de terre au four. Crème brûlée au chocolat et fleur de sel.
PRIX Midi: T.H. 10$ à 23$
Soir: C. 25$ à 76$ T.H. 19$ à 42$
OUVERTURE: Lun. à ven. 11h à 14h. Sam. et dim. 11h30 à 14h. Lun. à sam. 17h à 22h. Dim 17h à 21h. Petit déjeuner lun. à ven. 6h à 11h. Sam. et dim. 7h à 14h.
NOTE: Cave à vin, grande sélection d'importations privées italiennes. Verrière avec une très belle vue sur les Monts-Valin. Bar ferme à minuit. Hôtel et centre de congrès. Différents festivals durant l'année.
COMMENTAIRE: Établissement spécialisé dans la cuisson au gril, les fruits de mer et les pâtes. Belles assiettes servies de façon professionnelle dans un décor classique et confortable. Service courtois et convivial.

RÉGION DE CHICOUTIMI
(Saguenay - Lac-Saint-Jean)

AUBERGE VILLA PACHON RESTAURANT ★★★★ fra
1904, rue Perron, JONQUIÈRE
Tél.: 418-542-3568
et 1-888-922-3568

AVIS

Depuis 30 ans, nous attribuons un maximum de quatre étoiles aux restaurants alors que la plupart des systèmes nord-américains accordent un maximum de cinq étoiles. Afin d'uniformiser le système d'évaluation de nos guides et aussi de l'aligner sur le système d'évaluation nord-américain, nous avons décidé d'adopter dorénavant cinq étoiles pour la plus haute évaluation du *Guide Debeur.*

SPÉCIALITÉS FRANÇAISES: Magret de canard laqué au miel de trèfle. Thon grillé, légumes sautés au wok, vinaigrette aux échalotes confites aux graines de sésame. Ris de veau à la crème, champignons sauvages. Carré d'agneau du Québec rôti à l'ail et au thym frais. Cassoulet.
PRIX Midi: (fermé)
Soir: T.H. 50$ à 88$
OUVERTURE: Mar. à sam. 18h à 21h. Ouvert dim. et lun. sur réserv. de groupes.
NOTE: Menu saisonnier. Ouvert midi sur réserv. pour clients en réunion à l'auberge. T.H. soir 5 serv. Auberge de 5 chambres et 1 suite. Terrasse couverte et fleurie, au bord de la Rivière-aux-Sables, pour l'apéritif et le digestif.
COMMENTAIRE: Une auberge de charme qui vaut le détour, ne serait-ce que pour le superbe cassoulet confectionné avec passion par le chef proprio, Daniel Pachon, maître cassoulet. Tout est fait maison, même les charcuteries. Le cassoulet est une spécialité culinaire du sud-ouest de la France (haricots lingots, porc ou agneau, saucisse de Toulouse, confit de canard, oignon, ail, tomate, bouquet garni) qu'il faut manger au moins une fois dans sa vie.

RESTAURANT TENDANCE ★★★ cont
Delta Saguenay
2675, bd du Royaume, JONQUIÈRE
Tél.: 418-548-3124
SPÉCIALITÉS CONTINENTALES: Mignon de porc du Québec, mariné à la liqueur de bleuets. Filet de saumon façon Rashid. Poêlée de pétoncles et crevettes, porto et morilles du Québec. Contrefilet ou filet mignon de bœuf au jus. L'amour du chocolat.
PRIX Midi: T.H. 14$ à 19$
Soir: C. 29$ à 60$ T.H. 22$ à 33$
OUVERTURE: 7 jours 11h à 14h et 17h à 22h. Petit déjeuner 6h30 à 10h30.
NOTE: T.H. lun. à sam. midi. Buffets thématiques le soir. Sam. côte de bœuf 28,95$. Brunch dim. Mezzanine. Centre de congrès.
COMMENTAIRE: Dans un décor moderne, on y fait une cuisine régionale et internationale qui respecte le côté santé. Une cuisine de fraîcheur avec quelques plats santé intéressants.

GRANBY

ATTELIER ARCHIBALD ★★★ cont
Restaurant de cuisine ouvrière
150, rue Saint-Jacques, GRANBY
Tél.: 450-991-3336
SPÉCIALITÉS CONTINENTALES et FRANÇAISES: «Pickles» frits, mayonnaise citronnée à l'ail. Calmars frits, sauce aigre-douce au chili, poivrons, échalotes, arachides, mayo au wasabi, graines de sésame. Jarret d'agneau braisé 12 heures, ragoût d'orzo à la provençale. Pouding chômeur maison, sirop d'érable au rhum, crème glacée vanille.
PRIX Midi: F. 16$ à 30$
Soir: C. 15$ à 58$ T.H. 25$ à 40$
OUVERTURE: Lun. 11h à 15h. Mar. à jeu. 11h à 21h. Ven. 11h à 22h. Sam. 17h à 22h. Dim. 17h à 21h. Fermé lun. fériés.
NOTE: Forfait jeu. à sam. soir. Carte des vins d'environ 60 étiquettes, 90% d'importation privée. Section lounge pour les 4 à 7.
COMMENTAIRE: Un décor simple et convivial composé d'une grande salle commune, d'un coin bar, d'une grande terrasse couverte et de coins sympas très cosy, comme un espace relax avec pouf pour prendre un verre ou un recoin plus haut de gamme très design. La cuisine est ouverte sur la salle à manger. On propose une assiette généreuse, simple, savoureuse et gentiment présentée, souvent de façon originale. Service agréable et convivial.

Restaurants ailleurs dans la province

LA CLOSERIE DES LILAS ★★★ cont
21, rue Court, GRANBY
Tél.: 450-375-3597
SPÉCIALITÉS CONTINENTALES: Cœurs de Saint-Jacques: assiette de pétoncles. Saucisses de gibier. Filet mignon, fromage bleu, sauce forestière. Bavette aux échalotes au porto. Fondues (chinoise, fruits de mer, suisse, italienne, fromage, viande sauvage). Fondue au chocolat noir et à l'érable.
PRIX Midi: (fermé)
Soir: C. 30$ à 63$ T.H. 31$ à 39$
OUVERTURE: Été: Jeu. 17h à 23h. Toute l'année: ven. et sam. 17h à minuit. Fermé dim. à mer. Fermé 1 sem. en mars, prem. sem. de juil., temps des fêtes et jours fériés.
NOTE: Apportez votre vin. Viandes sauvages à l'automne. Terrasse l'été. Air conditionné. Réserv. préférable en tout temps. Lun. à mer. ouvert pour groupes 15 pers. et plus. Salles jusqu'à 36 pers. 2 résidences de tourisme.
COMMENTAIRE: Établi depuis 1981 dans une maison centenaire, ce restaurant-bistro «apportez votre vin» offre en spécialités des fondues excellentes et des brochettes avec quelques mets français. Côté bistro, ce sont les moules et les saucisses qui tiennent la vedette. Décor plaisant dans l'ensemble, ambiance familiale, service compétent, très gentil et souriant.

LA MAISON CHEZ NOUS ★★★★ cont
847, rue Mountain, GRANBY
Tél.: 450-372-2991
SPÉCIALITÉS CONTINENTALES AVEC LES PRODUITS DU QUÉBEC: Bourgots à la poire, endives, trait de sureau. Médaillon de veau de lait, épinards, mascarpone. Bavarois vanille, compotée de framboises.
PRIX Midi: (sur réserv. 15 pers. et plus)
Soir: T.H. 44$ à 54$
OUVERTURE: Mer. à dim. 17h à 22h. Fermé lun. et mar., 24 au 26 déc. Ouvert midi sur réserv.
NOTE: Apportez votre vin. Nouvelle T.H. 5 serv. aux quatre mois. Réserv. sur internet. Décor champêtre.
COMMENTAIRE: Petite maison à l'extérieur de la ville, sur une légère hauteur, en pleine campagne. Décor champêtre, douillet et romantique de maison familiale, avec boiseries et papier peint. Cuisine régionale estrienne évolutive. Assiette excellente et joliment présentée. Service aimable et courtois. Ambiance très agréable. Une des bonnes adresses de la région. Vaut le détour.

LA PETITE MARMITE ★★★ sui
77, rue Drummond, GRANBY
Tél.: 450-378-9617
SPÉCIALITÉS SUISSES ET FRANÇAISES: Escargots à l'italienne, beurre et champignons. Scampi à la marmite. Canard confit. Émincé de veau zurichoise. Entrecôte Café de Paris. Veau Cordon-Bleu. Crème brûlée. Soufflé glacé au Grand Marnier.
PRIX Midi: T.H. 27,50$
Soir: C. 34$ à 64$ T.H. 41$
OUVERTURE: Lun. à ven. 11h à 14h. Lun. à sam. 17h à 22h. Dim. 17h à 21h. Fermé 24, 25 déc., 1er janv. et 24 juin. Été fermé lun. et mar.
NOTE: Le soir, T.H. 4 serv. 40,50$. Cave à vin d'environ 800 bouteilles. Bœuf vieilli 52 jours: entrecôte, T-bone. Différentes fondues.
COMMENTAIRE: Une institution à Granby. Le chef propriétaire, Erwin Boegli, a ouvert ce restaurant de cuisine suisse en 1976. Ses plats vedettes sont, sans conteste, l'entrecôte Café de Paris servie sur réchaud, l'émincé de veau zurichoise et, en dessert, le soufflé glacé au Grand Marnier ou les gratins de petits fruits frais.

LA ROTONDE ★★★ fra
Hôtel Castel et spa confort
901, rue Principale, GRANBY
Tél.: 450-378-9071
SPÉCIALITÉS FRANÇAISES: Poitrine de canard du Lac Brome, aromatisée au Ras el-hanout et à l'orange. Mignon de veau du Québec mariné à la bière 35 Farnham Ale. Cake aux figues et à l'anis étoilé, foie gras parfumé à la truffe, coulis de Camerisière Granbyenne. Pyramide de chocolat Saint-Domingue.
PRIX Midi: (fermé)
Soir: C. 27$ à 52$ T.H. 25$ à 40$
OUVERTURE: 7 jours 17h30 à 22h. Ouvert midi sur réserv., 15 pers. min.
NOTE: Chefs créateurs. Menu du terroir régional. Varie selon les saisons avec plus de 30 produits de la région. Vins d'importation privée.
COMMENTAIRE: Fine cuisine française classique avec une grande utilisation des produits du terroir avoisinant. Pertinent: la carte fait mention du nom des fournisseurs: ferme, fromagerie, érablière, hydromellerie, vignoble, etc.

RÉGION DE GRANBY

LES QUATRE CANARDS ★★★[ER] fra
Château Bromont
90, rue Stanstead, BROMONT
Tél.: 450-534-3433
et 1-800-304-3433
SPÉCIALITÉS FRANÇAISES: Terrine de gibier des Cantons-de-l'Est. Croustillant de Mamirolle et prosciutto. Noix de Saint-Jacques poêlées, purée de chou-fleur à l'huile de truffe. Pattes de lapin de Stanstead sauce BBQ. Dôme au chocolat.
PRIX Midi: T.H. 25$
Soir: C. 51$ à 80$ T.H. 49$
OUVERTURE: 7 jours 11h30 à 14h30 et 18h à 22h. Petit déjeuner, lun. à sam. 6h30 à 11h. Dim 7h à midi.
NOTE: Établissement membre de la Route de l'érable. Terrasse panoramique ouverte 11h30 à 23h en été (heures des cuisines prolongées si nécessaire.). Pianiste sam. soir.
COMMENTAIRE: Salle de restaurant assez sympathique pour un hôtel, située non loin des pistes de ski. Très belle terrasse avec une magnifique vue sur la vallée et les montagnes. Une fois encore, un nouveau chef prend les commandes des cuisines.

GATINEAU - OTTAWA

AVIS

Pour les clients des restaurants d'Ottawa: Une loi provinciale de l'Ontario autorise les consommateurs à apporter leur bouteille de vin dans tous les restaurants, même ceux qui ont leur propre carte des vins. Les restaurants peuvent cependant exiger un droit de bouchon, sans limite de prix. Les frais de débouchonnage sont élevés et, à vrai dire, notre évaluateur n'a jamais vu quelqu'un le faire à Ottawa. La fourchette des prix: 5$ à 12$ en général, quelquefois jusqu'à 25$.

ABSINTHE ★★★ fra
1208, rue Wellington O., OTTAWA
Tél.: 613-761-1138
SPÉCIALITÉS FRANÇAISES: Caille au BBQ coréen, poitrine saisie, coulis de clémentine, salade pomme bacon kimtchi. Trio de saumon en tartare, rillettes, gravlax. Flétan rôti au romarin, velouté aux fines herbes, ragoût de tomates séchées et artichauts, poivrons rôtis. Croustade de pêches au miel, glace à la cerise rôtie et kirsch.
PRIX Midi: T.H. 21$
Soir: C. 37$ à 59$ F. 48$ à 52$
OUVERTURE: Lun. à ven. 11h à 14h. Dim. à jeu. 17h30 à 22h. Ven et sam. 17h30 à 23h. Fermé jours fériés, du 24 au 26 déc.
NOTE: Menu change plusieurs fois par sem. Droit de bouchon

25$/bout. Lun. soir, de sept. à mars, fondues traditionnelles.
COMMENTAIRE: Le restaurant Absinthe s'inspire davantage d'une cuisine vieille France que cet alcool mythique qu'est l'absinthe qui en a marqué l'histoire. Steaks, canard, tartares, charcuteries, profiteroles, le chef propriétaire Patrick Garland ne peut faire plus cocorico. Le menu, à prix raisonnable, est succinct et change peu: parfait pour ceux qui préfèrent les valeurs sûres aux explorations parfois décevantes. Bilinguisme à noter.

ARC LOUNGE ★★★★ fra
ARC The Hotel
140, rue Slater, OTTAWA
Tél.: 613-238-2888
et 613-238-9998 hôtel
SPÉCIALITÉS FRANÇAISES: Pétoncles, beurre noisette, terrine de quinoa, pommes et bacon, courge brûlée, dattes pochées à la bière de racinette, graines de tournesol fumées, jus à l'ail noir. Cruda de bison, aragula, huile de citron, crème fraîche poivre noir-cannelle, échalotes croustillantes, manchego.
PRIX Midi: C. 34$ à 47$
Soir: C. 41$ à 53$
OUVERTURE: Lun. à ven. 11h30 à 14h. 7 jours 17h30 à 22h30.
NOTE: Menu change aux saisons. Droit de bouchon 25$/bout. Vins 90% d'importation privée. Salles de réunion sur réserv.
COMMENTAIRE: Il faut de la persévérance pour à la fois trouver l'hôtel-boutique ARC, et à l'intérieur, le restaurant Lounge (indice: à gauche, en haut, derrière la réception). Mais cette discrétion peut être utile pour ceux qui recherchent une bonne table (vraiment) à l'abri des regards. Espace-bar d'un côté, salle à manger de l'autre, dans un décor très moderne où le bois calme à peine la force des murs rouges. Le chef Jason Duffy propose tradition, audace et goût.

ARÔME Grillades et fruits de mer ★★★ cont
Casino du Lac-Leamy
1, bd du Casino, GATINEAU
Tél.: 819-790-6410
SPÉCIALITÉS CONTINENTALES: Tartare de bœuf aux oignons confits, œuf au plat parfumé à la truffe, croustilles de pommes de terre. Filet de bœuf de Kobe grillé, purée de Yukon gold à l'ail rôti. Demi-longue d'agneau grillée, côtes levées frites, pommes rattes, rouelle d'asperges. Crémeux de chocolat rehaussé d'une mousse à l'espresso, glace caramel et fleur de sel.
PRIX Midi: T.H. 18$ à 22$
Soir: C. 44$ à 132$ T.H. 34$ à 56$
OUVERTURE: 7 jours, 11h à 17h et 17h à 22h. Petit déjeuner 6h30 à 11h.
NOTE: L'expérience Kobe: filet 115g 50$ et 230g 85$. Petit déjeuner 20,90$. Buffet dessert en soirée 13$. Sélection de vins au verre.
COMMENTAIRE: Au Casino du Lac-Leamy, la grande table gastronomique est Le Baccara. Ceux qui veulent manger correctement mais moins sophistiqué iront chez Arôme, le restaurant de l'hôtel Hilton voisin. Vue tout aussi époustouflante, mais Arôme a une terrasse en plus. Le service attentionné fait bien digérer des plats dignes d'une grilladerie traditionnelle autour du steak et des fruits de mer. Un restaurant sans surprise qu'on ne doit pas laisser qu'aux clients de l'hôtel.

ATELIER ★★★★★ fra
540, rue Rochester, OTTAWA
Tél.: 613-321-3537
SPÉCIALITÉS FRANÇAISES: Soupe aux amandes, salade de crabe, raisins congelés, piments coréens. Entrecôte de bœuf Rochester, pouding au pain et crème sure à la truffe, oignons rouges marinés, navet, purée et chips de patates douces. Ladybug: purée de fraises gelée à l'azote liquide, meringue au basilic, baies assorties, crumble de Corn Pop.
PRIX Midi: (fermé)
Soir: T.H. 110$
OUVERTURE: Mar. à sam. 17h à 22h (2 serv.). Fermé dim., lun., à Pâques, 1 sem. en déc. et jours fériés.
NOTE: Menu dégustation 12 serv. 110$, avec accord des vins 150$ ou 185$. Cuisine moléculaire. 22 pers. maximum, sur réserv. seulement. Les plats changent régulièrement.
COMMENTAIRE: La cuisine moléculaire est une mode dépassée? Pas chez Atelier. Est-ce un indice qu'Ottawa est en retard sur le reste du monde? Souhaitons que non. Avec 22 places, Atelier est petit et les réservations sont essentielles. Et notez bien l'adresse, car l'édifice n'a aucune affiche. Après cinq ans, le chef propriétaire Marc Lépine ne manque encore pas d'imagination. Autre boni: autour de 100 $ par personne pour une expérience unique au pays.

BECKTA Dining & Wine ★★★★★ int
226, rue Nepean, OTTAWA
Tél.: 613-238-7063
SPÉCIALITÉS INTERNATIONALES: Fraises fraîches, oseille, rhubarbe, fromage feta de lait de brebis saumuré à la mélisse, graines de sésame grillées, bourgeons de marguerite saumuré, concombre frais. Purée de pommes de terre fumées, champignons eryngii, laitue fanée, huile de truffe, sablé amandes et cacao, sauce soubise à l'ail sauvage. Biscuit graham, caramel de pin blanc, ganache au chocolat noir, meringue italienne fumée, gelato au chocolat.
PRIX Midi: (fermé)
Soir: C. 51$ à 71$
OUVERTURE: 7 jours 17h30 à 22h. Fermé le temps des Fêtes et les jours fériés.
NOTE: Attention, déménage au 150, rue Elgin en janv. 2015. Menu change aux saisons. Menu 5 serv. 85$, palette de vins 40$. Menu 8 serv. 110$, palette de vins 75$. Assiette de fromages 16$. On peut apporter son vin dim. et lun. droit de bouchon 20$/bout.
COMMENTAIRE: En 10 ans, le sommelier Stephen Beckta est devenu le restaurateur le plus actif de la capitale avec trois établissements de calibre en Beckta, Play et Gezellig. En 2014, le temps était venu de donner une cure de jouvence à Beckta, son plus chic. Il a choisi la voie la plus audacieuse, rénovant de la cave au grenier un ancien steakhouse désaffecté.
Le chef Mike Moffatt, devenu un partenaire, est toujours aux commandes, sûr de lui.

BISTRO L'ALAMBIC ★★★ (bistro) fra
307, bd Saint-Joseph, GATINEAU
Tél.: 819-205-5755
SPÉCIALITÉS FRANÇAISES: Salade romaine grillée. Arancini farci de fromage en grains, sauce tomate fumée. Tartare de canard, pistaches, croustilles de taro, orange. Parfait à l'ananas, gingembre, biscuits graham, cannelle.
PRIX Midi: C. 23$ à 37$
Soir: C. 29$ à 55$
OUVERTURE: Mar. à ven. 11h30 à 14h. Mar à sam. 17h à 22h. Fermé dim. et lun.
NOTE: Décor chaleureux. Vins 100% d'importation privée.
COMMENTAIRE: Pendant cinq ans, il ne s'est presque rien passé d'audacieux du côté de Gatineau. Le restaurant Odile n'aura duré qu'un an. Pas loin de là, L'Alambic marque que les espoirs ne sont pas vains. Un propriétaire qui croit en une cuisine d'inspiration française de qualité, qui confie la cuisine et des moyens suffisants à un jeune chef de talent en Raphaël Secours. Il y a de quoi célébrer. L'audace doit être encouragée.

BLACK CAT BISTRO ★★★★ int
428, rue Preston, OTTAWA
Tél.: 613-569-9998
SPÉCIALITÉS INTERNATIONALES: Foie gras au torchon, beurre brun, noisettes, groseilles, sel vanillé. Thon à la niçoise, pomme de terre, haricots verts, tomates grillées, anchois blancs, œuf, fines herbes. Clafoutis fraises et rhubarbe.
PRIX Midi: (fermé)
Soir: C. 42$ à 59$ F. 25$
OUVERTURE: Mar. à sam. 17h30 à 22h. Fermé dim. et lun. Fermé pour Noël, 1er janv. et jours fériés.
NOTE: Menu suit les arrivages. Droit de bouchon 25$/bout. Carte des vins, majoritairement vins français. Mar. à jeu. soir: menu choix du chef 25$. Stationnement gratuit à l'arrière. Accessible/pers. à mobilité réduite.
COMMENTAIRE: Oui, c'est le même Black Cat qui a longtemps été sur la rue Murray. Plusieurs chefs de talent se sont succédé aux fourneaux, mais la qualité ne s'est jamais démentie. C'est que le propriétaire Richard Uhrquart veille au grain. Mais il laisse ses chefs exprimer leur talent. Après cinq ans à la barre, la discrète chef Patricia Larkin mérite toutes les accolades à Ottawa. Assez seul de son genre sur une rue Preston très italienne: il mérite le détour.

BROTHERS BEER BISTRO ★★★[ER] int
366, rue Dalhousie, OTTAWA
Tél.: 613-695-6300
SPÉCIALITÉS INTERNATIONALES: Moules, curry rouge au lait de coco, bouillon à la citronnelle, basilic, coriandre. Truite poêlée, purée de carottes, gnocchi, gremolata amande et citron. Crème brûlée citron et rhubarbe, biscuits.
PRIX Midi: F. 14$
Soir: C. 42$ à 50$
OUVERTURE: Lun. et mar. midi à 22h. Mer. à sam. midi à 1h30 du mat. Dim. 11h30 à 22h. Fermé jours fériés sauf 1er juil.
NOTE: Midi, assiette charcuteries et fromages 15$. Carte des vins ontariens et européens.
COMMENTAIRE: En moins de cinq ans, Ottawa est devenu fana de bières artisanales, à la fois pour en faire et pour en déguster. Brothers Beer Bistro n'en brasse pas et laisse le travail à d'autres. Sa sélection de bières est digne de mention, mais la force du chef Darren Flowers, c'était de mieux cuisiner à la bière que n'importe où ailleurs à Ottawa. Son successeur Chris Wylie porte une lourde responsabilité sur les épaules.

CAFÉ SPIGA ★★★ port
271, rue Dalhousie, OTTAWA
Tél.: 613-241-4381
SPÉCIALITÉS PORTUGAISES: Pot-au-feu aux fruits de mer. Morue salée. Linguine aux fruits de mer. Poulet aux amandes et aux figues. Veau au parmesan. Crème brûlée au cappuccino. Tiramisu.
PRIX Midi: F. 10$
Soir: C. 26$ à 52$ T.H. 26$ à 34$
OUVERTURE: Mar. à ven. 11h30 à 14h30. Lun. à sam. 17h à 22h. Fermé dim. et à Noë l.
NOTE: Carte de vins italiens et portugais. Salles privées 8 à 25 pers., sur réserv.
COMMENTAIRE: À quelques pas du marché By, Spiga est le genre d'endroit où l'on ne se trompe pas. Son menu toujours goûteux est à cheval sur l'Italie et le Portugal (!), utile pour les couples qui ne peuvent s'entendre sur une seule cuisine. En prime, ses prix sont fort raisonnables. La salle à manger a été rajeunie il y a peu, mais les fenêtres élevées la mettent à l'abri des regards indiscrets. D'une propreté exemplaire. Un autre qui mérite un arrêt.

COCONUT LAGOON ★★★ ind
853, bd Saint-Laurent, OTTAWA
Tél.: 613-742-4444
SPÉCIALITÉS INDIENNES: Assortiment de légumes samosa, chutney à la menthe. Homard au marsala. Poulet au beurre. Curry au poulet, au saumon ou aux crevettes. Agneau au curcuma. Bœuf à la sauce crémeuse, noix de coco et curry.
PRIX Midi: Buffet 15$
Soir: C. 24$ à 41$
OUVERTURE: 7 jours 11h30 à 14h. Dim à jeu. 17h à 21h. Ven. et sam. 17h à 21h30. Fermé jours fériés.
NOTE: Midi, buffet lun. à ven. 15$, sam. et dim. 17$. Salle pour groupe, max. 16 pers., sur réserv. Carte des vins.
COMMENTAIRE: Il y a un plus beau restaurant indien à Ottawa (East India Company), mais pas un ne sert une cuisine aussi authentique, goûteuse et originale que Coconut Lagoon. Le chef propriétaire Joe Thottungal promet la cuisine de sa province du sud, le Kerala, axée sur les produits de la mer et les légumes. Pour du poulet au beurre, on repassera. Modeste au départ, Coconut Lagoon s'est forgé en 10 ans une clientèle fidèle.

EIGHTEEN ★★★★[ER] fra
18, rue York, OTTAWA
Tél.: 613-244-1188
SPÉCIALITÉS FRANÇAISES: Morue noire cuite au four, marinade aux 15 ingrédients, purée de carotte au lait de coco. Magret de canard, fruits à noyaux, quinoa, succotash. Homard de la Nouvelle-Écosse, asperges grillées, citron confit, mousse hollandaise. Semifreddo citron, sorbet cerise, croûte de pistaches.
PRIX Midi: (fermé)
Soir: C. 63$ à 82$
OUVERTURE: Lun. à mer. 17h à 22h30. Jeu. à sam. 17h à 23h. Fermé 1er juil., fête du Travail, 24 au 26 déc. et 1er janv.
NOTE: Carte des vins 260 étiquettes.
COMMENTAIRE: Un édifice patrimonial abrite Eighteen. Les vieilles pierres se mélangent au verre et aux riches draperies d'une vaste salle à manger sur plusieurs niveaux. Le chef Ashton Harvey vient de reprendre les cuisines, le second changement en deux ans. Mais sous la propriétaire Caroline Gosselin, cela ne devrait pas équivaloir à un changement de cap. Le menu axé sur des valeurs sûres, livrées avec brio et régularité: steaks, canard, carré d'agneau, morue charbonnière, etc.

EL CAMINO ★★★ int
Tacos, Tequilas, Rawbar
380, rue Elgin, OTTAWA
Tél.: 613-422-2800
SPÉCIALITÉS INTERNATIONALES: Tacos au poisson croustillant. Roulé de poitrine de porc braisée, caramel chili-lime, salade de mangue verte, jeune noix de coco, arachides rôties.
PRIX Midi: C. 14$ à 21$
Soir: Idem
OUVERTURE: Mar. à ven. midi à 14h30. Mar. à dim. 17h30 à 2h du mat. Fermé lun.
NOTE: Plats à emporter. Cocktails maison.
COMMENTAIRE: Le chef Matthew Carmichael connaît du succès depuis des années, mais maintenant à son compte, son El Camino établit des records. Il a transformé un demi-sous-sol où le béton est roi en un endroit branché que les jeunes foodies d'Ottawa ont envahi, attirés d'abord par ses tacos amusants et abordables (4$), mais aussi par un menu de goûteux plats de dégustation autour de 10$, avalés avec des cocktails préparés comme un spectacle. Pas de réservations, préparez-vous à attendre. Et à vous régaler.

FRASER CAFÉ ★★★★ int
7, rue Springfield, OTTAWA
Tél.: 613-749-1444
SPÉCIALITÉS INTERNATIONALES: Thon, jalapeño farci et frit, pomme, salsa, lime, coriandre. Homard poché, légumes tempura, pesto de carotte et noix, ma-

yonnaise au citron. Tarte fraises et rhubarbe, crème glacée vanille, sucre d'érable.
PRIX Midi: C. 17$ à 27$
Soir: C. 40$ à 56$
OUVERTURE: Mar. à ven. 11h30 à 14h. Lun. 17h30 à 21h. Mar. à dim. 17h30 à 22h. Brunch sam. et dim. 10h à 14h. Fermé 24, 25 déc. et jours fériés.
NOTE: Menu saisonnier. Carte des vins. Droit de bouchon 25$/ bout. Salle pour 40 pers. max.; sur réserv.
COMMENTAIRE: Sans doute le meilleur restaurant de quartier de tout Ottawa. Souvent bondé, donc réservations essentielles, même le midi. La cuisine ouverte des frères Simon et Ross Fraser est nourrissante mais simple, axée sur des produits locaux, en saison: on s'étonne qu'elle n'ait pas été plus copiée. L'accueil est sympathique, on s'y sent vite comme chez soi. Le genre d'endroit qu'on adopte pour longtemps.

GEZELLIG ★★★ int
337, rue Richmond, OTTAWA
Tél.: 613-680-9086
SPÉCIALITÉS INTERNATIONALES: Tartare de bœuf, pâte aïoli au chili, moutarde soufflée, crostini. Gâteau de poisson frit au panko, herbes fraîches, sauce tartare, salade verte. Butter finger: beurre d'arachides, chocolat noir, blanc et au lait, gâteau graham, crème anglaise au chocolat, pâte de fruits.
PRIX Midi: F. 20$
Soir: C. 43$ à 62$
OUVERTURE: Lun. à sam. 11h30 à 14h. Dim. 10h à 14h. 7 jours 17h30 à 22h. Fermé 24 au 26 déc. et 1er janv.
NOTE: Salle privée en mezzanine 32 pers., sur réserv. Droit de bouchon 15$/bout.
COMMENTAIRE: Dernier né du petit empire du restaurateur Stephen Beckta, Gezellig se veut un restaurant de quartier pour les gens du secteur Westboro, le plus à la mode à Ottawa. Une ancienne banque a été convertie en salle à manger, avez mezzanine au fond. Tout en blanc. Assez bruyant comme endroit, belle luminosité. Un nouveau chef, en relève de Che Chartrand, sera encadré de près par l'équipe de Beckta.

GIOVANNI'S ★★★ ita
362, rue Preston, OTTAWA
Tél.: 613-234-3156
SPÉCIALITÉS ITALIENNES: Raviolis au homard, sauce rosée. Linguine aux fruits de mer. Paupiettes de veau, farcies au prosciutto et fromage bocconcini, sauce au poivre. Profiteroles au chocolat.
PRIX Midi: F. 18$ à 22$
Soir: C. 37$ à 87$
OUVERTURE: Lun. à jeu. 11h à 22h. Ven. 11h à 23h. Sam. 17h à 23h. Dim. 17h à 22h. Fermé 25 déc.
NOTE: Soir: spécialité du chef à l'ardoise. 2 poissons frais tous les jours. Table de 6 dans le cellier. Carte des vins, bouteilles de 35$ à 4000$. Menu pour groupes. Salle privée 34 pers. max., sur réserv.
COMMENTAIRE: Giovanni's n'a rien laissé au hasard en se refaisant une beauté. C'est le plus beau restaurant italien à Ottawa, et selon plusieurs, la meilleure table du genre aussi. Certainement la plus chère de sa catégorie! Le service est attentionné, on vous reconnaît même lors d'une première visite, comme l'habitué qu'on veut faire de vous. Habile! Plats traditionnels, bien livrés. Pour les soirs de fête.

GY RESTO-TRAITEUR ★★★ fra
51, rue Saint-Jacques, GATINEAU
Tél.: 819-776-0867
SPÉCIALITÉS FRANÇAISES: Trio de tartares, bœuf, saumon, pétoncles. Thon blanc, marmelade de tomate, sauce crème au gingembre. Pétoncles au curry, fondue de poireaux au miso. Bavette de gibier à l'échalote, pommes de terre rattes. Gâteau à la banane, sucre à la crème, mousse au chocolat.
PRIX Midi: F. 14$ à 15$
Soir: C. 30$ à 53$
OUVERTURE: Mar. à ven. 11h30 à 14h. Mar. à sam. 17h à 22h. Fermé dim., lun. et sam. midi.
NOTE: Desserts et pain faits maison. 50 vins d'importation privée. Ouvert dim. 20 à 30 pers. max., sur réserv.
COMMENTAIRE: Gy, c'est le surnom du chef propriétaire Gyno Lefrançois. Gros virage en 2014: il a déménagé rue Saint-Jacques, dans un local plus spacieux, avec terrasse. Encore assez modeste pour que le chef et sa petite équipe fassent tout à la main, permettant un menu abordable qui, cependant, n'évolue pas. Parfait pour ceux qui aiment savourer les mêmes plats bien faits mais sans surprise, dans un cadre familier.

HOOCH BOURBON HOUSE ★★★ can
180, rue Rideau, OTTAWA
Tél.: 613-789-1821
SPÉCIALITÉS CANADIENNES: Gauffres au babeurre, poulet de Cornouailles frit, érable, chipotle. Tartare de cheval. Huîtres. Tarte de patates douces, guimauves maison grillées.
PRIX Midi: (fermé)
Soir: C. 30$ à 48$
OUVERTURE: Mer. à lun. 17h à 2h du mat. Fermé mar. et 25 déc.
NOTE: Carte de bourbons, prix à l'once. Vins canadiens uniquement. Cocktails 11$ à 14$. Cuisine tardive. Sam. musique blues live.
COMMENTAIRE: Le talent du jeune chef Danny Mongeon avait permis l'essor de Brut Cantina Sociale en 2012. Maintenant, il le fait à son propre profit et s'illustre comme un des chefs d'avenir dans la capitale. Avec quelques planches de pin, il a modestement converti un local d'un bout mal famé de la rue Rideau en un endroit où l'audace en cuisine n'a d'égale que la beauté des assiettes qui en sortent. Et que veut dire hooch? Au Québec, on aurait dit: de la «bagosse», sorte d'alcool frelaté.

HY'S ★★★ cont
170, rue Queen, OTTAWA
Tél.: 613-234-4545
SPÉCIALITÉS CONTINENTALES: Homard en duo avec steak. Grandes crevettes, sauce cocktail. Bar, haricots blancs. Carré d'agneau en croûte de fines herbes, sauce demi-glace. Chateaubriand, bouquetière de légumes, pommes de terre rôties. Banane flambée.
PRIX Midi: C. 39$ à 81$
Soir: C. 52$ à 97$
OUVERTURE: Lun. à ven. 11h30 à 14h30 et 17h30 à 22h30. Sam. 17h30 à 23h. Fermé dim., 25 déc., 1er janv. et jours fériés.
NOTE: Restaurant ouvert depuis 1985. T.H. pour groupes seulement. Service au comptoir.
COMMENTAIRE: Après toutes ces années, Hy's demeure l'un des antres préférés des politiciens d'Ottawa, pratique car situé à deux rues du Parlement. Une grilladerie comme il en existe depuis des décennies: pas étonnant, car le premier Hy's a été créé en 1955, à Calgary. Un menu classique dans un environnement chic... et les prix qui vont avec. Si vous voulez voir où l'argent des contribuables canadiens est dépensé...

JUNIPER ★★★★ cont
245, chemin Richmond, OTTAWA
Tél.: 613-728-0220
SPÉCIALITÉS CONTINENTALES: Fraises, bocconcini, vinaigrette balsamique poivre et maïs. Bol de riz, thon tataki, kimchi, cornichons, champignons shiitake. Truite grillée, ratatouille, tapenade aux olives noires, aïoli au basilic. Crème brûlée à la vanille.
PRIX Midi: C. 22$ à 33$
Soir: C. 32$ à 50$
OUVERTURE: Mar. à ven. 11h30 à 14h. 7 jours 17h30 à 22h. Fermé lun. en juil., août et jours fériés.

NOTE: Charcuteries maison. Menu à l'aveugle 5 serv. 60$. Nouveau menu aux 2 sem. Jazz jeu. 19h à 22h. T.H. midi pour groupe. Droit de bouchon 18$/bout.
COMMENTAIRE: Le chef propriétaire Norm Aitken peut dire, depuis deux ou trois ans, que le déménagement de son restaurant Juniper, quelques rues plus à l'est sur Wellington, valait la peine. La cuisine ouverte donne sur une salle à manger résolument moderne mais chaleureuse, avec de moelleuses banquettes. Le menu est construit moitié-moitié de plats principaux et de plats de dégustation, tous autour des produits locaux, présentés avec soin.

KASBAH VILLAGE ★★★ mar
261, rue Laurier O., OTTAWA
Tél.: 613-232-3737
SPÉCIALITÉS MAROCAINES: Brochettes de saumon au beurre à l'ail. Brochettes mixtes (agneau, poulet et crevettes). Tajine exotique au poulet, safran et fruits de saison. Tajine d'agneau aux prunes et amandes. Agneau shank. Couscous kasbah (agneau et merguez) ou royal.
PRIX Midi: F. 13$ à 16$
Soir: C. 28$ à 46$ T.H. 30$ à 36$
OUVERTURE: Lun. à ven. 11h à 14h30. Mar. à sam. 17h à 22h. Fermé dim., jours fériés et fête du Travail, 25 déc. et 1er juil.
NOTE: Musique traditionnelle marocaine. Service de traiteur. Service au comptoir. Carte de vins marocains. Kiosque de produits d'artisans marocains.
COMMENTAIRE: Le temps passe et Kasbah Village traverse bien les années. Peut-être bien le meilleur restaurant marocain de toute la région. Belle salle à manger dans le style marocain, pour apprécier les odeurs d'une cuisine qui maîtrise les épices des classiques comme le tajine, la pastilla, la soupe harira. La cuisine proposée par le restaurateur Khalid Bouazza est aussi typique du Maroc que vous pourrez trouver de ce côté-ci de l'Atlantique.

LE BACCARA ★★★★★ fra
Restaurant de l'année Debeur 2009
Casino du Lac-Leamy
1, bd du Casino, GATINEAU
Tél.: 819-772-6210
SPÉCIALITÉS FRANÇAISES: Tartare de bison de la Petite-Nation au fromage de brebis et truffes, œufs de caille tempura, vinaigrette à la framboise. Longe d'agneau du Québec, cromesqui au chorizo et au fromage manchebello, dariole à la courgette et poivrons grillés, figues confites, caramel de vin rouge aux épices, jus d'agneau. Sphère à la fève tonka, gelée de fraises et rhubarbe, rhubarbe confite.
PRIX Midi: (fermé)
Soir: C. 70$ à 95$ T.H. 65$ à 75$
OUVERTURE: Mer. à dim. 17h30 à 23h.
NOTE: Menu dégustation 4 serv. 65$ à 75$. Menu dégustation du chef 5 serv. 95$, menu gastronomique 8 serv. 120$. Dans le cellier, choix de 700 références de vin parmi 13 000 bouteilles. Lun. et mar. soir ouvert pour 25 pers. et plus, sur réserv.
COMMENTAIRE: C'est à Gatineau, oui, que la Société des casinos du Québec a le meilleur de tous ses restaurants, et c'est Le Baccara. Une cuisine classique et moderne tout à la fois, livrée avec grand style par des professionnels stricts mais pas intimidants. Grand menu à cinq ou huit services autour d'aliments d'exception: une expérience à vivre au moins une fois. Cave de 13 000 bouteilles vantée par la sommelière Danielle Dupont.

LE CAFÉ CNA ★★★ cont
Centre national des Arts
53, rue Elgin, OTTAWA
Tél.: 613-594-5127
SPÉCIALITÉS CONTINENTALES: Saumon sauvage de la Colombie-Britannique, passé au four, risotto d'orge bicolore, glace à l'érable relevée de chili fumé. Poulet de Cornouailles, marinade sèche, fenouil et piment d'Espelette. Lingot au chocolat noir sans farine. Gâteau au fromage aux agrumes.
PRIX Midi: F. 24$ T.H. 34$
Soir: C. 52$ à 76$ F. 44$ T.H. 50$
OUVERTURE: Lun. à ven. 11h30 à 14h. Lun. à sam. 17h à 21h. Fermé dim., 24, 25 déc., fête du Travail, Action de Grâces, fête de la Reine, ven. et lun. de Pâques.
NOTE: Superbe terrasse sur le canal Rideau. Viande vieillie 30 jours. Petit menu après 21h, soir de spectacle. Droit de bouchon 25$/bout. Brunch fête des Mères, fête des Pères, Pâques, jour de l'An.
COMMENTAIRE: Le chef John Morris a remplacé au pied levé l'exubérant et audacieux Michael Blackie: un énorme défi qu'il n'a pu tenir à même hauteur. La commande était grosse. La salle à manger du Café, refaite récemment, est cependant toujours aussi belle (quand on la trouve) et la terrasse sur le canal Rideau est invitante. La cuisine est quand même de bon niveau et c'est toujours le meilleur endroit avant un spectacle au CNA.

LE PIED DE COCHON
★★★ (bistro) fra
242, rue Montcalm, GATINEAU
Tél.: 819-777-5808
SPÉCIALITÉS FRANÇAISES: Tartare de bœuf. Flétan saisi à l'huile d'olive, beurre blanc safrané. Côte de veau aux champignons sauvages. Croustade de rognons sauce moutarde. Magret de canard au miel framboisé. Vacherin glacé au kirsch. Crème brûlée à l'érable.
PRIX Midi: T.H. 20$ à 28$
Soir: C. 39$ à 57$ T.H. 40$ à 55$
OUVERTURE: Mar. à ven. 11h30 à 14h30. Mar. à sam. 17h30 à 22h. Fermé dim. et lun. Fermé 2 sem. de la construction, du 23 au 30 déc., 1er et 2 janv.
NOTE: Charcuterie, pâtisseries et desserts maison. Soir menu 4 services à partir de 45$. Sélection de vins d'importation privée bio-dynamique.
COMMENTAIRE: Il y a Pied de cochon... et Pied de cochon. Celui de Gatineau, ouvert depuis 1976, et celui de Montréal, 25 ans après. Le chef propriétaire Guy Mervellet ne passera pas pour Martin Picard, mais côté cuisine française classique, il ne laisse pas sa place. Pensez quenelles, doré beurre blanc, rognons sauce moutarde, tartare. Le midi, c'est le rendez-vous des gens d'affaires de Gatineau. Attirés par un service efficace, exemplaire.

LES VILAINS GARÇONS
★★★ (bistro) fra
39A, rue Laval, GATINEAU
Tél.: 819-205-5855
SPÉCIALITÉS FRANÇAISES: Acras crème épicée. Tartare de bœuf, sashimi, pétoncles, oursins, huîtres, wakamé, betteraves, mangue. Canard laqué, poires asiatiques, mangue. Poires pochées, fromage de chèvre.
PRIX Midi: F. 15$ à 25$
Soir: C. 25$ à 29$
OUVERTURE: Mar. à ven. 11h30 à 22h. Sam. et dim. 17h à 22h. Fermé lun. et 2 sem. en janv.
NOTE: Menu à l'ardoise. Pintxo et plats du jour. Plateau de fruits de mer 30$. La carte des vins varie chaque semaine.
COMMENTAIRE: Lorsque Gyno Lefrançois a repris l'ancien Bistro Saint-Jacques pour y abriter son restaurant Gy, cela a ouvert la porte à Romain Riva, un autre jeune chef de l'Outaouais qui cherchait un nouveau défi après quelques années à la barre du Moulin de Wakefield. Avec ses comparses, cela a donné Les Vilains Garçons. La partie tapas du menu est la plus intéressante, abordable et innovante. Les jeunes foodies ont trouvé leur nouvel endroit de prédilection.

Restaurants ailleurs dans la province

LE TARTUFFE ★★★ fra
133, rue Notre-Dame-de-l'Île, GATINEAU
Tél.: 819-776-6424
SPÉCIALITÉS FRANÇAISES: Pétoncles poêlés des grands bancs, sauce au cari et champagne, salade de pousses. Filet de sanglier gratiné au fromage le Douanier, réduction de bière brune, gratin savoyard aux panais. Tartare de truite arc-en-ciel de la ferme Cedar Creek.
PRIX Midi: T.H. 18$ à 26$
Soir: C. 46$ à 68$ F. 40$ à 60$
OUVERTURE: Lun. à ven. 11h30 à 14h. Lun. à sam. 17h30 à 22h. Fermé dim. et jours fériés.
NOTE: Bonne sélection de vins. Stationnement à l'arrière gratuit le soir. Salle privée jusqu'à 40 pers. sur réserv.
COMMENTAIRE: La nouvelle équipe qui a pris la relève au Tartuffe (Nicolas Bourgeois et Marie-Ève Guilbeault, le chef Christopher Mulder) travaille sans relâche et tente de garder le calibre de ses débuts, il y a 20 ans. Cuisine d'inspiration française, très classique... comme il y a 20 ans. Est-ce suffisant pour une nouvelle génération de dîneurs? Belle salle à manger dans une maison patrimoniale à deux pas du Musée canadien de l'histoire.

MAMBO NUEVO LATINO ★★★[ER] sud
77, rue Clarence, OTTAWA
Tél.: 613-562-2500
SPÉCIALITÉS INTERNATIONALES D'INFLUENCE SUD-AMÉRICAINE: Gaspacho Lola: tomates fraîches, vodka, fraises, melon d'eau, avocat, poivron rouge, coriandre. Suprême de poulet, sauce au fromage bleu, amandes rôties, écrasé de pommes de terre et de plantain. Dulche de Leche. Gâteau au fromage au
PRIX Midi: F. 15$
Soir: C. 41$ à 60$
OUVERTURE: Lun. à sam. 11h30 à minuit, dim. 11h à minuit. Fermé 25 déc.
NOTE: DJ ven. et sam. dès 20h. Droit de bouchon 15$/bout. Menu tapas.
COMMENTAIRE: Dans le secteur du marché By, quelques restaurants ont la cote. Mambo Nuevo Latino l'a un peu moins. Pourtant, cette impopularité (toute relative) n'est pas justifiée. Une chance que la salle à manger s'ouvre sur une belle terrasse devant laquelle déambule la faune urbaine. Ceux qui s'y aventurent y découvrent une cuisine sud-américaine assez pure, inspirée du Pérou, évidemment, mais aussi du Brésil, de l'Argentine et du Chili.

MURRAY STREET KITCHEN ★★★ can
110, rue Murray, OTTAWA
Tél.: 613-562-7244
SPÉCIALITÉS CANADIENNES: Éperlans croustillants frits, morue salée mayonnaise. Épaule de porc fumée, glacée à la sauce barbecue, salade de pommes de terre, salade de chou maison. S'more en pot Mason au chocolat noir, biscuit graham, guimauve.
PRIX Midi: C. 38$ à 52$
Soir: Idem
OUVERTURE: 7 jours 11h30 à 14h30 et 17h30 à 22h. Bar à charcuterie 11h30 à minuit. Fermé 24, 25 déc.
NOTE: Tête de cochon rôtie et fumée, 8 à 10 pers. 80$.
COMMENTAIRE: La rue Murray a pris des airs gastronomiques et ce bistro y joue son rôle avec fierté. Les charcuteries et les plats riches et gras y sont mis en honneur. Pas l'endroit pour un régime. Évident au premier coup d'œil sur un des chefs et concepteurs de la maison, Steve Mitton. Mais on s'amuse ici, autant en cuisine qu'à table. Et quand il fait beau, la terrasse héritée de l'ancien locataire, le Bistro 115, demeure l'une des plus accueillantes en ville.

NAVARRA ★★★★ mex
93, rue Murray, OTTAWA
Tél.: 613-241-5500
SPÉCIALITÉS MEXICAINES: Salade de crabe, avocat, mangue séchée, pamplemousse, sésame, vanille. Chimichurri aux champignons biologiques, oignons frits, fromage pecorino, coriandre et herbes fraîches. Tartare de bœuf, jambon serrano, sauce gribiche, crostinis. Cuisse d'agneau braisée, sauce aux hibiscus. Gâteau au cœur fondant.
PRIX Midi: F. 16$ à 21$
Soir: C. 44$ à 83$
OUVERTURE: Mar. à ven. midi à 14h. Lun. à dim. 17h30 à 22h. Dim. 10h30 à 14h (brunch).
NOTE: Concept de plats à partager.
COMMENTAIRE: Le chef propriétaire René Rodriguez a toujours eu du talent. Il est plus reconnu aujourd'hui en raison de sa victoire à l'émission Top Chef Canada, sur Food Network. Et son restaurant gagne en renommée. À l'origine voué à la cuisine basque, le chef s'est depuis tourné vers la cuisine mexicaine, le pays de ses racines où il a passé son adolescence. Parfois inégal, mais de plus en plus un endroit à suivre et à visiter.

PERSPECTIVES RESTAURANT ★★★ int
Hôtel Brookstreet
525, ch. Legget, OTTAWA
Tél.: 613-271-3555
et 1-888-826-2220
SPÉCIALITÉS INTERNATIONALES: Pétoncles poêlés, courges rôties, champignons, purée de céleri-rave très fine, racine de taro, bacon. Côtelette de porc Nagano, choux de Bruxelles, bacon, purée de panais et pommes, réduction érable et malt. Gâteau chocolat au cœur fondant.
PRIX Midi: T.H. 31$ à 55$
Soir: C. 34$ à 67$ T.H. 39$
OUVERTURE: Lun. à ven. 11h30 à 13h30. Lun. à sam. 18h à 21h. Dim. 9h30 à 13h30. Fermé dim. soir. 7 jours petit déjeuner 6h30 à 11h.
NOTE: Apportez votre vin lun. à mer., droit de bouchon 10$/bout. Musique live, 7 jours en soirée. Menu change aux mois. Liste de vin interactive iPad. Prix Wine Spectator 2004 à 2010. Accès pour handicapés.
COMMENTAIRE: Les restaurants d'hôtel sont souvent décevants. Pas à l'hôtel Brookstreet où le patron Patrice Basille a toujours misé sur une table d'exception. Le chef Michael Blackie l'a lancé et depuis quelques années son ancien second Clifford Lyness a savamment repris le flambeau. Le culte du produit local y est pratiqué avec soin et fierté. Vaste menu pour plaire à tous, incluant un menu sushis en soirée, par le chef Yarada.

PLAY FOOD & WINE ★★★ fra
1, rue York, OTTAWA
Tél.: 613-667-9207
SPÉCIALITÉS FRANÇAISES: Asperges grillées, parmesan, légumes verts de la région, prosciutto, citron. Steak d'onglet, champignons, frites. Pâté au chocolat, pistaches et orange.
PRIX Midi: F. 22$
Soir: C. 23$ à 40$
OUVERTURE: Lun. à ven. midi à 14h. Lun. 17h30 à 22h. Mar. à jeu. 17h30 à 23h. Ven. 17h30 à minuit. Sam. midi à minuit. Dim. midi à 22h. Fermé 24, 25 déc. et jours fériés.
NOTE: Droit de bouchon 15$/bout. Midi, spécial 2 plats 22$/pers. Événements privés et cocktails.
COMMENTAIRE: Repaire du restaurateur Stephen Beckta dans le touristique secteur du marché By, Play mise sur un menu de charcuteries et de plats de dégustation. Sur un coin de rue achalandé, les larges fenêtres font sentir qu'on est dans un endroit, et un

secteur, qui bouge. Décor minimaliste, environnement bruyant sur deux niveaux. Pas pour un tête-à-tête, mais pour se sentir dans l'action.

RESTAURANT SIGNATURES ★★★★ (bistro fra)
453, av. Laurier E., OTTAWA
Tél.: 613-236-2499
SPÉCIALITÉS FRANÇAISES: Poêlée d'escargots, crème de céleri, pain grillé, persil, sauce provençale au pastis. Poêlée de pétoncles, risotto de courgette, tomates séchées maison, sirop de tomate au basilic. Magret de canard saisi, gnocchi à la semoule, poitrine fumée campagnarde.
PRIX Midi: T.H. 29$
Soir: C. 56$ à 72$
OUVERTURE: Mer. à ven. 11h30 à 13h30. Mer. à sam. 17h30 à 21h30. Fermé dim. à mar. et sam. midi. Réserv. recommandée.
NOTE: T.H. mer. soir, 4 serv. et 1 bout. de vin, 109$/2 pers. Création du chef, menu végétarien sur demande, le prix dépend de ce qu'il a en cuisine. 5 salles privées jusqu'à 25 pers. Banquet 60 pers.
COMMENTAIRE: Signatures, c'est la table de l'école de cuisine Cordon Bleu. Pendant 10 ans, elle a été l'une des meilleures d'Ottawa; puis l'ambition du propriétaire André Cointreau s'est refroidie. Devenu bistro un moment, il montre des signes de relance. Le menu du chef Yannick Anton a repris du galon, mais les prix sont encore ceux plus modestes d'un bon bistro. Pour la beauté des lieux, il vaut la peine d'aller admirer ce qui fut, à l'époque, un club privé inaccessible.

SIDEDOOR ★★★ int
Marché By
20, rue York, OTTAWA
Tél.: 613-562-9331
SPÉCIALITÉS INTERNATIONALES: Salade de papaye verte, cajous, menthe, basilic thaï. Tacos, poisson croustillant à la barbadienne. Bœuf braisé, curry Panaeng, arachides grillées, herbes fraîches. Minis donuts sucre et cannelle.
PRIX Midi: F. 15$
Soir: C. 38$ à 60$
OUVERTURE: Lun. à ven. 11h30 à 14h30. Dim. à jeu. 16h30 à 22h30. Ven. et sam. 16h30 à 23h.
NOTE: «Happy hour» dim. à ven. 16h30 à 18h30. Assiette de 2 tacos 9$. T.H. pour 20 pers. min., sur réserv. Salle privée 80 pers.
COMMENTAIRE: Quand Matthew Carmichael a lancé Sidedoor, il a misé sur des tacos haut de gamme... et des beignes maison, comme à l'époque. Il est depuis parti lancer El Camino, où les tacos sont toujours en vedette. Jonathan Korecki a pris le relais et, outre les tacos, a progressivement introduit des influences asiatiques dans presque tous les plats. Donnez-vous la peine de chercher l'endroit, à l'arrière du restaurant Eighteen, sur la rue York.

SOIF ★★★ fra
Bar à vin de Véronique Rivest
88, rue Montcalm, GATINEAU
Tél.: 819-600-7643
SPÉCIALITÉS FRANÇAISES: Truite de notre fumoir, crème fraîche, boutons de marguerite marinés. Morue charbonnière, ragoût de haricots, chorizo. Boudin noir maison, pomme, purée de céleri-rave au genièvre. Onglet de bœuf grillé, jus de viande à l'anis, frites. Crème prise à la camomille, pistache et petit sablé.
PRIX Midi: C. 17$ à 34$
Soir: C. 25$ à 50$
OUVERTURE: Lun. à jeu. 11h30 à 22h. Ven. 11h30 à 23h. Sam. 16h à 23h. Dim. 16h à 22h.
NOTE: Équipe de sommeliers sur le plancher. Plusieurs vins pour chaque plat et une trentaine de vins au verre. Véronique Rivest, deuxième place au Concours du meilleur sommelier du monde en 2013, meilleur sommelier des Amériques en 2012, meilleur sommelier du Canada en 2006 et 2012.
COMMENTAIRE: Soif, le bar à vins de la sommelière Véronique Rivest souffre des énormes attentes placées sur les épaules de la 2e sommelière au monde. L'ouverture plusieurs fois retardée a créé un buzz dans le milieu: une si longue préparation promet des merveilles, non? À cela, Soif ne peut répondre aux espoirs. La cuisine est très honnête, l'endroit est sympathique. Et les vins? Recherchés, pas tous chers, mais tous ne sont pas des Véronique Rivest pour les apprécier à son niveau.

STERLING ★★★ cont
835, rue Jacques-Cartier, GATINEAU
Tél.: 819-568-8788
SPÉCIALITÉS CONTINENTALES: Foie gras poêlé pomme caramélisée, chutney de bleuets, crumble à l'amande. Filet de saumon poêlé, béarnaise, risotto de champignons, asperges. Filet mignon grillé au bois d'érable, sauce deux poivres. Marquise au chocolat grand cru, crème anglaise à la pistache.
PRIX Midi: F. 25$
Soir: C. 39$ à 108$ T.H. 65$
OUVERTURE: Lun. à ven. 11h à 22h. Sam. 17h à 23h. Dim. 17h à 22h. Fermé 24, 25 déc. et 1er janv.
NOTE: Maison fin du XIXe siècle. Menu saisonnier. Boucherie. Viande qualité Sterling Silver, vieillie sur place, 21 à 40 jours. 2 celliers à vins de 10 000 bouteilles, 250 étiquettes de vins et d'importation privée. Ven. et sam. musiciens 19h.
COMMENTAIRE: Les plus vieux reconnaîtront dans les vestiges du Sterling ce qui fut l'une des bonnes tables de la génération précédente, L'Eau vive (parce que située en face de la rivière des Outaouais). Les nouveaux propriétaires en ont fait une grilladerie, certainement la meilleure de Gatineau. On apprécie les salles de vieillissement près de l'entrée, la cave et, comme avant, le chariot de portos et autres digestifs, pour une finale de repas de roi.

SUPPLY & DEMAND ★★★★ int
1335, rue Wellington O., OTTAWA
Tél.: 613-680-2949
SPÉCIALITÉS INTERNATIONALES: Thon albacore cru, huile de truffe, citron, riz soufflé. Salade de kale, fromage manchego, bacon. Filet de maquereau poché au beurre. Eton mess: meringue à la crème fouettée, rhubarbe et baies.
PRIX Midi: (fermé)
Soir: C. 28$ à 52$
OUVERTURE: Dim. et lun. 17h à 21h30. Mar. à sam. 17h à 22h. Fermé jours fériés.
NOTE: Réserv. recommandée. Saucisses confectionnées sur place. Pâtes fraîches du jour.
COMMENTAIRE: Le succès immédiat de Supply & Demand (quatrième au Canada selon enRoute en 2013) s'explique d'abord par le talent précoce du chef propriétaire Steve Wall, déjà repéré dans sa jeune vingtaine chez Whalesbone. Son menu n'est pas très long mais change constamment, il fait aussi ses propres pains. Principal défaut: avec toutes ses céramiques, la salle à manger est très bruyante... et la cuisine ouverte n'aide pas.

TAYLORS GENUINE FOOD AND WINE BAR ★★★ fra
1091, rue Bank, OTTAWA
Tél.: 613-730-5672
SPÉCIALITÉS FRANÇAISES: Salade de tomates de serre biologiques ferme Terre à Terre, fromage de chèvre, tapenade, balsamique au citron. Ballotine de selle de lapin québécois, enveloppé de prosciutto, farce au fromage de chèvre, champignons et romarin, polenta de parmesan, ketchup de sauge relevé, jus de veau. Gâteau au fromage façon pannacotta.
PRIX Midi: C. 32$ à 53$
Soir: C. 39$ à 59$

OUVERTURE: Lun. à ven. 11h30 à 14h. 7 jours 17h30 à 22h. Fermé 24, 25 déc., 1er janv. et 1er juil.
NOTE: Menu change suivant les saisons et les arrivages. Carte des vins, nombreux vins canadiens.
COMMENTAIRE: Personne ne se doutait que le restaurant Domus allait mal. John Taylor s'est lassé de tirer le diable par la queue, l'a fermé et se concentre aujourd'hui sur ce qui était son petit resto de quartier. Pas la même enveloppe que Domus, mais le même souci de qualité. Cela ne peut que s'améliorer depuis que le chef Taylor peut s'y concentrer à 100%. L'obsession des produits locaux, sauf pour les fromages du Québec, demeure.

THE SHORE CLUB ★★★[ER] cont
Hôtel Westin Ottawa
11, prom. Colonel, OTTAWA
Tél.: 613-569-5050
SPÉCIALITÉS CONTINENTALES: Gâteau de crabe, raifort, mayonnaise. Bar cuit avec des haricots, aïoli d'ancho-chili. Filet mignon. Tarte à la crème et noix de coco.
PRIX Midi: T.H. 25$
Soir: C. 50$ à 94$
OUVERTURE: Lun. à ven. 11h30 à 14h et 17h à 23h. Sam. et dim. 17h à 23h.
NOTE: Salades en tout temps l'après-midi. Droit de bouchon 25$/bout. Salle privée avec écran plat pour présentation 18 pers. Menu cocktail 14h30 à 17h et 23h à minuit.
COMMENTAIRE: Avec sa récente rénovation de la façade et du rez-de-chaussée, l'hôtel Westin a enfin revu son offre culinaire. Il a importé le concept du Shore Club de Vancouver. Dans cette ancienne discothèque, les grillades sont mises en honneur. Très bien mais très cher, comme on peut s'y attendre dans un grand hôtel chic. Un nouveau chef, Jason Groulx, vient d'arriver et le menu, assez standard, laisse peu de place à son inspiration.

THE WELLINGTON GASTROPUB ★★★★ int
1325, rue Wellington O., OTTAWA
Tél.: 613-729-1315
SPÉCIALITÉS INTERNATIONALES: Tartare de bœuf, crostini, huile de truffe. Magret de canard mulard rôti, bacon, poireaux et carottes, vinaigrette au kimchi. Pierogies cheddar et pommes de terre, salade pommes-fenouil, crème d'oignons verts.
PRIX Midi: C. 28$ à 39$
Soir: C. 35$ à 54$
OUVERTURE: Lun. à ven. 11h30 à 14h. Lun. à mer. 17h30 à 21h30. Jeu. à sam. 17h30 à 22h. Fermé dim., jours fériés, du 24 au 30 déc. et 31 déc. au soir.
NOTE: Menu privé 50$/pers. groupe de 10. Crèmes glacées et desserts maison. On peut apporter son vin le lun., droit de bouchon 25$/bout.
COMMENTAIRE: Importé d'Angleterre, ce sympathique bistro a devancé Ottawa avec son intérêt pour les bières d'exception. Une douzaine en fût, autant en bouteilles, locales et ontariennes surtout, à consommer avec des plats goûteux, à la fois modernes et traditionnels (confit, béarnaise, tomates patrimoniales). L'une des premières tables à lancer la rue Wellington comme destination gastronomique à Ottawa.

THE WHALESBONE OYSTER HOUSE ★★★ cont
430, rue Bank, OTTAWA
Tél.: 613-231-8569
SPÉCIALITÉS CONTINENTALES: Fish and chips de morue du Pacifique. Roulé de homard sur brioche, beurre, frites, aïoli. Tarte à la crème vanillée. Churros au chocolat.
PRIX Midi: C. 36$ à 61$
Soir: C. 49$ à 71$
OUVERTURE: Lun. à ven. 11h30 à 14h30. Dim. à mer. 17h à 22h. Jeu. à sam. 17h à 23h.
NOTE: Réserv. recommandée. Bar à huîtres (5 à 7 sortes).
COMMENTAIRE: Sans aucun doute le restaurant le plus funky d'Ottawa avec son vieux vélo accroché au mur et son mobilier de bois brut. Joshua Bishop y a lancé le premier bar à huîtres comme tel, et aujourd'hui fournit tout Ottawa. Une minuscule cuisine ouverte prépare des poissons choisis avec des critères de responsabilité environnementale (ceux d'Oceanwise). La salle à manger n'est pas beaucoup plus grande: réservations essentielles.

TOWN ★★★[ER] int
296, rue Elgin, OTTAWA
Tél.: 613-695-8696
SPÉCIALITÉS INTERNATIONALES: Terrine de pieuvre grillée. Boulettes de viande farcies à la ricotta et au parmesan, polenta et sauce tomate. Crème glacée maison au caramel, sauce chocolat, maïs soufflé et noix.
PRIX Midi: C. 27$ à 41$
Soir: C. 26$ à 53$
OUVERTURE: Mer. à ven. 11h30 à 14h. Lun. à jeu. 17h à 22h. Ven. et sam. 17h à 23h. Dim. 17h à 22h. Fermé 1re sem. de janv.
NOTE: Ricotta faite maison.
COMMENTAIRE: Town s'amuse à moderniser la cuisine italienne, à partir d'ingrédients locaux. Comme les gnudis (variante des gnocchis, mais à partir de fromage ricotta) que personne n'offrait à Ottawa auparavant. Ouvert sept soirs et quelques midis. Un genre trattoria moderne, discrète de la rue mais assez logeable à l'intérieur. On a vite fait le tour du menu succinct, présenté sur ardoise. Un succès d'estime auprès d'une clientèle fidèle.

VITTORIA TRATTORIA ★★★ ita
35, rue William, OTTAWA
Tél.: 613-789-8959
SPÉCIALITÉS ITALIENNES: Pizza quatre saisons (artichauts, olives noires, tomates séchées et prosciutto). Pâtes pescatore. Tortellini au gorgonzola. Poulet parmigiana. Carré d'agneau en croûte au sumac. Veau au marsala. Crème brûlée au chocolat blanc.
PRIX Midi: C. 28$ à 51$
Soir: C. 28$ à 57$
OUVERTURE: Lun. à ven. 11h à 22h. Sam. et dim. 10h à 23h. Brunch sam. et dim. Fermé 24 et 25 déc.
NOTE: Antipasti et desserts maison. Très grande variété de vins des quatre coins du monde. Droit de bouchon 25$/bout.
COMMENTAIRE: Il y a deux Vittoria Trattoria; il faut préférer celui du marché By à celui de la banlieue, commode mais d'une modernité bruyante et peu originale. Les frères sommeliers Dominic et Cesare Santaguida ont bâti une cave de 800 étiquettes, l'une des mieux garnies à Ottawa. Les nappes blanches et les fenêtres sur la rue éclairent une salle à manger autrement un peu sombre. Un restaurant aux valeurs sûres: de très bonnes pâtes, du bon vin.

WILFRID'S RESTAURANT ★★★★ can
Château Laurier
1, rue Rideau, OTTAWA
Tél.: 613-241-1414
SPÉCIALITÉS CANADIENNES: Carpaccio de bison, croûtons, huile d'olive, salade marinée récolte printanière. Flétan poêlé, pleurotes grillés au four, lentilles béluga à la truffe, asperges. Confit de canard, ragoût de pommes de terre et champignons, réduction à l'orange bigarade.
PRIX Midi: C. 32$ à 46$
Soir: C. 50$ à 71$ T.H. 48$ à 54$
OUVERTURE: Lun. à sam. 11h30 à 14h et 17h30 à 22h. Petit déjeuner lun. à ven. 6h30 à 11h, sam. 7h à 11h, dim. 7h à 10h30.
NOTE: Menu terrasse et menu saisonnier. Terrasse ouverte en été.
COMMENTAIRE: Longtemps, le beau restaurant du Château Laurier a porté le nom de «Canadian

Restaurants ailleurs dans la province

Grill». Rebaptisé Wilfrid's, en l'honneur du premier premier ministre francophone, Wilfrid Laurier, sa cuisine s'inscrit dans les politiques de la chaîne hôtelière Fairmont. Le nouveau chef Louis Simard n'a donc pas les coudées très franches et son menu du soir surprend peu. Mais la qualité est là et le cadre douillet de la salle à manger plaît aux fidèles de la maison.

RÉGION DE GATINEAU - OTTAWA

LES FOUGÈRES ★★★ fra
783, route 105, CHELSEA
Tél.: 819-827-8942
SPÉCIALITÉS FRANÇAISES: Confit de canard mulard, pommes de terre rôties, fromage de chèvre, poire pochée, épinards, compote de Lingonne. Cari au poulet, porc ou légumes. Filet mignon de bœuf, tomates cerises, œuf de caille, jus de bœuf, légumes d'été, pommes de terre. Trio de crèmes brûlées parfumées.
PRIX Midi: C. 37$ à 59$
Soir: C. 52$ à 69$ T.H. 49$
OUVERTURE: Lun. à ven. 11h à 21h30. Sam. et dim. 10h à 21h30. Fermé 1er janv., 1er juil., fête du Travail, Action de grâces, 24 au 26 déc.
NOTE: T.H. soir 4 serv. Menu végétarien midi et soir. Menu 5 serv. 69$, accord vins 41$, dégustation 10 serv. 92$ accord vins 63$. Assiette de fromages québécois. Plats cuisinés prêts à emporter, produits en vente dans plusieurs épiceries au Québec. Prix Award of Excellence 2001 à 2009 du Wine Spectator. Médaille d'or d'Ottawa du Gold Medal Plate.
COMMENTAIRE: Tous craquent pour l'attrait champêtre des Fougères, à quelques minutes de la ville. Le chef propriétaire Charles Part, appuyé par son épouse Jennifer Warren, a ses admirateurs... et d'autres qui trouvent sa cuisine inégale. Son affection pour les produits locaux est irréprochable. Son ardeur au travail aussi. Une boutique complète la maison et depuis peu, leurs plats cuisinés sont vendus dans des épiceries fines de la région.

L'ORÉE DU BOIS ★★★★ fra
15, ch. Kingsmere, CHELSEA
Tél.: 819-827-0332
SPÉCIALITÉS FRANÇAISES AVEC PRODUITS DE LA RÉGION: Canard dans tous ses états (rillettes, fondant au foie gras, terrine, gésier). Pétoncles sauce à la coriandre. Médaillon de cerf mariné à la lie de vin. Filet d'agneau au romarin. Nougat glacé au pralin d'érable. Terrine aux trois chocolats, sauce à l'orange et gingembre.
PRIX Midi: (fermé)
Soir: C. 34$ à 67$ T.H. 45$
OUVERTURE: Mar. à dim. 17h30 à 22h. Ouvert midi sur réserv. de groupes, conférences et réunions d'affaires. Fermé lun. et 10 jours à partir du 2 janv.
NOTE: Réserv. nécessaire. Table d'hôte régionale 45$. Menu pour végétariens et personnes allergiques. Menu enfant. Brunch à thème mensuel. Produits maison et chocolat. Fumoir à poisson. Très belle carte de vins, 80% de leur propre agence d'importation. Vente de vinaigrettes et confitures maison.
COMMENTAIRE: Comme Les Fougères, l'Orée du bois séduit au premier coup d'oeil par son site champêtre, l'ombre des arbres matures, la chaleur du bois de la vieille maison. Le chef propriétaire Jean-Claude Chartrand n'a rien voulu changer, ni des attraits de la maison ni du menu qui a subi le test du temps avec brio. On n'y va pas pour être surpris, mais pour déguster un repas de saison bien fait, et toujours à un prix imbattable. Une formule gagnante.

SHERBROOKE

DA LEONARDO ★★★ ita
4664, bd Bourque, SHERBROOKE
Tél.: 819-564-0666
SPÉCIALITÉS ITALIENNES: Calmars frits. Linguini aux crevettes, sauce tomate, crème, cognac, bisque de homard. Pâtes papadina, crème, vin blanc, champignons, bacon, gratiné. Tartufo à l'italienne. Escalope de veau, prosciutto, champignons, vermouth, vin blanc et artichauts. Tiramisu maison.
PRIX Midi: F. 11$ à 19$
Soir: C. 22$ à 55$ F. 32$ à 39$
OUVERTURE: Lun. à ven. 11h à 14h. Lun. à sam. 17h à 21h. Fermé dim., 24 et 25 déc.
NOTE: Grande variété de risotto. Pâtes fraîches maison, 20 sauces différentes. Huîtres et fettucini au homard en saison. Très bon choix de vins italiens. Menu enfant 9,50$. Cafés flambés.
COMMENTAIRE: Restaurant typiquement italien, d'ambiance familiale, ouvert depuis 1984, par le chef Giampietro et Christiane, son épouse. La famille prend la suite avec Bruno et Marcello Mecatti. La cuisine est toujours aussi bonne. Un des rares restaurants à servir la tarte tropézienne que l'on appelle aussi tarte nid d'abeille. Mais il faut la commander à l'avance.

LA TABLE DU CHEF ★★★★ fra
11, rue Victoria, SHERBROOKE
Tél.: 819-562-2258
SPÉCIALITÉS FRANÇAISES: Foie gras de canard poêlé, compote d'abricots, pain maison au canard fumé. Filet de bœuf Angus poêlé, cipollini caramélisés, jus de veau infusé au balsamique. Cuisse de lapin de Stanstead farcie avec son confit, jus de canard au basilic. Fondant de chocolat Guanaja, glace aux framboises.
PRIX Midi: F. 14$ à 22$
Soir: F. 32$ à 47$
OUVERTURE: Lun. à ven. 11h30 à 14h. Mar. à sam. 17h30 à 21h. Fermé sam. midi, dim., 25 déc. et 1er janv.
NOTE: Menu dégustation 5 serv. 63$. Menu aux saisons. Desserts 8$ à 11$. Service de traiteur.
COMMENTAIRE: Le chef propriétaire a été le dernier chef de l'Auberge Hatley, avant l'incendie. Alain Labrie et son épouse ont installé leur restaurant dans un ancien presbytère, sur une petite colline dominant la vallée de Sherbrooke. Ils y servent une très belle cuisine française, revisitée à leur façon. Les mets sont fins, élégants et inventifs.

LE BACCHUS ★★★ fra
2765, rue King O., SHERBROOKE
Tél.: 819-823-3338
SPÉCIALITÉS FRANÇAISES: Magret de canard en aiguillettes aux baies rouges. Ris de veau, sauce à la crème sure. Médaillon de jeune cerf au porto et romarin. Longe d'agneau, marinade fruits et légumes. Camembert au four, amandes effilochées. Crème brûlée à la vanille fraîche.
PRIX Midi: T.H. 15$ à 24$
Soir: C. 36$ à 46$ T.H. 32$ à 37$
OUVERTURE: Mar. à ven. 11h à 14h. Mar. à dim. 17h à 22h. Fermé lun., midi en juil. et août et le 25 déc.
NOTE: Menu découverte 7 serv. 43$. On peut créer sa table d'hôte en ajoutant 10$ à un plat principal offert sur la carte. Ouvert le midi 25 pers. et plus.
COMMENTAIRE: Un restaurant où l'on se sent bien. On y apporte son vin ou sa bière et sa bonne humeur pour y déguster une cuisine très agréable et gentiment servie. Quelques recettes italiennes se glissent dans les menus. Décor chaleureux et sans prétention, tout comme l'assiette d'ailleurs.

Restaurants ailleurs dans la province

LE BOUCHON
★★★★ (bistro fra)
107, rue Frontenac, SHERBROOKE
Tél.: 819-566-0876
SPÉCIALITÉS FRANÇAISES: Pieuvre grillée, tomates rôties, feta de brebis et jus d'olives. Tartare de bœuf du Bouchon et frites maison. Bavette de bœuf grillée, sauce au bleu et échalotes, frites maison. Cuisse de canard confite, juliennes de légumes .
PRIX Midi: F. 14$ à 22$
Soir: C. 33$ à 66$ T.H. 38$ à 42$
OUVERTURE: Lun. à ven. 11h30 à 14h30. Lun. à sam. 17h30 à 21h. Fermé 21 déc. au 7 janv. et jours fériés.
NOTE: Cave à vin, 100 références. Belle sélection de vin au verre.
COMMENTAIRE: Une cuisine bistro française de qualité dans un décor évolutif servie avec professionnalisme. L'un des copropriétaires Stéphane Fournier, le chef Michel Carrier et la sommelière copropriétaire Maude Lambert s'entendent pour faire de cet excellent bistro l'une des meilleures tables de Sherbrooke. Un incontournable où la passion et la rigueur nous assurent une belle aventure gastronomique.

LE CHOU DE BRUXELLES
★★★★ bel
1461, rue Galt O., SHERBROOKE
Tél.: 819-564-1848
SPÉCIALITÉS BELGES: Tomates farcies aux crevettes nordiques. Moules (au bleu de l'Abbaye, zeebruggeoise, crabe, pesto, etc.). Waterzoï. Filet mignon de bœuf brabançon, sauce échalote française déglacée au porto. Ris de veau archiduc. Rognons de veau «Sambre et Meuse». Gaufre de Belgique.
PRIX Midi: F. 9$ à 15$
Soir: C. 21$ à 44$ T.H. 29$
OUVERTURE: Mer. à ven. 11h à 14h. Dim., mar. et mer. 17h à 21h. Jeu. à sam. 17h à 22h. Fermé lun., 24, 25 déc. et 20 jours en juil. Réserv. préférable.
NOTE: Apportez votre vin et votre bière. Saumon fumé maison. Menu gastronomique 7 serv. soir 36,35$. Menu à emporter sur Internet. Ouvert lundi sur réserv. de 40 pers. et plus.
COMMENTAIRE: Une adresse stable, toujours égale à elle-même. Une des rares adresses servant des mets typiquement belges. En cuisine, un duo qui fonctionne toujours. Le chef Frank Baron y prépare toujours des plats savoureux, sous la supervision de la chef propriétaire Dominique Homans.

RESTAURANT AUGUSTE
★★★ (bistro) fra
82, Wellington N., SHERBROOKE
Tél.: 819-565-9559
SPÉCIALITÉS FRANÇAISES ET QUÉBÉCOISES: Pavé de thon albacore grillé au curcuma, purée de pommes, céleri assaisonné. Boudin noir croustillant, pommes purée, chou rouge aigre-doux. Pièce de bœuf local grillée, rondelles d'oignon, trempette, salade d'épinards. Pouding chômeur à l'érable, glace Coaticook. Torta choco noisette, caramel au beurre salé.
PRIX Midi: T.H. 16$ à 35$
Soir: T.H. 25$ à 45$
OUVERTURE: Lun. à ven. 11h30 à 14h30. 7 jours 17h à 23h. Sam. et dim. 10h30 à 14h30. Fermé 25 déc. et 1er janv.
NOTE: Soir, pour manger à la carte, 10$ de moins du prix de la T.H. Menu spécial T.H. à 20$ de 17h à 18h15 et après 21h. Service de traiteur. Salle privée 45 pers.
COMMENTAIRE: Décor bistro, un peu en longueur, murs jaunes ornés de grands tableaux noirs, grosse armoire avec les vins. Grand comptoir avec cuisine ouverte. À la fois très moderne et très chaleureux avec beaucoup de bois. Nappe de papier sur les tables. On propose ici une cuisine française avec quelques accents québécois. Service aimable.

RESTAURANT DA TONI
★★★★ ita
15, rue Belvédère N., SHERBROOKE
Tél.: 819-346-8441
SPÉCIALITÉS ITALIENNES ET FRANÇAISES: Fondue parmesan maison. Escalope de veau lombarde, citron et champignons, linguine aux fines herbes. Escalope de veau de grain à la parmigiana. Filet mignon de bœuf AAA de l'Alberta, pommes de terre grelot, huile d'olive et romarin. Crème brûlée. Torta de la nona.
PRIX Midi: F. 9$ à 25$
Soir: C. 25$ à 64$ T.H. 25$ à 50$
OUVERTURE: Lun. à ven. 11h30 à 14h. Dim. à mer. 17h à 21h. Jeu. à sam. 17h à 22h. Fermé midi lun. fériés.
NOTE: Ouvert depuis 1969. Desserts maison. Service de valet pour stationnement. 100 sortes de vin, beaucoup d'importation privée, carte d'or 2009.
COMMENTAIRE: C'est l'un des plus anciens restaurants de Sherbrooke. Fondé par Toni Danella en 1969, déménagé sur Belvédère dans l'édifice d'une fabrique de laine et de flanelle en 1987. Repris par un nouveau propriétaire en 2007, Da Toni a conservé la même philosophie. Le service attentionné fait qu'on s'y sent bien. L'excellent sommelier Patrice Tinguy connaît son travail et apporte un plus à l'établissement. Superbe filet mignon. Un endroit où l'on va aussi pour se montrer.

RESTAURANT LE SULTAN
★★★ lib
205, rue Dufferin, SHERBROOKE
Tél.: 819-821-9156
SPÉCIALITÉS LIBANAISES: Falafel. Hommos (pois chiche et beurre de sésame). Kibbe (bœuf avec blé concassé). Moutabel (purée d'aubergines). Merguez (saucisses marocaines épicées). Chiche taouk. Brochettes (agneau, crevettes, filet mignon ou kafta). Baklava.
PRIX Midi: F. 10$ à 12$
Soir: C. 22$ à 40$ T.H. 22$ à 26$
OUVERTURE: Lun. à ven. 11h à 14h. Lun. à sam. 17h à 21h. Fermé dim. et 25, 26, 31 déc., 1er janv, 24 juin et 1er juil.
NOTE: Apportez votre vin ou votre bière. Le prix du midi inclut la soupe, le plat principal et le café. Toutes les grillades sont faites au feu de bois.
COMMENTAIRE: Toujours une valeur sûre à Sherbrooke. Le chef est accueillant, passionné de cuisine libanaise, et ses plats font le bonheur des clients. L'ambiance détendue est rehaussée par de la musique orientale et du baladi, la salle à manger est agréable, l'assiette est très bonne, voire excellente, et le service est sympathique. Toutes les odeurs, les couleurs et la musique du Moyen-Orient sont à leur maximum vendredi et samedi soir. En cas d'hésitation, choisissez les tables d'hôte déjà composées.

RÉGION DE SHERBROOKE
(Cantons-de-l'Est)

LE HATLEY ★★★★★ qué
Manoir Hovey
575, rue Hovey, NORTH HATLEY
Tél.: 819-842-2421
et 1-800-661-2421
SPÉCIALITÉS QUÉBÉCOISES REVISITÉES: Noix de ris de veau du Québec, jus de poivrons rouges réduit, yaourt à la feuille d'ail des bois, rhubarbe grillée, stellaire des bois. Foie gras au torchon, marmelade de poivrons, réduction vin rouge et oignons. Strudel au chocolat noir Nyangpo, cerises, yaourt glacé au sorbier.
PRIX Midi: C. 31$ à 52$
Soir: T.H. 70$

OUVERTURE: Hiver: 7 jours midi à 14h et 18h à 21h. Été: 7 jours midi à 14h30 et 18h à 21h30.
NOTE: Menu découverte 7 serv. 95$, 160$ avec les vins. Carte de thés et tisanes. Environ 900 étiquettes de vin. Brunch 45$ à l'Action de grâce, Noël, nouvel An, Pâques, fête des Mères. Terrasse avec piscine, tennis, vélo, deux plages pour pédalo, kayak, surf à pagaie. Auberge de 37 chambres sur le lac.
COMMENTAIRE: Une très belle cuisine contemporaine québécoise revisitée mettant en valeur les produits régionaux. Un excellent chef soutenu par de bons sommeliers. Un très bel établissement au bord de l'eau. Manoir ancestral construit sur le modèle de Mount Vernon, résidence de George Washington, niché dans un nid de verdure, offrant une vue magnifique sur le lac Massawippi.

LES JARDINS ★★★ cont
Manoir des Sables
90, av. des Jardins, ORFORD
Tél.: 819-847-4747
SPÉCIALITÉS CONTINENTALES: Charcuterie de canard, roquette, épinards, copeaux de Zéphir en cocotte. Truite des bobines confite, rémoulade de fenouil aux agrumes, pleurotes bio des Champs Mignons. Poitrine de canard du lac Brome, glace de viande au chocolat, perles de Madagascar.
PRIX Midi: Buffet 21$ C. 18$ à 29$
Soir: C. 24$ à 57$ T.H. 31$ et 42$
OUVERTURE: 7 jours midi à 14h et 17h30 à 21h30. Petit déjeuner lun. à sam. 7h à 10h30 et dim. 7h à 11h.
NOTE: Brunch à Pâques et à la fête des Mères. 140 chambres, 27 suites haut de gamme. 3 salles de banquet. Centre de santé. Golf, spa nordique.
COMMENTAIRE: Salle à manger du Manoir des Sables avec vue panoramique sur le Mont-Orford. Deux bars: Grilladerie L'Albatros (grillades et repas légers) avec vue sur le golf et le Mont-Orford et le Pub pour un apéro à la fin de la journée. Tout près du lac Memphrémagog.

LES SOMMETS ★★★ cont
Hôtel Chéribourg
2603, ch. du Parc, ORFORD
Tél.: 819-843-3308
et 1-800-567-6132
SPÉCIALITÉS CONTINENTALES: Pétoncles géants, émulsion de fraise et basilic. Steak de bavette à l'échalote. Côtes levées de porc, sauce BBQ au bourbon. Magret de canard rôti, légumes de saison poêlés, sauce au Sortilège. Pouding chômeur à l'érable.
PRIX Midi: C. 17$ à 29$
Soir: C. 27$ à 60$ T.H. 30$
OUVERTURE: 7 jours midi à 14h et 17h30 à 21h30. Petit déjeuner 7h à 11h.
NOTE: Menu bistro sur la terrasse, 5$ à 12$, 11h30 à 17h. Carte des vins 60 étiquettes. Salles de banquet 40 à 600 pers. Aire de jeux pour enfants (cinéma maison, jeux vidéo, jeux gonflables), spa extérieur, terrains de tennis. Petite ferme à l'extérieur, l'été.
COMMENTAIRE: Situé près du parc du Mont-Orford et de la Rivière-aux-Cerises. Diplômé de l'ITHQ, Jérôme Turgeon joint l'équipe en 2010 et prend les commandes de la cuisine en 2012. Il propose une assiette continentale élaborée avec les produits de sa région.

LE TEMPS DES CERISES ★★★ int
79, rue du Carmel, DANVILLE
Tél.: 819-839-2818
et 1-800-839-2818
SPÉCIALITÉS INTERNATIONALES: Foie gras au Coureur des bois. Saumon sauvage mariné. Filet de doré du lac Saint-Pierre, beurre blanc aux gadelles. Moules en casserole à la belge. Téton d'enfer: cône crémeux aux chocolats noir et blanc. Crème brûlée au miel.
PRIX Midi: T.H. 13$ à 22$
Soir: C. 20$ à 53$ T.H. 24$ à 40$
OUVERTURE: Mar. à ven. 11h30 à 13h30. Mar. à sam. 17h30 à 21h. Ouvert dim. 17h30 à 20h en juil. et août. Fermé lun. Sept. à juin fermé dim. Fermé 24, 25 déc. et du 1er au 15 janv.
NOTE: Menu dégustation 7 serv. 50$. Brunch à Pâques et à la fête des Mères.
COMMENTAIRE: Manger dans ce restaurant est vraiment unique, car il est installé dans une ancienne église presbytérienne depuis 1987. Les propriétaires ont su garder la magie des lieux. Le plancher de bois, la simplicité du mobilier, la sculpture aérienne de métal, la charpente du toit et les vitraux en font un endroit très spécial. De toute beauté le soir. Cuisine avec les produits de la région. On y donne des cours de cuisine et leurs produits maison, confitures et marinades Les délices de Martine, sont vendus dans les épiceries.

PLAISIR GOURMAND ★★★ fra
2225, route 143, HATLEY
Tél.: 819-838-1061
SPÉCIALITÉS FRANÇAISES: Gravlax de saumon mi-fumé, caviar de hareng fumé, pousses de M. Beaulieu. Carré de marcassin rôti, sauce aux pleurotes biologiques de la ferme des Champs mignons. Mi-cuit au chocolat Barry, crème brûlée au thé de Bleu lavande, glace maison aux épices.
PRIX Midi: (fermé)
Soir: T.H. 52$
OUVERTURE: 15 oct. au 15 juin: jeu. à dim. 18h à 23h. 15 juin au 15 oct.: mer. à dim. 18h à 23h.
NOTE: Menu dégustation table du chef 6 serv. 65$. Menu terroir québécois T.H. 5 serv. 52$. Menu thématique selon les produits de saison. Carte des vins d'importation privée à partir de 30$. Service de traiteur, produits faits maison à emporter sur commande. Gagnant du Grand Prix du Tourisme 2012.
COMMENTAIRE: Mérite le détour pour la qualité d'une cuisine qui surprend agréablement. Restaurant installé dans une maison privée, il s'en dégage un charme champêtre désuet des années 1860. On se croirait chez un particulier à la campagne. La cuisine pourrait se résumer à trois mots: beauté, saveur, simplicité. Un chef qui aime les plats bien assaisonnés et une épouse, chef pâtissière, qui travaille avec délice!

RESTAURANT L'ANCRAGE ★★ fra
Hôtel et spa Étoile-sur-le-Lac
1150, rue Principale O., MAGOG
Tél.: 819-843-6521
et 1-800-567-2727
SPÉCIALITÉS FRANÇAISES: Steak de thon mi-cuit mi-cru au sésame grillé, gingembre rose, wasabi, sauce thaï. Risotto aux crevettes et queue de homard. Cœur de ris de veau poêlé, déglacé au porto, sauce aux morilles, huile de truffe. Lapin de Stanstead, polenta croustillante, compotée de tomates et échalotes.
PRIX Midi: F. 13$ à 17$
Soir: C. 30$ à 56$ F. 22$ à 33$
OUVERTURE: 7 jours 11h30 à 14h et 17h à 21h. Petit déjeuner 7h à 11h.
NOTE: Menu terrasse l'été. Cellier 1 000 bouteilles.
COMMENTAIRE: Le chef utilise les produits du terroir québécois (canard confit et son foie gras du lac Brome, porc et veau biologiques, agneau). Des larges baies vitrées de la salle à manger, on profite de la magnifique vue du lac Memphrémagog et de la terrasse qui donne sur l'eau.

RIPPLECOVE HÔTEL SUR LE LAC ★★★★[ER] int
700, Ripplecove, AYER'S CLIFF
Tél.: 819-838-4296
et 1-800-668-4296

SPÉCIALITÉS INTERNATIONALES: Saumon fumé Ripplecove, roulade de chèvre aux poivrons doux et câpres, mi-cuit à l'orange, caramel d'agrumes au piment d'Espelette. Ris de veau capucine, purée de patates douces, muscade, lie de vin à l'émulsion de beurre, citron aux câpres. Délicatesse de chocolat, mousse de chocolat guayaquil, sphère chlorophillie, crème à la menthe.
PRIX Midi: C. 37$ à 50$
Soir: C. 66$ à 83$ T.H. 63$
OUVERTURE: Mi-mai à mi-oct.: 7 jours midi à 14h et 18h à 21h30. Petit déjeuner 7h30 à 10h. Fermé lun. à ven. midi de la mi-oct. à la mi-mai.
NOTE: Saumon fumé maison. Variété de fromages des Cantons-de-l'Est. Menu saisonnier. Menu dégustation 7 serv. 88$, avec vins 65$ de plus. Réserv. préférable. Carte des vins 500 étiquettes, 5 000 bouteilles. Prix du Wine Spectator 2001 à 2014. Carte d'or 2007 à 2011. Pianiste classique sam. soir.
COMMENTAIRE: Pas de chance, le chef a encore changé. Construite en 1945, l'auberge est située dans un décor enchanteur au bord du lac Massawippi; très bel endroit racheté en 1985 par des propriétaires qui ne cessent de l'améliorer depuis.

TROIS-RIVIÈRES

AU FOUR À BOIS ★★ ita
329, rue Laviolette,
TROIS-RIVIÈRES
Tél.: 819-373-3686
SPÉCIALITÉS ITALIENNES: Risotto aux fruits de mer. Pâtes fraîches à la carbonara. Osso buco à la milanaise. Jarret d'agneau braisé. Brochettes et filet mignon cuits à la braise de bois. Tiramisu maison.
PRIX Midi: T.H. 13$ à 19$
Soir: C. 23$ à 48$ T.H. 25$ à 40$
OUVERTURE: Lun. à ven. 11h30 à 14h. Lun. à jeu. 17h à 21h. Ven. à dim. 17h à 22h. Fermé sam. et dim. midi.
NOTE: Ouvert depuis 1982. Pizza minceur (pizza cuite au feu de bois). Mets mijotés au menu. Vins au prix de la SAQ. Verrière. Véranda 4 saisons.
COMMENTAIRE: Une belle ambiance de four à bois, dans une maison ancestrale de 1877. Le four à bois est l'élément principal de ce restaurant, il captive l'attention, répand la bonne odeur des mets qui cuisent et celle du bois qui se consume. On y cuit pratiquement tous les plats. Les pizzas sont excellentes. Belle terrasse couverte l'été.

LE CASTEL DES PRÉS ★★★★★ (bistro) cont
5800, bd Gene H. Kruger,
TROIS-RIVIÈRES
Tél.: 819-375-4921
SPÉCIALITÉS CONTINENTALES: Tartare de saumon frais. Escalope de veau aux champignons. Rognons de veau poêlés aux deux moutardes. Ris de veau façon Claude. Bavette de bœuf à l'échalote. Osso buco de veau ménagère. Gâteau fondant au chocolat.
PRIX Midi: F. 16$ à 19$
Soir: C. 29$ à 58$ F. 19$ à 36$
OUVERTURE: Lun. 11h à 21h. Mar. à ven. 11h à 22h. Sam. 16h30 à 22h. Fermé dim. et jours fériés. Fermé 24 et 25 déc.
NOTE: Saumon fumé du fumoir maison. Traiteur À La Fine Pointe.
COMMENTAIRE: Un établissement vraiment décontracté, à l'ambiance animée et chaleureuse, différente selon les petites salles. Le menu affiche toujours les plats les plus populaires, ceux qui ont fait leur succès. Dominic Lapointe, chef propriétaire du service traiteur À la fine pointe, s'est associé à l'entreprise. On devrait constater un changement progressif de la carte. Outre le restaurant, l'établissement comporte donc maintenant un service de traiteur. Le cellier à vin comprend plus de 250 produits, ainsi qu'un choix de vins et de portos servis au verre.

LE ROUGE VIN ★★★ cont
Hôtel des Gouverneurs
975, rue Hart, TROIS-RIVIÈRES
Tél.: 819-376-7774
SPÉCIALITÉS CONTINENTALES: Foie gras de canard poêlé, figues, Sortilège et fleur de sel. Mi-cuit de thon Saku poêlé, mayonnaise épicée. Ribsteak de bœuf 14 oz grillé, sauce Rouge Vin. Wellington de porc, sauce au vin blanc aux poires caramélisées. Explosion choco-caramel.
PRIX Midi: Buffet 16,95$
Soir: C. 36$ à 80$ T.H. 33$ à 62$
OUVERTURE: 7 jours 11h30 à 14h et 17h30 à 22h. Petit déjeuner 7 jours 7h à 10h30.
NOTE: Buffet midi, lun. à ven. Buffet fruits ven. et sam. 17h30 à 22h. Dim. brunch. Ven. et sam. soir pianiste.
COMMENTAIRE: La salle à manger est belle. La cuisine est très bonne et copieuse. Excellent choix de vins au verre. Service très gentil, qui veut bien faire.

RÉGION DE TROIS-RIVIÈRES
(Centre-du-Québec - Mauricie)

AUBERGE GODEFROY ★★★ fra
17575, bd Bécancour,
BÉCANCOUR
Tél.: 819-233-2200
et 1-800-361-1620
SPÉCIALITÉS FRANÇAISES: Crevettes géantes grillées, panaché de champignons et fruits de mer, sauce crémeuse au whisky. Magret de canard poêlé, croustillant à la fleur de sel, canneberges caramélisées au cidre de glace, sauce porto et érable. Mignon de porc Nagano rôti, enrobé de prosciutto, pommes vertes, roquette poêlée, sauce au cidre de glace.
PRIX Midi: T.H. 25$
Soir: C. 36$ à 86$ T.H. 39$ à 72$
OUVERTURE: 7 jours 11h à 14h30. Dim. à jeu. 17h30 à 21h. Ven. et sam. 18h à 22h. Petit déjeuner 7h à 10h.
NOTE: Menu dégustation 7 serv. 67$, avec vins 99$. Buffet lun. à ven. midi, 22$. Cave à vin, plus de 420 étiquettes étrangères et québécoises. Espace aqua-détente adjacent à la terrasse. Salles de banquet. Soirée dansante à la St-Sylvestre. Tapas à saveurs du terroir québécois. Brunch thématique temps des sucres dim. 11h30 à 14h (l'unique cabane du cap Diamant).
COMMENTAIRE: Le chef cuisine avec les produits de la région. Sa carte cuisine française a une connotation québécoise teintée de cuisine internationale. L'auberge est située en plein centre du Québec, et les régions avoisinantes regorgent d'activités de toutes sortes.

L'AUBERGE DU LAC ST-PIERRE ★★★★ fra
10 911, rue Notre-Dame O.,
Secteur POINTE-DU-LAC,
TROIS-RIVIÈRES
Tél.: 819-377-5971
et 1-888-377-5971
SPÉCIALITÉS FRANÇAISES: Poêlée de foie gras de canard à la pistache, fraise et poivre rare. Porc Nagano de Yamachiche, réduction de vin rouge, fromage de la Montérégie. Crème brûlée à la cerise noire, au basilic, coulis à la passion, crumble.
PRIX Midi: T.H. 22$ à 27$
Soir: C. 54$ à 79$ T.H. 41$ à 55$
OUVERTURE: 7 jours 11h30 à 13h30 et 18h à 20h30. L'été, petit menu-terrasse 11h30 à 17h. Petit déjeuner 7h30 à 10h30. Fermé 2 sem. début janv.

NOTE: Menu-terrasse 11$ à 17$. Les plats de la T.H. du soir peuvent être choisis séparément. Réserv. préférable. Brunch du jour de l'An. Hôtel de 30 chambres. En 2010, le chef Alain Penot a reçu le prix du chef de l'année pour le Québec.
COMMENTAIRE: Pour profiter de la vue panoramique sur le lac Saint-Pierre, la salle à manger est nichée dans un grand espace vitré. Une belle assiette, travaillée avec les produits de la région, bien servie. Auberge construite en 1988 au bord du fleuve Saint-Laurent.

LE BALUCHON
Éco-villégiature ★★★★[ER] fra
3550, ch. des Trembles,
SAINT-PAULIN
Tél.: 819-268-2555
SPÉCIALITÉS FRANÇAISES: Mousse de crabe, gel de pamplemousse rose à la vanille, concombre et navet croquants, fines herbes et pousses de saison. Cuisse de lapin confite, miel de chez nous, racine d'angélique broyée, émulsion de carottes aromatisée aux graines de moutarde. Bloc de saumon fumé à chaud au bois d'érable, cornichon de pétoncles, crevettes à la sauge, sauce au maïs rôti.
PRIX Midi: (fermé)
Soir: C. 46$ à 63$ T.H. 59$
OUVERTURE: 7 jours 17h30 à 21h. Petit déjeuner 7h à 11h.
NOTE: T.H. 4 serv. 59$. Éco-café avec spécialités de la région. Boutique du terroir sur place. Soirées avec animation les 25 et 31 déc. Piscines intérieure et extérieure. Cabane à sucre. Spas nordiques.
COMMENTAIRE: Dirigé par toute une famille, le site comporte également une auberge. Certains plats sont préparés en salle. La cuisine est de facture française avec des plats de cuisine continentale aussi. Un écocafé avec cuisine du terroir québécois, épicerie avec dégustations est annexé à l'auberge.

LE FLORÈS ★★★[ER] cont
Auberge Le Florès
4291, 50e Avenue,
SAINTE-FLORE-DE-GRAND-MÈRE
Tél.: 819-538-9340
et 1-800-538-9340
SPÉCIALITÉS CONTINENTALES: Canard 3 façons, réduction de porto aux bleuets, magret, croustillant de canard, baluchon de confit. Tournedos de bœuf effiloché en robe de prosciutto, joue de veau en cuisson lente, façon terre et mer. Gâteau Florès, croustillant, chocolat blanc, 3 étages.
PRIX Midi: T.H. 17$ à 23$
Soir: C. 31$ à 57$ T.H. 25$ à 41$
OUVERTURE: 7 jours 11h à 21h. Petit déjeuner 7h à 10h30.
NOTE: Menu gastronomique. T.H. soir 7 serv 65$. 34 chambres. Centre de massothérapie. Grande fête le 31 déc. Salle privée 30 à 150 pers.
COMMENTAIRE: Une cuisine honnête bien présentée dans l'assiette. Tout le charme d'autrefois, environné d'un jardin bien paysagé. Situé à l'entrée du parc de la Mauricie, près de terrains de golf et de centres de ski.

MANOIR BÉCANCOURT
★★★ cont
3255, av. Nicolas-Perrot,
BÉCANCOUR
Tél.: 819-294-9068
et 1-877-994-9068
SPÉCIALITÉS CONTINENTALES ET ITALIENNES: Assiette de fruits de mer. Carpaccio de filet mignon. Pétoncles saisis, céleri-rave, sauce câpres et raisins. Filet mignon AAA vieilli. Risotto fait minute. Chateaubriand flambé. Fondant au chocolat maison.
PRIX Midi: (fermé)
Soir: C. 33$ à 78$ T.H. 22$ à 75$
OUVERTURE: Mer. à sam. 17h30 à 21h. Fermé dim. à mar. et 2 sem. au temps des fêtes.
NOTE: Jardin. Lounge. Menu gastronomique 6 serv. 75$. Brunch fête des Mères, Pâques et sur réserv. 35 pers. minimum 28$, dim. 10h30 à 14h. 9 chambres avec Internet haute vitesse sans fil.
COMMENTAIRE: Une cuisine méditerranéenne avec une influence française, italienne par moments, préparée avec des produits frais du Québec. Le chef propriétaire encourage la cuisine faite maison comme en Italie. Le pain est fait maison, les pâtes, les raviolis aussi. Sa spécialité: le chateaubriand de 16 onces pour deux, flambé à table, sauce béarnaise, frites et légumes.

Vous pouvez facilement identifier les établissements recommandés par le guide **Debeur** grâce à cet autocollant millésimé.

Restaurants des autres régions

Bas-Saint-Laurent, Charlevoix, Gaspésie

BAS-SAINT-LAURENT

AUBERGE DU MANGE GRENOUILLE ★★★[ER] fra
148, rue de Sainte-Cécile-du-Bic, RIMOUSKI
Tél.: 418-736-5656
SPÉCIALITÉS FRANÇAISES: Gigue de wapiti rôti, sauce au vin rouge, chèvre frais, betteraves, pommes de terre confites au gras de canard, épinards. Cuisse de lapin, crevettes poêlées, vinaigrette à la moutarde, oignons cipollini, purée de pois verts, carottes. Bateau choco-caramel, sorbet cacao.
PRIX Midi: C. 23$ à 34$
Soir: T.H. 42$ à 55$
OUVERTURE: Mai (ven. et sam.) 17h30 à 21h. 24 juin à la fête du travail 11h30 à 13h15. Juin à l'Action de grâce, 17h30 à 21h. Ouvert sur réserv. 12 pers. et plus.
NOTE: Menus saisonniers. Chef pâtissier sur place. Menu dégustation 6 serv. 75$, accord mets et vins 130$. Cave à vin. Terrasse pour l'apéro et tapas. Bar à vin. Auberge 22 chambres. Connexion haute vitesse sans fil. Jacuzzi au jardin. Parc du Bic et golf à proximité. Accordéoniste ven. soir l'été.
COMMENTAIRE: Richard Duchesneau, ancien chef du Mange Grenouille, devient le chef pâtissier tandis que Jean-Philippe Saint-Denis prend la direction des fourneaux. Comme son prédecesseur, sa cuisine met en valeur les produits du terroir du Bic. Maison de charme, au décor théâtral, nichée dans un vieux magasin général réhabilité, avec une vue magnifique sur les îles du Bic.

LE FAUBOURG ★★★ cont
280, de Gaspé O., rte 132, SAINT-JEAN-PORT-JOLI
Tél.: 418-598-6455
et 1-800-463-7045
SPÉCIALITÉS CONTINENTALES: Gravlax au citron maison. Chaudrée de palourdes à l'émincé de poireaux. Caille royale de mon ami Gilbert Bernier au soupçon d'orange. Filet mignon grillé ou en tartare fait à la table.
PRIX Midi: C. 24$ à 28$

AVIS

Depuis 30 ans, nous attribuons un maximum de quatre étoiles aux restaurants alors que la plupart des systèmes nord-américains accordent un maximum de cinq étoiles. Afin d'uniformiser le système d'évaluation de nos guides et aussi de l'aligner sur le système d'évaluation nord-américain, nous avons décidé d'adopter dorénavant cinq étoiles pour la plus haute évaluation du *Guide Debeur.*

Soir: C. 38$ à 53$ T.H. 38$ à 46$
OUVERTURE: 7 jours 11h à 14h. Dim. à jeu. 17h à 21h. Ven. et sam. 17h à 22h. Petit déjeuner 7h à 10h. Fermé du 20 oct. au 1er mai.
NOTE: Réserv. souhaitable. Petit déjeuner buffet 24 juin à fin août tous les matins. Bar. Piscine extérieure. Centre de santé. Parfum de mer sur le même site. Vue sur le fleuve.
COMMENTAIRE: La cuisine est dirigée par le chef Réginal Gaudrault. La table est bonne, les assiettes finement présentées. Sur le menu et sur la carte des vins, on accorde une large place aux produits du Québec. Dans le restaurant sont exposées les sculptures sur bois des artistes de la région. Ce complexe hôtelier est situé sur la route panoramique du bord du fleuve. Il offre une vue magnifique sur le Saint-Laurent.

CHARLEVOIX

AUBERGE DES 3 CANARDS ★★★★ fra
115, Côte Bellevue, LA MALBAIE (POINTE-AU-PIC)
Tél.: 418-665-3761
et 1-800-461-3761
SPÉCIALITÉS FRANÇAISES: Médaillon de veau aux brisures de noisettes, vin muscat. Poêlée de foie gras de la ferme Basque, compote de pomme et rhubarbe, croquant de pistache. Noix de ris de veau croustillantes flambées au calvados, gnocchi au parmesan, prosciutto et huile de truffe. Baluchon de Fleurmier de Charlevoix flambé au Sortilège.
PRIX Midi: (fermé)
Soir: C. 58$ à 90$ T.H. 64$ (5 serv.)
OUVERTURE: 7 jours 17h30 à 21h30. Ouvert midi sur réserv. 10 pers. et plus. Petit déjeuner 7h à 11h. Fermé 24 et 25 déc.
NOTE: Grandes terrasses pour l'apéritif. Menu végétarien. Petit déjeuner buffet 17$, 7 jours, mai à nov. Auberge de 49 chambres, dont 8 de luxe. Chalet 6 pers.
COMMENTAIRE: On sert ici une belle cuisine maison qui met en valeur les produits frais régionaux. Renommée pour sa table depuis plus de 50 ans, l'auberge domine le fleuve qui offre des paysages grandioses. Par beau temps, on peut prendre l'apéritif et le digestif sur les terrasses et profiter de la vue sur les jardins immenses. Massothérapie et piscine extérieure chauffée.

AUBERGE DES FALAISES ★★★★ cont
250, ch. des Falaises, LA MALBAIE (POINTE-AU-PIC)
Tél.: 418-665-3731
et 1-800-386-3731
SPÉCIALITÉS CONTINENTALES: Duo de foie gras en terrine et au torchon, gelée Dame Prune. Rôti de pintade de Baie-Saint-Paul en croûte d'arachides, caviar d'aubergine, sauce ananas, lait de coco et curry. Filet mignon de bœuf Angus, réduction à la Vache folle, pommes de terre persillées. Tartelette au fromage de chèvre et banane.
PRIX Midi: (fermé)
Soir: C. 50$ à 70$ T.H. 55$
OUVERTURE: 7 jours 18h à 21h. Fermé de nov. à avril.
NOTE: T.H. 5 serv. Petite terrasse boisée, vue sur le fleuve, couverte de toile de tente, pour prendre une boisson. Forfaits sur demande pour tout événement. Petit déjeuner 8h à 10h30.
COMMENTAIRE: Cuisine excellente, assiette bien garnie, utilise les produits du terroir dans chaque plat. Spécialité de la maison, la Farandole de produits boucanés. Depuis la salle à manger, on a une vue spectaculaire sur le fleuve.

AUBERGE DES PEUPLIERS
★★★★[ER] fra
381, rue Saint-Raphaël,
LA MALBAIE (CAP-À-L'AIGLE)
Tél.: 418-665-4423
et 1-888-282-3743
SPÉCIALITÉS FRANÇAISES: Croustillant de fromage Hercule, chutney de petits fruits. Souris de chevreau braisée, cassoulet de gourganes. Carré d'agneau du Québec rôti à l'échalote confite. Tartelette au gré des saisons.
PRIX Midi: (fermé)
Soir: C. 43$ à 73$ T.H. 49$ à 59$
OUVERTURE: 7 jours 18h à 20h30. 7 jours petit déjeuner 7h30 à 10h. Fermé nov. et 24 déc.
NOTE: À la carte, on compose son menu soi-même. Menu saisonnier. T.H. 4 et 5 serv. Terrasse avec vue sur les jardins de l'auberge. Forfaits sur demande. Activités hivernales. Spa, sauna, table de ping-pong et billard. Brunch 21$ fête des Mères, Pâques, sur réserv. Membre Terroir et saveurs du Québec.
COMMENTAIRE: Une véranda de style terrasse accueille les clients pour l'apéritif. Les chambres de l'auberge, dont certaines sont situées dans les combles, sont confortables et très bien décorées. Terrasse avec vue sur le fleuve. L'une des plus anciennes auberges de la région. Cuisine soignée et service attentionnés.

LA PINSONNIÈRE
★★★★[ER] fra
124, rue Saint-Raphaël,
LA MALBAIE (CAP-À-L'AIGLE)
Tél.: 418-665-4431
et 1-800-387-4431
SPÉCIALITÉS FRANÇAISES: Foie gras poêlé aux poires. Douceur de pétoncles au mascarpone, écume de mojito à la coriandre. Charlotte, crémeux citron et sorbet aux agrumes.
PRIX Midi: (fermé)
Soir: C. 61$ à 86$ T.H. 75$
OUVERTURE: Réserv. préférable. 7 jours 18h à 21h30. Petit déjeuner 8h à 10h30. Fermé de mi-oct. à début mai.
NOTE: Menu découverte 7 serv. 125$. Menu tentation 5 serv. 98$. On peut visiter la cave à vin d'environ 4 000 bouteilles et 650 étiquettes. Tennis, piscine intérieure et soins de détente au spa. 18 chambres spacieuses. Le plus petit hôtel 5 étoiles au Québec. Terrasse panoramique pour l'apéritif.
COMMENTAIRE: Une des meilleures adresses, une cuisine excellente, un service professionnel. Le décor est enchanteur, la cave exceptionnelle. Les murs du restaurant sont décorés de peinture d'artistes de renom. Un établissement agréablement situé au bord de l'eau avec une vue magnifique sur le fleuve. Une adresse qui mérite le détour.

LE SAINT-PUB, MicroBrasserie
★★ (bistro) cont
2, rue Racine, BAIE-SAINT-PAUL
Tél.: 418-240-2332
SPÉCIALITÉS CONTINENTALES: Salade 7e ciel au fromage charlevoisien. Crème d'oignons gratinée à la bière. Moules à la bière Dominus Vobiscum. Côtes levées cuites dans la bière maison, sauce barbecue fumée. Pouding chômeur à la bière Dominus Vobiscum double.
PRIX Midi: F. 14$ à 16$ (sept. à mai)
Soir: C. 26$ à 50$ T.H. 25$ à 38$
OUVERTURE: Hiver: 7 jours 11h30 à 21h. Été: 7 jours 11h30 à 22h. Fermé 24, 25 déc. et 1er janv.
NOTE: Fumoir maison. Groupes seulement mi-oct. à mi-juin. Bières brassées sur place.
COMMENTAIRE: L'endroit est très sympathique. Une cuisine bistro, un accueil enjoué, une bonne ambiance, une couleur spéciale. Menu utilisant les produits de la région charlevoisienne. Un excellent choix de plus de 15 bonnes bières brassées sur place, utilisées aussi dans les recettes des plats.

LES LABOURS ★★★[ER] fra
Hôtel La Ferme
50, rue de la Ferme,
BAIE-SAINT-PAUL
Tél.: 418-240-4123
SPÉCIALITÉS FRANÇAISES: Truite entière rôtie. Orgetto de bettes à carde et pintade. Pièce d'agneau et légumes de saison. Magret de canard au goût du jour. Nougat et macarons.
PRIX Midi: F. 15$ à 20$ (aut. et hiv.)
Soir: C. 36$ à 68$
OUVERTURE: Lun. à ven. 11h30 à 14h. 7 jours 18h à 21h.
NOTE: cuisine ouverte, table du chef.
COMMENTAIRE: Avec un menu appelé à évoluer au rythme des saisons, celui du restaurant Les Labours met en vitrine les producteurs de Charlevoix. Plusieurs plats partagés y figurent et les légumes occupent une part non négligeable de l'assiette. Atmosphère urbaine et détendue. Brunch gourmand avec pains et charcuteries de la région.

RESTAURANT LE CHARLEVOIX
★★★★★ fra
Fairmont Le Manoir Richelieu
181, rue Richelieu, LA MALBAIE
Tél.: 418-665-3703
SPÉCIALITÉS FRANÇAISES: Foie gras poêlé, croquants de pommes et calvados. Trilogie de l'agne-aulait de Baie Saint-Paul: côtelette grillée, tournedos poêlé, saucisson. Sole de Douvres, sauce vierge à la crevette, flan de poireau, tartare de courgette. Sphère au chocolat.
PRIX Midi: (fermé)
Soir: C. 59$ à 105$
OUVERTURE: 7 jours 18h à 21h. Fermé dim. à jeu. oct. à avr.
NOTE: Menu découverte 4 serv. 85$, 5 serv. 109$, avec accord des vins 135$ à 179$. Carte des vins primée de plus de 350 sélections. Réserv. suggérée. Pas de gras trans, aussi plats végétariens haut de gamme. Service du café au guéridon.
COMMENTAIRE: Habituellement, une belle cuisine française traditionnelle, présentée avec une touche moderne, mettant en valeur les produits frais de la région. Bon service de salle et de sommellerie. La salle à manger, aux larges baies vitrées, qui marie l'ancien et le moderne, a une vue exceptionnelle sur le majestueux fleuve Saint-Laurent. Situé à côté du Casino de Charlevoix. Centre d'affaires, spa et plusieurs piscines.

GASPÉSIE

AUBERGE LA COULÉE DOUCE
★ cont
21, rue Boudreau,
CAUSAPSCAL
Tél.: 418-756-5270
et 1-888-756-5270
SPÉCIALITÉS CONTINENTALES: Soupe de poisson et fruits de mer tomatée, pernod. Assiette fiesta (crevettes grises, langoustine à l'ail, pétoncles citronnés). Gratin de la mer (fruits de mer en béchamel gratinés). Têtes de violon à l'ail. Mignon de bœuf aux pleurotes, sauce au vin rouge.
PRIX Midi: T.H. 15$
Soir: C. 30$ à 56$ T.H. 25$ à 30$
OUVERTURE: 7 jours 11h30 à 14h et 17h30 à 21h30. Petit déjeuner 6h à 10h.
NOTE: 4 tables bistro à la terrasse. Brunch et menu végétarien sur demande. 8 chambres et 5 chalets. Air conditionné. Internet sans fil.
COMMENTAIRE: Une table sans prétention, plutôt familiale, avec des mets à base de poissons et de fruits de mer. Le saumon est la vedette de la région. Une charmante petite auberge juchée sur la colline de Causapscal, à la jonction des rivières Matapédia et Causapscal. Tout y est vieux, délicat et chaleureux, comme autrefois.

AUBERGE LE COIN DU BANC
★★ qué
315, route 132,
COIN DU BANC, PERCÉ
Tél.: 418-645-2907
SPÉCIALITÉS GASPÉSIENNES: Morue à la gaspésienne ou meunière. Langues de morue intrigue. Rillettes de truite et de crevettes. Omelette aux crevettes. Fruits de mer gratinés. Truite au pesto. Saumon poché, sauce hollandaise. Gâteau au fromage et petits fruits.
PRIX Midi: T.H. 19$ à 42$
Soir: C. 26$ à 56$ T.H. 19$ à 42$
OUVERTURE: 7 jours midi à 22h en été. Hiver sur réserv. de nov. à mai inclus. Petit déjeuner à 8h à midi.
NOTE: Homard de Gaspésie, crevettes de Matane. Auberge, 6 chalets, 11 chambres.
COMMENTAIRE: Charmante petite maison de pêcheur centenaire, plantée dans le sable, au bord de la mer. Cuisine familiale. Décor hétéroclite (une multitude d'objets partout), on s'y sent bien. Une halte à ne pas manquer, en toute simplicité.

FORT-PRÉVEL ★★★ cont
2053, bd Douglas, rte 132,
SAINT-GEORGES-DE-MALBAIE
Tél.: 418-368-2281
et 1-888-377-3835
SPÉCIALITÉS CONTINENTALES: Bouillabaisse safranée gaspésienne. Saumon fumé à l'érable et au rhum de notre fumoir. Cuisse de canard confite et magret, demi-glace aux canneberges.
PRIX Midi: (fermé)
Soir: C. 32$ à 48$ T.H. 30$ à 41$
OUVERTURE: 20 juin au 20 sept.: 7 jours 18h à 21h. Ouvert midi sur réserv. de groupes, 20 pers. min.
NOTE: Grande variété de poissons. Produits locaux en vedette. T.H. soir 4 serv.
COMMENTAIRE: Décor immense et robuste, service aimable, cuisine de bonne qualité. Le chef Dominic Béland privilégie les produits de la mer et ceux de la région, comme le faisait son père avant lui, durant plus de 30 ans. Les spécialités: le saumon fumé et la bouillabaisse gaspésienne. Par les grandes baies vitrées de la salle à manger, on a une très belle vue sur la baie de Gaspé et le golfe du Saint-Laurent.

LA MAISON DU PÊCHEUR
★★★ cont
155, route 132, PERCÉ
Tél.: 418-782-5331
SPÉCIALITÉS CONTINENTALES: Soupe aux algues. Crème d'oursin. Pétoncles en robe de Neptune, récif d'herbes salées des biojardins de Val-d'Espoir. Tartare de saumon frais aux algues de mer. Escalopes de homard au parfum d'érable et d'océan. Langues de morue au beurre d'oursin.
PRIX Midi: T.H. 38$ à 50$
Soir: C. 26$ à 72$ T.H. 38$ à 50$
OUVERTURE: Été 7 jours 11h30 à 14h30. Juil. et août 17h30 à 21h30. Fermé fin oct. à fin mai.
NOTE: T.H. 5 serv. Produits du terroir. Période estivale, menu bistro à l'étage, au Café de l'Atlantique de 7h30 à 23h. Carte des vins, 80 étiquettes, 50% d'importation privée.
COMMENTAIRE: Le restaurant est situé directement sur un quai. On mange dans un décor intérieur de pêche, en écoutant le ressac des vagues. Une des places pour déguster des fruits de mer, des crustacés et du homard frais conservés en vivier sous-marins près du rocher Percé. Un bon choix de pizzas cuites au four à bois d'érable, avec des garnitures de produits de la mer de toutes sortes. Très belle vue sur le rocher Percé, la jetée et la plage.

LA MARÉE CHANTE ★★★ cont
Hôtel-Motel Le Gaspésiana
460, route de la Mer,
SAINTE-FLAVIE
Tél.: 418-775-7233
et 1-800-404-8233
SPÉCIALITÉS CONTINENTALES ET GASPÉSIENNES: Langues de morue rôties, meunières. Duo de pétoncles et crevettes. Homard thermidor. Bouillabaisse gaspésienne. Darne de flétan meunière. Tartine de crème avec sucre d'érable.
PRIX Midi: T.H. 13$ à 19$
Soir: C. 20$ à 61$ T.H. 30$ à 39$
OUVERTURE: 7 jours 11h30 à 22h. Petit déjeuner 6h à 11h30.
NOTE: Brunch dim. Forfait pour la Saint-Valentin. Centre de santé. Gagnant du Grand prix du tourisme régional 2013. Deux salles de réunion.
COMMENTAIRE: Cuisine faite avec les produits de la région, avec une large part pour les poissons et les fruits de mer. Situé en bordure du Saint-Laurent depuis plus de 50 ans. Motel confortable, très belle vue panoramique sur l'océan.

LA NORMANDIE ★★★★ fra
Hôtel La Normandie
221, Route 132 O., PERCÉ
Tél.: 418-782-2112
et 1-800-463-0820
SPÉCIALITÉS FRANÇAISES: Feuilleté de homard au champagne. Tartare de saumon au wasabi. Aiguillettes de canard, velouté de pêche et poivre vert. Wellington de pétoncles au fromage de chèvre, beurre blanc au basilic. Médaillons de porc grillés sauce au cidre de pommes. Gâteau Gadix (chocolat et noisettes).
PRIX Midi: (fermé)
Soir: C. 30$ à 66$ F. 24$ à 52$
OUVERTURE: Début juin au 3 oct.: 7 jours 18h à 20h30. Petit déjeuner 7 jours 7h30 à 10h.
NOTE: Déjeuner buffet 14,50$. Bar ouvert 17h à 23h. Salle de réunion pour 25 pers. 45 chambres.
COMMENTAIRE: Une vue imprenable sur le rocher Percé, l'île Bonaventure et le golfe du Saint-Laurent. La salle à manger surplombe la mer. Décor élégant et sans surcharge, sièges confortables, ambiance feutrée, belles présentations dans les assiettes, cuisine à la hauteur de l'ensemble. Service attentionné. Un bel endroit pour la détente au bord de l'eau.

LA SEIGNEURIE
★★★★[ER] cont
Hostellerie Baie Bleue
482, bd Perron,
CARLETON-SUR-MER
Tél.: 418-364-3355
et 1-800-463-9099
SPÉCIALITÉS CONTINENTALES: Foie gras poêlé déglacé au porto de fraise de la ferme Bourdages. Mignon de bœuf AAA, sauce aux champignons sauvages gaspésiens et cognac, riz de veau poêlé. Religieuse au caramel et beurre salé.
PRIX Midi: (fermé)
Soir: C. 33$ à 63$ T.H. 34$ à 52$
OUVERTURE: 7 jours 18h à 21h. Ouvert midi seulement sur réserv. de groupe plus de 30 pers. et du 14 oct. au 24 juin. Petit déjeuner lun. à sam. 7h à 11h, dim. 7h à midi.
NOTE: Homard l'été. Carte des vins avec 470 étiquettes, environ 2000 bouteilles. Dim. brunch et menu à la carte au petit déjeuner. Soirées thématiques ponctuelles, artistes locaux. Banquets jusqu'à 400 pers. Salles de réunion.
COMMENTAIRE: On cuisine ici tous les produits frais de la Gaspésie. Un des rares établissements ouverts à l'année. Situé au bord de la Baie des Chaleurs, le restaurant offre une vue magnifique sur la baie, une des plus belles au monde. Souper spectacle fréquent, centre des congrès de la Gaspésie, club de golf. Au Pub Saint-Joseph, écrans géants, chansonniers et spectacles.

LE GÎTE DU MONT-ALBERT
★★★★ cont
2001, route du Parc,
SAINTE-ANNE-DES-MONTS
Tél.: 418-763-2288
et 1-866-727-2427
SPÉCIALITÉS CONTINENTALES: Acras de turbot, vinaigre aux herbes, gravlax de truite de Rivière-au-Renard, feuille de maraîcher. Nage de crevettes, pétoncles, flétan, mactre de Stimpson, pain grillé, herbes fraîches. Gâteau au fromage de chèvre, fraises au vinaigre balsamique, croustillant pacanes et beurre.
PRIX Midi: C. 19$ à 38$
Soir: C. 41$ à 55$ T.H. 36$ et 46$
OUVERTURE: 7 jours 11h à 21h30. Petit déjeuner 7h à 9h30. Fermé du 28 oct. au 26 déc. et du 1er avr. au 7 juin.
NOTE: Menu saisonnier. T.H. 3 et 4 serv. Terrasse avec vue sur les jardins de l'auberge. Activités hivernales.
COMMENTAIRE: Service familial dans un décor enchanteur. Le saumon est fumé sur place. Établissement perdu dans la montagne, au milieu du parc de la Gaspésie, vue sur le Mont-Albert. Un site incroyablement beau!

LE MARIN D'EAU DOUCE
★★★ fra
215, route du Quai, CARLETON
Tél.: 418-364-7602
SPÉCIALITÉS FRANÇAISES: Morue locale sauce au curry. Saumon de l'Atlantique à l'amérindienne. Pétoncles sur lit de lentilles safranées. Magret de canard aux pommes. Ris de veau braisé aux champignons sauvages. Tarte Tatin. Fondant au chocolat.
PRIX Midi: (fermé)
Soir: C. 33$ à 47$ T.H. 30$ à 39$
OUVERTURE: Ouvert à l'année, 7 jours 17h à 22h.
NOTE: T.H. soir 4 serv. Nouvelle T.H. chaque jour. Cave à vin (200 étiquettes). Soirées thématiques marocaines de l'automne au printemps. Menu gibier à l'automne.
COMMENTAIRE: Une table sympathique, tenue par un chef d'origine maghrébine et son fils. Le père fait une cuisine française méditerranéenne avec les produits de la Gaspésie, tandis que le fils s'occupe de la salle et du service du vin. Ils sont installés dans une vieille maison construite en 1820, située sur le bord de la Baie des Chaleurs. Une adresse qui mérite le détour.

Trente ans de gastronomie
30
debeur
2015
Établissement
RECOMMANDÉ
Les meilleurs plats des meilleurs restaurants sont recommandés dans le guide **Debeur.** L'autocollant ci-dessus permet de les identifier

INDEX DES RESTAURANTS

INDEX ALPHABÉTIQUE

RESTAURANTS - INDEX ALPHABÉTIQUE

RESTAURANTS - INDEX ALPHABÉTIQUE

RESTAURANTS QUI OFFRENT DES BRUNCHS - INDEX

RESTAURANTS QUI OFFRENT DES BRUNCHS - INDEX

RESTAURANTS QUI OFFRENT UNE TERRASSE - INDEX

Ces établissements ont une terrasse où l'on peut manger l'été, du mois de mai ou juin au mois de septembre parfois octobre

MONTRÉAL

ALGÉRIEN

LES RITES BERBÈRES ★★ 43
2 terrasses à l'arrière, dans un jardin, couvertes de végétation, 65 pers.

ASIATIQUE

MISO ★★★ 44
Sur les rues Sainte-Catherine et Atwater, semi-privée, avec arbres, 40 pers.

CAJUN

LA LOUISIANE ★★[ER] 44
Ouverte sur la rue, fleurie, 30 pers.

CHINOIS

LIN LIN ★★ 45
Devant le restaurant, en bois, fleurie, 8 pers.
L'ORCHIDÉE DE CHINE ★★★★★ 45
Privée, au 2e étage, 9 tables, vue sur la rue Peel, 26 pers.
MR. MA ★★★★ 45
Vue sur la rue Mansfield, parasols, arbustes, fleurie, 30 pers.

CONTINENTAL

CHEZ MA GROSSE TRUIE CHÉRIE ★★★[ER] 46
Une terrasse privée sous chapiteau, 45 pers. Une terrasse arrière, intime, design, 100 pers.
LES FILLES DU ROY ★★★[ER] 46
Au-dessus de la serre, de nombreuses plantes, une chute d'eau, entourée de murs de pierre recouverts de vigne, 30 pers.
L'Ô ★★★ 47
Sur le devant, sur la rue, fleurie, plantes grimpantes, avec parasols, bar complet, sofas, 60 pers.
MAESTRO S.V.P. ★★★ 47
Sur le bd Saint-Laurent, 3 tables, 6 pers.
NEWTOWN ★★★★[ER] 47
Sur le toit, fleurie, avec chute d'eau, 100 pers., 200 pers. en banquet. 2e terrasse sur la rue Crescent, 20 pers.
Restaurant-Jardins LE CASTILLON ★★★★ 47
Terrasse privée avec jardin, ruisseau, petite cascade, poissons et canards, 60 pers.
RIB'N REEF ★★★ 47
Sur le toit, couverte aux 3/4, bar, nappes blanches. Ouverte midi et soir. Jusqu'à 50 pers.
VARGAS ★★★★ 48
Le long de la rue Université, couverte d'un toit, fumeurs, 60 pers.

CORÉEN

LA MAISON DE SÉOUL ★★★ 48
Sur le trottoir, 4 tables, 8 pers.
RESTAURANT 5000 ANS ★★★ 49
À l'avant, sur le trottoir, 15 pers.

ÉGYPTIEN

LE PHARAON ★★★ 49
Au bord de Côte-Vertu, sur le stationnement, ombragée, fleurie, avec parasols, 60 pers.

FRANÇAIS

ALEXANDRE ET FILS ★★★★ (bistro) 50
Sur le trottoir de la rue Peel, style brasserie parisienne, 30 pers.
APOLLO RESTAURANT ★★★★ 50
Dans les jardins de l'église, sous les arbres, menu genre bistro, 130 pers.
ARIEL ★★★[ER] 50
Fleurie, 8 pers.
AU 5e PÉCHÉ ★★★ (bistro) 50
Sur la rue Saint-Denis, abritée du vent par un mur, 20 pers.
BISTRO L'AROMATE ★★★ (bistro) 51
Urbaine, élégante et confortable sur le bd de Maisonneuve, parasols, 2 sections lounge avec divans, 70 pers.
BISTRO LE RÉPERTOIRE ★★★ (bistro) 53
Sur la rue, parasols, 12 pers.
BORIS BISTRO ★★★ (bistro) 53
Dans une cour intérieure à mur historique, urbaine, latérale, sur deux niveaux, ombragée par des arbres, plus de 125 pers.
CHEZ LÉVÊQUE ★★★★ (bistro) 54
Plateforme clôturée, aménagée sur Laurier avec auvent et parasols, sections couverte et non couverte, 60 pers.
CHEZ QUEUX ★★★ 54
En face du Vieux-Port, sur la place Jacques-Cartier, avec auvent, menu bistro, 80 pers.
CHEZ SOPHIE ★★★★ (bistro) 54
Petite terrasse ombragée à l'arrière du restaurant, 16 pers.
EUROPEA ★★★★★ 54
Petite terrasse sur la rue, à l'entrée du restaurant, 24 pers.
H4C PLACE ST-HENRI ★★★★ (bistro) 55
En avant du restaurant, sur la place publique, fleurie, 40 pers.
HAMBAR ★★★★[ER] (bistro) 55
Terrasse modulaire angle d'Youville et McGill, bar extérieur, tables avec parasols, jardin d'herbes, jusqu'à 40 pers.
LABARAKE Caserne à manger ★★★ (bistro) 55
Belle grande terrasse côté stationnement, sur un plancher de cèdre surélevé, paysagée, fleurie, clôturée, 70 pers.
LA COUPOLE ★★★★ (bistro) 55
2 terrasses fleuries, sur deux étages, mur lumineux, 20 et 90 pers.
LA GARGOTE ★★ 55
Sur la place d'Youville, terrasse en bois, à l'ombre des arbres, 30 pers.
LALOUX ★★★ (bistro) 56
Couverte, sur la rue des Pins, avec treillis, fleurie, tables avec nappes, 16 pers.
LA SOCIÉTÉ ★★★ (bistro) 56
Sur la rue, fleurie, clôturée, parasols, 30 pers.
L'AUBERGE SAINT-GABRIEL ★★★★[ER] 57
Sur la rue Saint-Gabriel, mi-couverte par un auvent, fleurie, protégée par des murs en pierre, avec des meubles en teck, 60 pers.
L'AUTRE SAISON ★★ 57
Sur la rue, parasols, 26 pers.
LE MARGAUX ★★★★ (bistro) 58
Sur le trottoir, terrasse en bois sous un auvent, intime, éclairée, fleurie, 12 pers.
LE MAS DES OLIVIERS ★★★ 58
Couverte, avec une section non-fumeurs, 40 pers.
LEMÉAC ★★★ (bistro) 58
Sur la rue Durocher, avec beaucoup d'arbres, intime, recouverte d'un auvent, chauffée à l'année, 50 pers.
LE POIS PENCHÉ ★★★ (bistro) 58
Sur le bd de Maisonneuve, de style parisien, tables en bois, abritée par des arbres et auvents, 70 pers.
LES CONS SERVENT ★★★ (bistro) 59
Sur la rue, fleurie, tables hautes, avec parasols, 20 pers.
LES TEMPS NOUVEAUX ★★[ER] (bistro) 59
En façade, sur la rue, parasols, arbustes, 10 pers.
LE VALOIS ★★[ER] 59
Sur la place Valois, couverte, 120 pers.
MAISON BOULUD ★★★★★ 60
Dans le jardin intérieur du Ritz, à l'arrière, mare à canards, 40 pers.
M SUR MASSON ★★★[ER] (bistro) 61
Sur la rue, ensoleillée, face à l'église, 40 pers.
RENOIR ★★★★★ 61
Très belle terrasse ouverte, sur le côté, avec parasols, éloignée de la rue, 20 pers., aussi une partie couverte, 30 pers. Table du chef pour 4 pers. dans le beau jardin aromatique.
RESTAURANT VALLIER ★★[ER] 62
Sur le trottoir, haies, 12 pers.
SINCLAIR ★★★[ER] 62
Atrium en verre, salon jardin, fleuri, 60 pers.
TOQUÉ ! ★★★★★ 62
Sur la rue, ombragée, vue sur le parc, devant le restaurant, 20 pers.

GREC

FAROS ★★★ 63
Surélevée, sur la rue, pergola fleurie, verdure abondante, 12 pers.
RODOS ★★ 63
Sur un balcon, abondamment fleurie, genre méditerranéen, jusqu'à 15 pers.

HAÏTIEN

CASSEROLE KRÉOLE Traiteur, plats à emporter, lunch sur place ★★★ 63
Petite, fleurie, sur le trottoir, 9 pers.

INDONÉSIEN

NONYA ★★★★ 63
Sur la rue Waverly, en bois, banquettes rembourrées, avec auvent, 25 à 30 pers.

RESTAURANTS QUI OFFRENT UNE TERRASSE - INDEX

INTERNATIONAL ET MÉTISSÉ

ACCORDS ★★★★ 65
Sous le porche d'entrée, végétation, murs de pierres et de briques, 80 pers.
BISTROT LA FABRIQUE ★★★ (bistro) 65
Auvent, fleurie, 24 pers.
BRASSERIE LES ENFANTS TERRIBLES ★★★ (bistro) 65
Sur le bord de l'eau, adossée à un parc, en partie couverte, 140 pers.
BRASSERIE LES ENFANTS TERRIBLES ★★★ (bistro) 66
Sur le coin, fleurie, avec auvent et banquettes, 120 pers.
CAVALLI ★★★★[ER] 66
Sur la rue, avec auvent, 20 pers.
CHEZ VICTOIRE ★★★ (bistro) 66
À l'avant, sur le trottoir, fleurie, vue sur le Mont-Royal, 30 pers.
COMMUNION ★★★[ER] (bistro) 66
À l'avant, sur le trottoir, fleurie, parasols, vue sur la place Royale, le port de Montréal et la rue de la commune, 72 pers.
LE FILET ★★★ 67
À l'avant, en face du parc Jeanne-Mance, toujours à l'ombre, plancher chauffant, marquise en verre, 25 pers.
LE LOCAL ★★★ (bistro) 67
Couverte, chauffée, paysagée, 60 pers.
LE ST-URBAIN ★★★★ (bistro) 69
En avant du restaurant, en bois, fleurie, auvent, 16 pers.
M:BRGR ★★★ (bistro) 70
Sur la rue, en bois, parasols, 42 pers.
PASTAGA ★★★ 70
Parasols, paysagée, donne sur le bd Saint-Laurent, 20 pers.
ROSALIE ★★[ER] 71
Couverte par un auvent en cas de pluie, clôturée avec de la végétation, 80 pers.
VERSES ★★★ (bistro) 71
Sur le toit de l'hôtel, vue sur le fleuve, vue sur le bar et la cuisine, 5e ét., auvents, 120 pers.

ITALIEN

BÉATRICE ★★★ 71
Sur le côté, ouverte, fleurie, bar, couverte, avec des arbres, 200 pers.
BIS ★★ 71
Sur le trottoir, couverte, 20 pers.
CASA CACCIATORE ★★★ 73
Sur le marché Jean-Talon, couverte avec auvent, arbres et fleurs, 25 pers.
DA EMMA ★★★ 73
Sur une cour entourée d'arbres, couverte d'une toile, jusqu'à 60 pers.
FERRARI ★★★ (bistro) 73
À l'avant, fleurie, 20 pers. À l'arrière du restaurant, dans une ruelle fermée, fleurie, 30 pers.
IL BOCCALINI ★★★ 73
Coin rue Saint-Germain, en face du parc, fermée avec auvent, 40 pers.
IL CORTILE ★★★ 73
Superbe terrasse dans une cour intérieure, décorée de plantes fleuries et d'arbustes, ambiance à l'italienne, 100 pers.
LA DIVA ★★★[ER] 74
Belle terrasse, sur le côté et sur la rue, avec auvent et potager, 45 pers.
LA MOLISANA ★★★ 74
Sur la rue, fleurie, avec parasols et canapés, 25 pers.
LE PETIT ITALIEN ★★ 74
9 tables, sur la rue, avec auvent, 22 pers.
RESTAURANT-BAR OTTO ★★★★[ER] 74
Sur le trottoir, vue sur le square Victoria, avec auvent, protégée par des jardinières, 60 pers.
RISTORANTE DIVINO ★★ 74
2 terrasses avec musique, parasols, fleurs et cyprès, ombragées l'après-midi, 40 pers chacune.
TOMATE BASILIC ★★★★ 75
Grande terrasse couverte, parasols, 60 pers. 15 places au soleil.

JAPONAIS

MAÏKO SUSHI ★★★★ 75
Sur la rue Hutchison, couverte et protégée, chauffée, fleurie, 40 pers.
MIKADO ★★★★★ 75
Vue sur les arbres, très intime, rue Hutchison, parasols, fleurie, 35 pers.

LIBANAIS

DAOU ★★★ 77
Sur la rue, parasols, jusqu'à 20 pers.
LA SIRÈNE DE LA MER ★★★★ 78
Sur le côté, paysagée, couverte, chauffée, 30 pers.

MAROCAIN

LA MENARA ★★★ 78
Sur la rue, couverte, 60 pers.

MÉDITERRANÉEN

BYLA.BYLA. ★★★ 78
Sur le stationnement, clôturée, fumeurs, parasols et plantes, 20 pers.
RESTAURANT L'AUTRE VERSION ★★★★[ER] 79
Dans la cour intérieure, un beau mur de vieilles pierres avec vignes et des armatures modernes, de style lounge, sofas, 100 pers.

MEXICAIN

BISTRO CACTUS ★★[ER] (bistro) 79
Rue Saint-Denis, sur le trottoir, fleurie, auvent, 20 pers.
CHIPOTLE ET JALAPENO ★★ 79
Sur la rue, fleurie, avec parasols, 20 pers.
LE PETIT COIN DU MEXIQUE ★★ 79
En face du restaurant, sur le trottoir, 2 tables, 8 pers.
RESTAURANT LIMON ★★★ 79
2 terrasses, 16 pers. (intime) et 40 pers. Cour intérieure fleurie, tabourets et tables basses.

PÉRUVIEN

CALLAO ★★★ 80
Sur la rue Laurier, 8 pers.
MOCHICA ★★★★ 80
Parasols, ombre et soleil, sur la rue Saint-Denis, 15 pers.

PORTUGAIS

CASA VINHO ★★★ 80
Petite terrasse en bois, auvent, 12 pers.
FERREIRA CAFE ★★★★[ER] 81
Sur la rue Peel, auvent, 20 pers.
LE SOLMAR ★★ 81
Sur rues Saint-Vincent et Saint-Paul, avec fleurs et arbustes, 100 pers.
PORTUS CALLE ★★★★ 81
Sur la rue, fleurie, avec parasols, 25 pers.

THAÏLANDAIS

CHU CHAI ★★★ 82
Sur la rue Saint-Denis, auvent, fermée, 32 pers.
TALAY THAÏ ★★★ 82
Vue sur chemin de la Côte-des-Neiges, balcon-terrasse avec parasols, 8 pers.

VIETNAMIEN

HOÀI HU'O'NG ★★ 83
Sur la rue Victoria, fermée, fleurie, avec parasols, 20 pers.
PHO TAY HO ★★★ 83
Sur la rue, devant le restaurant, couverte, 15 pers. Derrière le restaurant, cour intérieure, 13 pers.
RESTAURANT PHO LIEN ★★ 84
Sur le chemin de la Côte-des-Neiges, couverte à moitié par des parasols et l'autre moitié par un auvent, 20 pers.

BANLIEUE DE MONTRÉAL

RIVE SUD

BISTRO DES BIÈRES BELGES ★★ bel 84
Vue sur la rue, galerie très fleurie avec vignes, arbres centenaires, en 2 sections dont une est abritée, 45 pers.
BISTRO V ★★★★ fra 84
Sur la rue, arbustes, auvent, 35 pers.
BRAVI ★★★ ita 84
Moitié sous un chapiteau, entourée d'arbres, 50 pers.
CHEZ LIONEL ★★★ (bistro) fra 85
Moderne, clôturée, béton, verre, auvent, jardin naturel, chauffée au gaz, fontaine, 60 pers.
CHEZ PARRA ★★★[ER] (bistro) fra 85
2 terrasses, à l'avant sur la rue Saint-Charles, 30 pers., à l'arrière, chauffée, fleurie, couverte d'une verrière, 25 pers.
COPAINS GOURMANDS ★★★ (bistro) fra 85
Dans la cour intérieure, confortable, pavé uni, grille en fer forgé et vignes, jardin, fleurie, 35 pers.
DUR À CUIRE ★★★ (bistro) fra 85
Sur la rue, grand parasol, 20 pers.
LA FONTANA Gelati, bar & lounge ★★ ita 85
À l'avant, au 2e étage, sofas lounge, parasols, 60 pers.
LA TOMATE BLANCHE ★★★★ ita 86
Grande terrasse sur le toit au 2e étage, agrémentée de jardinières, jusqu'à 120 pers.
L'AUROCHS ★★★★ cont 86
Grande terrasse fleurie sur le toît, 2e ét., banquettes, parasols, 120 pers.
LE MÉCHANT LOUP ★★★ fra 86
Sur le devant de la maison, avec des arbres immenses, meubles en teck, 70 pers.

RESTAURANTS QUI OFFRENT UNE TERRASSE - INDEX

RIVE NORD

RÉGION DE MONTRÉAL

LANAUDIÈRE

LAURENTIDES

MONTÉRÉGIE

RESTAURANTS QUI OFFRENT UNE TERRASSE - INDEX

RESTAURANT LE CÔTE À CÔTE ★★★[ER] cont 100
Très belle, grande, paysagée, parasols, pavé uni, entourée d'arbres, avec estrade pour musiciens, 100 pers.

RESTAURANT LE VIEUX SAINT-MATHIAS ★★★ fra 100
Terrasse en bois, fleurie, ombragée par des arbres et parasols, 22 pers.

RESTAURANT LYVANO ★★★ cont 100
Sur le bord de la rivière Brochet. Une en bois, fleurie, 35 pers. L'autre en pavé uni, fleurie, 30 pers.

SUCRERIE DE LA MONTAGNE ★★★★ suc 100
En plein bois, fleurie, ombragée par de grands érables, 25 pers.

QUÉBEC

AFRICAIN

LA CALEBASSE ★★ 101
Sur la rue, devant le restaurant, fleurie, 30 pers.

AMÉRINDIEN

RESTAURANT LA TRAITE ★★★★ 101
Entourée d'arbres, au bord de la rivière Saint-Charles, foyer extérieur, 60 pers.

BORÉAL

CHEZ BOULAY BISTRO BORÉAL ★★★★ 102
En été, 17h30 à 23h, sur le trottoir sur la rue Saint-Jean qui est piétonne le soir, ombragée, 24 pers.

LÉGENDE par La Tanière ★★★★ (bistro) 102
Sur la rue, fleurie, 60 pers.

CONTINENTAL

CHIC ALORS! PIZZA ET TENTATIONS ★★ 102
Deux terrasses, une à l'avant au rez-de-chaussée, paysagée, avec parasols, 54 pers. et l'autre au 2e étage, couverte, 24 pers.

LA BÊTE BAR-STEAKHOUSE ★★★★ 103
Fleurie, avec jardin de ville, 75 pers.

LE CHARBON ★★★★ 103
Délimitée par des arbustes et une clôture, sofas, ambiance urbaine, 40 pers. Cour intérieure, fleurie, cèdre rouge, gazebo, 90 pers.

LES TROIS GARÇONS BISTRO ★★★[ER] 103
À l'avant, sur la rue piétonne, 28 pers., soirs et fin de sem. seulement.

PUB ST-ALEXANDRE ★★ 104
Début juin au 3 sept. Sur le trottoir, clôture en fer forgé, fleurie, parasols, 25 pers.

RESTAURANT DU MUSÉE ★★★ 104
Vue sur les plaines d'Abraham et le fleuve, au calme, grande terrasse derrière le musée, 80 pers.

CRÊPERIE

CRÊPERIE LE BILLIG ★★ 104
Sur la rue, paysagée, minuscule, 6 pers.

FRANÇAIS

AUBERGE LOUIS-HÉBERT ★★★★[ER] 104
Autour d'un arbre, chauffée, fleurie, sur la rue, abritée d'un auvent, 85 pers.

BISTRO LA COHUE ★★★ 104
Terrasse en bois avec parasols et fleurs, à l'avant du restaurant, 41 pers.

LA PLANQUE ★★★★ 105
Face à la rue, devant le restaurant, structure en bois et métal, 14 pers.

LAURIE-RAPHAËL ★★★★★ 105
Sur la rue, semi-couverte, fleurie et bien aménagée, éclairée de bleu le soir, 50 pers.

LE BISTANGO ★★★★ (bistro) 105
À l'avant, couverte, terrasse-jardin paysagée, avec décor européen, 40 pers.

LE CAFÉ DU MONDE ★★★ 106
Vue sur le fleuve, 2e étage, non-fumeurs, 42 pers. Véranda avec fenêtres coulissantes, 42 pers.

L'ÉCHAUDÉ ★★★★ 106
Sur rue piétonnière, fleurie, avec tables et auvent, chauffée au besoin, 44 pers.

LE MOINE ÉCHANSON ★★★[ER] (bistro) 106
Plateaux de table posés sur des barriques, sur le trottoir, vue sur la rue Saint-Jean, fleurie, 10 pers.

LE PAIN BÉNI ★★★ 107
Auvent, parasols, sur rue piétonnière, face aux artistes, 24 pers.

LE QUAI 19 ★★★★ 107
Sur la rue, vue sur fontaine, en partie chauffée, bar, 48 pers.

LE SAINT-AMOUR ★★★★★ 107
Couverte et climatisée, terrasse intérieure, jardin d'hiver, 80 pers.

LES FRÈRES DE LA CÔTE ★★★[ER] (bistro) 107
Sur la rue, fleurie, auvent, soir et fin de semaine seulement, 18 pers.

PANACHE ★★★★★ 108
Vue sur le fleuve, à l'étage, décorée de fleurs en pot, 20 pers.

PARIS GRILL ★★★ (bistro) 108
Sur le trottoir du bd Laurier, fleurie, presque fermée, ombragée, chauffée, 80 pers.

RESTAURANT LE GRAFFITI ★★★★[ER] 109
Sur le trottoir de la rue Cartier, fleurie, 12 pers.

RESTAURANT SIMPLE SNACK SYMPATHIQUE ★★★ 109
Dans un vieux quartier, semi-couverte avec auvent et parasols, sur le trottoir, 26 pers.

RESTAURANT TOAST! ★★★★★ 109
Couverte et chauffée si nécessaire, cour intérieure de l'hôtel, très belle, à ciel ouvert, 75 pers.

GREC

LE MEZZÉ ★★★ 109
Face à la gare du palais, fleurie, 25 pers.

INTERNATIONAL ET MÉTISSÉ

AVIATIC - Resto Bar à vin ★★★★ 109
Dans la gare, en face du parc, semi-couverte et fleurie, 100 pers.

LE 47e PARALLÈLE ★★★ 109
À l'avant, très espacée, sur la rue Saint-Amable, 80 pers.

LE COSMOS CAFÉ ★★ 110
Sur le trottoir, chauffée, parasols, jardinières, banquettes, 120 pers.

MONTE CRISTO L'ORIGINAL ★★★★[ER] 110
Restaurant terrasse «Napa grill» à l'arrière, cuisine extérieure, parasols, vue sur la piscine, 60 pers.

MONTEGO RESTO CLUB ★★★ 110
2 terrasses sur la rue, couvertes, fleuries et chauffées au besoin, 90 pers.

VERSA RESTAURANT-BAR ★★★ (bistro) 110
Avr. à oct., sur la rue piétonnière, en partie couverte, urbaine, fleurie, banquettes, 70 pers.

ITALIEN

BELLO RISTORANTE ★★★ 111
Verrière ouverte, semi-couverte, fleurie, 60 pers.

LE MANOIR ★★ 111
Semi-couverte, chauffée, vue sur un boisé, pergola en bois, fleurie, bien aménagée avec fontaine, 150 pers.

RISTORANTE IL MATTO ★★★ 111
Dans un jardin, avec auvent, chauffée, très chic, 60 pers.

RISTORANTE IL TEATRO ★★★ 111
Sur le trottoir, vue sur la place d'Youville, superbe terrasse de style européen, très fleurie, parasols, 110 pers.

RISTORANTE MICHELANGELO ★★★★★[ER] 111
Vue sur le pont Pierre-Laporte, avec jardin fleuri à l'arrière, 36 pers. Balcon, 22 pers.

SAVINI ★★★ 112
Chauffée ou climatisée (brume), banquettes et meubles confortables, éclairage coloré DEL, auvent, 70 pers.

JAPONAIS

ENZO SUSHI ★★★ 112
Fleurie, parasols, sur le trottoir, 25 pers.

NIHON SUSHI ★★★ 112
À l'avant, avec auvent, fleurie, en retrait de la rue, 44 pers.

YUZU le restaurant ★★★★[ER] 112
Sur la rue du parvis, rue piétonnière l'été, fleurie, avec auvent, 40 pers.

MEXICAIN

SEÑOR SOMBRERO ★★★ 113
Cloturée avec des arbustes, fleurie, non fumeur, parasols, 30 pers.

RÉGION DE QUÉBEC

ARCHIBALD ★★★ cont 113
Sur le coin devant le resto, avec auvent, paysagée, chauffée, 160 pers.

AUBERGE BAKER ★★★ int 113
À l'avant, vue sur l'av. Royal, avec parasols, 20 pers. À l'arrière, terrasse-bar surélevée, couverte, vue sur le fleuve, 50 pers.

RESTAURANTS QUI OFFRENT UNE TERRASSE - INDEX

AUBERGE DES GLACIS
★★★★ fra 114
Seulement pour le brunch, tout près de la rivière Tortue, vue sur le jardin, 14 pers.
AUBERGE LE CANARD HUPPÉ
★★★ qué 114
Très fleurie, ombragée, intime, 12 pers.
LA GOÉLICHE ★★★★ int 114
Parasols, au bord du fleuve, 24 pers. Verrière, vue sur le fleuve, 35 pers. Terrasse entre deux ponts, durant les beaux jours d'été, 56 pers.
LA TABLE DU CHEF
ROBERT BOLDUC ★★★ fra 114
Fleurie, intime, 12 pers.
LE MOULIN DE ST-LAURENT
★★★[ER] qué 114
Sur le côté Est, parasols, vue sur la chute, 35 pers.
PUR SANG BISTRO GRILL
★★★ cont 114
Ensoleillée, parasols, coin lounge, 56 pers.

AILLEURS DANS LA PROVINCE

CHICOUTIMI

LE LÉGENDAIRE ★★★★ cont 115
Verrière, côté nord, vue panoramique sur les monts Valin, 60 pers.

GRANBY

ATTELIER ARCHIBALD ★★★ cont 115
À l'avant, semi-couverte, 4 foyers, chutes d'eau, arbres, 120 pers.
LA CLOSERIE DES LILAS
★★★ cont 116
Sur le côté du restaurant, fleurie, fontaine, dans un jardin, à l'ombre des arbres, 25 pers.

RÉGION DE GRANBY

LES QUATRE CANARDS
★★★[ER] fra 116
Fleurie, vue sur le golf, semi-couverte, 4 spas, 150 pers.

GATINEAU - OTTAWA

ARÔME Grillades et fruits de mer
★★★ cont 117
Vue sur lac de la Carrière et centre-ville d'Ottawa, semi-couverte, chauffée, 90 pers.
BISTRO L'ALAMBIC
★★★ (bistro) fra 117
Balcon sur la rue, couvert, 8 pers.
BLACK CAT BISTRO ★★★★ int 118
À l'arrière, fleurie, 12 pers.
BROTHERS BEER BISTRO
★★★[ER] int 118
Parallèle à la rue Georges, 28 pers.
EIGHTEEN ★★★★[ER] fra 118
Sur la rue, en face du marché By, parasols, chandelles, fleurie, 28 pers.
GY RESTO-TRAITEUR ★★★ fra 119
Surélevée, parasols, 24 pers.
HOOCH BOURBON HOUSE
★★★ can 119
Sur la rue Rideau, parasols, 8 pers.
HY'S ★★★ cont 119
Sur le côté, couverte, fleurie, 40 pers.
JUNIPER ★★★★ cont 119
Semi-couverte, lounge, plantes, 25 pers.
LE CAFÉ CNA ★★★ cont 120
Superbe terrasse sur le canal Rideau, fleurie, 100 pers.
LE PIED DE COCHON
★★★ (bistro) fra 120
Sur la rue, avec auvent rétractable, jardinières de fleurs, nappes, 18 pers.
LES VILAINS GARÇONS
★★★ (bistro) fra 120
Sur la rue, parasols, 16 pers.
LE TARTUFFE ★★★ fra 121
À côté du restaurant, entourée d'un jardin, couverte par de grands arbres, avec parasols, 40 pers.
MAMBO NUEVO LATINO
★★★[ER] sud 121
Sur le toit avec fleurs, 50 pers. 2e terrasse à l'avant, sur le trottoir, 30 pers.
MURRAY STREET KITCHEN
★★★ can 121
À l'arrière du restaurant, couverte de vignes, banquettes, 60 pers.
NAVARRA ★★★★ mex 121
À l'arrière, fontaine, lanternes, fleurie, 18 pers.
PERSPECTIVES RESTAURANT
★★★ int 121
Vue sur le terrain de golf et la piscine, couverte, 40 pers.
RESTAURANT SIGNATURES
★★★★ (bistro) fra 122
Terrasse en bois, à côté du parc Strathcona, vue sur une fontaine, 30 pers.
SIDEDOOR ★★★ int 122
Dans une cour, à l'arrière du restaurant, 60 pers.
SOIF Bar à vin de Véronique Rivest
★★★ (bistro) fra 122
Privée, couleurs apaisantes, parasols, plantes, 65 pers.
STERLING ★★★ cont 122
Face à la rivière, fleurie, 75 pers.
TAYLORS GENUINE FOOD AND WINE BAR ★★★ fra 122
Sur le coin de la rue, fleurie, parasols, 12 pers.
TOWN ★★★[ER] int 123
Sur le trottoir, 6 pers.
WILFRID'S RESTAURANT
★★★★ can 123
Vue sur le parlement et le canal Rideau, 16h30 à 22h, 70 pers.

RÉGION DE GATINEAU - OTTAWA

LES FOUGÈRES ★★★ fra 124
Vue sur la forêt et les jardins, véranda couverte de moustiquaires, 40 pers.

SHERBROOKE

DA LEONARDO ★★★ ita 124
Sur la rue à l'avant, une partie semi-couverte et une autre abritée de parasols, 45 pers.
LA TABLE DU CHEF ★★★★ fra 124
Sur la rue King Ouest, vue sur la montagne, fleurie, parasols, 30 pers.
LE BOUCHON ★★★★ (bistro) fra 125
Sur une place publique, Place des moulins, en retrait de la rue, bien ombragée, parasols, 32 pers. On entend la rivière.
RESTAURANT AUGUSTE
★★★ (bistro) fra 125
Sur la rue du centre-ville, en bois, semi-couverte, fleurie, 25 pers.
RESTAURANT DA TONI
★★★★ ita 125
Chauffée, ventilée, fleurs en pots, auvent et grandes tables en bois, 70 pers.

RÉGION DE SHERBROOKE

LE HATLEY ★★★★★ qué 125
Dans le jardin au bord de l'eau, magnifique vue sur le lac Massawippi, midi à 16h, 50 pers.
LES JARDINS ★★★ cont 126
2 terrasses, vue sur la piscine et le mont Orford, 100 pers.
LES SOMMETS ★★★ cont 126
À l'avant, ouverte, plate-bande de fleurs et parasols, midi seulement, 100 pers.
LE TEMPS DES CERISES
★★★ int 126
Sur le côté, couverte, fleurie, 30 pers.
RESTAURANT L'ANCRAGE
★★ fra 126
Vue panoramique sur le lac Memphrémagog, parasols, chauffée, non-fumeurs, 100 pers.
RIPPLECOVE HÔTEL SUR LE LAC
★★★★[ER] int 126
Sur la rive du lac Massawippi, ambiance champêtre, couverte, 25 pers.

TROIS-RIVIÈRES

AU FOUR À BOIS ★★ ita 127
En bois, fermée, dans un jardin, fleurie, parasols, 36 pers.
LE CASTEL DES PRÉS
★★★★★ (bistro) cont 127
2 terrasses entièrement couvertes et protégées par une moustiquaire, chauffées, vue sur jardin paysagé, 100 pers.
LE ROUGE VIN ★★★ cont 127
À l'arrière, terrasse surélevée, à côté de la piscine et du spa, 60 pers.

RÉGION DE TROIS-RIVIÈRES

AUBERGE GODEFROY ★★★ fra 127
Grande terrasse fleurie avec bar, parasols et vue sur espace vert, 80 pers.
L'AUBERGE DU LAC ST-PIERRE
★★★★ fra 127
Vue sur le lac Saint-Pierre, 32 pers.
LE BALUCHON Éco-villégiature
★★★★[ER] fra 128
Galerie sur la rivière du Loup, terrasse potagère, 20 pers.

RESTAURANTS QUI OFFRENT UNE TERRASSE - INDEX

LE FLORÈS ★★★[ER] cont 128
Quatre terrasses: avec vue sur la montagne, 30 pers.; sur la rue avec parasols, 50 pers.; dans un jardin intérieur, 36 pers.; sur la pelouse, 24 pers.
MANOIR BÉCANCOURT ★★★ cont 128
Vue sur les jardins, avec parasols, fleurie, 20 pers.

AUTRES RÉGIONS

BAS-SAINT-LAURENT

AUBERGE DU MANGE GRENOUILLE ★★★[ER] fra 129
Vue en surplomb sur les Îles du Bic et sur le jardin, 35 pers.

CHARLEVOIX

AUBERGE DES FALAISES ★★★★ cont 129
Couverte, fleurie, chauffée, 15 pers.
LE SAINT-PUB, MicroBrasserie ★★ (bistro) cont 130
Sur la rue, une partie pergola, une partie couverte et chauffée, 80 pers.

GASPÉSIE

AUBERGE LA COULÉE DOUCE ★ cont 130
Galerie de bois, vue sur la rivière Matapédia, 15 pers.
AUBERGE LE COIN DU BANC ★★ qué 131
Vue sur la mer, ouverte, 30 pers.
LA MAISON DU PÊCHEUR ★★★ cont 131
Vue sur le rocher Percé, 25 pers. Galerie en bois, sur la mer, 12 pers.
LA MARÉE CHANTE ★★★ cont 131
Vue sur le fleuve, vitrée, fleurs en pot et parasols, 20 pers.
LE GÎTE DU MONT-ALBERT ★★★★ cont 132
À l'avant, parasols, vue sur le mont Albert, 40 pers.
LE MARIN D'EAU DOUCE ★★★ fra 132
Au bord de la Baie des Chaleurs, accès direct à la mer, 35 pers.

RESTAURANTS OÙ L'ON PEUT APPORTER SON VIN - INDEX

MONTRÉAL

ALGÉRIEN

ASIATIQUE

CORÉEN

FRANÇAIS

HAÏTIEN

ITALIEN

PÉRUVIEN

AVIS
Vous trouverez les informations complémentaires concernant chaque établissement en consultant la liste des restaurants qui débute à la page 37.

BANLIEUE DE MONTRÉAL

RIVE SUD

RIVE NORD

RÉGION DE MONTRÉAL

LANAUDIÈRE

MONTÉRÉGIE

QUÉBEC

CHINOIS

FRANÇAIS

AILLEURS DANS LA PROVINCE

GRANBY

GATINEAU - OTTAWA

SHERBROOKE

Haïti
la perle des Antilles

par Huguette Béraud
et Thierry Debeur
photos Debeur

Plage de l'Hôtel Club Indigo sur la côte des Arcadiens
En haut à droite: Couronne impériale haïtienne

Monument contenant les ossements des quatre pères de la nation au Musée du Panthéon national haïtien

Haïti est une île merveilleuse, qu'il est agréable de visiter. Sa culture est riche, sa cuisine savoureuse, ses paysages sont fantastiques et ses plages magnifiques.

– Comment ça va? me demande un Haïtien au moment où j'entrais dans ma chambre à l'Hôtel Karibe.
– Cela ne peut qu'aller bien dans un pays aussi paradisiaque, répondis-je.
– Cela fait chaud au cœur d'entendre ça, dit l'homme souriant en entrant dans sa chambre à son tour.

Paradisiaque? Pas partout! Un jour certainement. Haïti est un pays qui a souffert tout au long de son histoire. **Indépendante depuis 1804, Haïti est la première république noire du monde.** D'abord une colonie esclavagiste, puis un royaume et même un empire (eh oui!), aujourd'hui une république qui a subi les affres d'une dictature et enfin est devenue une démocratie. Un statut auquel son peuple n'était pas tout à fait préparé. En effet, les Haïtiens (de la rue) pensent que la démocratie, c'est la liberté de faire ce qu'ils veulent sans égard aux devoirs et responsabilités qui y sont obligatoirement attachés. Il en résulte une gentille pagaille qui oblige le gouvernement à progressivement faire des campagnes de sensibilisation.

Lorsqu'on pense aller à Haïti, les trois premiers freins sont la sécurité, les maladies et enfin, peut-être, le vaudou. En ce qui concerne la sécurité, disons qu'Haïti vient d'être retirée de la liste noire des pays à risque. Ce pays est quatre fois moins à risque que sa voisine la République dominicaine. Le gouvernement a engagé de nombreux policiers

Stéphanie Balmir Villedrouin, ministre du Tourisme d'Haïti

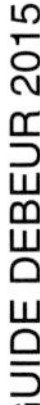

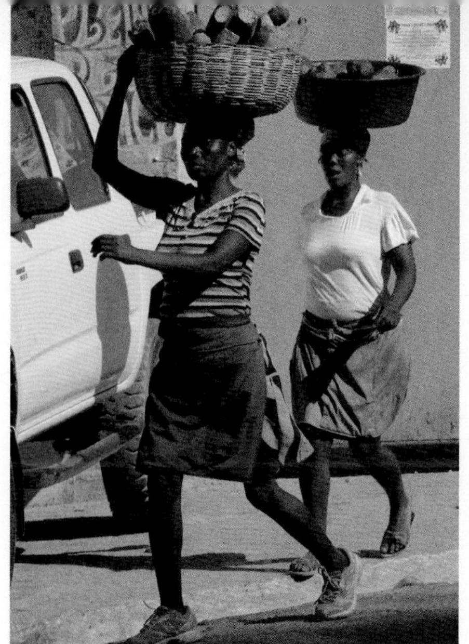

qui ont permis un changement radical. De plus, il a mis sur pied des brigades de policiers spécialement attribués aux touristes, qu'on appelle la Politour, très présente sur les lieux touristiques.

Pour ce qui est des maladies, il n'y en a ni plus ni moins que dans n'importe quelle autre île des Caraïbes. Mais c'est surtout la pollution aux heures de pointe qui nous a le plus incommodés. Cette ville grouille de monde, il y a une surpopulation évidente et comme les Haïtiens aiment vivre dehors, on dirait qu'ils sont tous dans la rue, écoliers, marchands, commerçants. La circulation est très dense et désordonnée. Le klaxon sert à la communication, mais pas d'accidents, pas d'agressivité, c'est plutôt la pagaille, le «blocus» (on nomme ainsi un embouteillage) surtout à cause des tap-tap (les bus locaux, très colorés, très surchargés, qui trimballent leurs passagers à longueur de journée, véhiculant des messages religieux catholiques sur leur habillage de bois et de métal). Mais tout cela reste plutôt comique.

Enfin, parlons un peu du **vaudou** qui est officiellement devenu une religion sous **Aristide.** Le **Marché en fer** comporte une section d'artéfacts vaudous quelquefois impressionnants. «Celui-ci contient un vrai crâne humain, il fonctionne mieux», nous dit notre guide en désignant une sorte de mannequin noir à la bouche cousue de fil de fer. Le vaudou, d'origine africaine, est arrivé au 16e siècle avec les esclaves. La religion catholique servait alors de masque sous lequel on pratiquait le vaudou; ainsi on leur fichait la paix. Aujourd'hui, le rituel est encore très présent dans les habitudes de vie des Haïtiens, mais ce n'est pas réellement secret.

Du sourire plutôt rare!

Nous avons été étonnés du manque de sourire des Haïtiens de la rue, de leur volonté de ne pas se faire photographier. Voici une lettre qui apporte un éclairage à notre questionnement:

Je comprends votre commentaire concernant ce manque de sourires et chaleur des gens de la rue. Malheureusement il faudra à mon avis plusieurs générations pour changer cette façon d'être. Pour ces gens de la rue qui vivent dans une réalité où la loi du plus fort domine, le visage dur est une façon de se faire respecter. Pour eux le touriste est encore une «espèce» nouvelle et rare. Ils ne comprennent pas encore l'importance économique qu'un bon accueil pourrait générer. La vision à long terme ne fait pas partie de leur lutte quotidienne pour survivre.

Malgré cela, l'espoir et la motivation grandissent un peu plus, chaque jour qui passe. Les Haïtiens sont des gens très intelligents avec un sens de la créativité sans égal. Ne reste plus maintenant qu'à leur apprendre à réfléchir par une éducation scolaire qui se met à peine en place. Cela prendra du temps, mais l'histoire a déjà prouvé à de nombreuses reprises que l'énergie de ce peuple est sans limites. Il n'y a donc aucun doute qu'Haïti redeviendra la perle des Antilles.

Mathieu Folliot
Directeur général
Hôtel Villa Thérèse à Port-au-Prince

Rencontre avec Stéphanie Balmir Villedrouin, ministre du Tourisme d'Haïti

Une belle jeune femme qui a la tête sur les épaules et des projets qui n'attendent pas longtemps pour se réaliser. Une visionnaire qui conduit Haïti vers une ouverture touristique certaine.

Lors de notre entrevue, la ministre **Balmir Villedrouin** a longuement expliqué sa démarche pour aller chercher des investisseurs étrangers et lancer de grands projets d'infrastructure touristique en valorisant des lieux exceptionnels. Notamment, il est prévu de procéder à des développements dans le sud du pays, comme Jacmel et son fameux carnaval, l'île à Vaches, des régions qui ont des plages superbes au look quasiment «polynésien», etc. La ministre nous a également annoncé la construction d'un nouvel aéroport international qui devrait desservir cette région. Une nécessité, car il faut plus de deux heures d'auto pour s'y rendre au départ de Port-au-Prince.

Gastronomie

La gastronomie haïtienne est relevée et savoureuse. On y trouve des noms de mets colorés comme soupe de giraumon (potiron, repas du dimanche), banane pesée, fruit de l'arbre véritable grillé (arbre à pain), griot de port, lambi grillé et le condiment pikliz ou sauce ti-malice (très épicée, échalote, oignon, chou blanc, carotte, persil, citron, orange amère, piment), cabri, poulet djon djon (poulet nègre marron, le djon djon étant un petit champignon indigène) ou coq à toutes les sauces (repas du dimanche, on l'achète le samedi), riz aux pois rouges, patates douces, lames, mousse crème de fruits et beignet de banane. La bière locale, la **Prestige,** est légère et fraîche.

Le chef Stephan Berrouet Durand
Président et cofondateur de l'Alliance culinaire haïtienne, fondateur du festival Goût et saveurs Lakay, responsable du dîner convivial Coup de chapeau pour Haïti au festival Montréal en lumière 2014, **Stephan Berrouet Durand** est une figure de la gastronomie haïtienne. Conseiller pour divers établissements, il défend, lui aussi, l'idée

Pressoir à canne à sucre au Musée de la canne à sucre

d'une modernisation de la cuisine traditionnelle haïtienne. Tout comme le Prix Debeur au Québec, le chef Stephan veut faire évoluer la cuisine de la rue vers une modernisation, un remaniement, un raffinement qui lui donneront ses lettres de noblesse et la mettront à la dimension mondiale.

Port-au-Prince

Le centre-ville a beaucoup souffert du tremblement de terre en 2010. Le centre d'affaires n'existe plus, il a été transféré à Pétion-Ville. On sent cependant dans toute la capitale et dans tout le pays un grand souci de reconstruction, ce qui amène énormément de poussière et de gens déplacés.

Pétion-Ville

Pétion-Ville fait partie de six petites villes satellites où le centre d'affaires de Port-au-Prince s'est déplacé après le séisme. C'est une agglomération avec des maisons élégantes face à Jalousie, un bidonville avec maisons en béton que le gouvernement fait régulariser et repeindre. On dirait un tableau.

À visiter

Visite de Port-au-Prince avec arrêts au **Musée du Panthéon national haïtien (MUPANAH),** qui affiche la devise nationale, «Liberté, Égalité, Fraternité», mais aussi «L'union fait la force»; une visite très intéressante sur l'histoire du pays, ses héros, son peu-

ple; la place des Héros de l'Indépendance avec la tour de l'Indépendance; le **Marché en fer** (entièrement réaménagé), situé au centre-ville de Port-au-Prince affecté par le séisme. En deux parties, le marché alimentaire et le marché de l'artisanat. Les Haïtiens sont des artistes et des artisans prolifiques. Un excellent rapport qualité-prix, on peut marchander jusqu'à 60%, ailleurs c'est plus cher.

Hébergement

Hôtel Karibe
Juvenat 7, Pétion-Ville, Haïti
509 2812 7000
www.karibehotel.com/fr
Très bel hôtel situé dans un immense parc en terrasses, avec de très grands arbres qui apportent une ombre fraîche, des chambres

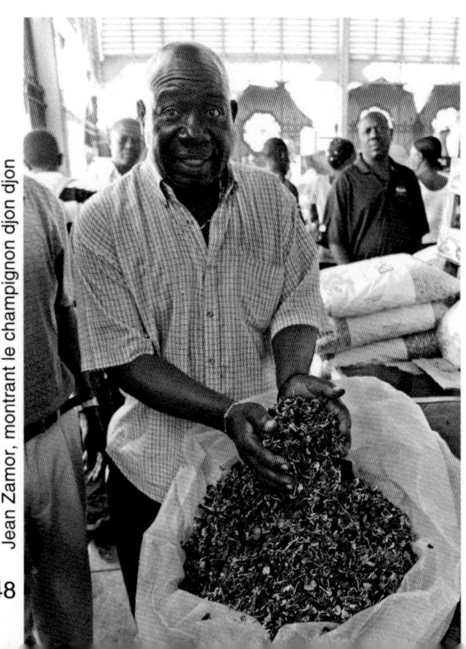
Jean Zamor, montrant le champignon djon djon

luxueuses et spacieuses, une belle piscine avec lounge, un court de tennis, une infrastructure pouvant accueillir des conférenciers. Le lieu est paisible. L'ambiance incite au repos. La chef **Samantha Moreres** a fait ses études à l'ITHQ et travaillé au restaurant Renoir du Sofitel Le Carré doré de Montréal. Elle est attentive à la préservation de la cuisine traditionnelle d'Haïti et appuie le chef **Stephan** dans ses démarches.

Restaurants

La Coquille
Restaurant et traiteur

10, rue Rebecca, Pétion-Ville
509 2942 5225 / 509 3466 3908
www.tikaykreyol.com
Le midi, on sert un buffet. Très typique, très sympathique. Le soir, c'est le repas à la carte servi à table. Décor très coloré, très gai avec des dessins un peu partout. «On boit, on mange et on sympathise» est écrit audessus de la porte d'entrée.

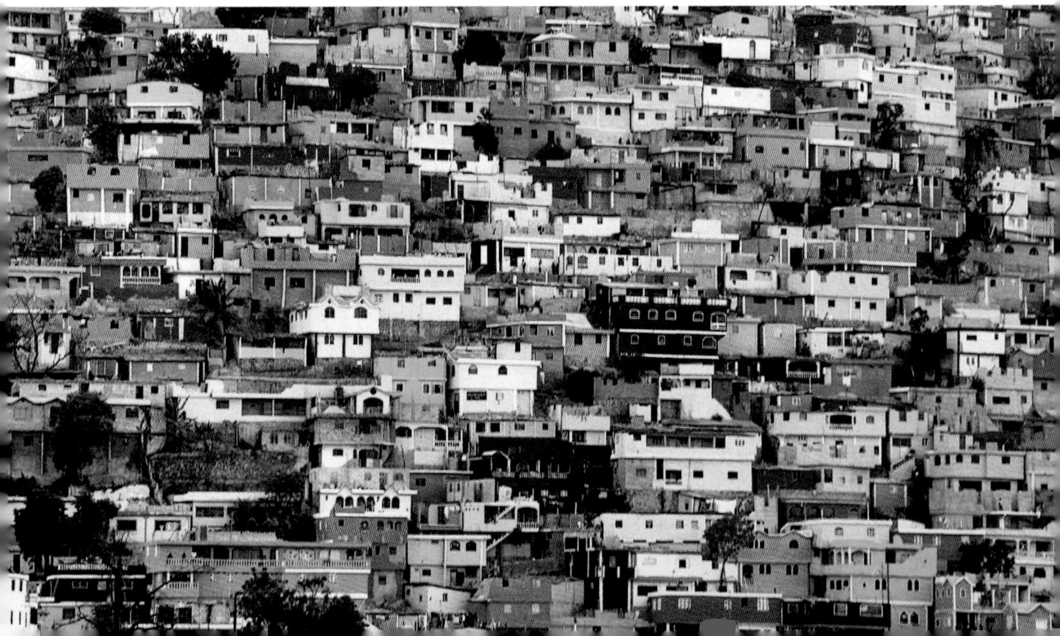

Vaudou-rock

Hôtel historique Florita à Jacmel

Restaurant Quartier latin
10, rue Goulard, place Boyer, Pétion-Ville | 509 3460 3326 / 509 3445 3325
Animation musicale par un orchestre haïtiano-cubain pour danser aux rythmes de la salsa et du kompa dans une maison aux pièces en enfilade, genre hacienda. La meilleure salle est celle de la cour, à l'ombre des arbres et du bar.

Curiosités

Soirées vaudou-rock à l'Hôtel Oloffson avec spectacle du groupe Ram, spécialiste de la «mizik rasin» (inspiré du vaudou, c'est un mélange harmonieux de rythmes et d'instruments traditionnels des campagnes mariés à des instruments électroniques modernes).
60, av. Christophe, Port-au-Prince
509 3810 4000
www.hoteloloffson.com

Village de Noailles
Village des artisans du fer découpé et martelé. On récupère les tonneaux d'essence qu'on aplatit au marteau, qu'on découpe au burin et qu'on embosse à petits coups de marteau pour créer un artisanat décoratif unique à Haïti. **Serge Joliveau** en est l'un des précurseurs.

L'Observatoire au **mont Boutilliers** (Altitude 970 m). On peut y manger. Immense vue sur la baie, sur le port et sur la ville de Port-au-Prince, démesurée, implantée sur une plaine alluvionnaire qui devrait être réservée aux cultures. Magnifique coucher de soleil à partir de 16h.

Musée du parc historique de la Canne à sucre
Relais du Chateaublond, près de l'aéroport
Restaurant: 509 513 37 36 / 449 74 07 | Parc: 509 511 80 51 / 556 58 93
www.parchistorique.ht
Visite du petit musée intérieur sur les restes des reliques et autres objets des Indiens Taïnos. À l'extérieur, les points d'intérêt, avec les machines anciennes pour la fabrication du rhum, qui tournent autour du restaurant en plein air, ainsi qu'une grande scène où se produisent des spectacles. Lieu revalorisé par **Rachel de Delva Hyppolite**, propriétaire, et son fils **Didier Hippolyte**, directeur général et avocat. On y consomme: punch traditionnel de bienvenue, acras de malanga (tubercule genre pomme de terre), hareng saur fumé dans un fruit de l'arbre véritable (arbre à pain) grillé. Millet aux champignons djon djon, lambi aux noix de cajou, crème de granadia (fruit de la passion), beignet de banane.

Distillerie **Rhum Barbancourt,**
près de l'aéroport
16, rue Bonne Foi, Port-au-Prince
2223 2457 / 2510 7110
www.barbancourt.net
L'occasion nous a été donnée de visiter l'usine ancestrale de production Barbancourt. Dans une chaleur écrasante, nous avons suivi la production d'étape en étape, de ton-

Marchand ambulant de canne à sucre

Centre-ville de Port-au-Prince, en ruine depuis les tremblement de terre, squaté par des marchands improvisés

neau en tonneau, jusqu'au produit final. Ce rhum est vendu à la SAQ (voir section *Le Petit Debeur,* page 165).

Cap-Haïtien

Au nord du pays

Au Parc Historique, on visite à pieds le site des ruines du **palais Sans Souci** ancienne demeure royale et caserne, avec le guide **Maurice Étienne.** L'excursion se poursuit à cheval sur un chemin escarpé jusqu'à la **Citadelle Henri,** le plus grand fort d'Amérique inscrit sur la liste du patrimoine mondial de l'UNESCO. Une construction défensive œuvre du roi **Henri Christophe,** érigée sur un pic rocheux, impressionnante par son gigantisme. Construite pour se défendre d'une attaque possible des armées de Napoléon et redonner la fierté au peuple haïtien sorti de l'esclavage. Elle n'a jamais servi. On y admire le panorama vertigineux, la distribution des nombreuses salles, les 165 canons prises de guerre provenant de France, d'Angleterre et d'Espagne. Parfois des pièces uniques.

Redescendus dans la vallée à Milot. Nous avons déjeuné au **Centre culturel Lakou Lakay,** d'un repas traditionnel des plus délicieux concocté par la chef **Innocente Étienne.**

Jacmel

Au sud-est d'Haïti, au bord de la mer. «La ville hospitalière qui vous ouvre les bras», nous dit fièrement **Michaelle Craan,** dite madame Jamel, représentante du tourisme. Jacmel est connue pour son carnaval et ses masques en papier mâché, son artisanat et ses plages. Certaines maisons, comme l'Hôtel Florita, rappellent un peu La Nouvelle-Orléans avec leurs balcons à colonnes de métal. Autrefois, les maisons se composaient d'un entrepôt au rez-de-chaussée et d'une habitation à l'étage. On y faisait un commerce intense de café, de chocolat, de sucre et de rhum.

Palais Sans Souci au Cap Haïtien

Hôtel Florita
Rue du Commerce, Jacmel
509 3785 5154
info@hotelflorita.com
www.hotelflorita.com
L'hôtel, un des plus anciens d'Haïti, est attenant au grand café-restaurant où nous nous sommes désaltérés d'un jus de chadèque (agrume). L'édifice date de 1850, des esca-

Hôtel Club Indigo à la Côte des Arcadins

Rémy l'artiste peintre

Hôtel Club Indigo

Hôtel Club Indigo

Marché en fer

Point d'eau créé par le bris d'une canalisation

Arrêt de bus

Restaurant La Coquille

Statue en bronze d'esclave

Tisage de perles

Tap Tap

Kénol, peintre au Marché en fer

La Citadelle au Cap Haïtien

liers en fer forgé mènent aux chambres d'époque à haut plafond.

Les Créations Moro
Moro et Paule Baruk, artisans
40, rue du Commerce, Jacmel
509 3864 3156
moro_baruk@yahhoo.com
Achat de masques et autres figurines en papier mâché.

Plage **Kay Jacmel,** où là aussi la construction d'aménagement touristique bat son plein. Des étudiants ornent de mosaïques les murs, les accès promenade ainsi qu'un amphithéâtre**. Dans les environs,** on trouvera la plage **Raymond-les-bains** et la plage **Ti-mouillage.**

Hôtel Villa Nicole
Kabik Beach – Ti-Mouillage, Cayes Jacmel
509 3387 4500 / 509 3389 4500
info@villanicolejacmel.com
www.villanicolejacmel.com
À la plage Kabik, zone Kayes Jacmel. Très bel hôtel boutique de dix chambres sur la plage même. Un petit paradis.

Côte des Arcadins

Côte ouest, à un peu plus d'une heure au nord de Port-au-Prince. On y trouve des plages paradisiaques, une demi-douzaine d'hôtels, plus celui du Club Indigo, un ancien Club Med.

Hôtel Club Indigo
Route Nationale n° 1, km 78, Montrouis, Commune de Saint-Marc | 509 4890 3785
www.clubindigo.ht/home
Un site enchanteur, belle plage et cocotiers, grande piscine. Les chambres sont un peu petites mais bien agencées. Cependant, pas de téléphone ni de télévision. Club Med avait pour philosophie que les clients devaient passer leur séjour dehors. Un nouveau projet prévoit des chambres plus grandes. Pas de restaurant à la carte, seulement un grand buffet de très bonne cuisine haïtienne et quelques spécialités internationales. Pas d'animation non plus. Le soir on se couche tôt.
Par contre le site est très beau. La piscine est grande, la plage propre, le sable chaud, l'eau tiède et transparente et il y a des chaises longues pour tout le monde.

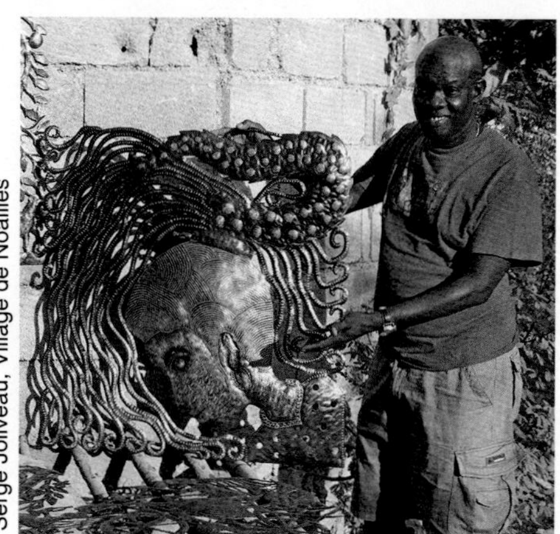

Serge Joliveau, Village de Noailles

Rémy, peintre itinérant sur la plage
Vers la fin de notre séjour, Rémy, un artiste peintre qui vendait ses toiles sur la plage, m'interpelle.
- Tiens, dit-il, j'ai fait ce tableau pour toi. C'est un cadeau.
- Je ne peux accepter, c'est ton gagne-pain.
- Si tu le refuses, je vais être triste.
- Mais pourquoi donc?
- Je veux te remercier, car tu vas écrire sur mon pays et faire venir des gens de chez toi. C'est bien pour nous, pour Haïti.
J'ai dû accepter.

Les ONG
Chaque jour, des sections entières du buffet étaient réservées à des délégations d'**organismes non gouvernementaux (ONG)**. Les plus belles! Quatre ans après le trem-

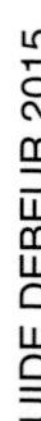

blement de terre, ils étaient encore à dépenser nos dons dans d'inutiles séjours à l'hôtel au bord de la mer, sous le soleil et les cocotiers. Ils circulaient dans des 4x4 de luxe et résidaient dans Palau, le plus beau quartier de Port-au-Prince. Nous étions scandalisés. Comptez sur nous pour ne plus faire de dons aux ONG. Nous allons commencer par le Québec et s'il reste un peu d'argent nous le remettrons à **Cuisiniers sans frontières,** un organisme québécois qui vient d'ouvrir une école à Port-au-Prince, car là au moins il n'y a pas d'intermédiaire.
www.cuisinierssansfrontieres.org.

Wahoo Hôtel-restaurant
Route Nationale n° 1, km 62, Carriès
509 2812 2499 / 509 3735 2536 et 2831
www.wahoobaybeach.com
Excellent accueil. Une affaire de famille Adesky Lemke. Hôtel de 26 chambres. Une des plus belles chambres que nous ayons vues en Haïti. Décor épuré. Grand espace sous charpente de toiture.

Moulin sur Mer – Musée Ogier Fombrun (canne à sucre)
Route Nationale n° 1, km 77, Montrouis, Artibonite | 509 3701 1918
www.moulinsurmer.com
Le fondateur, père du propriétaire, était architecte. Son fils administre aujourd'hui le site qui s'est agrandi par un hôtel de 68 chambres et un vaste restaurant sur l'eau avec des prolongements aménagés sur la mer.

En conclusion

Pour le moment, nous ne recommandons pas de voyage «sac au dos» en Haïti, mais aucun problème avec le circuit Transat. Par ailleurs, à Port-au-Prince, il y a une belle infrastructure hôtelière. De grands hôtels, propres, luxueux et spacieux pour accueillir les touristes.

Remerciements

Nous tenons à remercier **Stéphanie Balmir Villedrouin,** ministre du Tourisme d'Haïti, **Justin Viard,** consul général d'Haïti à Montréal, **Pascale Hilaire,** officière au tourisme d'Haïti et représentante Transat en Haïti, et enfin **Maxi,** notre chauffeur et ami, pour leur assistance et encadrement dans la réalisation de ce reportage. Merci également à **Isabelle Bélanger** de Voyages Océane, qui nous a vendu nos billets et s'est démenée comme un beau diable pour régler tous les détails de notre séjour, car il s'agit d'une nouvelle destination voyage offerte au Québec.

Tourisme Haïti
www.haititourisme.gouv.ht

Un produit: Vacances Transat
300, rue Léo-Pariseau, bureau 600, Montréal
514-987-1616

Acheté chez: Voyages Océane
254, bd Taschereau, La Prairie
450-444-3100, 1-866-644-3100
www.voyageoceane.com **D**

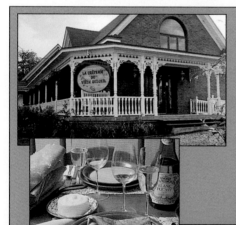

Cassis et ses vins

par Huguette Béraud et Thierry Debeur
photos Debeur

Un adorable village provençal coincé entre falaise et calanques, au bord de la Méditerranée, à 20 km à l'est de Marseille.

Boutique L'Art du temps, une vraie caverne d'Ali Baba. L'endroit idéal pour les objets de qualité.

Bistro La Petite Cuisine de La Villa Madie, l'établissement haut de gamme de Cassis.

Un adorable village provençal coincé entre falaise et calanques, au bord de la Méditerranée, à 20 km à l'est de Marseille.

«Et ton clignotant, connard!» C'est par cette apostrophe hurlante que nous avons été accueillis à Cassis. Il est vrai que nous abordions un rond-point improbable et que, cherchant notre chemin avec beaucoup d'hésitation, nous avions omis d'utiliser notre clignotant, cet indispensable outil de direction pourtant prévu dans les options d'achat de notre véhicule. Mais, bon!... Nous avons pourtant constaté que personne ici n'utilisait son clignotant. Était-ce une paresse naturelle ou bien de la distraction? Allez savoir. Cette phrase, hautement accueillante, démontrait cependant un sens profond du mépris pour les touristes. L'immatriculation de notre voiture indiquait visiblement que nous n'étions pas du coin, mais bien des visiteurs, des touristes quoi! Un grand éclat de rire de notre part fut la réponse à cette grossière invective.

Statue en pierre de Cassis de Calendal, pêcheur d'anchois

Bon, maintenant visitons Cassis

Prononcez «Cassi» et non pas «Cassis», sinon vous passeriez immédiatement pour un touriste. Bon! Et le qualificatif est cassidain ou mieux cassiden. Là vous êtes déjà au parfum, prêt à visiter ce charmant petit village provençal coincé entre la falaise du cap Canaille et les calanques, au bord de la Méditerranée, à 20 km à l'est de Marseille. En fait au cœur du **parc national des Calanques**. L'activité humaine y a commencé il y a plus de 2600 ans. Les Grecs venus de Marseille y installèrent un petit port, sur les quais duquel on a plaisir à se promener aujourd'hui. Bordé d'innombrables restaurants, ce charmant port de pêche est devenu plaisancier et c'est aussi le point de départ des bateaux d'excursion pour aller visiter les fameuses calanques. Le soir, la féérie des lumières, ainsi que la vue sur le château perché haut vers l'est, oblige le promeneur à s'arrêter quelques minutes pour en apprécier la splendeur. Puis il se dirigera vers d'autres points d'intérêt, déambulant dans les petites ruelles animées, découvrant encore d'autres restaurants, mais aussi des bars à vin et des troquets sympathiques.

Restaurants

Bistro La Petite Cuisine
La Villa Madie
Dimitri et Marielle Droisneau
Av. de Revestel-Anse de Corton,
Cassis | 04 96 18 00 00
www.lavillamadie.com
Lui est aux fourneaux (a été à La Réserve de Beaulieu et à L'Ambroisie, sept ans), elle est en salle. Une bonne formule. Il y a deux sections dans cet établissement étoilé Michelin: le haut avec sa formule bistro haut de gamme et le bas, ouvert le soir seulement, où l'on sert une cuisine gastronomique raffinée et créative. Les deux entités s'ouvrent sur la mer avec une vue exceptionnelle. Sur la gauche, on aperçoit l'impressionnante falaise du cap Canaille. Service feutré et compétent.

Le Chaudron
David et Myriam
4, rue Thiers, Cassis | 04 42 01 74 18
Restaurant de spécialités provençales réinventées. Myriam est aux fourneaux tandis que son frère David dirige la salle à manger. Coincée dans une ruelle qui donne sur le port, la terrasse en pente se garnit de tables et de chaises de jardin à la belle saison. À l'intérieur c'est aussi petit, moderne, mais on s'y sent bien et surtout on y mange très bien.

Restaurant Angelina
Jean Marchal, chef propriétaire
7, rue Victor-Hugo, Cassis | 04 42 01 89 27
www.restaurant-angelina-cassis.com
Angelina est à la retraite, mais elle donne encore des cours de cuisine à l'occasion. Aujourd'hui, le restaurant a été racheté par le chef Jean Marchal qui y fait un travail remarquable. Une assiette excellente, une cuisine vibrante, délicate, savoureuse et créative. Une adresse incontournable!

La Poissonnerie
Éric Giannettini
5, quai Barthélémy, Cassis | 04 42 01 71 56
C.egluc@gmailcom
Une histoire de famille depuis 1850. Pêcheurs, poissonniers puis restaurateurs. Belle terrasse de part et d'autre de la poissonnerie familiale Laurent, qui leur appartient et qui fournit le restaurant. On vous sert de partout, dans les petites salles, sur les deux balcons, car devant le succès il a

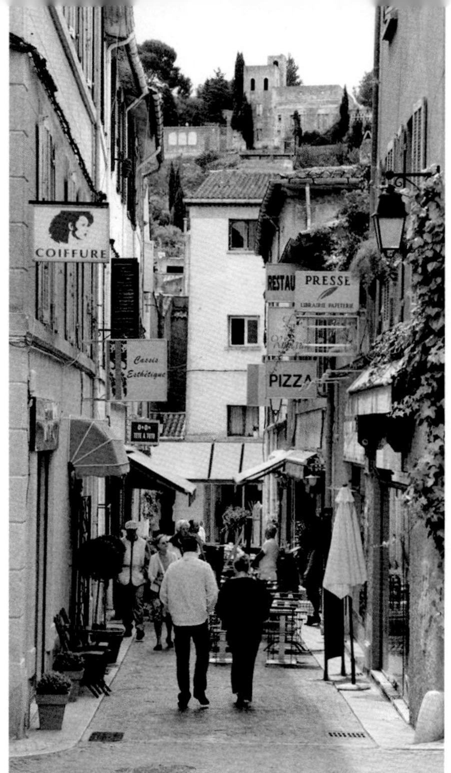

fallu réunir cinq maisons de pêcheurs. Tout est frais, sauf les crevettes de Madagascar et la friture. Nous avons mangé de tout: tartare de rascasse, poulpe, mouclade, saint-pierre et nous nous sommes régalés.

Le Passage
5, rue Bremond, Cassis | 04 42 82 99 43
www.lepassage-cassis.fr
Tenue par deux femmes associées, l'une en cuisine et l'autre en salle, voici une belle table située à deux pas du port. Une assiette joliment présentée, tout en sensibilité et très savoureuse. Une belle adresse!

Non recommandé: La Vieille Auberge qui est pourtant une institution à Cassis. Nous y avons été si mal reçus que nous sommes partis sans y manger.

Marché provençal

Il n'y a rien de plus intéressant qu'un marché de Provence pour tester le pouls d'une ville et faire de bons achats. Celui de Cassis se tient deux fois par semaine au cœur de la cité. C'est pittoresque, charmant, délicieux, on y trouve de tout. Nous avons acheté du miel, des macarons, des

calissons, des olives, des fleurs, du pain directement à des producteurs de la région. Un régal!

Musée d'Arts et traditions Populaires
Place Baragnon, Cassis
Il est juste en bordure du marché provençal. On y trouve des vestiges marins, des vêtements d'autrefois, la fameuse pierre de Cassis (que l'on retrouve dans le socle de la Statue de la Liberté de New York ainsi que dans les constructions et sculptures de Cassis) et des tableaux de peintre sur la vie cassidenne d'autrefois.

Boutiques

La Savonnerie de Cassis
13, av. du Revestel, Cassis
www.lasavonneriedecassis.fr
Entreprise familiale artisanale où acheter des cadeaux parfumés. Sur place une petite fabrique de savons et d'anciens alambics à parfum.

L'Art du temps
Stéphane Masson
10, rue Pierre Eydin, Cassis | 04 42 01 88 55
com2000.online.fr
Un capharnaüm de bon goût. On y trouve une multitude d'articles pour la maison choisie avec un grand soin.

Hébergement

Hôtel Jardins de Cassis ***
Laurent et Béatrice Boissi
Av. Auguste Favier, Cassis | 04 42 01 84 85
www.hotel-lesjardinsde-cassis.com
Nous y avons résidé le temps de notre séjour. Chambres propres et confortables. Gardien de nuit. Deux stationnements sécurisés. Accès internet WiFi gratuit jusque dans les chambres. Petit déjeuner: buffet continental et français servi sur une gentille terrasse, à côté de la piscine extérieure. Sympa dans l'ensemble et situé à 10 minutes du port et de la grande plage.

Stationnement
Cassis est un «cul-de-sac» où, jusqu'à présent, il était difficile de stationner. La dyna-

mique mairesse a travaillé fort pour aménager divers espaces qui peuvent accueillir votre véhicule, moyennant finance bien sûr.

«Vins de Cassis» est une des premières appellations contrôlées de France

Le 15 mai 1936, les vins de **Cassis** recevaient le **décret d'appellation d'origine contrôlée (AOC). Cette AOC est l'une des trois premières à avoir été donnée en France, la deuxième en fait. Après 78 ans, les vignerons de Cassis fêtent la qualité de leurs** vins qui ont la particularité d'être produits principalement en blanc. Des vins bio pour la plupart.

Ils sont onze vignerons pour douze propriétés, car l'un d'eux, **Le Domaine du Paternel,** s'occupe également du **Domaine Couronne de Charlemagne.** Plus de 70% des vignes sont vinifiées en vins blancs. Le terroir cassiden est idéal pour les vins blancs et cette particularité fait d'ailleurs l'originalité de l'appellation. «C'est une particularité qu'il faut protéger, explique **Olivier Santini,** président du **Syndicat des vignerons de Cassis.** La Provence produit surtout du vin rosé et même du rouge comme à Bandol. Nous avons la chance d'avoir un terroir et un climat qui se prêtent bien aux blancs. Autant en profiter.»

Les cépages blancs utilisés ont des noms qui chantent à l'oreille, comme clairette, bouboulenc, marsanne, ugni blanc... et le sauvignon, ce cépage «universel» qui serait, quant à lui, autorisé dans l'appellation depuis le décret de 1936. Les vins blancs de Cassis sont donc tous ce qu'on appelle des blancs de blanc.

Pressés par la demande des restaurateurs et des consommateurs, nombreux sont ceux qui produisent malgré tout du rosé (20 à 25%) et un peu de rouge (moins de 5%), qu'ils réussissent très bien. Néanmoins, nous avons particulièrement aimé les vins blancs aux caractéristiques minérales et florales avec des notes d'agrumes, de miel et d'amande, auxquelles s'ajoutent la fraîcheur, la longueur, le gras, la générosité et l'équilibre. Des vins racés et élégants.

Vignes du Clos Sainte-Magdeleine

Dégustation

Nous avons eu l'occasion de déguster les vins de neuf des douze domaines. Parmi ceux-ci, nous en avons visité quatre.

Le Clos d'Albizzi
Ferme Saint-Vincent, Cassis
04 42 01 11 43 et 06 85 90 96 73
www.albizzi.fr
Ancienne armatrice expulsée d'Italie au 16e siècle par les **Médicis,** la noble famille florentine **Albizzi** s'établit à Cassis en 1523 pour y produire du vin. C'est d'ailleurs le plus vieux vignoble de Cassis. Elle était cousine des Frescobaldi, célèbre maison vinicole italienne. Descendant direct des Albizzi, l'actuel vigneron propriétaire, **François Dumon,** y cultive 14 hectares dans le respect de la vigne et du vin. Nous avons eu beaucoup de plaisir à visiter ce vignoble, à discuter avec lui et son directeur commercial **Florent Martin,** et à goûter leurs vins. Des vins fruités et floraux, longs et équilibrés. «Ce sont des caractéristiques de notre vignoble, explique monsieur Dumon. Nous avons goûté, entre autres: **Blanc 2012, Cuvée traditionnelle, Clos d'Albizzi** (SAQ +12123809 – 20,05$; voir section *Le Petit Debeur*). Nous avons aussi goûté leur **Rosé 2013** fruité et frais et leur magnifique **Cuvée Altaïs 2012,** pas encore en vente à la SAQ. Superbe!

Clos Sainte-Magdeleine
Av. du Revestel, Cassis | 04 42 01 70 28
www.clossaintemagdeleine.fr
Jonathan Sack-Zafiropulo a pris la suite de son père dans ce magnifique domaine qui s'étend jusqu'à la mer. Contigu au village de Cassis, saccagé par les Allemands à la fin de la guerre 1940-1944, **Clos Sainte-Magdeleine** fut abandonné de 1944 à 1962. Comme tout le vignoble cassiden, il est enchâssé tel un bijou dans l'écrin d'un parc national. Cet aspect est très important, car il constitue, grâce à sa stricte règlementation, la principale protection du terroir vinicole contre la montée d'un urbanisme agressif.

Il est certifié bio, et on y produit 75% de vin blanc et 25% de vin rosé. Pas de vin rouge. Le Clos Sainte-Magdeleine est celui qui est situé le plus près de la mer, avec ses vins longs, amples et généreux dont le **blanc de blancs** est en vente à la SAQ (+12206129 – 28,50$; voir section *Le Petit Debeur*).

Le Château de Fontblanche
Vins Cassis Bodin
Route de Carnoux, Cassis | 04 42 01 00 11
www.vins-cassis-bodin.fr
Lors de notre visite, on venait tout juste d'inaugurer la magnifique salle de dégustation dont la grande baie vitrée panoramique s'ouvre sur les champs de vignes. **Nicolas Bontoux** fait des vins pour le plaisir et surtout pour se faire plaisir. Outre sa **Cuvée des lumières** aux belles expressions du terroir, il aimerait produire un peu de muscat et de vendange tardive aussi. Un jour peut-être...

Le Domaine du Bagnol
12, av. de Provence, Cassis | 04 42 01 78 05
www.domainedubagnol.fr
Et enfin, nous avons aussi visité **Le Domaine du Bagnol,** dirigé par **Jean-Louis Geno,** un passionné, un vrai, un être de simplicité et de gentillesse, qui veut toujours faire mieux. Son **Blanc de blancs,** léger, frais et minéral devient moelleux et très long en bouche avec des notes de tilleul, de miel et d'épices.

Bars à vin

Divino, bar et cave à vins de sommelier
Philippe et Véronique
3, Alexandre Rossat, Cassis
04 42 98 83 68
Spécialiste des vins de Cassis, sommelier de métier. Pour 5 € on achète son verre et on goûte tous les vins en dégustation. Délicieuses tapas, carte de charcuteries, jambon, brouillade, truffe, tartine, etc.

Le Chai Cassidain
Pascale Garbit et son fils
6, Séverin Icard, Cassis | 04 42 01 99 80
www.le-chai-cassidain.com
Ici, les commerçants ont développé un concept de rue basé sur la bonne entente et l'échange entre voisins. On peut finir son vin en mangeant au restaurant d'à côté ou on se fait livrer une assiette sur place. Pascale est belle et sympathique.

Excursions

Le petit train
Excursions en petit train au départ du port, en face de l'Office du tourisme. Ce petit train ne fait pas réellement la visite du village, mais en sort pour se rendre par le bord de mer jusqu'à la première calanque de Sormiou. Un agréable voyage historique commenté et coup d'œil magnifique de la calanque où l'on pourra faire quelques photos lors d'un arrêt de 15 minutes.

Les calanques
Douze bateaux, dont un électrique, quittent le port au quai Saint-Pierre, près de l'Office du tourisme. Plusieurs parcours sont proposés incluant de deux à neufcalanques. La durée et le prix sont en conséquence.

Elles sont magnifiques, majestueuses, superbes! Nous en avons visité huit et à chacune ce fut l'émerveillement. De l'une à l'autre, on n'arrête pas de faire des photos, pensant que la nouvelle sera encore plus belle que la précédente. On vous recommande le côté droit (tribord) pour aller et le côté gauche (bâbord) pour revenir, vous serez toujours du côté des calanques. Si vous aimez les randonnées, vous pouvez aussi vous rendre à pied, mais c'est long.

La route des Crêtes
Il s'agit d'une petite route du bord de mer qui va vers l'est (Toulon), de Cassis à La Ciotat. Elle monte jusqu'à une altitude de 400 m au cap Canaille (qui veut dire: qui nage ou qui nage dans la mer) d'où l'on peut voir Cassis en une vue aérienne incroyable vers l'ouest. Idéalement, nous recommandons d'y aller entre 11h et 15h, vous aurez une meilleure lumière pour les photos.

Informations:

Syndicat viticole de Cassis
www.vinsdecassis.fr
Note: le 18 mai, Fête des vins de Cassis

Office de tourisme et des congrès de Cassis www.ot-cassis.com

Air Transat
www.airtransat.ca/fr **D**

Plan achat-rachat
Renault Eurodrive

Pour nos déplacements sur les lieux, nous avons opté pour le plan Achat-rachat **Renault Eurodrive.**

Ce dernier aspect du voyage, soit la location hors taxes «tout compris» d'une voiture neuve, constitue un choix judicieux étant donné que nous bénéficions d'un kilométrage illimité, d'une assistance 24h/7jours, d'une assurance multirisque sans franchise et d'une assistance dans 44 pays. Que demander de plus? 514-735-1808 et 1-800-361-2411 www.renaultcanada.com **D**

Le Château de Cassis
Restaurant La Poissonnerie
Port de Cassis
La Poissonnerie
Les Calanques
Marchand d'Olives
Petit train de Cassis

SÉLECTION 2015

Le petit debeur
des vins, cidres et spiritueux

Photo: charleshenridebeur.com

Une passion, un plaisir

De plus en plus de Québécois se passionnent pour le vin, la bière et le cidre. Certains sont déjà d'excellents dégustateurs, d'autres aimeraient bien le devenir. Notre propos, dans cet ouvrage, n'est pas de faire de vous des sommeliers professionnels ni des experts en oenologie, mais plutôt de vous aider à faire de meilleurs choix lors de vos achats, tout en vous renseignant sur le service et la méthode de dégustation des vins.

Sélection de vins, cidres et spiritueux

La deuxième partie de ce guide vous propose une Sélection de vins, cidres et spiritueux qui est modifiée chaque année. Elle regroupe des produits vendus au Québec qui ont été choisis par quatre dégustateurs d'expérience. **Tous les produits sont classés par catégorie (blanc, rosé, rouge, etc.) et par prix (du moins cher au plus cher).** Cela permet au consommateur d'orienter ses choix non seulement en fonction de ses goûts, mais aussi de son budget. Ce système original, créé par les Éditions Debeur en 1990, est largement imité aujourd'hui par d'autres guides connus. Ce qui est bien. Cela prouve que c'est une bonne idée.

Guide pratique du petit sommelier

La dernière partie de cet ouvrage comprend un **"guide pratique"** sur le service du vin, la cave, le vocabulaire pour en parler, la fiche de dégustation, les accords avec les mets, etc.

Note sur les millésimes

Les millésimes (années des récoltes) des vins indiqués dans notre **Sélection** sont ceux des produits qui étaient en vente au moment de la dégustation. **Il se peut que ces derniers soient épuisés et qu'une année plus récente les ait remplacés ou que le prix ait changé.** Néanmoins, les descriptions et les commentaires qui sont donnés devraient déjà permettre de vous faire une bonne opinion au moment de vos achats.

Nous espérons que cet ouvrage, qui est à la fois un **guide d'achat** et un **guide pratique**, vous fera faire de belles découvertes et que, compagnon de vos recherches, il vous procurera beaucoup de plaisir.

Les notes

Nous avons longtemps hésité à mettre des notes dans le présent ouvrage. Nous considérons que le vin peut évoluer, en bien ou en mal, et ne plus correspondre à l'aspect rigoureux d'une notation quelconque, entre le moment de notre dégustation et celui de la lecture du guide par le consommateur.

Après de longues et mûres réflexions, nous avons décidé de mettre des évaluations notées pour chacun des produits présentés. Nous n'avons pas changé d'avis pour autant. Mais nous nous sommes dit que le consommateur avait besoin d'une conclusion et de connaître nos impressions en un seul coup d'œil, rapide et précis, comme le sont les étoiles pour les restaurants. Les mots sont souvent interprétés de façon différente selon la perception des gens, leur culture et leur sensibilité. On dit parfois qu'il faut dix mots positifs pour contrebalancer un mot négatif. La notation peut donc aider le lecteur à mieux comprendre nos critiques et à en tirer une conclusion supplémentaire.

Cependant, nous mettons quand même le lecteur en garde contre le fait qu'il peut y avoir une petite différence entre notre notation faite à un moment donné et celle faite par le lecteur. De plus, comme ce guide est un ouvrage collectif, l'interprétation de cette notation peut changer d'un dégustateur à l'autre. Un dégustateur peut noter plus sévèrement ou plus généreusement qu'un autre.

Encore une fois, toute évaluation, qu'elle soit écrite ou notée, n'est donnée qu'à titre indicatif et il appartient au lecteur de faire sa propre expérience. C'est lui, en fin de compte, qui sera le seul juge.

Thierry Debeur
Éditeur

SYMBOLES UTILISÉS

Le nom de chaque produit est toujours suivi du prix suggéré au moment de la mise sous presse. Il est possible que ce dernier soit modifié au moment de l'achat. Il en est de même pour le millésime qui peut aussi avoir changé.

Code SAQ
Les produits vendus par la SAQ comportent toujours un code CCNP **(+00000000)** qui, dans ce guide, se trouve inséré dans le nom du produit, juste avant le prix. Cela suppose qu'un produit sans code ne sera vendu que sur les lieux de production (certains produits de vignoble québécois, de cidrerie, etc.) ou encore dans certains points de ventes exclusifs.

(D): Produit vendu au domaine.
(E): Produit vendu en épicerie

 Indique un **coup de coeur** des dégustateurs.

Signatures des dégustateurs

DJL : Don Jean Léandri
GR : Guénaël Revel
PT : Patrice Tinguy
TD : Thierry Debeur

Cotation

L'évaluation correspond à ce que l'on a apprécié au moment de la dégustation. Il est fort possible que le produit ait évolué, en bien ou en mal, depuis cet instant-là.

Légende

★ : Correct
★★ : Bon
★★★ : Très bon
★★★★ : Excellent
★★★★★ : Exceptionnel
(★) vaut une demi-étoile

Sommeliers accrédités

L'**Association canadienne des sommeliers professionnels (ACSP/CAPS)** a pour mission de défendre et promouvoir le métier de sommelier professionnel. Concrètement, l'ACSP accrédite annuellement les sommeliers professionnels après étude de leur niveau de formation et de leur expérience en restauration, participe aux manifestations relatives aux vins et spiritueux, communique les actualités du vin, encourage ses membres à se perfectionner et, bien sûr, organise des concours et soutient les candidats à chaque étape des compétitions.

Fondée en 1989, l'ACSP jouit aujourd'hui d'un rayonnement international, notamment par ses participations remarquées au Concours du Meilleur sommelier du monde.

L'ACSP-Québec représente le Québec dans l'ACSP, la seule association réellement pancanadienne, de Vancouver à Halifax, regroupant plus de 1000 professionnels du vin et quelques connaisseurs passionnés. L'ACSP est aussi la seule association accréditée par l'Association de la sommellerie internationale (ASI), dont le siège est à Paris et qui compte 54 pays membres. L'ACSP-Québec offre de nombreux avantages à ses membres, dont des rabais dans des magasins spécialisés ou l'accès gratuit (ou à rabais) à des événements prestigieux.

www.sommelierscanada.com/divisions/quebec

Photo: charleshenridebeur.com

Don-Jean LÉANDRI

Sommelier-conseil
Professeur de sommellerie à l'École hôtelière de Laval
Maître sommelier à l'Association canadienne des sommeliers professionnels

membre actif

Don-Jean Léandri œuvre dans le domaine de l'hôtellerie-restauration depuis son adolescence. Après avoir travaillé en France puis aux Bermudes, il est entré comme sommelier au service de plusieurs établissements montréalais de renom, dont le restaurant Les Halles (★★★★★ Debeur), le Club Castel et Chez Jongleux Café (★★★★★ Debeur), avant de joindre, en 1981, l'équipe de l'hôtel Le Quatre Saisons (aujourd'hui Hôtel Omni) où il cumulait les fonctions de sommelier et de gérant de la salle à manger principale. Aujourd'hui Don-Jean Léandri est professeur de sommellerie à l'École hôtelière de Laval, sommelier-conseil, animateur de dégustations, juge expert dans de grands jurys de concours internationaux comme les Sélections mondiales des vins de la SAQ (1988 à 2002) et membre de nombreuses confréries gastronomiques et vineuses.

Il s'est aussi impliqué dans plusieurs activités vinicoles. Ainsi il a été vice-président de l'Association canadienne des sommeliers professionnels (1992-2002), directeur technique du Concours du meilleur sommelier du monde (Rio de Janeiro en 1992, Tokyo en 1995, Vienne en 1998, Montréal en 2000), membre du comité Montréal Passion Vin depuis 2004. Par ailleurs, il est également conférencier et animateur de soirées vinicoles entre autres pour l'Université de Montréal (depuis 2006), Desjardins Valeurs mobilières (depuis 2006), l'Orchestre symphonique de Laval (2014) et la ville d'Anjou (2013, 2014).

Il a également collaboré à des émissions de télévision et de radio comme *Vins et fromages* (1992 à 1997) et *Cuisinez avec Jean Soulard* (2001, 2002), et il a tenu une chronique dans plusieurs magazines dont *Flaveurs* (2001 à 2006). Don-Jean Léandri a aussi collaboré au *Debeur* de 1990 à 1993.

Humble et généreux par nature, il n'a pas hésité à se remettre en question en participant au concours Sopexa du meilleur sommelier canadien en vins et spiritueux de France, dont il a été le lauréat en 1988.

Enfin et ce n'est que juste récompense, Don-Jean Léandri a obtenu des honneurs prestigieux comme celui de l'Association internationale des maîtres-conseils en gastronomie française, le prix Jules-Roiseux, le prix Claude-Hardy de la Fondation des amis de l'art culinaire, le Mérite et reconnaissance Debeur 2008 pour son implication et dévouement à la gastronomie québécoise.

membre actif

Guénaël Revel

Auteur, conférencier, chroniqueur et sommelier

Historien et sommelier de formation, **Guénaël Revel** a suivi des études en histoire de l'art à l'École du Louvre à Paris, avant d'en poursuivre en œnologie à l'Université de Bordeaux.

Il s'installe au Québec en 1995 et travaille à titre de sommelier dans plusieurs établissements montréalais (Winnie's, Churchill, Hôtel Germain). En 1997, il fonde l'entreprise Le petit canon, spécialisée en évaluation de caves auprès des assureurs et en création d'événements culinaires et bachiques.

Il a été chroniqueur pour plusieurs magazines culinaires (*Flaveurs, Vins & Vignobles, Effervescence*), membre de jurys internationaux de concours de dégustation de vin ou de sommellerie, dont le Concours du meilleur sommelier du monde, et président de l'Association canadienne des sommeliers professionnels de 2002 à 2006. Il siège aujourd'hui à la commission de l'éducation de l'Association de la sommellerie internationale.

Guénaël Revel est l'auteur des livres *L'essentiel des caves et des celliers*, aux éditions Les 400 coups, *La bible du porto*, publié par Modus Vivendi, *Couleur champagne* coécrit avec la romancière québécoise **Chrystine Brouillet,** publié par Flammarion et choisi comme meilleur livre sur les vins au Canada en 2007 par le concours Cuisine Canada, et enfin *Vins mousseux et champagnes: les 500 meilleurs effervescents du monde entier.*

Ses collègues journalistes et sommeliers le surnomment Monsieur Bulles depuis qu'il écrit des ouvrages sur les vins effervescents du monde et qu'il a été l'auteur et animateur de l'émission *Champagne* pour la chaîne télé Canal Évasion. L'idée de créer un site et un blogue sous ce surnom en 2010 était donc naturelle. Consacré au champagne et aux appellations de vins effervescents, MonsieurBulles.com présente les actualités vinicoles ainsi que des anecdotes historiques et des vidéos tournées dans les régions du monde que Guénaël Revel parcourt pour la rédaction de son guide annuel, le *Guide des champagnes et des autres bulles*. On peut l'écouter dans l'émission *Plaisirs gourmands* sur les ondes de la radio CIBL 101,5 FM, le mercredi matin de 9h à 10h.

Patrice TINGUY

membre actif

Professeur en sommellerie, sommelier-conseil, sommelier-consultant du restaurant Da Toni et meilleur sommelier du Québec en 1997

Diplômé en administration hôtelière en 1986 (BTH, BTS) de l'école de Saint-Nazaire en France, **Patrice Tinguy** arrive en 1991 à Sainte-Agathe-des-Monts où il travaille comme maître d'hôtel au restaurant Chez Girard (★★ Debeur). En 1993, il suit le cours de sommellerie de **Jacques Orhon** à l'École hôtelière des Laurentides, et en 1994 il travaille comme sommelier au Manoir Hovey (★★★★ Debeur), à North Hatley.

En 1997, on lui propose d'enseigner en service de la restauration au Pavillon du Vieux-Sherbrooke du Centre 24-juin, où il est responsable du cours de sommellerie qui s'y donne depuis janvier 2001.

Parallèlement, il termine deuxième meilleur sommelier au Québec en 1995 et deuxième meilleur sommelier Sopexa pour le Canada en 1996. En 1997, il obtient le titre de meilleur sommelier du Québec ainsi que la place de candidat canadien suppléant au Concours mondial de la sommellerie de 1998, qui s'est déroulé à Vienne, en Autriche.

Entre 2002 et 2013, Patrice Tinguy a été directeur technique de l'Association canadienne des sommeliers professionnels, période durant laquelle il a été responsable des concours de sommellerie provinciaux et nationaux.

Depuis 2009, il s'occupe de la carte des vins du restaurant Da Toni à Sherbrooke, et depuis 2012 il est aussi sommelier expert pour les épiceries Metro et leur marque privée de vins, *Hémisphère*.

Enfin, il communique sa passion du vin en tant que sommelier-conseil dans différentes activités telles que des cours privés, des chroniques, des dégustations et des voyages de formation viti-vinicoles.

Il collabore aussi depuis 2006 à la sélection des vins du *Petit Debeur*.

Thierry DEBEUR

Journaliste, éditeur,
critique gastronomique
et vinicole

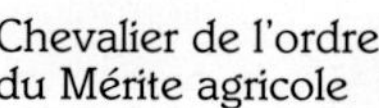

Chevalier de l'ordre
du Mérite agricole

Personnalité de l'année 2006
de la Société des chefs du Québec (SCCPQ)

membre
honoraire

Éditeur du présent guide, Thierry Debeur s'est fait connaître en tenant des chroniques régulières et en écrivant des articles dans plusieurs revues dont *La Barrique* (magazine spécialisé en vins), *Magazine M*, *Vivre*, *Montréal ce mois-ci*, *L'Hospitalité*, *L'Actualité*, et en coanimant l'émission radiophonique *Plein Soleil* avec André Marcoux, à CKMF 94. Il a également animé, avec Bruno Lacombe, l'émission *Gourmet gourmand* à CFLX FM Sherbrooke. Enfin, il a été animateur à l'émission télévisée *Guide Debeur* à Canal Évasion. Thierry Debeur a été chroniqueur à la radio au 98,5FM, chaque samedi à 9h30, à l'émission *Dutrizac le Week-End* animée par Benoît Dutrizac. Il est actuellement chroniqueur au 103,3FM, à l'émission animée et produite par Diane Trudel.

Membre de nombreux jurys nationaux et internationaux dont juge pour le Mérite de la restauration 1986 et 1987, membre du Jury international des Sélections mondiales, dégustateur officiel au Concours des grands vins de France à Mâcon, il est également l'auteur du livre *Les Arts de la table* aux éditions La Presse. Président ex-officio de l'Association canadienne pour la presse gastronomique et hôtelière, Thierry Debeur a remporté le deuxième Prix des critiques canadiens francophones des restaurants de l'année en 1987, pour son excellence professionnelle. En 2003, il est nommé Personnalité journalistique canadienne de l'année par la Fédération culinaire canadienne, qui lui remet également le trophée Signature pour l'est du Canada et le trophée Sandy Sanderson pour le Canada.

Thierry Debeur est membre de la Fédération internationale de la presse gastronomique vinicole et touristique, de la Fédération professionnelle des journalistes du Québec, de la Fédération internationale des journalistes et des écrivains du vin, de l'Association canadienne des sommeliers professionnels et membre honoraire permanent de la Société des chefs, cuisiniers et pâtissiers du Québec (SCCPQ).

Il est aussi Membre de l'Ordre Mondial des Gourmets Dégustateurs, Commandeur de l'Ordre du bon temps de Médoc et des Graves, Prudhomme de la Jurade de Saint-Émilion, Hospitalier de Pomerol, Compagnon du Beaujolais et membre de l'Ordre des Disciples d'Auguste Escoffier, Vigneron d'honneur des Vignerons de Saint-Vincent.

VINS BLANCS

VINS BLANCS À MOINS DE 12$

Espagne, Catalogne
do Catalunya
Natureo Muscat 2013, Miguel Torres +11334794 - 9,25$
Fait de muscat d'Alexandrie, il s'ouvre sur des odeurs intenses de fleurs, de musc, de raisin muscat, de poire, d'agrumes et de tabac. Frais et vif en bouche; on retrouve le raisin muscat avec une touche végétale et un léger perlant qui ajoute à sa fraîcheur. Le servir frais (8°C) ce vin savoureux, à l'apéro ou avec une salade de saumon fumé. À noter: son très faible degré d'alcool, 0,5%. ★(★) **TD**

États-Unis, Californie,
Napa Vallée
White Revolution, Rev Winery +12166809 - 10,95$
Un vin pourrait-on dire «décontracté». Nous avons eu beaucoup de plaisir à boire ce vin blanc californien simple aux odeurs citronnées avec de petites notes végétales. En bouche, nous retrouvons le citron avec des nuances de pamplemousse et de fruits tropicaux. On croque dans le fruit. Un vin frais, direct et sympathique qu'on servira (6 à 8°C) en mangeant des mets asiatiques ou des poissons grillés. ★★ **TD**

Portugal,
Peninsule de Setubal
ac Terras Do Sado
Vale da Judia 2013, Adega de Santo Isidro de Pegoes +10513184 -11,25$
Médaille d'argent aux Sélections mondiales des vins 2013, Sceau distinction à la Coupe des nations 2014 et bien d'autres médailles qui prouvent la reconnaissance de ce vin plaisant. Il s'ouvre sur des odeurs intenses de fleur (rose), de fruits exotiques et d'agrumes. Ample, fruité, long et frais en bouche, il présente un bel équilibre et des notes de raisin muscat. Le servir frais (8 à 10°C) et lui choisir un spaghetti aux fruits de mer ou des poissons grillés.
★★(★) **TD**

Portugal, Province de Beira
docp Bairrada
Marquês de Marialva Colheita Seleccionada 2013, Adega Cooperativa de Cantanhede +00626499 - 11,65$
Médaille d'or au Mondial de Bruxelles 2012, ce joli vin blanc s'ouvre sur des parfums délicats de pomme verte, d'agrumes, de fruits exotiques et de fleurs. Franc, fruité, long et frais en bouche, il s'exprime dans un bel équilibre. Un vin facile et très agréable qu'on servira frais (8°C) avec des sushis ou des moules marinière. Excellent rapport qualité-prix.
★(★) **TD**

VINS BLANCS DE 12$ À 20$

France,
Languedoc-Roussillon
aoc Coteaux-du-Languedoc-Picpoul-de-Pinet
Hugues de Beauvignac 2013, Les Costières de Pomérols +00632315 - 13,40$
Un vin de coopérative? Oui mais lorsqu'on tient compte du terroir et de son histoire, lorsqu'on est à l'écoute du consommateur pour produire des vins de qualité, ce dernier peut s'attendre à goûter de bons vins. La direction impose à ses 350 vignerons un cahier des charges très strict où le respect de l'environnement est important. Ce picpoul s'ouvre sur des odeurs de pomme verte, d'agrumes et de fleurs blanches avec une touche calcaire. Fruité et frais en bouche, il est d'une grande finesse. La première fois que j'ai eu le bonheur de boire un picpoul de Pinet c'était dans le Sud, au bord de la mer, en dévorant un plateau de fruits de mer. Quel beau souvenir qui ne sera pas démenti par cet excellent Beauvignac!
★★ **TD**

Chili
do Vallée de Casablanca
Chardonnay 2013, Vina Carmen +00522771 - 13,75$
Riche d'une expérience viticole qui remonte au milieu

du 16e siècle, le Chili est connu pour ses vins de qualité à prix abordables. Celui-ci, de la maison Vina Carmen, ne dément pas cette réputation. Il s'ouvre sur des odeurs de fruits exotiques avec des petites notes de craie. Bien fruité, très présent et long en bouche avec quelques épices en finale, il bénéficie d'une jolie acidité qui lui confère de la fraîcheur et de l'équilibre. Le servir frais (8 à 10°C) avec une daurade grillée au fenouil ou une longe de porc sauce aux ananas.
★★(★) TD

Portugal,
Peninsula de Setubal
doc Terras do Sado
Adega de Pegoes, Cooperativa Agricola de Santo Isidro de Pegoes
+10838801 - 14,55$
Produit à 50km de Lisbonne, près de la ville historique de Pegoes, un bel assemblage de chardonnay, d'arinto et d'antao vaz. Élevé sur lie avec bâtonnage pendant quatre mois en fût de chêne, un procédé qui permet d'élaborer des vins profonds, riches et complexes offrant une belle matière comme celui que nous vous proposons aujourd'hui. Il s'ouvre sur des notes de fruits tropicaux et de vanille avec un léger boisé et une touche végétale. Vif, frais, fruité (pomme, poire), long et équilibré en bouche avec une finale de noisette grillée. Servi frais (11°C), il se révèlera un bon choix pour accompagner un filet de morue au beurre noisette. ★★ TD

Argentine, Salta,
Valle de Cafayate
Torrontes 2012, Bodegas Etchart Cafayate
+00283754 - 14,75$
D'une robe brillante très pâle, mais d'une intensité aromatique exceptionnelle. Le Torrontes est en effet un cépage très expressif: fruits exotiques, comme la mangue ou les zestes de lime, mais aussi fleurs printanières comme la lavande. Franc, bien fait, sans complexe, ce vin sec charme par sa vivacité. Le servir à 8 °C avec un filet de sole aux agrumes ou une tempura de crevettes et sa salsa tomate et mangue.
★★ PT

France,
Languedoc-Roussillon
ac Vin de Pays d'Oc
Les Jardins de Meyrac 2013, Château Capendu
+00637850 - 15,15$
Ce vin blanc ne manque pas de charme avec ses parfums fins et élégants de fleurs blanches et d'agrumes (pamplemousse), ses notes de silex et d'épices. Ample, bien fruité, long, onctueux et frais en bouche, il jouit d'une très belle acidité ainsi que de subtiles notes de noisette. Le servir frais (8°C) et l'harmoniser avec des huîtres crues ou une sole aux amandes.
★★(★) TD

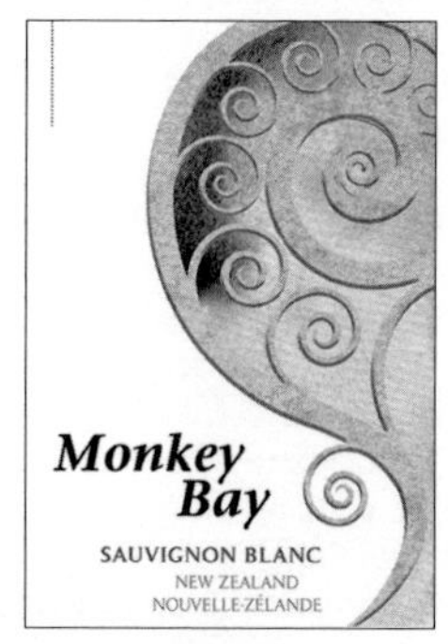

PNouvelle Zélande,
Marlborough
Sauvignon blanc, Monkey Bay Wine Company
+10529936 - 15,20$
J'ai toujours beaucoup de plaisir à boire ce fringant vin blanc originaire de Cloudy Bay. Il s'ouvre vivement sur des odeurs intenses de zeste de citron, de fruits exotiques et de fleurs blanches avec une note minérale. Ample, croquant sur le fruit, vif et frais en bouche, il finit sur une légère note végétale. On le servira frais (8°C), avec une salade de fruits de mer ou de crabe. ★★(★) TD

France, Dordogne
aoc Montravel
Château Calabre 2013, Puy Servain
+10258638 - 15,25$
Appellation méconnue du sud-ouest, proche de Bordeaux, elle produit des vins de belle tenue à partir des mêmes cépages que sa voisine. Aromatique et expressif: fruits tropicaux, minéral et citronné. Sec et léger, son charme lui vient de son acidité qui ravive le palais. On pourra le servir à l'apéritif,

autour de 8°C avec des bouchées de crevettes frites accompagnées d'une salsa pêche et pomme ou bien un croûton de fromage de chèvre tiède au miel de trèfle.
★★ **PT**

Portugal, Minho
ac Vinho verde
Quinta do Minho Loureiro 2013 +10371438 - 15,25$
Fait de cépage loureiro, ce vin blanc sec au nez léger, presque discret, offre des nuances florales et fruitées, d'agrumes confits et de bonbon acidulé. Légèrement perlant en bouche, ce qui lui confère beaucoup de fraîcheur, il est fruité, vert, léger et frais. Le servir froid (6°C) avec des sardines grillées ou des fruits de mer à la plancha. Très sympa! ★★ **TD**

Espagne, Catalogne
do Catalunya
Vina Esmeralda, Miguel Torres +10357329 - 15,70$
Était-ce un hommage à Esméralda, l'héroïne de Notre-Dame de Paris? «La nuit est si belle, chante-t-elle, je suis si seule, je n'ai pas envie de mourir, je veux chanter, danser et rire.» C'est probablement cette euphorie que provoque ce joyeux vin blanc aux parfums intenses de litchi, de fruits exotiques, de raisin muscat et d'épices. En bouche, il est fruité, coulant, long et gras. Non, en fait ce vin est plutôt à l'image d'Esméralda avec cette fraîcheur qui la caractérise. On le mariera avec succès à des mets asiatiques ou à des crevettes sauce aux pacanes.
★★(★) **TD**

France, Alsace
aoc Alsace
Pinot blanc, Pfaffenheim +11459677 - 16,20$
La couleur est peu intense mais le nez est agréable et invitant: pêche et pomme cuite. Le vin est léger, d'une belle fraîcheur avec un fruité en bouche qui rappelle les fruits bien mûrs avec une quasi impression de sucrosité. Sec et frais, à boire d'ici le deux prochaines années, à l'apéritif ou avec une truite poêlée au beurre citronné. Servir à 10°C. ★★ **PT**

France, Vallée de la Loire
aoc Touraine
Domaine Bellevue 2013, Earl Vauvy, viticulteur +10690404 - 16,35$
Ce sympathique vin blanc décroche souvent l'or et l'argent dans des concours nationaux. Il offre des odeurs puissantes de fleurs, d'agrumes et de fruits exotiques. Fruité, ample, frais et coulant en bouche, il s'étire longuement et finit sur des épices délicates. Un vin gourmand et généreux à servir frais (8°C), avec une salade de fruits de mer ou un saumon mariné, comme un gravlax.
★★(★) **TD**

France, Bourgogne
aoc Bourgogne aligoté
Bourgogne Aligoté, Bouchard Père et Fils +00464594 - 17,65$
L'aligoté est un ancien cépage bourguignon qui porte différents noms en fonction des régions dans lesquelles il est cultivé. Ce vin présente des notes délicates de fleurs blanches, d'agrumes et de

pomme verte avec une touche minérale. Fruité, vif et nerveux en bouche; on le servira frais (8°C) en compagnie d'un homard mayonnaise ou de moules à la provençale. ★★(★) **TD**

Italie, Vénétie
igt Veneto
San Vincenzo, Anselmi +00585422 - 17,65$
Ce vin savoureux est produit par un des plus grands vignerons italiens, un des plus respectés. Le nez est vraiment invitant et nous fait penser aux agrumes, très pamplemousse jaune bien sucré, et aux fleurs de pommier. Vin sec, de bonne fraîcheur, léger et assez souple. La perception fruitée, bien présente du début à la fin, est accompagnée d'une subtile impression de perlant. À boire en jeunesse, sur l'acidité, entre 8 et 10 °C, avec un boudin blanc aux pommes cuites ou une terrine de lapin et sa compote de poires aux zestes d'agrumes confits.
★★ **PT**

France, Alsace
aoc Alsace
W3 2013, Wolfberger +12284792 - 17,65$
Ce vin blanc tient son nom du fait qu'il est composé de trois cépages, le riesling, le muscat et le pinot gris. Un excellent vin blanc qui s'ouvre sur des arômes de fleurs et de fruits tropicaux avec du litchi, des agrumes et de la poire qu'on retrouve en bouche avec un beau volume,

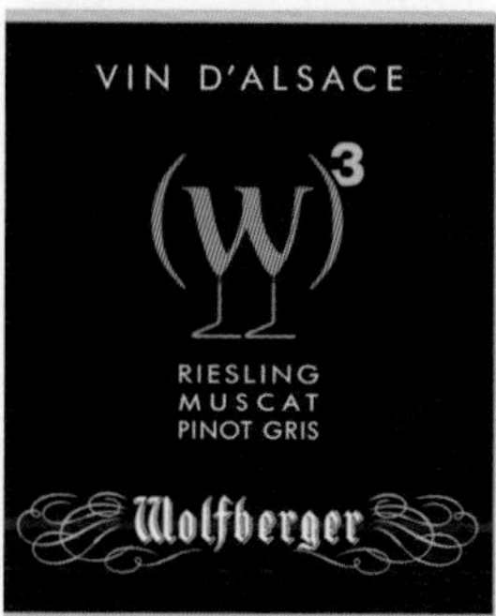

de l'équilibre, beaucoup de fraîcheur et une finale doucement épicée. Un vin très agréable à servir frais (8°C) à l'apéro ou en même temps qu'une cassolette de fruits de mer. ★★(★) **TD**

Espagne, Catalogne
do Penedès
Chardonnay Gran Vina Sol 2013, Miguel Torres
+00064774 - 17,75$
Gran Viña Sol se traduit littéralement par grand vin de soleil ou encore grand vin ensoleillé. Eh bien oui! Voici un beau vin aux parfums ensoleillés et intenses de fruits exotiques, de fruit de la passion, d'agrumes et de fleurs avec des notes vanillées et boisées. Fruité, long et frais en bouche, il finit sur des notes doucement épicées. Le boire frais (8°C) lorsqu'on sert un bar en coque de sel ou des fruits de mer à la plancha. ★★★ **TD**

France, Vallée de la Loire
aoc Touraine
Domaine de Lévêque, Sauvignon blanc 2013, Domaine de la Renne
+12207009 - 17,80$
Ce sauvignon blanc a mérité plusieurs médailles d'or dans des concours de renom. Il présente des odeurs intenses de fleurs blanches, de citron, de fruits exotiques, d'abricot et de litchi. Ample, long, fruité, vif et frais en bouche, il s'exprime très agréablement avec finesse et élégance. Servi frais (8°C), il se révèlera le compagnon idéal d'une cassolette de fruits de mer ou une sole aux amandes.
★★★ **TD**

France, Alsace
aoc Alsace
Pinot blanc 2012, F.E. Trimbach
+00089292 - 17,90$
La maison Trimbach cultive la vigne et vinifie du vin depuis 1626. Douze générations de vinificateurs se sont alors succédé pour élaborer des vins comme ce pinot blanc aux parfums de fleurs blanches, de poire et d'agrumes avec des notes minérales. Fruité, vif et frais en bouche, il finit longuement sur des épices délicates. Le servir frais (8°C), lorsqu'on mange un risotto aux fruits de mer. ★★(★) **TD**

États-Unis, Californie, Sonoma, North Coast
Chardonnay 2012, Clos du Bois Winery
+11768568 - 17,95$
Pas de compromis pour ce bon chardonnay aux parfums de pomme, d'agrumes (zeste de citron), de fleurs et de vanille avec un léger boisé qu'on retrouve en bouche avec une belle fraîcheur. Fruité, long et gras avec des notes beurrées; on le sert frais (8 à 10°C), en même temps que des escargots à l'ail ou une morue au beurre noir. ★★★ **TD**

France, Sud-Ouest
aoc Bergerac
Château Tour des Gendres, Cuvée des Conti 2013, Famille De Conti
+00858324 - 17,95$
Ce domaine en agriculture biologique signe cette superbe cuvée (70% sémillon surmûri, 20% sauvignon et 10% muscadelle). Le nez tout en finesse libère des parfums de fleurs blanches miellées (acacia) agrémentés de quelques notes d'agrumes. La bouche révèle une matière soyeuse d'un volume impressionnant. La finale est égayée d'une pointe de vivacité. Un «loup d'eau douce» (ou brochet) au beurre blanc se laissera apprivoiser par ce vin. ★★★★ **DJL**

États-Unis, Californie, Alameda, Central Coast
Everyday, The Dreaming Tree +12270913 - 17,95$
«Lorsque Steve Reeder et Dave Matthews se sont rencontrés, ils ont constaté que leur passion commune pour faire du vin était presque aussi forte que leur passion pour le boire», nous dit-on.

Ils ont donc créé ce généreux vin blanc, un assemblage qui s'ouvre sur des notes de fruits tropicaux, de raisin muscat et de rose. Intense, très frais et fruité en bouche; on le sert frais (8°C) avec des huîtres crues ou des pattes de crabe des neiges.
★★★ TD

France, Bourgogne, Côte de Beaune aoc Meursault
Cheverny 2012, Domaine Maison Père et Fils
+11649201 - 18,25$
Jolie robe jaune paille aux reflets or-vert, le nez est expressif avec des accents de figue fraîche, de groseille mais aussi de croûte de parmesan. L'attaque est assez vive et franche, d'un bel équilibre. La bouche est ample avec une finale acidulée qui rappelle les fruits exotiques. Très charmant assemblage de 60% de sauvignon blanc et de 40% de chardonnay. Servir à 10°C avec une salade de poulet à l'ananas ou un fromage de chèvre légèrement affiné. **★★ PT**

Nouvelle-Zélande, South-Island, Malborough
Sauvignon blanc 2013, Stoneleigh Vineyards
+10276342 - 18,25$
Les pierres qui jonchent le sol de ce vignoble se chauffent au soleil le jour et restituent leur chaleur la nuit. De plus, durant le jour, ces pierres blanches reflètent la lumière du soleil et en intensifient les rayons. On les appelle «pierres de soleil». Cela permet une plus grande concentration et maturité des raisins. Voici donc un vin blanc sec aux parfums intenses, bien marqués par le pamplemousse rose, les fruits exotiques et le fruit de la passion. Fruité, vif, long, coulant et très frais en bouche, il finit sur quelques épices délicates. Un vin très agréable et élégant, à servir frais (8°C) avec des poissons grillés ou un spaghetti aux fruits de mer. Excellent rapport qualité-prix. J'ai adoré!
★★★(★) TD

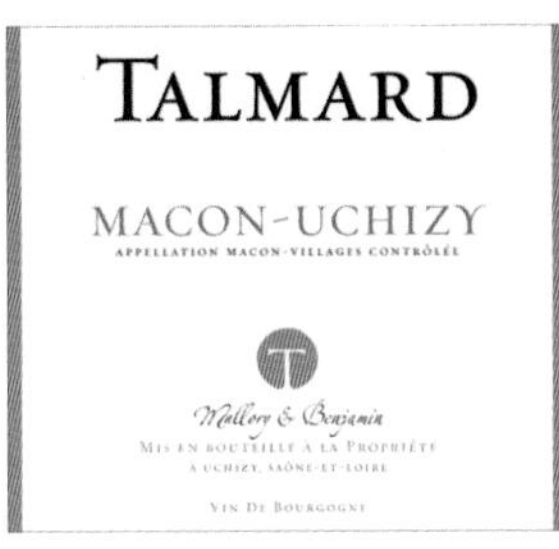

France, Bourgogne, Mâconnais aoc Mâcon villages
Mâcon Uchizy 2011, Talmard Mallory et Benjamin
+11618324 - 18,90$
Uchizy est l'une des communes de l'appellation Mâcon villages sous laquelle est produit ce vin blanc élégant et délicat. Des parfums de fleurs et de miel avec une note d'agrumes et une touche minérale. Très expressif en bouche, il se révèle ample, fruité, exotique, équilibré, charnu et d'une belle fraîcheur. Le servir frais (10°C) en dégustant une salade de homard ou des fruits de mer à la plancha. **★★(★) TD**

États-Unis, Californie, Alameda AVA Central Coast
Chardonnay Private Selection 2013, Robert Mondavi Winery
+00379180 - 18,95$
J'aime beaucoup ce chardonnay californien aux odeurs de pomme, de fruits exotiques, de beurre et de vanille. Ample, fruité, long, gras et charpenté en bouche, il ne manque pas de finesse ni de générosité. Un vin gouleyant, un vin de plaisir qu'il faut servir frais (10°C) avec un homard grillé ou une fricassée de foies de volaille.
★★★ TD

VINS BLANCS À PLUS DE 20$

Argentine, Mendoza ig Mendoza
Felina Chardonnay 2013, Vina Cobos
+11625727 - 20,25$
Brillant aux accents paille-vert. Jolie finesse du boisé bien balancé. Nez complexe d'amande grillée, de nougatine et d'ananas bien mûr. Vin sec, rond, presque onctueux. Belle amplitude qui tapisse la bouche. Ce style charmera les amateurs de chardonnays vieillis sous bois. Il est prêt à boire mais se conservera facilement quatre à cinq ans. Servir à 12°C avec un flétan grillé et sa vinaigrette citronnée à l'huile

de pépins de raisin ou une escalope de veau sauce madère. ★★ PT

France, Provence
aoc Cassis
Clos d'Albizzi Cuvée traditionnelle 2012, François Dumon
+12123809 - 20,90$
Ancienne armatrice expulsée d'Italie au 16e siècle par les Médicis, la noble famille florentine Albizzi s'établit à Cassis en 1523 pour y produire du vin. C'est d'ailleurs le plus vieux vignoble de Cassis. Descendant direct des Albizzi, François Dumon, l'actuel vigneron propriétaire, y cultive 14 hectares dans le respect de la vigne et du vin, dont ce vin blanc élevé pendant six mois sur lie, aux parfums intenses de fleurs, d'agrumes, de gelée de coing avec une note minérale. Belle matière et du volume en bouche, un vin qui a de la mâche, du gras, de la longueur et de l'équilibre. Il finit sur des épices et une touche de miel. À servir frais (8°C à 10°C) en même temps qu'un aïoli ou une bouillabaisse.
★★★ TD

Sauvignon Blanc
Marlborough

Nouvelle-Zélande, Marlborough
Sauvignon blanc, Kim Crawford
+10327701 - 20,95$
«Le Kim Crawford s'est vu attribuer six fois une note de 90 points et plus par le réputé magazine américain Wine Spectator», peut-on lire sur le site web de la SAQ. Et c'est mérité. Quel bon vin blanc! Il s'ouvre hardiment sur des parfums de fleurs, d'agrumes et de fruits tropicaux avec une touche minérale. On retrouve ces odeurs en bouche avec une belle intensité, beaucoup de fraîcheur et une finale épicée. Le servir frais (8°C), et lui choisir une salade d'avocat et crevettes ou un millefeuille de saumon fumé. ★★★★ TD

Nouvelle-Zélande, South-Island
Sauvignon blanc, Saint Clair Family Estate
+10382639 - 21,75$
Un sauvignon comme on les aime, vif et frais aux odeurs d'agrumes, de pamplemousse, de mandarine et de citron avec des notes florales, exotiques et une touche végétale. Bonne intensité en bouche offrant des notes d'acacia et de raisin muscat, avec une finale doucement épicée. Long, élégant, équilibré, coulant, un bon vin à servir frais (8°C) en même temps qu'un plateau de fruits de mer ou un millefeuille de saumon sauce hollandaise.
★★★(★) TD

États-Unis, Californie, Napa Vallée
Diamond Chardonnay 2013, Francis Ford Coppola
+10312382 - 22,20$
Le réalisateur américain Francis Ford Coppola est connu notamment pour le film Le parrain (1972). C'est d'ailleurs avec les recettes de celui-ci qu'il achète, en 1975, le vignoble californien Inglenook Vineyards, fondé en 1879 par Gustave Niebaum, un commerçant finlandais. Par la suite, il rachètera d'autres vignobles, ouvrira un restaurant et même un musée. Italien d'origine, grand amateur de bons vins, Coppola produit des vins dans un souci de qualité, ce qui fera aussi son succès. Ce chardonnay par exemple est très aromatique avec des parfums fruités et floraux et un boisé bien intégré. Ample, très généreux, fruité et long en bouche, il offre une belle matière et beaucoup de plaisir. Le servir frais (8°C) en dégustant des coquilles Saint-Jacques gratinées ou un homard sauce mayonnaise.
★★★(★) TD

France Languedoc
aoc Minervois
Château Coupe roses 2012, Françoise Frissant-le-Calvez
+00894519 - 22,30$
S'adossant aux contreforts de la montagne Noire, les vignes du Minervois s'étendent des faubourgs de Carcassonne jusqu'aux collines voisines de Narbonne. Issu à 100% de roussanne, l'incontournable Château Coupe-Roses offre un nez complexe avec des notes de fleurs, de bergamote, de pêche de vigne; bien étoffé, ample et suave, la bouche est harmonieuse, d'une allonge remarquable soulignée par une finale sur l'abricot mûr. Accompagnera aussi bien un sauté de veau au curry qu'un poisson en sauce.
★★★★ DJL

Nouvelle-Zélande,
South Island, Nelson
Pinot gris 2012, Waimea Estates +11662018 - 22,55$
Nichée entre mer et montagne, la région de Nelson est située au nord de l'île du Sud. Ce pinot gris jaune pâle à reflets dorés présente un nez fruité aux nuances de fleurs et d'épices douces. C'est un vin structuré, gras et puissant auquel une belle acidité confère un remarquable équilibre. À marier avec un rôti de veau ou un poisson en sauce. ★★★ **DJL**

France, Bordeaux
aoc Bordeaux
Château Reynon 2013, Denis & Florence Dubourdieu +11170486 - 23,30$
Une des très belles références en vin blanc à base de sauvignon dans la région de Bordeaux. Robe pâle d'une brillance cristalline. Nez agréable de fruits frais acidulés comme le pamplemousse et la lime. Sec et frais, il s'ouvre dans le verre après quelques instants d'aération. Servir entre 8 et 10°C avec un filet de poisson blanc poêlé accompagné de gremolata ou un fromage à pâte semi-ferme de style Alfred le fermier. ★★(★) **PT**

France, Vallée de la Loire,
Pays Nantais
aoc Muscadet-Sèvre-et-Maine
Domaine de l'Ecu d'Orthogneiss 2013, Guy Bossard +10919141 - 23,60$
Cultivé en biodynamie, ce vin exprime avec bonheur son terroir d'Orthogneiss tout en encensant le cépage melon de Bourgogne. Drapé dans une élégante robe or pâle aux brillants reflets verts. L'amande fraîche puis les fruits à chair blanche (pêche, poire) parfument une bouche élégante. Une trame minérale apporte de la fermeté, du tonus et de la longueur. Les huîtres Rasberry Point de l'Île-du-Prince-Édouard s'entrebâillent d'un plaisir anticipé à l'idée d'accompagner ce muscadet. ★★★★ **DJL**

Espagne, Catalogne
doc Priorat
Barranc Del Closos 2012, Mas Igneus +10857729 - 24,20$
Le Priorat, au sud de Barcelone, se situe dans une région montagneuse où les vignes s'accrochent héroïquement sur des coteaux escarpés. Issu majoritairement de grenache blanc et de maccabeo, ce vin libère des senteurs de cire, d'amandes sèches, ponctuées d'accents minéraux. Ample, riche et caressante, la bouche persiste longuement. On fera péché gourmand avec des... queues de langouste à l'armoricaine. ★★★ **DJL**

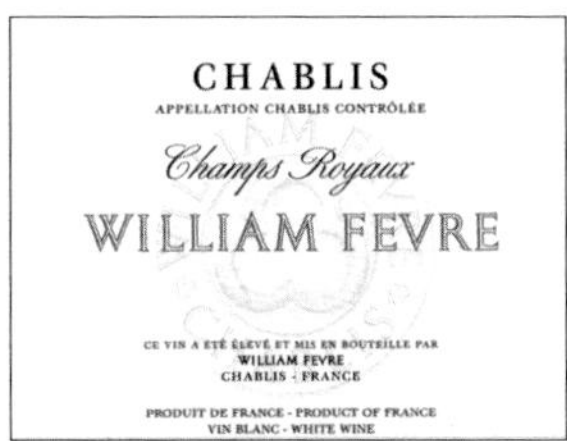

France, Bourgogne
aoc Chablis
Chablis Les Champs Royaux, William Fèvre +00276436 - 24,40$
Situé à l'extrême nord de la Bourgogne, le Chablisien produit des vins fins et élégants comme celui-ci, qui s'ouvre sur des parfums de fleur d'acacia, de pomme verte, de vanille et de biscuit avec des notes minérales. Fruité, long, vif et frais en bouche, il présente un bel équilibre et une finale doucement épicée. Un beau chablis qu'on servira frais (10°C), en même temps que des huîtres crues ou une darne de saumon sauce hollandaise. ★★★ **TD**

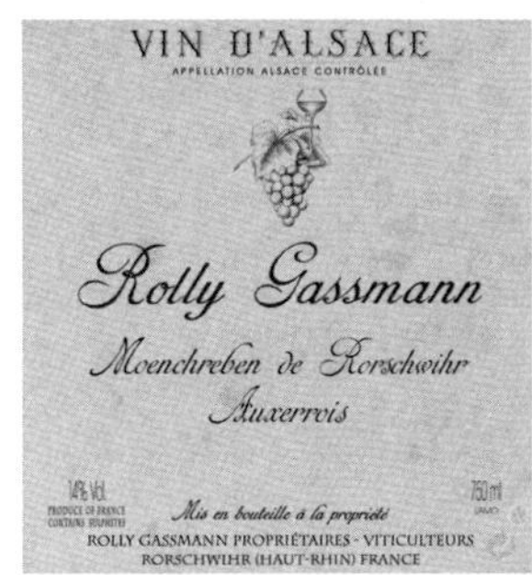

France, Alsace
aoc Alsace
Moenchreben de Rorschwihr Auxerois 2007, Domaine Rolly-Gassmann +11955005 - 24,80$
«Les Rolly-Gassmann revendiquent un savoir-faire ancestral, étant propriétaires et viticulteurs-récoltants depuis 1611 à Rorschwihr», peut-on lire sur le site saq.com. Cette expertise se retrouve dans ce beau vin blanc fait du cépage pinot auxerrois qui s'ouvre sur des odeurs intenses de miel, d'aubépine et de fruits tropicaux. Demi-sec, long et ample en bouche, il offre un beau volume fruité avec du gras et un léger boisé. Le servir frais (10 à 12°C), avec un feuilleté de saumon sauce hollandaise. ★★★(★) **TD**

France, Vallée de la Loire
aoc Sancerre
Château de Sancerre, Marnier-Lapostolle +00164582 - 25,90$
Situé à l'est de la vallée de la Loire, Sancerre est réputé pour produire des vins blancs frais et fruités et des rouges légers et parfumés. Voici un excellent sancerre blanc généreux, élégant et fruité avec

de petites notes d'agrumes et de fruits exotiques. Ample, riche, vif et droit en bouche, il bénéficie d'un bel équilibre et d'une belle matière. Un très beau vin blanc bien fait, à boire frais (10°C) avec des coquilles Saint-Jacques ou des huîtres crues.
★★★(★) **TD**

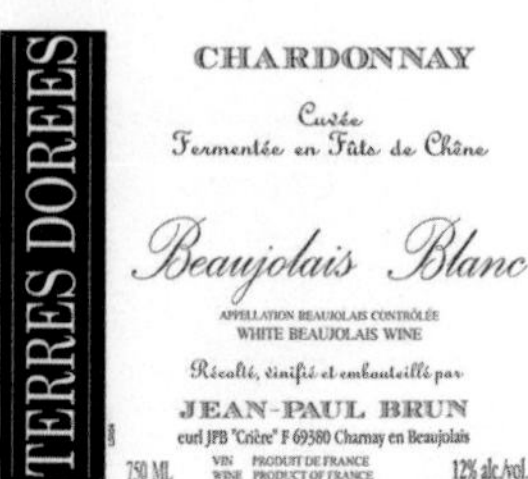

France, Bourgogne, Beaujolais
aoc Beaujolais blanc
Terres dorées 2013, Jean-Paul Brun
+00713495 - 26,15$
Dans cette région réputée pour ses rouges légers et gouleyants, les blancs peuvent aussi être superbes et celui des Terres dorées entre dans cette catégorie. Jolie couleur paille soutenue. Le fruité est très expressif avec des arômes d'abricot, d'amandes et de pain grillé qui dénote un boisé délicat et très bien maîtrisé. L'attaque est ronde, le vin sec et assez généreux. La finale longue et persistante nous rappelle le miel, l'abricot, la noisette rôtie et le beurre frais. Ce vin très distingué devra être servi pas trop froid, autour de 12°C avec une escalope de veau parmigiana ou une poitrine de poulet cordon-bleu.
★★★ **PT**

France, Corse
aoc Corse Calvi
Clos Culombu 2013
+11902114 - 26,80$
Du haut de sa taille imposante (plus de deux mètres),

Étienne Suzzoni est aujourd'hui à la tête du domaine familial. Étincelant et limpide, ce pur vermentinu offre un nez de fleurs blanches, de pamplemousse et d'ananas. Pleine de fraîcheur, la bouche séduit par sa complexité (gras empreint de minéralité). Le roi des poissons corses frétille de joie à l'idée de se marier à ce vin: dos de Denti (famille des daurades) braisé au cédrat.
★★★★ **DJL**

France, Vallée de la Loire
aoc Pouilly-Fumé
Pouilly-Fumé 2013, Pascal Jolivet +10272616 - 27,30$
«Je fais des vins naturels qui ont la finesse, l'élégance et la pureté des vins destinés à compléter l'alimentation», telle est la philosophie de Pascal Jolivet. Le nez de cette cuvée livre une belle séquence d'arômes variés: buis, genêt, groseille à maquereau, citron. Très droit, bâti sur une structure fine à la franche vivacité, le palais déploie de gourmandes flaveurs fruitées. Ce vin appelle un plateau de fruits de mer.
★★★ **DJL**

Italie, Trentin Haut-Adige
doc Alto Adige o dell'Alto Adige
Pinot Grigio 2012, Aloïs Lageder Porer
+10248712 - 27,65$
Aloïs Lageder a produit ce pinot grigio selon les principes de la culture biodynamique. Il s'annonce par une robe de couleur jaune paille brillante aux reflets verts. Un nez délicat où les fruits jaunes confits et le miel s'allient à un soupçon de fumée. Après une attaque légèrement perlante, la bouche équilibrée continue dans le même registre aromatique avec une acidité de bon aloi lui conférant une rare élégance. À servir avec des fettuccinis aux mactres de Stimpson (variante de la version «alle Vongole»). ★★★★ **DJL**

France, Provence
aoc Cassis
Clos Ste-Magdeleine 2012
+12206129 – 28,50$
Jonathan Sack-Zafiropulo a pris la suite de son père dans ce magnifique domaine qui s'étend jusqu'à la mer. Comme tout le vignoble cassiden, il est enchâssé tel un bijou dans l'écrin d'un parc national. Nous vous proposons ce vin blanc certifié bio, coup de cœur du Guide Hachette des vins, qui offre des parfums de craie, de fleurs blanches, de poire et de miel qu'on retrouve en bouche avec de l'ampleur et de la générosité ainsi que des notes légèrement salées et iodées. Un très beau vin blanc élégant, fin et racé à servir frais (10°C) en même temps qu'un loup en coque de sel ou une soupe de poisson et sa rouille. ★★★(★) **TD**

France, Jura
aoc Côtes du Jura
Tradition 2010, Domaine Berthet-Bondet
+11794694 - 29,50$
Cette cuvée «Tradition» issue du chardonnay (80%) et du savagnin (20%), élevée deux ans en pièce sans ouillage, permettra à tout œnophile débutant de s'initier aux fla-

veurs parfois déroutantes du vin jaune. Sans en avoir toutefois l'intensité ni la complexité, le nez exubérant mêle à la noix, la pomme et la muscade. La bouche suit cette trajectoire, offrant une attaque dans la rondeur avec un bon soutien acide. Un jurassien de souche qui se plaira en compagnie de ris de veau aux morilles...
★★★★ **DJL**

Canada, Ontario,
Péninsule du Niagara
vqa Niagara Peninsula
Chardonnay Village Reserve 2011, Le Clos Jordanne
+11254031 - 31,50$
Le Clos Jordanne, un des plus beaux fleurons du vignoble ontarien, se trouve toujours sous la houlette de l'œnologue Sébastien Jacquey. La cuvée Village Reserve dégage d'intenses arômes rappelant noisette, amande fraîche ainsi que de subtiles notes miellées. D'abord fraîche, la bouche développe une matière ronde, finement texturée, marquée d'une pointe d'amertume en finale. Lors d'une excursion de pêche, le servir avec des filets de doré poêlés au beurre, nappés d'amandes effilées et grillées.
★★★★ **DJL**

France, Bourgogne, Yonne
aoc Chablis 1er Cru
Côte de Léchet 2011, La Chablisienne
+00869198 - 33$
Belle couleur paille assez intense. Le nez est fin et distingué avec des notes caractéristiques de fleurs, de citron et de fruits secs mais aussi de croûte de fromage. Il prend beaucoup d'ampleur en bouche avec une belle texture, droite et onctueuse à la fois. Le vin persiste longuement avec un retour du fruité perçu au nez. De grande tenue; il faudra le servir pas trop frais, entre 12 et 14°C, avec une escalope de veau lombarde ou pourquoi pas une crêpe au fromage de chèvre, aux abricots et épinards. ★★★(★) **PT**

France
Languedoc-Roussillon
aoc Collioure
Argile 2012, Domaine de la Rectorie
+11860111 - 33,25$
La cuvée «Argile» à forte dominante de grenache gris (90%) est une référence incontournable. Nez intense libérant des parfums floraux (fleurs de sureau et d'amandier), de noyau de pêche, de fruits mûrs et d'anis. Bouche à la fois ronde et sous-tendue par une agréable fraîcheur, une fin de bouche sur fond d'agrumes et de notes iodées. On appréciera ce vin gourmand avec un loup (ou bar) cuit au four sur un lit de fenouil. ★★★ **DJL**

France, Alsace
aox Alsace
Domaine Weinbach, Cuvée Théo Gewurztraminer 2011, Colette Faller et ses filles
+10272579 - 42$
Magnifique vin demi-sec à base d'un des cépages les plus expressifs qu'on puisse côtoyer. Il embaume les fruits tropicaux, les fleurs, le miel et les épices. La perception en bouche est soyeuse et veloutée. Frais, généreux et de grande tenue; on pourra le conserver sept à huit ans, mais on l'apprécie déjà à 12°C. Il accompagne très bien les pétoncles aux litchis et au lait de coco ou un classique munster fondant au caramel d'épices.
★★★★ **PT**

France, Vallée du Rhône
aoc Châteauneuf-du-pape
Château la Nerthe 2012
+10224471 - 47,50$
Grand vin blanc aromatique et délicat. Fin et harmonieux, il combine le fruité du raisin bien mûri et l'élevage en fût maîtrisé avec soin. De bonne souplesse, frais et soyeux en bouche. La finale est longue sur des notes d'épices et de fruits à l'eau-de-vie. Servi à 10°C, il mettra en honneur un risotto de crabe, champignons et noix de pin ou un popcorn de ris de veau et sa sauce à la moutarde de Dijon et au miel. ★★★★★ **PT**

France, Bourgogne,
Côte de Beaune
aoc Meursault
Meursault 2012, François Mikulski
+11436070 - 64,50$
La couleur est or-vert et d'une belle limpidité quasi cristalline. Expressif, tout en finesse et en subtilité autour des notes de pain grillé, de confit d'agrumes mais aussi de nougat. L'attaque est ronde et tout aussi délicate, dans la lignée des arômes perçus au nez. Frais et assez généreux; la fin de bouche est nette et me rappelle la baguette viennoise fraîchement sortie du four. Je le servirais à 12°C

avec un filet de veau et homard sauce à la crème aux pleurotes. ★★★★★ **PT**

France, Bourgogne,
Côte de Beaune
aoc Meursault 1er Cru
Genevrières 2010,
Bouchard Père et fils
+11013886 - 80,25$
Beau jaune paille aux reflets jaune-vert. Le nez est excellent et d'une netteté envoûtante. Vin racé, très aromatique et distingué. D'une acidité rafraîchissante, le vin est sec, rond et généreux. Toute en finesse, la texture est onctueuse et persiste longuement sur des notes de nougatine. Ce vin pourrait vieillir facilement au moins sept à huit ans. Le servir entre 12 et 14°C avec un plat délicat comme un feuilleté de ris de veau et pétoncles sauce à la crème et aux champignons. ★★★★★ **PT**

VINS BLANCS DOUX

Italie, Piémont
docg Moscato d'Asti
Nivole 2013, Michele Chiarlo +11791848 - 19,55$
Beau jaune pâle aux reflets rosés. Vin blanc doux du nord de l'Italie, délicatement pétillant et très aromatique: ananas, pêche, abricot, miel et rose. Léger, sans complexe, c'est un pur vin «plaisir». On peut apprécier ce muscat aussi bien à l'apéritif qu'avec des pêches pochées à l'eau de rose ou un brie fondant au sirop d'abricot. Servir à 8°C. ★★ **PT**

France, Dordogne
aoc Monbazillac
Château Ladesvignes 2012, Michel Monbouche
+00895979 - 24$
Jolie robe jaune doré. Le vin est très aromatique, distingué et puissant à la fois. Le nez vanillé se rapproche de l'abricot séché et de la compote de pomme. Bel équilibre en bouche malgré une perception d'acidité plutôt basse, due à la richesse en sucre, ce qui accentue l'impression d'onctuosité et de moelleux. La finale est marquée par la noisette grillée et la marmelade d'orange. On pourra le conserver encore quelques années. Servi à 8°C, il accompagnera une tarte tatin aux abricots et sa crème glacée à la vanille de Madagascar ou un vieux cheddar tiède et ananas grillé.
★★(★) **PT**

Italie, Vénétie
igt Veneto
Breganze Dindarello 2012, Azienda Agricola Maculan
+00850420 - 31,50$
Les amateurs de muscat seront comblés avec ce vin doux issu du nord de l'Italie. Exubérance de fruits exotiques et une touche de vanille se partagent le nez. L'attaque est souple, moelleuse avec un bel équilibre sucre-acidité. Les parfums délicats se combinent à la structure pour une expérience des plus magnifiques. Servir entre 10 et 12°C avec des pêches flambées au Grand Marnier ou encore un sorbet mandarine et glace vanille accompagnés d'une sauce aux mangues caramélisées. ★★★ **PT**

www.debeur.com

France, Bordeaux
aoc Sauterne,
Grand cru classé
Château de Malle 2009
+11378842 - 53,50$
Deuxième cru classé de couleur dorée soutenue. Le nez est aromatique et complexe: noisette, abricot séché, marmelade d'orange et de kumquat et caramel butterscotch. Liquoreux mais accompagné d'une belle fraîcheur. Puissant et généreux, il persiste longuement pour se terminer sur des notes de pomme cuite et d'épices. Servir à 8°C avec une tarte tatin et sa crème glacée au sucre d'érable ou un brie fondant sur pain aux noisettes grillées. ★★★★★ **PT**

VIN DE GLACE

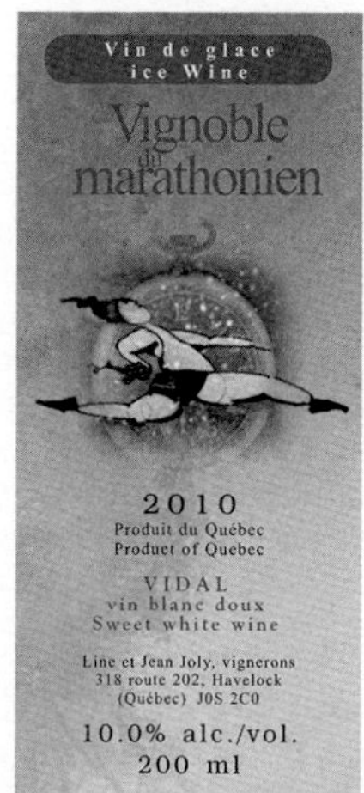

Canada, Québec,
Montérégie, Havelock
Vin de Glace
Vidal 2010,
Vignoble du Marathonien
+11745788 - 32,75$/200ml
Line et Jean Joly ont été les premiers au Québec à produire un vin de glace. Le précieux liquide qui s'écoule chaque année de leur pres-

soir donne naissance à ce nectar tant convoité. Sa robe étincelante aux reflets orangés est un ravissement pour l'œil; le nez n'est pas en reste: il distille de somptueux arômes de fruits tropicaux, d'abricot confit ainsi que des notes d'angélique. Le palais se distingue par sa sève et son onctuosité avant de finir sur une fraîche acidité. Un accord? Il se suffit à lui même! Existe également en format 375ml (+11398317 - 54,25 $). ★★★★★ DJL

VIN MOUSSEUX ET CHAMPAGNES

VIN MOUSSEUX ET CHAMPAGNES À MOINS DE 50$

Hongrie
Hungaria Grande Cuvée, Hungarovin
+00106492 - 13,70$
À un prix toujours aussi attrayant, voire étonnant pour une telle qualité, ce vin mousseux hongrois est élaboré selon la méthode traditionnelle avec 60% de chardonnay et le reste en cépages pinot noir et riesling. Il présente une très belle effervescence avec des bulles fines, nombreuses et persistantes, qui présage déjà un produit de qualité. Il s'ouvre sur un nez floral et fruité avec des notes de pomme verte, de noisette et de brioche avec une touche minérale. Généreux, frais, élégant, racé et fin en bouche, il poursuit longuement le plaisir, surtout si vous le servez frais (8°C) en même temps qu'un homard sauce mayonnaise ou tout simplement à l'apéritif. ★★★ TD

Italie, Vénétie
doc Conegliano Valdobbiadene - Prosecco
Villa Sandi, Il Fresco Prosecco
+11569121 - 15,90$
Ce beau vin mousseux est produit au nord de Venise dans la stricte méthode traditionnelle. Des bulles fines, nombreuses et persistantes dénotent déjà un vin de qualité. Il s'ouvre sur des parfums minéraux avec des notes d'agrumes, de pomme et de fleurs. Léger, sec, harmonieux, délicat et frais en bouche; on le servira (8°C) à l'apéro ou en dégustant un saumon mariné (comme un gravlax). ★★(★) TD

Italie, Vénétie
doc Venezia
Prosecco, Ruffino
+12270489 - 17,95$
Prosecco est une appellation italienne qui impose l'utilisation minimum de 85% de glera, un cépage indigène. Ce cépage confère au vin sa structure. Le Prosecco de Ruffino est fait à 100% de glera. Un beau vin mousseux à la robe or pâle aux reflets verts, avec des bulles fines, nombreuses et persistantes, ce qui présage déjà un bon vin. Il s'ouvre sur des parfums de poire, de pomme, d'agrumes et de pâtisserie qu'on retrouve en bouche avec beaucoup de fraîcheur. Le servir froid (8°C) et le marier à une escalope de veau à la milanaise ou une tarte aux poires. ★★★ TD

France, Alsace
aoc Alsace
Crémant d'Alsace Brut, Cave de Beblenheim
+12397181 - 19,50$
Ce crémant produit selon la méthode traditionnelle (comme en Champagne) présente des bulles fines et une belle robe rose-orangé qui se rapproche de celle de l'œil-de-perdrix. Au nez, ce sont des parfums de fruits rouges, de fraise des bois. En bouche, il se montre fruité, vif et minéral avec beaucoup de finesse. Le servir frais (8°C), à l'apéro ou tout au long d'un repas, il a assez de corps pour cela. ★★(★) TD

France, Languedoc-Roussillon
aoc Blanquette de Limoux
Domaine de Fourn Brut
+00220400 - 20,05$
Le nez est charmeur, d'abord orienté sur des arômes de poire, puis sur ceux plus classiques de pomme et d'anis. Ce sont ces derniers qu'on retrouve dès l'attaque en bouche au sein d'une effervescence particulièrement fine et élégante, voire caressante. Les arômes sont peu complexes (fruits blancs), le vin apparaît jeune, mais le comportement de sa texture est d'une impeccable suavité grâce à des perles qui s'étirent tendrement jusqu'en finale. Je prendrai bien un deuxième verre! ★★★★ GR

www.debeur.com

Italie, Piémont
doc Piemonte
Brachetto d'Acqui, Castello del Poggio
+10970318 - 20,40$
Surprenant vin mousseux, c'est un peu le pendant du moscato d'Asti mais dans une couleur différente: un magnifique rose saumon. Le cépage brachetto possède une jolie palette aromatique qui fait penser aux fruits rouges gorgés de soleil comme la fraise et la framboise. Léger, pétillant, tout en fraîcheur. Son côté frivole en fait un très beau vin de fin de repas avec un fromage léger à pâte semi-ferme ou une mousse aux fruits rouges. Servir à 8°C. ★★ **PT**

France, Languedoc-Roussillon
aoc Crémant de Limoux
Antech Cuvée Expression Brut 2011
+10666084 - 20,90$
Nichée entre mer et montagne, la région de Nelson est située au nord de l'île du Sud. Ce pinot gris jaune pâle à reflets dorés présente un nez fruité aux nuances de fleurs et d'épices douces. C'est un vin structuré, gras et puissant auquel une belle acidité confère un remarquable équilibre. À marier avec un rôti de veau ou un poisson en sauce. ★★★★ **GR**

Espagne, Catalogne
do Cava
Raventos I Blanc, Conca del Riu Anoia, Cuvée l'Hereu, Reserva Brut
+12097946 - 21,95$
Le 2010 était riche (et unique puisque premier millésime sous cette «appellation incontrôlée»), le 2011 est à la fois fougueux et tendu. Quelque peu iodé, voire axé sur des arômes d'hydrocarbures au premier nez, et ces derniers sont vite occultés par ceux de peau d'orange, puis de toast blond à l'aération. Les bulles sont de calibre moyen, elles laissent parler leur jeunesse en étant toutefois bien compactées. L'ensemble est dense, plus mordant que sage, les gourmands l'apprécieront aujourd'hui avec un poisson à chair blanche, grillé et subtilement aspergé de jus de citron. Les patients en glisseront quelques bouteilles sur les clayettes jusqu'au moins 2016.
★★★★ **GR**

France, Alsace
aoc Crémant d'Alsace
Calixte rosé brut
+00871921 - 22,75$
Les flaveurs de fruits rouges et jaunes (griotte, noyau de fruits, pêche) sont bien présentes au nez comme en bouche. L'attaque est peu nerveuse, le charme s'opère en bouche par son caractère vineux que des bulles délicates et fugaces viennent tempérer. Un crémant qui a évolué vers plus de matière et d'arômes au fil des années, lui permettant de passer de l'apéritif à une entrée consistante. ★★★ **GR**

France, Bourgogne
aoc Crémant de Bourgogne, Blanc de Blancs Brut
Vitteaut-Alberti Brut
+12100308 - 23,70$
Intense, charnelle et complexe, cette cuvée a tout de la typicité des excellents crémant avec ce petit plus qui fait les grands vins. Le crescendo des flaveurs est clas-

sique (pomme et pamplemousse à la fraîcheur du service; fruits confits, fruits secs, pain d'épices après quelques minutes dans le verre), mais il déroute par sa densité conjuguée à une minéralité et à une effervescence d'une finesse rare qui rappellent certains flacons de la Marne. Pur et profond à la fois, bref remarquable, c'est le meilleur crémant vendu au Québec. Homard ou fruits de mer sont les bienvenus en accompagnement...
★★★★★ **GR**

France, Bourgogne
aoc Crémant
Perle d'aurore, Louis Bouillot
+11232149 - 23,75$
Un vin qui présente un fruité rouge élégant (groseille, framboise, et même fraise), davantage perçu en bouche qu'au nez et une effervescence maîtrisée grâce à des bulles fines et liées quoiqu'évanescentes en finale. L'acidité de l'ensemble réveille cette dernière, tout apparaît frais. C'est un beau cremant au dosage quelque peu appuyé, mais qui n'entache pas le fruité général. Un crémant aux accents populaires, très bien élaboré.
★★★★(★) **GR**

Espagne, Catalogne
do Cava
Raventos I Blanc, De Nit, Conca del Riu Anoia Brut 2011 +11457196 - 23,90$
Comme sur le millésime 2010 qui n'était déjà plus un Cava, mais un Conca del Riu

Anoia (vive l'administration européenne!), la robe est très pâle et le premier nez lui ressemble, il est très dèlicat, plus floral que fruité. C'est en bouche que le fruité rouge se montre également moins intense que l'année dernière, on déguste un vin délicat dans les arômes en parfait équilibre avec la texture effervescente aérienne. Des bulles catalanes subtiles et élégantes qui pourront accompagner un carpaccio de pétoncles. ★★★★ **GR**

Canada, Québec
Lolou 2011, Domaine Côte de Vaudreuil (D) - 26$
Le vin dégusté a été dégorgé un mois avant cette dégustation. La robe est particulièrement rougeoyante, toutefois translucide. Le premier nez est très frais, axé sur quelques notes de fraise, puis de cerise à l'aération. L'attaque en bouche est fruitée, peu marquée par les tanins, l'ensemble apparaît moins rustique, moins porté sur les fruits noirs cuits que sur le millésime 2010. L'effervescence est réussie, les bulles sont menues, perdurantes, compactes, elles habillent agréablement le palais, formant une belle onctuosité. Le travail sur lattes a été lent. Les amers sont présents, ils sont habillés par un dosage heureux et nécessaire. Après quelques minutes dans le verre, un côté floral (violette) se laisse saisir, le vin se fait plus «féminin», plus fin, moins vineux. On est encore en phase de recherche de style, tout en étant sur la bonne voie. Je confirme donc que Lolou sera un classique parmi les bulles du Québec. Une analogie architecturale? Le millésime 2010 était gothique, le 2011 est roman. ★★★ **GR**

talie, Trentin, Haut-Adige
doc Trento
Ferrari Brut, Ferrari Filli Lunelli +10496898 - 26,95$
Avec la même cuvée dans la catégorie des rosés, celle-ci est l'incontournable de la maison et se distingue par sa constance de goût et de comportement. Des notes de pain frais derrière une minéralité expressive se laissent d'abord saisir. On les retrouve en bouche au sein d'une effervescence très fine, compacte, riche, impeccable. Les flaveurs sont complexes, levurées, peu enjôleuses (farine de kamut), malgré des accents de banane et de poire en finale. Le dosage est parfait, c'est un vin effervescent sec très agréable, digne d'un champagne.
★★★★(★) **GR**

France, Bourgogne
aoc Crémant de Bourgogne
Blanc de Blancs, Claude Chevalier +11791696 - 28,55$
Le premier nez rappelle les arômes de fenouil, puis ceux de pomme verte, on y perçoit quelques notes briochées après plusieurs minutes dans le verre. Tout apparaît délicat et fin. L'attaque est fraîche, axée sur les agrumes (tarte au citron), l'effervescence est soignée, tapissante et aérienne. Le dosage est sensible en final, il soutient le fruité blanc de l'ensemble et permet un bel équilibre général. C'est un mousseux gracile qui ouvrira facilement l'appétit.
★★(★) **GR**

Italie, Lombardie
docg Franciacorta
Brut Rosé, Azienda Agricola Riccafina di R. Fratus +11140711 - 29,25$
Sans doute l'un des meilleurs rapports qualité-prix au Québec pour un mousseux rosé de belle appellation. Plus subtil qu'expressif, les notes de fruits rouges couronnent celles de fleurs blanches au sein d'une effervescence maîtrisée, fine et perdurante qui offre une texture veloutée. L'apéritif italien de luxe ou des bulles de grand caractère pour une entrée de crustacés, à vous de choisir!
★★★(★) **GR**

Italie
vtd Metodo classico
Costaripa Brut +11923151 - 30,50$
Nez légèrement brioché, toutefois plus axé sur les fruits blancs que sur des notes d'élevage. Belle fermeté de texture en bouche grâce à une acidité marquée qui reste la signature de la maison, celle-ci n'agresse pas le palais et n'occulte pas la pureté du fruit. C'est un très bon mousseux Lombard, digne d'un Franciacorta dont il ne peut avoir les lettres de noblesse à cause de l'emplacement du domaine.
★★★★★ **GR**

États-Unis, Californie
Cuvée Brut Rosé, Mumm Napa +11442672 - 35,75$
Cinquante sous de plus que l'année dernière pour ce mousseux devenu un classique de qualité sur notre marché. Autoritaire et par-

fumé en bouche, une belle et subtile palette de fruits rouges (cerise, framboise, groseille) forme les flaveurs, les bulles sont moyennes et persistantes, le volume est compact, on est en présence d'un vin fait pour un mets ou un apéritif gourmand. Très bel effervescent.
★★★(★) **GR**

France, Champagne
aoc Champagne
Champagne Drappier, Carte d'or Brut +00734699 - 45$
Il est difficile d'écrire des commentaires différents d'une année à l'autre pour des champagnes bruts, car ceux-ci sont faits d'un assemblage pointu de nombreuses cuves pour que le goût reste exactement le même d'année en année. Je reproposerai donc celui-ci, un agréable champagne aux bulles fines et persistantes et aux arômes de petits fruits rouges, d'agrumes, de fleurs. Ample et généreux en bouche, il bénéficie d'une belle structure, d'une bonne minéralité et finit longuement sur des notes de fruits secs et quelques épices. Le boire frais (8°C) lorsqu'on sert des quenelles de brochet ou un plateau de fruits de mer.
★★★★ **TD**

France, Champagne
aoc Champagne
Champagne Drappier Brut Nature, Pinot noir Zéro Dosage +11127234 - 46,25$
Le terme «zéro dosage» veut dire qu'on n'a pas ajouté de vin sucré (ou de liqueur) lors du dégorgement, une méthode peu utilisée car elle donne des champagnes très secs, pas forcément au goût d'un large public. Par contre ce sont souvent des champagnes d'une grande finesse. Celui-ci s'ouvre sur une belle minéralité à laquelle s'ajoutent des flaveurs d'agrumes, de fruits tropicaux et de pain d'épices avec des notes de miel et de fleur. Droit, fruité et ample en bouche, il finit longuement sur des notes fruitées. Le servir frais (8°C) en mangeant un foie gras au torchon et gros sel ou tout au long du repas.
★★★★ **TD**

VIN MOUSSEUX ET CHAMPAGNES À 50$ ET PLUS

France, Champagne
aoc Champagne
Champagne Tarlant, Zéro Nature +11902763 - 50,25$
Un champagne aux accents marins, un brin austère et anisé, qui finit par séduire après quelques minutes dans le verre à travers des flaveurs d'agrumes, puis de pâtisseries beurrées. L'effervescence apporte une matière veloutée qui canalise l'acidité en bouche. Une cuvée d'apéritif ou les huîtres pourront être servies avec du citron. C'est actuellement le meilleur champagne offert au Québec autour de 45 $.
★★★★ **GR**

France, Champagne
aoc Champagne
Champagne Deutz, Cuvée Brut Classic +10654770 - 57$
Une cuvée symbole de fraîcheur et d'onctuosité qui présente toujours une grande pureté de fruit. Une trentaine de crus composent ce vin équitablement composé des trois cépages classiques de la Champagne. Assez fin dans son effervescence, il est axé sur des flaveurs d'agrumes, de raisins mûrs, puis de fruits jaunes, rafraîchis par des notes de fenouil et de tisane mentholée. Ce n'est pas un champagne puissant, il présente toutefois une vinosité élégante, légèrement briochée. Toujours fiable et exquis si on aime les champagnes au caractère printanier.
★★★★ **GR**

France, Champagne
aoc Champagne
Champagne Charles Heidsieck, Brut Réserve +11450533 - 58,50$
Délicatement parfumé (biscuit sablé, pêche chaude, ananas grillé, toast blond) au premier nez, plus grillé, presque épicé à l'aération, il se montre plein, gras, pénétrant en bouche grâce à une effervescence crémeuse et longue.

Petit Debeur Vins, Cidres et Spiritueux

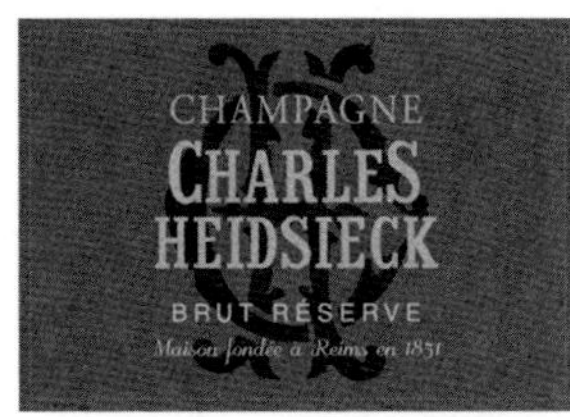

C'est un champagne expressif, vineux et charpenté, un champagne de gourmand qui peut s'apprécier facilement à table avec un plat où les champignons poêlés sont les bienvenus. Sans aucun doute le meilleur champagne de marque au Québec à moins de 60 $.
★★★★★ GR

France, Champagne
aoc Champagne
Champagne Taittinger Brut Réserve
+10968752 - 65,25$
Le seul champagne de ma sélection dont le prix n'a pas baissé au Québec depuis l'année dernière. Il reste toutefois aussi exquis! D'abord floral, puis axé sur les agrumes, enfin légèrement boisé et pâtissier à l'aération (acacia, brioche), les mêmes flaveurs se retrouvent en bouche, dans le même crescendo, au sein d'une texture effervescente soignée. Le dosage est sensible, il n'enraye pas l'harmonie, car la finale citronnée et délicate reste fraîche. Un incontournable de la catégorie parmi les grandes maisons.
★★★ GR

France, Champagne
aoc Champagne
Champagne Gosset, Cuvée Grande Réserve +10839619 - 68,75$
À 5$ de moins que l'année dernière, il faut en profiter, car ce champagne est parmi les meilleurs issus des grandes maisons! Un nez aussi intense que délicat qui rappelle la pêche blanche et la chair de noix de coco râpée, puis la mie de pain, la pomme brune et la pâte d'amande à l'aération. Corsé et fin en bouche, c'est un vin de repas parfumé qui présente des flaveurs un peu mielleuses tendant parfois vers la praline. La tension finale lui confère de l'élégance; il termine sa course de façon imposante, sans rien déséquilibrer. Un grand vin effervescent de repas du dimanche.
★★★★(★) GR

France, Champagne
aoc Champagne
Champagne Laurent-Perrier, Ultra-Brut
+11787339 - 71,25$
Mère des cuvées dites «extra brut», la maison Laurent-Perrier a lancé celle-ci en 1981. Elle offre une constance de goût de pureté inégalée. Très océane, très aérienne, très fraîche, elle offre tout de même de la chair de fruits blancs (poire, pêche) dans une effervescence en parfaite harmonie, à la fois mousseuse et imprégnante. Droite, crayeuse et apéritive.
★★★★ GR

France, Champagne
aoc Champagne
Champagne Laurent-Perrier, Cuvée Rosé Brut
+00158550 - 96,50$
Pimpante, cette cuvée présente toujours des arômes de fleurs fraîchement cueillies, et pourtant elle est plus axée sur les petits fruits rouges comme la groseille et la fraise des bois une fois en bouche. Un soupçon de notes cuites au cœur de l'effervescence abondante apporte un caractère vineux et d'évolution, très charmant (et peu habituel), qui séduira les amateurs de rosés plus marqués que légers. Pas donné, mais incontournable.
★★★★ GR

France, Champagne
aoc Champagne

Champagne Lanson, Extra-âge, Brut
+12124801 - 99,75$
Enfin sur notre marché!! Un vin blanc que tout amateur se doit d'avoir en cave! Un champagne puissant, expressif, aromatique (beurre, amande, crêpe de sarrasin, pain d'épices) à la vinosité établie, toutefois aérée par une enveloppe citrique et une effervescence aérienne qui apportent l'équilibre et la fraîcheur nécessaires pour ne pas tomber dans l'excès de la surmaturité. Un vrai champagne de repas ou de cocktail gourmand et luxueux.
★★★★★ GR

VINS ROSÉS

France, Provence
aoc Côtes-de-Provence
Vieux Château d'Astros 2013, Château d'Astros
+10790843 - 17,50$
Un bon rosé aux odeurs de petits fruits rouges (fraise, framboise), de bonbon acidulé avec une touche minérale. Ample, corsé, fruité et frais en bouche avec des notes légèrement épicées. À boire frais (6°C) avec des poissons grillés, une bouillabaisse ou des fruits de mer à la plancha. ★★★ TD

France, Provence
aoc Côtes-de-Provence
Château Riotor 2011, Abeille - Fabre
+11686351 - 18,50$
La famille Abeille-Fabre exploite également le fameux Château Montredon, le plus grand vignoble de Châteauneuf-du-Pape. Elle a ici réaménagé et revalorisé un domaine où l'on produit essentiellement du vin rosé et du vin blanc. Le rosé qu'on vous propose ici offre des arômes de petits fruits rouges avec des nuances exotiques. Racé, frais, fruité, équilibré, long et gras en bouche on le servira frais (8°C) avec des poissons grillés ou des gambas sautés à l'ail.
★★★ **TD**

France, Languedoc-Roussillon
igp Pays d'Oc
Chartier Créateur d'Harmonies, Le Rosé 2013, Sélection Chartier
+12253099 - 19,20$
On pourrait dire qu'il s'agit là d'un vin de confection, un vin sur mesure. Avec l'aide de l'œnologue bordelais Pascal Chatonet, le créateur d'harmonies québécois François Chartier a élaboré des vins d'exception pour une expérience sensorielle unique. En effet, il propose de marier les molécules aromatiques d'un vin avec des aliments qui contiennent les mêmes molécules. Pour ce rosé par exemple, il sollicite la tomate... pas moins. Mais aussi des poissons et bien d'autres aliments qui s'accorderont bien avec lui. Voici donc un rosé resplendissant aux parfums de fruits frais avec une touche végétale et animale. Corsé, ample, fruité, long et très frais en bouche, il finit gentiment sur quelques épices douces. Un rosé bien fait qu'on servira frais (8°C) avec une salade de tomates et de crevettes ou un aïoli. ★★★(★) **TD**

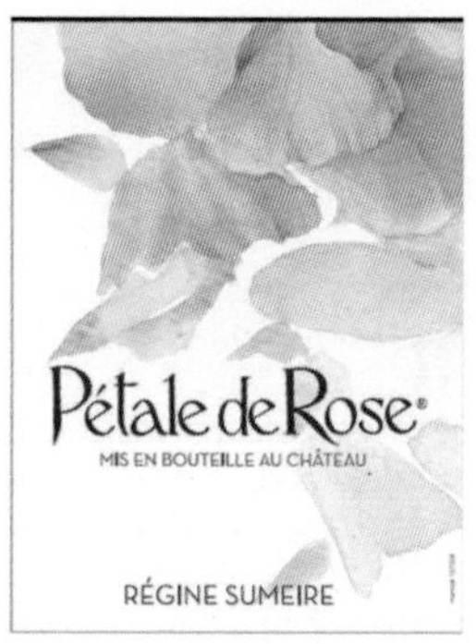

France, Provence
aop Côtes de Provence
Pétale de Rose, Régine Sumeire
+00425496 - 20,20$
Nous ne pouvons proposer des vins rosés sans parler du fameux Pétale de rose de Régine Sumeire. Elle en produit à deux endroits dans le sud de la France. L'un à Barbeyrolle sur la presqu'île de Saint-Tropez, et l'autre à Pierrefeux. C'est ce dernier que nous avons au Québec. Il offre des odeurs à la fois florales (rose) et fruitées (petits fruits rouges) avec des notes minérales. Fin, élégant, racé, long, frais et fruité en bouche, il finit sur une petite note épicée. Un grand rosé! Le servir frais (8°C), lorsqu'on décidera de manger un homard à la nage ou une bouillabaisse. ★★★(★) **TD**

VINS ROUGES

VINS ROUGES À MOINS DE 12$

Argentine, Mendoza, Maipú
Malbec 2013, Finca Flichman
+10669832 - 9,95$
Fondée au milieu du 16e siècle, Mendoza est la plus grande région vinicole d'Argentine. La plupart des grands vignobles en font d'ailleurs partie. Grâce à sa faible humidité et à l'altitude élevée de cette région, on y utilise très peu de pesticides, d'où une qualité biologiquement saine des vendanges. Celui que je vous propose aujourd'hui s'ouvre sur des odeurs de prune, de cerise noire et de cassis avec des notes d'épices, une touche animale et un léger boisé. Gouleyant, ample et fruité, il évolue sur des tanins ronds et des notes réglissées et épicées. Un vin simple, coulant et facile à boire avec des côtelettes d'agneau grillées aux fines herbes ou un tournedos sauce béarnaise. ★★ **TD**

Australie, Région méridionale, Adélaide
Shiraz Private Bin Mc Guigan
+12166825 - 10,95$
Cette entreprise reconnue internationalement à plusieurs reprises, gagnante de nombreux prix pour ses vins, ne pouvait nous offrir qu'un bon vin avec ce shiraz. Il s'ouvre sur des odeurs de fruits rouges concentrés, de baies sauvages, de cassis et de mûre avec des notes de vanille et d'épices. Généreux, fruité et frais en bouche, il évolue sur des tanins serrés et finit sur des notes de poivre. Un vin sympa, facile et gouleyant, un vin de tous les jours qui se révèlera le bon

compagnon d'un steak au poivre ou de côtes levées. ★(★) **TD**

France,
Languedoc-Roussillon, Aude
ac Vin de Pays d'Oc
Les Jardins de Meyrac,
Château Capendu
+12167246 - 11,20$
«Capendu» voudrait dire: butte escarpée ou encore champ suspendu. Ce vin, fait d'un assemblage de merlot et de cabernet-sauvignon en parts égales, s'ouvre sur des parfums délicats de mûre, de cassis et de cerise avec des notes d'épices. Fruité et long en bouche, il évolue sur une bonne charpente et des tanins souples. Un vin simple et coulant à marier avec un filet de chevreuil ou un steak sauce bordelaise. ★(★) **TD**

Portugal, Ribatejo
Vinho de mesa
Casaleiro Reserva,
Caves Dom Teodosio
+00610162 - 11,95$
Exceptionnel pour le prix! Difficile de trouver mieux à ce prix-là. Voici un joli vin rouge qui s'ouvre sur des notes de vanille, de violette, de confiture de prune et de mûre sauvage avec des notes boisées et épicées. On retrouve le tout en bouche avec beaucoup d'ampleur, de fraîcheur et de générosité, évoluant sur des tanins souples et des notes de violette. Un très bon vin, long en bouche, gorgé de fruits, qu'on servira en carafe en même temps qu'un magret de canard ou un tournedos aux morilles. ★★(★) **TD**

VINS ROUGES DE 12$ À 20$

Portugal, Beiras
doc Bairrada
Marquês de Marialva Reserva, Adega Cooperativa de Cantanhede
+00626507 - 12$
Un agréable vin de tous les jours qui s'ouvre sur des parfums de framboise, de mûre, de prune, de garrigue et de vanille avec de subtiles notes de grillé et de boisé. Généreusement fruité et bien équilibré en bouche, il finit sa course sur des notes de réglisse et de poivre. Un vin ensoleillé et sympathique à servir à la même table que des brochettes de bœuf ou des saucisses aux lentilles. ★★ **TD**

www.debeur.com

Espagne, Valencia
Elogia tempranillo,
Torre de Serrano
+12283685 - 12,70$
Connu sous une soixantaine de pseudonymes, le tempranillo est probablement le cépage le plus célèbre d'Espagne où il domine dans la région de la Rioja. Il tient son nom de l'espagnol «temprano» signifiant «tôt», du fait qu'il arrive rapidement à maturité. Elogia, qui signifie «éloge», attire effectivement les louanges du dégustateur notamment pour son rapport qualité-prix. Ce vin s'ouvre sur des odeurs de vanille, de rose et de petits fruits rouges avec des notes animales et boisées. Généreux, rond, fruité et frais en bouche, il offre des tanins souples et une finale légèrement épicée. Excellent pour une lasagne à la viande ou un carré d'agneau. ★★(★) **TD**

France,
Languedoc-Roussillon
aoc Minervois
Château de Gourgazaud
+00022384 - 12,95$
Produit d'une qualité irréprochable et connu depuis de nombreuses années de la clientèle québécoise. Ce nouveau millésime présente une belle couleur rubis foncé de bonne intensité. Les arômes sont très invitants, ils rappellent la confiture de framboise, le cuir et la terre chauffée au soleil. Souple, de bonne amplitude et bien juteux, le

fruité persiste tout au long de la dégustation. À consommer autour de 16°C avec une terrine de sanglier ou un magret de canard sauce cassis. ★★ **PT**

France, Languedoc-Roussillon aoc Coteaux du Languedoc
Comtes de Rocquefeuil, Coopérative artisanale Montpeyroux +00473132 - 13,05$
Coopérative ou non, ce vin rouge est le fruit d'un travail sincère dont le résultat est un nez de fruits mûrs (framboise, cassis, cerise), de vanille et de fleurs (lys rose) avec une touche de tabac. Ample, fruité et long en bouche, il évolue sur des tanins serrés ainsi qu'une jolie acidité qui lui confère de la fraîcheur et finit sur des épices. Un bon vin pour accompagner un feuilleté de riz de veau à la crème. ★★(★) **TD**

France, Sud-Ouest aoc Côtes du Brulhois
Carrelot des Amants, Les Vignerons du Brulhois, Cave de Donzac +00508879 - 13,40$
Ce vin sympathique et ensoleillé présente des parfums de mûre, de cassis, de cerise et de vanille avec des notes de chocolat et d'épices. Fruité, coulant et frais en bouche, il continue longuement sur des tanins souples. On le sert avec un carré d'agneau aux herbes de Provence ou un fromage de chèvre affiné. ★★ **TD**

Espagne, Catalogne do Catalunya
Sangre de Toro, Miguel Torres +00006585 - 13,65$
Voici un bon vin aux parfums ensoleillés du sud, d'où émanent les fruits mûrs et les épices. Bien fruité, long

et frais en bouche, il possède des tanins souples et une finale délicatement boisée. Un vin simple, généreux et gouleyant, qu'on aimera boire avec un ragoût d'agneau aux herbes ou une saucissonnade. ★★ **TD**

États-Unis, Californie, Dunningan Hills
Cabernet Sauvignon, R.H. Phillips Vineyard +10355358 - 13,95$
Avec la maison Phillips, on ne se trompe pas. Voici un vin rouge sec au nez, concentré et intense dont les parfums de cassis, de mûre, de violette et de vanille avec une petite touche de boisé se retrouvent en bouche avec beaucoup de fraîcheur, des tanins ronds et une longue finale délicatement épicée. Un vin pour lequel on servira un tournedos aux morilles ou une noisette d'agneau au thym. ★★(★) **TD**

Uruguay, Canalones
Don Pascual Reserve Shiraz Tannat, Establecimiento Juanico +10299122 - 13,95$
Au Moyen-Âge, la syrah aurait été rapportée de la ville iranienne de Chiraz, par les croisés. Cela expliquerait le double nom porté par ce cépage, shiraz (ou chiraz) et syrah. On en a ajouté dans ce vin rouge autrefois fait seulement à 100% de cépage tannat. Cet assemblage réussi de shiraz et de tannat s'ouvre sur des odeurs de cerise noire, de cassis, de mûre avec des notes animales, de boisé, de vanille, de lait de figue, d'épices et une touche d'alcool. Ample, généreux, long, fruité et coulant en bouche avec des tanins serrés et une finale épicée. Ce vin corpulent sera le bon compagnon de côtelettes d'agneau grillées aux herbes de Provence ou d'un pâté de campagne au poivre vert. ★★ **TD**

Portugal, Péninsule de Sétubal doc Palmela
Fontanário de Pegoes 2012, Cooperativa Agricola de Santo Isidro de Pegoes +10432376 - 14,05$
Vinifié à 100% avec le cépage castelao, ce rustique vin rouge s'ouvre sur des odeurs animales avec des notes de pruneau, de chocolat, de vanille, de grillé et de boisé. Solide, charpenté, long et épicé en bouche, il évolue sur une belle masse de fruits et des tanins serrés avec une finale d'eucalyptus et de réglisse. Un vin de mec! Bon. Il accompagnera agréablement

un filet de chevreuil sauce au poivre ou un rognon de veau sauce moutarde. ★★ **TD**

Argentine, San Juan, Vallée de Tulum
Malbec Graffigna Centenario, Bodegas y Vinedos Santiago Graffigna +11557453 - 14,55$
Ce bon vin argentin doit son nom en hommage au centième anniversaire de la Bodegas y Vinedos Santiago Graffigna, fondée en 1870 par un immigrant italien dénommé Santiago Graffigna. Un excellent malbec au nez généreux, complexe et concentré de mûre, de raisin sec, de cassis, de pruneau et de violette avec des notes de vanille, de bois brûlé, de cèdre, de tabac et d'épices. Ample, corsé, long, frais et fruité en bouche avec des tanins serrés, il finit sur des notes de poivre. Un vin à servir en carafe en même temps qu'une volaille rôtie ou un steak au poivre. Excellent rapport qualité-prix.
★★★★ **TD**

Italie, Toscane
docg Chianti
Chianti 2013, Casa Vinicola Luigi Cecchi & Figli +00642561 - 14,70$
Lorsqu'on parle de chianti, il arrive souvent qu'on se rappelle les fameuses bouteilles sphériques emmaillotées de paille tressée et renfermant un petit vin de table sympa. Aujourd'hui, on a développé un savoir-faire permettant de produire d'excellents vins qui sont le reflet de leur terroir. En voici un exemple avec ce Cecchi aux odeurs intenses de vanille, de violette et de confiture de framboise avec un boisé délicat. Fruité, léger, gouleyant et frais en bouche, il possède des tanins souples. Un vin facile à boire avec des pâtes ou de la volaille grillée. ★★ **TD**

France, Bordeaux
aoc Bordeaux
Croix Saint-Martin, Kressmann et Cie +00292904 - 14,95$
Ce bordeaux générique présente des parfums de violette, de cassis et de pruneau assortis d'une touche végétale. Ample, fruité, long, équilibré et frais en bouche, il évolue sur des tanins souples. Le boire en même temps qu'un tournedos aux champignons des bois ou magret de canard. ★(★) **TD**

Argentine, Mendoza
Malbec Reserva 2012, Nieto y Senetiner +10669883 - 14,95$
Le terroir de Mendoza est propice à la culture du malbec. Ce vin-ci s'exprime dans des parfums de fruits rouges, de fruits des bois, de violette et de vanille. Bien fruité en bouche, il évolue sur des tanins serrés et une touche de menthe. Le servir en carafe en même temps qu'un magret de canard aux cerises ou une côte de bœuf sauce aux champignons.
★★ **TD**

Italie, Les Pouilles, Salento
igt Puglia
Surani Ares, Agricola Tommasi Viticoltori +12283773 - 14,95$
Les Pouilles, c'est une région vinicole italienne réputée pour son côté prolifique. On l'a déjà surnommée «cellier de l'Europe», ce qui n'est plus vrai aujourd'hui. On y produit maintenant des vins de qualité comme ce nouveau produit qui présente un nez intense de cerise, de cassis, de mûre et de violette avec un léger boisé et des épices. Robuste, fruité, long et frais en bouche, il bénéficie d'une belle structure, de tanins souples et d'une finale légèrement réglissée. Un vin savoureux d'un très bon rapport qualité-prix, et idéal pour un steak au poivre ou un pâté de canard aux cèpes.
★★ **TD**

France, Vallée du Rhône
aoc Côtes du Rhône
Cellier des Dauphins Signature +11766600 - 15$
En général, j'aime boire les côtes-du-rhône frais. Mais pas trop, environ 14°C lorsque le vin le permet. Essayez-le avec ce vin rouge aux parfums de fruits rouges avec une note de violette, de vanille et des épices. Bien fruité en bouche, long et coulant, il évolue sur des tanins serrés et une finale doucement poivrée. Le servir frais donc, en mangeant des charcuteries ou un pot-au-feu de bœuf et de légumes.
★★★(★) **TD**

Portugal, Douro
doc Douro
Cabral Reserva 2010, Vallegre Vinhos do Porto +12185647 - 15,20$
J'ai beaucoup aimé ce vin rouge portugais fait d'un assemblage de cépages régionaux. Un vin aux odeurs intenses de mûre sauvage, de cassis, de cerise noire et de vanille avec des notes de boisé et une touche de menthe. Fruité, long et frais en bouche, il évolue sur une trame de tanins souples et élégants. Excellent rapport qualité-prix! Le servir aux environs de 18°C en même temps que des viandes grillées ou un carré d'agneau au thym.
★★(★) TD

France,
Languedoc-Roussillon
aoc Saint-Chinian
Les Jardins de Bagatelle, Clos Bagatelle +11975209 - 15,20$
Christine Deleuze produit ce gentil vin rouge aux parfums de fruits rouges, de cerise, de violette, de garrigue et de poivre. Fruité, coulant et facile en bouche, il possède des tanins souples et une finale légèrement chocolatée. On ne se casse pas la tête avec ce vin simple et convivial. Il se révèlera le bon compagnon d'une estouffade de bœuf à la provençale ou des charcuteries diverses.
★★ TD

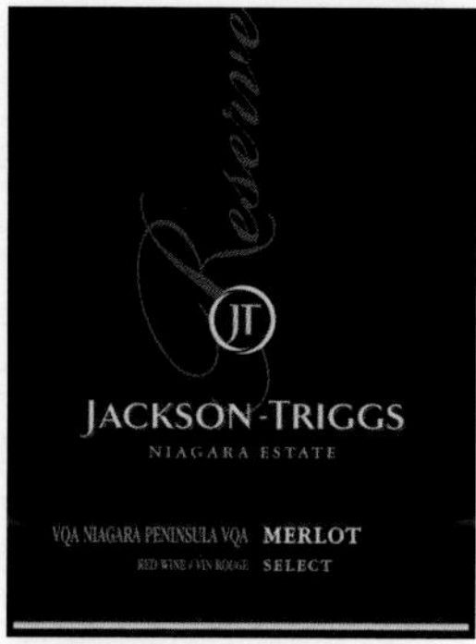

Canada, Niagara
VQA Niagara Peninsula
Merlot, Black Reserve, Jackson Triggs +11462112 - 15,20$
Ce merlot produit par l'excellente maison Jackson Triggs présente des parfums de violette, de cerise noire, de confiture de mûre, de café, de grillé, de boisé et de vanille avec des effluves sauvages. Ample, long et bien fruité en bouche, il évolue sur des tanins souples, un léger boisé et quelques épices délicates. Ce vin se montre un bon choix pour un confit de canard ou un cassoulet.
★★(★) TD

Chili, Aconcagua,
Vallée de Casablanca
do Reserva
Pinot noir Reserva 2013, Vina Carmen +11579644 - 15,45$
Des nuits fraîches et des journées chaudes, vendanges faites et triées à la main, macération à basse température, élevage en fût de chêne... font de cette syrah un vin aux arômes complexes de mûre, de prune et de violette avec des notes d'épices et de fumée. Long, gras et légèrement boisé en bouche, il évolue sur des tanins charnus et finit sur des notes de réglisse noire. À servir en même temps qu'une épaule d'agneau farcie ou un tournedos aux champignons.
★★(★) TD

Portugal,
Péninsule de Sétubal
Vinho regional
Terras do Sado Periquita Reserva 2011, José Maria da Fonseca Vinhos +11767442 - 15,95$
Ce vin issu d'un assemblage de cépages autochtones typiques a une robe rubis violacé peu profonde. Nez floral, de caramel et de fruits noirs confits. Belle matière en bouche, souple et peu tannique. Finale florale fort agréable. Servir autour de 15-16°C avec des côtelettes d'agneau et une compotée de tomates au thym.
★★ PT

Espagne, Aragon
do Carinena reserva
Monasterio de las Vinas, Grandes Vinos y Vinedos +00854422 - 16,20$
Monasterio de las Vinas nous propose des vins affinés, prêts à boire. Le reserva est d'un rubis foncé assez profond. Aromatique et complexe: tabac, cuir, fruits noirs et épices. L'attaque est fraîche. Moyennement corsé et tannique, c'est un vin souple et assez généreux. La finale épicée est très agréable. À déguster autour de 17-18°C avec un couscous d'agneau ou une pizza au prosciutto et aux tomates séchées.
★★ PT

Chili, Aconcagua,
do Vallée Casablanca
Pinot noir Reserva especial 2012, Vina Cono Sur +00874891 - 16,30$
Rubis rosé peu profond et limpide. Le nez est typé pinot noir avec la cerise, le poivre et quelques notes de cuir et de tabac. Frais, souple; la finale ramène un peu la struc-

ture charnue mais accessible de ce vin chaleureux issu de la chaude vallée de Casablanca à l'ouest de Santiago. À boire autour de 16°C avec un tataki de bœuf et sa vinaigrette de bleuets ou un saumon grillé sauce aux champignons sauvages. ★★ **PT**

France, Sud-Ouest
aoc Marcillac
Lo Sang del Païs 2013, Domaine du Cros
+00743377 - 16,45$
Lo Sang del Païs en provençal («le sang du pays» en français) est un agréable vin rouge aux odeurs de cerise, de cassis, de poivre et de fleurs avec des notes délicates de poivron vert et de chocolat. Bon fruité en bouche, léger avec beaucoup de fraîcheur et des tanins ronds. Servi légèrement rafraîchi (16 à 18°C), il se révèlera le bon compagnon d'une assiette de charcuteries ou d'un fromage de chèvre frais.
★★(★) **TD**

France, Languedoc-Roussillon
aoc Corbières
L'Esprit de Château Capendu
+00706218 - 16,60$
Un vin simple et honnête, plein de fruit, qui s'ouvre sur des parfums intenses de violette, de cerise et de vanille avec des notes animales et boisées. Long, fruité, frais et coulant en bouche, il évolue sur des tanins souples, une belle structure et quelques épices en finale. Le servir avec des charcuteries ou du gibier en sauce. ★★(★) **TD**

France, Bourgogne
aoc Beaujolais-Villages
Prince Philippe, Bouchard Aîné et Fils
+12073944 - 16,70$
Un vin aux parfums à la fois fruités (framboise, mûre) et floraux (violette, rose) avec des nuances de calcaire et de boisé. Gouleyant, fruité, léger et frais en bouche, il bénéficie d'une jolie acidité qui lui confère de la fraîcheur. Le servir frais (14°C) avec des charcuteries ou un pot-au-feu au gros sel. La maison Bouchard rend ici hommage à Philippe III, dit Philippe Le Bon, prince de France et duc de Bourgogne. ★★(★) **TD**

Italie, Sicile
igt Sicilia
Intensita, Cristiano Mazzaro
+12207754 - 16,75$
Ce vin a obtenu 90/100, médaille d'or et mention «Best Buy» au Beverage Testing Institute en octobre 2013. Une belle entrée en matière pour vous en parler. Il présente des odeurs de fruits mûrs, de grillé, de cacao et de caramel avec des notes de vanille, une touche végétale et de menthe. Corsé, ample et fruité en bouche, il possède des tanins souples, un léger boisé et une finale épicée. Le déguster en même temps qu'un poulet grillé ou une lasagne à la viande. ★★(★) **TD**

États-Unis, Californie, Napa
Exp Liaison, R.H. Phillips Vineyard
+11674764 - 16,95$
Voici un assemblage réussi des cépages merlot, syrah et zinfandel issus des meilleurs vignobles de Californie. Il offre des parfums complexes de framboise, de prune, de mûre et de vanille avec des notes de boisé léger, de vanille et de grillé. Généreusement fruité, frais et gouleyant en bouche, il évolue gentiment sur des tanins soyeux et une finale réglissée. Un bon vin pour accompagner un poulet à l'estragon ou une longe de porc braisée.
★★(★) **TD**

Italie, Les Pouilles
doc Salice Salentino
Taurino Riserva 2009, Azienda Agricola Taurino Cosimo +00411892 - 16,95$
De couleur brique, peu profonde. L'expression aromatique est très diversifiée et nous amène du caramel aux fruits séchés en passant par le tabac et la fleur de lys. Ce n'est pas un vin de concentration mais plutôt un vin digeste, élégant, moyennement corsé et d'un bel équilibre. Servir à 17-18°C au même repas qu'une escalope de veau avec tomates confites au romarin et par-

mesan, ou avec une sauce au marsala. ★★ **PT**

Uruguay, Canelones
Don Adelio Ariano Tannat Reserve 2010, Ariano Hermanos
+10746527 - 17,15$
Ce vin est produit dans la région de Canelones, qui veut dire «cannelle». Elle donne son nom aussi à sa capitale ainsi qu'à une rivière où pousse cette sorte de cannelle. Par contre, cette épice ne se retrouve pas dans ce vin qui offre des arômes intenses de fruits noirs, de mûre sauvage, d'olive noire, de cacao et de torréfié. Belle masse de fruits en bouche, corsé avec des tanins au grain serré et une finale longue incluant des notes réglissées et boisées. Le boire avec un ragoût d'agneau. ★★(★) **TD**

France, Sud-Ouest
aoc Marcillac
Pyrène Mansois 2012, Lionel Osmin
+11154558 - 17,30$
Sympathique appellation du sud-ouest de la France qui élabore des vins rouges et rosés à base principalement d'un cépage typique: le fer servadou. La robe est rubis, moyennement profonde. C'est agréable au nez, finement poivré avec des accents de pivoine et de cassis. La bouche est franche, assez ferme avec une belle acidité, peu tannique mais pleine de caractère. À servir entre 15 et 16°C avec des merguez et une ratatouille niçoise ou un filet de saumon grillé sauce vierge. ★★ **PT**

France, Vallée du Rhône
aoc Rasteau
Ortas Tradition, Cave de Rasteau
+00113407 - 17,40$
Un vin de plaisir, un vin gourmand qui s'ouvre sur des odeurs complexes de mûre, de cassis, de prune et de garrigue avec des notes de réglisse, de cuir et d'épices. Bien fruité, généreux, bien charpenté, long et frais en bouche, il possède des tanins élégants et une finale légèrement poivrée. Le servir rafraîchi (16 à 18°C) avec une côte de bœuf sauce aux cèpes ou un lapin à la truffe blanche. Vaut largement son prix! ★★★(★) **TD**

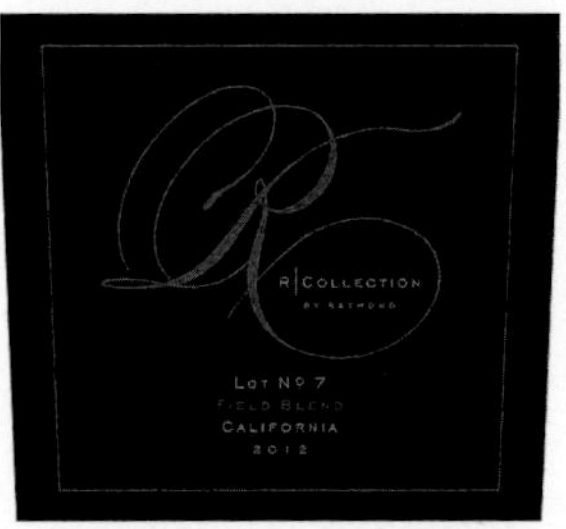

États-Unis, Californie, Napa, St-Helena
Raymond R Collection Field blend, Raymond Vineyard and Cellar
+12073910 - 17,65$
«Field blend» fait référence aux débuts de la viticulture californienne, époque à laquelle plusieurs cépages différents étaient plantés côte à côte dans un même champ. Les raisins étaient récoltés et vinifiés ensemble. Ce vin rouge s'ouvre sur des odeurs complexes de vanille, de menthe, de cerise noire, de pruneau et de cacao, avec des notes de poivre et de pain d'épices. Généreusement fruité, concentré et long en bouche avec une pointe d'acidité qui lui confère une belle fraîcheur, il évolue sur une trame de tanins veloutés et une petite touche boisée. Parfait partenaire d'un confit de canard ou d'un carré d'agneau aux herbes de Provence.
★★★ **TD**

États-Unis, Californie, Sonoma, North Coast
Cabernet-Sauvignon 2012, Clos du Bois Winery
+00397497 - 17,95$
Toujours égal à lui-même, ce vin gourmand et plaisant s'ouvre sur des odeurs intenses et concentrées de mûre sauvage, de cassis, de grillé, de cacao, de boisé et de vanille avec des effluves sauvages. Ample et généreusement fruité en bouche, il évolue longuement sur des tanins charnus et finit sur de légères notes d'eucalyptus. Un vin séduisant, élégant et harmonieux qu'on dégustera en même temps qu'un magret de canard ou un filet de bœuf en croûte. ★★★ **TD**

Espagne, La Rioja, Alta
doc Crianza
Excellens 2010, Marqués de Cáceres
+12383221 - 17,95$
L'appellation Crianza signifie que le vin doit vieillir au moins deux ans, dont un an en barrique. Nous avons ici un vin espagnol aux odeurs animales avec des notes de cassis, de mûre, de garrigue et de boisé. Fruité, corsé et épicé en bouche (léger poi-

vre), il évolue longuement sur des tanins souples. Un bon vin qui s'harmonise à des viandes rouges ou des fromages de chèvre affinés. ★★(★) **TD**

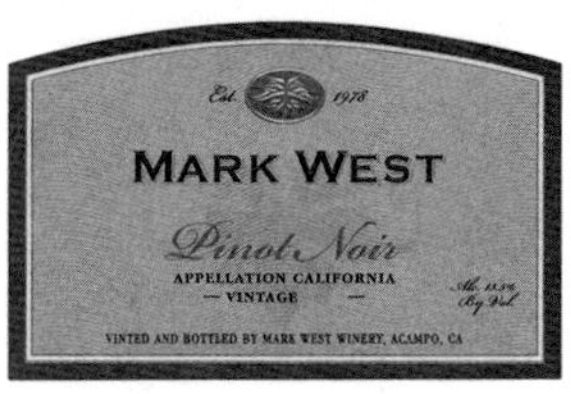

États-Unis, Californie, Sonoma, North Coast
Pinot Noir, Mark West
+12270921 - 17,95$
Des parfums de framboise, de cerise noire, de prune et de cassis avec des notes de fumé et un léger boisé. Frais et fruité en bouche, il évolue sur des tanins souples et une finale longue et épicée. Un vin pour lequel on servira une fricassée de champignons des bois ou de la volaille rôtie. ★★(★) **TD**

France, Languedoc-Roussillon
aoc Corbières
Domaine Haut Saint-Georges 2012, Gérard Bertrand
+00853796 - 18,20$
La configuration de son terroir et aussi de son climat complexe permet de produire dans cette région des vins de grande qualité. Voici un vin bien fait aux parfums de garrigue, d'épices, de mûre sauvage, de pruneau sec et de champignons avec des notes boisées, grillées et un peu de chocolat. Attaque veloutée, longue et fruitée en bouche, bénéficiant d'une bonne structure et de tanins serrés. Le boire en mangeant un spaghetti sauce bolognaise. ★★(★) **TD**

Espagne, La Rioja, Alta
doc Crianza
Tempranillo Ibéricos Crianza, Miguel Torres
+11180342 - 18,20$
Pour bénéficier de l'appellation Crianza, le vin doit subir un vieillissement de deux ans, dont un an en barrique. Celui-ci offre des odeurs de framboise, de mûre et de chocolat avec des notes de boisé et d'épices. En bouche, il fait ce qu'on appelle la queue de paon. Le fruit en tapisse longuement tous les recoins en rencontrant des tanins charnus et quelques épices douces. Parfait pour un carré d'agneau ou un steak au poivre. ★★★ **TD**

France, Bordeaux
aoc Médoc
Château Bois du Fil 2011, A. de Luze & Fils
+11906107 - 18,25$
Un médoc pour ce prix, c'est une belle aubaine, car le vin possède de la matière et une constance du début de bouche à la fin. Moyennement corsé, sur des notes de fruits noirs compotés et de pain d'épices avec des tanins soyeux et souples. C'est un vin sans prétention, simple et bon, et qui se laisse apprécier pour son côté digeste. À servir tout simplement entre 16 et 17°C avec un steak frites ou un poulet rôti.
★★ **PT**

Grèce, Thrace
igp Ismarikos
Maronia Syrah 2009, Evangelos Tsantalis
+10249125 - 18,45$
Homère parlait déjà des vins de cette région du nord de la Grèce qui produit des vins de qualité. Celui-ci s'ouvre sur des odeurs animales, fruitées intenses et complexes de mûre sauvage, de cassis, de prune et de vanille avec des notes délicatement boisées. Ample, long, fruité et frais en bouche avec des tanins serrés et une finale grillée et légèrement chocolatée. Un bon choix pour une gigue de chevreuil ou un camembert au lait cru, moulé à la louche. ★★(★) **TD**

Italie, Sicile
doc Sicilia
Sedàra 2012, Tenuta Donnafugata
+10276457 - 18,70$
Issu essentiellement du cépage sicilien nero d'Avola (85%). Complexe, le nez nous séduit d'emblée avec ses notes d'élevage qui se fondent dans des arômes de fruits rouges mûrs (cerise burlat), d'olives noires assorties de nuances épicées. Le palais dévoile des tanins encore jeunes mais déjà fins qui donnent une impression de puissance et d'élégance. Il est marqué en finale par des nuances torréfiées qui viennent rehausser son caractère fruité. Ce vin donne envie de se mettre à table avec des tagliatelles à la tapenade.
★★★★ **DJL**

France, Languedoc-Roussillon
aop Côtes du Roussillon Tautavel
Grenache-Syrah-Carignan, Grand Terroir 2010, Gérard Bertrand +11676145 - 18,75$
L'homme préhistorique de Tautavel serait un Homo erectus européen. Il aurait vécu dans cette région entre 600 000 et 100 000 ans av. J.-C. Autant dire qu'il n'avait pas encore découvert la vigne ni fait du vin. Quel dommage! Cette très longue histoire en fait un des «berceaux de l'humanité». Aujourd'hui Tautavel est un village de moins de 1 000 habitants, situé dans le Languedoc-Roussillon au sud-ouest de la France. Cette région produit le vin que nous vous proposons, qui s'ouvre sur des parfums intenses de fruits rouges et de violette avec des notes de vanille et de chocolat. Bien charpenté et généreux en bouche, il évolue sur des tanins charnus et une finale de réglisse. Un bon vin à boire avec un magret de canard ou des côtelettes d'agneau. ★★★ **TD**

Espagne, La Rioja, Alta
doc Rioja
Lan Crianza 2010, Bodegas Lan +00741108 - 18,85$
Planté au cœur de La Rioja Alta, dans la vallée de L'Ebre, le vignoble Lan produit ce vin rouge aux odeurs de vanille, de fruits noirs (cassis, mûre sauvage), d'épices avec un léger boisé. Frais, fruité et long en bouche, il évolue aimablement sur des tanins élégants et serrés, dans un très bel équilibre. Harmonieux avec une côte de bœuf au jus ou un lapin aux pruneaux. ★★★(★) **TD**

France, Bourgogne, Beaujolais
aoc Morgon
Les Charmes 2013, Louis Tête +00961185 - 18,95$
Le Morgon est probablement le vin qui se rapproche le plus des vins de Bourgogne par le goût. On dit d'ailleurs qu'il «morgonne». Celui-ci présente des odeurs de cerise, de prune, de framboise et d'amande avec des notes florales et épicées. Fruité et très frais en bouche, il possède une belle charpente et des tanins serrés. Le servir légèrement rafraîchi (16°C) pour accompagner une fricassée de volaille aux morilles. ★★(★) **TD**

États-Unis, Californie
Zinfandel Vintners Blend, Ravenswood +00427021 - 18,95$
«Blend» parce qu'il est un assemblage des meilleurs lots de vignerons californiens. Cela explique vraisemblablement cette médaille d'or aux Sélections mondiales 2013. Puissant et aromatique, il s'ouvre sur des parfums de vanille, de violette, de framboise, de cerise et de mûre avec un léger boisé. Corsé, fruité, long et velouté

en bouche avec des tanins serrés, une finale de réglisse et d'épices. Un vin pour lequel on choisira un gigot d'agneau piqué d'ail ou un steak tartare. ★★★ **TD**

France, Vallée de la Loire
aoc Anjou-villages
La Chapelle Vieilles Vignes 2012, Château de Fesles +00710442 - 19,05$
C'est un des plus anciens vignobles d'Anjou. Beau rubis violacé limpide et assez intense. Aromatique et agréable: cerise, sous-bois et épices douces. Un vin rouge dans le style très classique des vins de la Loire avec des tanins délicats, légèrement corsé sans manquer de caractère. Servir à 16°C avec un rôti de bœuf au jus ou un mijoté de poulet aux poivrons verts. ★★ **PT**

États-Unis, Californie, Montery
Pinot noir 2012, Blackstone Winery +10544811 - 19,05$
Un nez expressif et intense aux odeurs complexes de cerise noire, de confiture de mûre, de prune, de framboise, de sous-bois et de vanille avec une touche boisée et épicée. Généreux, long, fruité et frais en bouche, il évolue sur des tanins ronds et finit

sur de délicates notes de poivre. Un vin agréable à boire en compagnie de charcuteries ou d'un rôti de veau aux pruneaux. ★★★ **TD**

Argentine, Mendoza
Nieto Senetiner Malbec/Petit Verdot, Gran Reserva 2011, Molinos Rio de La Plata
+12176249 - 19,20$
Issu d'une propriété qui fait du vin depuis 1888, ce vin argentin présente une robe profonde presque noire avec des reflets violets, signe d'un bon vieillissement potentiel. D'ailleurs, je le mettrais en cave encore pour un an ou deux avant de le boire. Il offre des arômes de mûre sauvage, de cacao et de vanille avec une touche boisée et mentholée. Généreux, fruité, moelleux et bien charpenté en bouche, il évolue longuement sur des tanins serrés. Le servir en carafe avec des côtelettes d'agneau sur la cendre, un BBQ de merguez et saucisses ou des mets orientaux. ★★★ **TD**

Grèce, Thessalia, Larissa
aoqs Rapsani
Rapsani Reserve, Evangelos Tsantali
+00741579 - 19,35$
Les vignes de ce vin sont situées sur les coteaux est du mont Olympe, endroit prestigieux s'il en est. Il y est produit un vin rouge aux odeurs intenses de cerise noire, de

prune et de mûre avec des notes de réglisse, de cuir et d'épices. Ample, généreux, fruité et frais en bouche, il poursuit sa route longuement sur des tanins serrés. Servir ce vin en carafe lorsqu'on déguste un magret de canard ou une entrecôte sauce au vin. ★★★ **TD**

France,
Languedoc-Roussillon
aoc Minervois
Château Villerambert-Julien 2012, Marcel Julien
+00918730 - 19,45$
Belle couleur paille soutenue. Les fruits blancs comme la pêche et l'abricot apparaissent au nez, puis viennent ensuite des arômes subtils d'herbes fraîches. Sec, frais et souple, mais tout en subtilité, ce qui en fait un compagnon idéal de toute préparation de poisson ou de fruit de mer fin, par exemple des langoustines sautées aux fines herbes sur un lit de tagliatelles fraîches. Servir entre 8 et 10 °C. ★★ **PT**

Australie méridionale, Limestone Coast, Coonawarra
Cabernet-Sauvignon Reserve, Jacob's Creek
+11974927 - 19,50$
L'immigrant allemand Johann Gramp planta les premières vignes au bord des rives de la Jacob's Creek en 1847, dans la vallée Barossa. L'excellente qualité de ses vins les a fait rapidement connaître et ils sont actuellement non seulement les plus populaires, mais aussi les plus exportés d'Australie. Celui-ci s'ouvre sur des odeurs d'eucalyptus, de cassis, de mûre et de pain d'épices avec des notes de grillé et de cacao. Frais et fruité en bouche avec des tanins légèrement astringents et une finale boisée. Le servir en carafe et le marier à une bavette à l'échalote ou une entrecôte marchand de vin.
★★(★) **TD**

Chili, Valle centrale
Escudo Rojo 2011, Baron Philippe de Rothschild
+00577155 - 19,50$
Ce vin chilien, vinifié à la bordelaise, s'ouvre sur des parfums intenses de mûre,

de cerise noire, de cassis et d'épices avec des notes de réglisse et de grillé. Ample, frais, légèrement boisé et généreusement fruité en bouche, il évolue gentiment sur des tanins serrés mais pas asséchant, avec une finale poivrée. Un vin puissant, racé et élégant à servir légèrement rafraîchi (16 à 18°C), avec un rognon de veau sauce madère ou une entrecôte sauce aux champignons des bois. ★★★ **TD**

Argentine
Alma Negra 2012, Bartholomaus & E. Catena +11156895 - 19,95$
Que c'est bon! C'est l'exclamation qui s'est répétée autour de la table de dégustation. Des odeurs intenses de mûre, de myrtille, de violette et de vanille avec des notes animales et grillées. Corsé, ample, généreusement fruité et long avec des tanins veloutés et quelques épices. Le servir lorsqu'on déguste un magret de canard et pommes sarladaises ou une fricassée de champignons des bois. ★★(★) **TD**

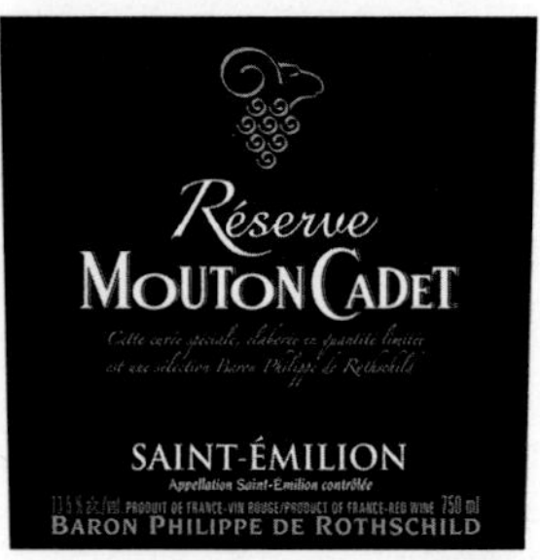

France, Bordeaux
aoc Saint-Émilion
Mouton Cadet Réserve 2012, Baron Philippe de Rothschild +11314822 - 19,95$
L'appellation Saint-Émilion tient son nom d'un charmant village en coteaux, situé à l'ouest de Bordeaux. On y produit de très bons vins comme celui-ci aux parfums de cassis, de mûre et de violette avec une note boisée et de sous-bois. Généreux, ample, concentré, long et fruité en bouche, il évolue sur des tanins serrés et élégants et finit gentiment sur des épices délicates. Le servir en même temps qu'une entrecôte sauce aux champignons ou un foie gras poêlé. ★★★ **TD**

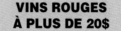

VINS ROUGES À PLUS DE 20$

Argentine, Mendoza, Terrasse Vistalba
Malbec Reserva 2012, Bodega Terrazas de los Andes +10399297 - 20,60$
Propriété du prestigieux LVMH (Louis Vuitton Moët Hennessy), Bodega Terrazas de los Andes cultive des vignes à plus de 1000 mètres d'altitude, dont cet excellent malbec. La vendange se fait à la main et le vieillissement en fût de chêne pendant 12 mois. Ce vin offre des parfums de cerise noire, de prune, de framboise et de mûre avec des notes de vanille, d'épices, de chocolat, de boisé et une touche de menthe. Ample, corsé, fruité et long, il évolue gentiment sur des tanins charnus et serrés et finit sur des épices. Un beau vin qu'on aura plaisir à boire avec un tournedos aux morilles. Bon rapport qualité-prix. ★★★(★) **TD**

Espagne, Catalogne
do Penedès
Gran Coronas Reserva 2009, Miguel Torres +00036483 - 20,70$
Gran coronas, qui signifie littéralement grandes couronnes, s'applique ici à un vin généreux et charmeur, aux odeurs puissantes de prune, de cerise noire, de mûre et de vanille avec une touche de grillé, de menthe et de boisé. Puissant, harmonieux, fruité et racé en bouche, il possède des tanins charnus et quelques épices douces. Le servir en même temps que des côtelettes d'agneau frottées d'ail. ★★★ **TD**

Italie, Vénétie
igt Veronese
Campofiorin Rosso, Masi agricola +00155051 - 21,45$
Ce vin est devenu, au fil du temps, une des bonnes valeurs de refuge pour le client indécis. De riches notes de baies rouges, de prune cuite et de cannelle. Un corps solide mais facilement appréciable en jeunesse grâce à des tanins bien intégrés. À consommer entre 16 et 18°C avec un spaghetti bolognaise assez relevé ou un risotto de canard confit aux griottes. ★★(★) **PT**

Espagne, Castille Léon
do Ribera del Duero
Celeste Crianza, Seleccion de Torres +11741285 - 21,55$
Comme nous l'avons déjà écrit, Crianza signifie que le vin doit vieillir au moins deux ans, dont un an en barrique. Et l'appellation Ribera del Duero s'applique à des vins d'excellente réputation. Celui-ci s'ouvre sur des odeurs puissantes de mûre, de cerise noire, de boisé et de fleurs avec des

notes de grillé. Ample, généreusement fruité et corsé en bouche, il possède une bonne charpente et des tanins serrés et finit avec des épices délicates. Il se révèlera le bon compagnon d'un plat de gibier en sauce. ★★★ **TD**

France, Provence
aoc Côtes de Provence
Château la Tour de L'Évêque 2012,
Régine Sumeire
+00440123 - 21,70$
Beaucoup de syrah avec un peu de cabernet sauvignon, c'est l'assemblage de cette cuvée du sud de la France. Un rubis violacé profond présage un vin structuré. Le nez est délicat avec des arômes de cassis et de mûre, d'épices et d'herbes fraîches. Tannique, charnu mais bien équilibré. J'ose même dire que c'est un vin digeste qu'on ne se lasse pas d'apprécier gorgée après gorgée. Servir à 18°C avec une entrecôte bordelaise ou un carré d'agneau aux fines herbes. ★★(★) **PT**

Australie méridionale,
Fleurieu, Langhorne Creek
George Wyndham Founder's Reserve Shiraz 2010,
Wyndham Estate Winery
+12073961 - 21,75$
En 1830, le pionnier George Wyndham a planté les premières vignes des vignobles commerciaux australiens. Il aimait créer des vins riches et robustes.
Ce vin, élaboré en son honneur par Steve Meyer, s'ouvre sur des odeurs complexes de confiture de cassis, de prune et de mûre avec des notes de menthe, de cacao, d'épices et un léger boisé. Corsé, racé, corpulent, long et généreusement fruité en bouche, il évolue sur des tanins aux grains serrés et bien construits et finit sur des notes d'épices et d'eucalyptus. Ouf! Il sera le bon choix pour de l'agneau en gigot ou en carré aux épices. ★★★★ **TD**

France, Corse, Calvi
aoc Corse
Cuvée Fiumeseccu 2012,
Domaine d'Alzipratu
+11095658 - 21,95$
Au premier nez, des effluves chauds et ensorcelants comme seul les cépages nielluccìu et sciacarellu de mon île natale peuvent en exhaler, où thym sauvage et myrte se mêlent aux fragrances de baies noires, le tout ponctué d'une discrète touche poivrée. En bouche, il persiste longuement sur un tanin frais et galbé. Ne sera aucunement dépaysé de passer à table en compagnie d'un lapin «à l'istrettu» (cuit à l'étouffée). ★★★★ **DJL**

Nouvelle-Zélande,
Marlborough, South island
Pinot Noir, Kim Crawford
+10754244 - 21,95$
Les vins de Kim Crawford ont commencé en 1996 dans un petit cottage d'Ouklanc en Nouvelle-Zélande. Très connue pour son fameux sauvignon blanc, elle s'est fait connaître aussi pour sa philosophie de production non conventionnelle. Et elle y réussit encore une fois avec ce pinot noir aux parfums puissants de cerise noire, de mûre et de fleurs avec des notes d'épices. Fruité, frais et gouleyant en bouche, il possède des tanins souples. Un vin savoureux pour lequel on choisira un pot-au-feu au gros sel ou des cochonnailles. ★★★ **TD**

France, Bordeaux
aop Haut-Médoc, Cru Bourgeaois
Château de l'Abbaye 2009,
Château Reysson
+10273387 - 22,25$
La mention «cru bourgeois» est attribuée à de grands vins bordelais qui n'ont pas reçu la classification des grands crus classés de 1855, soit pour des raisons historiques, politiques ou géopolitiques? Allez savoir. Toujours est-il que le vin dont nous parlons aujourd'hui est un grand vin, élégant et racé aux arômes complexes de mûre, de cassis et de prune avec des notes de vanille, de réglisse et de boisé bien intégré. Puissant, équilibré et fruité en bouche, il évolue sur des tanins serrés et charnus. Le mettre en cave ou le servir en carafe en dégustant une fricassée de lapin chasseur ou une entrecôte sauce bordelaise. ★★★(★) **TD**

Espagne, La Rioja, Alta
doc Rioja Reserva
Muga Reserva 2010, Bodegas Muga
+00855007 - 22,90$
Ce vin de la Rioja se distingue par une expression aromatique somptueuse dans laquelle la réglisse, le poivre, la cerise et le cassis se livrent sans retenue; ensuite, on perçoit le boisé qu'on décèle par de légères touches cacaotées et fumées. Suave et sensuelle, la bouche généreuse offre une finale pleine de souffle. Un vin bien bâti aux tanins bien enrobés qui appelle un gibier à poil. ★★★ **DJL**

France, Vallée du Rhône
vdp Collines-Rhodaniennes
Syrah «La Champine» 2012, Jean-Michel Gerin
+11871240 - 23,50$
Jean-Michel Gerin nous propose un vin de facture plus modeste que ses grands Côte-Rôtie. À l'aération, le côté animal perçu au premier nez s'estompe petit à petit pour laisser s'exprimer la cerise mûre et la violette. Soyeuse et gourmande, la bouche est campée sur de beaux tanins pâtinés, le palais renoue avec les fruits, agrémenté d'épices. Il s'alliera à merveille à une cuisine bistrotière.
★★★ **DJL**

Australie, Tasmanie
Devil's corner Pinot noir 2011, Tamar Ridge Wines
+10947741 - 23,90$
Cette île du sud de l'Australie attire de plus en plus les producteurs de pinot noir, cépage qui semble trouver sa place sur cette nouvelle terre d'accueil fort intéressante. Grenat rosé peu intense. Fleure bon les fruits rouges, le poivre blanc et la baie de genièvre. Frais, franc, peu tannique mais assez généreux. Sans grande complexité mais très réussi avec une belle tension en finale sur les fruits acidulés. Servir à 15°C avec une salade de magret de canard aux canneberges ou une pintade rôtie sauce au poivre vert. ★★(★) **PT**

France, Vallée du Rhône
aoc Lirac
Château Mont-Redon, Abeille - Fabre
+11293970 - 24,30$
La famille Abeille-Fabre travaille dans le respect du terroir en privilégiant les arômes, l'équilibre et la couleur. Une philosophie qu'on retrouve ici dans ce lirac rouge aux parfums puissants de petits fruits rouges, de framboise et de violette avec des notes de vanille, de réglisse et une touche de cacao. Généreusement fruité, long et frais en bouche, il évolue sur des tanins charnus et une petite touche boisée. Le servir en même temps qu'un carré d'agneau aux herbes de Provence. ★★★(★) **TD**

Espagne, Catalogne
doc Priorat
Laudis 2012, Miguel Torres
+12117513 - 25,25$
Je vous le dis tout de suite: j'adore! Ce beau vin s'ouvre sur des odeurs animales avec des notes complexes de garrigue, de vanille, de framboise, de violette, de cerise noire, de pruneau, de boisé, de grillé et de cuir (ouf!). Ample, généreusement fruité, long et frais en bouche, il évolue avec des tanins souples, une touche de menthe et quelques épices. Je le répète, j'adore! Parfait pour un tournedos aux morilles ou une entrecôte sauce au poivre. ★★★★ **TD**

Italie, Toscane
doc Bolgheri Superiore
Il Bruciato 2012, Guado al Tasso +11347018 - 25,95$
Il suffit de prononcer le mot «Bolgheri» à haute voix pour que vos papilles se dressent à l'unisson. Il Bruciato passerait toutefois pour un roturier aux côtés du célèbre Sassicaia et pourtant il s'agit d'un des meilleurs rapports qualité-prix-plaisir de cette grande maison toscane. Dans son écrin grenat, ce vin s'exprime

avec richesse et complexité sur des fruits noirs rehaussés d'épices. En bouche, le fruit s'affirme sur des tanins serrés qui doivent encore se fondre. Viendra sublimer une daube de sanglier.
★★★★ **DJL**

États-Unis, Californie
Francis Coppola Diamond Collection Black Label Claret Cabernet-Sauvignon, Niebaum-Coppola Estate +00863654 - 27,20$
Francis Ford Coppola, ce réalisateur américain dont nous avons parlé précédemment pour son chardonnay, aime les bons vins de qualité. Il produit ici un vin rouge intense aux odeurs complexes de cassis, de myrtille, de mûre sauvage, de cerise, de violette et de vanille avec des notes boisées. Généreusement fruité et frais en bouche, il évolue sur des tanins souples et une finale épicée. Superbe! L'associer à un tournedos de bœuf sauce au poivre vert. ★★★★ **TD**

Italie, Toscane
doc Bolgheri
Villa Donoratico 2010, Tenuta Argentiera +10845074 - 29,15$
Le domaine Argentiera est situé sur la côte de la haute Maremme au sud-ouest de Florence dans l'aire de la célèbre appellation Bolgheri. Paré d'une robe dans les tons rubis. Le bouquet offre une large palette de senteurs où les fruits mûrs se taillent la part du lion, agrémentés de notes d'élevage (boisé grillé). Structuré, le palais retrouve ces arômes dans une chair aux tanins civilisés. Issu d'un assemblage à la bordelaise, ce vin sera un excellent faire-valoir pour une côte de bœuf aux cèpes. ★★★★ **DJL**

Italie, Toscane
doc San'Antimo
Cum Laude 2010, Castello Banfi +00701938 - 30,25$
Créée à la fin des années 90, l'appellation doc Sant'Antimo tire son nom de l'abbaye romane construite par Charlemagne au 9e siècle. Elle occupe la même région de production que les appellations Brunello et Moscadello, mais s'en différencie par le fait qu'elle peut utiliser aussi des cépages dits «internationaux», tels le cabernet-sauvignon, la syrah, le petit verdot, etc. Le vin que nous vous proposons s'ouvre sur des odeurs complexes de mûre, de cassis, de prune cuite, de tabac et d'épices avec des notes boisées. Corsé, fruité et long en bouche, il évolue sur des tanins serrés et une finale réglissée. Harmonie réussie avec un cuissot de chevreuil ou un magret de canard.
★★★★ **TD**

France, Sud-Ouest
vdp Côtes de Gascogne
Menhir 2004 Château Montus Bouscassé, Alain Brumont +11222021 - 33$
Bel assemblage de tannat et de merlot avec une couleur profonde aux contours légèrement tuilés. Le nez est fin et nous amène sur des notes d'évolution comme la boîte à cigares, les sous-bois et le cuir mais aussi l'anis. L'attaque est souple, de belle fraîcheur avec un milieu de bouche ramenant des tanins fins et élégamment patinés. Très beau vin bien balancé à servir à 18°C avec un bœuf teriyaki ou un carré d'agneau en croûte d'épices sauce figues et porto. ★★★(★) **PT**

France, Bourgogne,
Côte de Nuits
aoc Côte-de-Nuits-Villages
Le Vaucrain 2011, Daniel Rion et Fils +00865774 - 33,75$
Couleur rubis aux reflets rosés et peu profonds. Très expressif et complexe: petits fruits rouges, menthol, épices et aussi très floral. L'attaque est assez ferme avec des tanins présents, mais dans le style coulants. Généreux sans excès, sa texture fine s'accordera avec des plats à la fois délicats et goûteux, voire relevés, par exemple des raviolis de canard sauce arrabiata saupoudrés de pecorino. Servir entre 17 et 18°C. ★★★(★) **PT**

Italie, Vénétie
docg Amarone della Valpolicella
Montresor Amarone della Valpolicella, Cantine Giacomo Montresor +00240416 - 34,25$
On parle ici d'un grand vin italien de la région de Véro-

ne. Il est fait de cépages indigènes, les raisins sont séchés puis vinifiés jusqu'à obtenir un vin sec. Les arômes sont alors concentrés, intenses, évoquant la prune, la cerise griotte et le chocolat avec une touche boisée. Ample, puissant, fruité et velouté en bouche, il évolue très longuement sur des tanins charnus. Un vin qu'on mettra en cave avec un bon potentiel de garde ou en carafe lorsqu'on mange du gibier en sauce ou un carré d'agneau aux herbes de Provence.
★★★★(★) TD

France, Vallée de la Loire, Touraine
aoc Bourgueil
Les Perrières 2010, Catherine et Pierre Breton
+11665180 - 38,25$
De couleur pourpre, cerise noire profond. Aromatique et fin, aux notes fruitées et épicées avec un côté terreux, rustique dans le bon sens du terme. L'attaque est tannique, assez souple et s'ouvre sur une belle structure, sans lourdeur avec une finale de fruits rouges bien mûrs. On peut le conserver cinq à six ans. Le servir à 17°C avec une cuisse de canard confite sauce aux fruits des bois ou un hamburger d'agneau au fromage de chèvre.
★★★★ PT

Canada, Colombie-Britannique, Vallée de l'Okanagan
vqa Okanagan
Blind Trust 2011, Laughing Stock Vineyards
+11262903 - 40$
Après avoir évolué avec succès dans le milieu de la haute finance, Cynthia et David Enns ont fait le saut dans le monde du vin. Inspirée du trust financier, cette cuvée très sérieuse est élaborée à partir de cépages bordelais (pour plus de précisions, ôtez la capsule!). La robe rubis, le bouquet aux fines notes fruitées, le palais s'appuyant sur des tanins savoureux et pleins d'avenir ouvrent la perspective d'un bel accord gourmand avec un magret de canard poêlé aux cerises griottes.
★★★★ DJL

Italie, Toscane
docg Chianti classico riserva
Badia a Passignano 2008, Marchesi Antinori
+00403980 - 42,75$
Le domaine est situé sur une propriété de 215 hectares autour d'une splendide abbaye bénédictine. Antinori y élabore un chianti «classico» privilégiant le sangiovese (100%) qui charme par son bouquet gourmand où se mêlent les cerises aoûtées, les mûres et des notes réglissées et toastées; la structure tannique encadre une chair dense et veloutée témoignant de la grande maturité des raisins. On l'appréciera avec un civet de lièvre ou un aloyau de bœuf.
★★★★★ DJL

Espagne, Castille Léon,
do Ribera del Duero Reserva
Tinto Pesquera 2008, Bodegas Alejandro Fernandez Tinto Pesquera
+10273088 - 43,50$
Cette magnifique appellation du nord de l'Espagne est une des grandes valeurs de ce pays et elle nous montre le

tempranillo sous son plus beau jour. Pesquera, en version reserva, en est un des meilleurs représentants. Distingué avec ses arômes de cuir, d'épices douces et de fleurs séchées. Les tanins sont présents mais bien tissés. La charpente est dessinée tout en finesse avec en fin de bouche un retour de cannelle et de muscade, aussi des notes de sous-bois. À boire maintenant, mais pourrait être conservé au moins cinq à six ans. Servir à 18°C avec un tournedos Rossini ou un rôti de cerf et sa glace de gibier. **★★★★★ PT**

France, Bordeaux
aoc Saint-Émilion Grand Cru
Château le Castelot 2010, J. Janoueix
+11071955 - 44,50$
Ce château de Saint-Émilion est superbe à bien des égards. Savoureux à souhait, le vin rappelle la violette et les fruits rouges un peu compotés sans oublier le cuir et les sous-bois. De grande tenue en bouche, tout en souplesse avec une belle amplitude en milieu de bouche et une finale poivrée. Il pourrait se conserver encore quelques années, mais on peut déjà le déguster à 18°C avec un jarret d'agneau braisé ou un confit de canard aux cerises.
★★★★★ PT

France, Bourgogne
aoc Ladoix 1er Cru
La Corvée 2011,
Domaine Jean-René Nudant
+00882118 - 44,50$
Ce fut tout sauf une corvée de déguster ce premier cru élaboré par Jean-René Nudant. Le rubis clair de sa robe éclatante prélude à un nez hésitant entre les fleurs (pivoine) et les fruits (cerise griotte). Sa texture est fine et ciselée, gorgée de fruits, avec juste ce qu'il faut d'acidité pour envisager la garde. Une alliance à consommer sans attendre avec un carpaccio de bœuf. ★★★ **DJL**

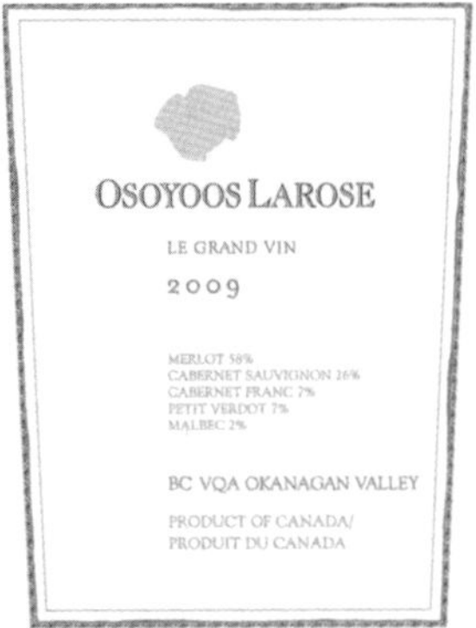

Canada, Colombie-Britannique,
Vallée de l'Okanagan
vqa Okanagan
Le Grand Vin 2009,
Osoyoos Larose
+10293169 - 45$
Ce millésime porte toujours la signature du talentueux Pascal Madevon aujourd'hui chez Culmina Estate. Issu d'un assemblage dominé par le merlot (70%), le bouquet déjà ouvert et profond mêle harmonieusement les baies confiturées et le merrain torréfié aux accents de cacao. La bouche est à la fois ronde et fraîche, portée par des tanins denses et savoureux. Une entrecôte à la bordelaise saignante, accompagnée de pommes de terre rissolées dans le gras de canard, me semble tout indiquée.
★★★★ **DJL**

France, Bourgogne,
Côte Chalonnaise
aoc Mercurey 1er Cru
Château de Chamirey,
Les Ruelles 2010, Marquis de Jouennes d'Herville
+11629808 - 47$
Bien connu des amateurs, le domaine est présent depuis longtemps sur nos tablettes. Le 1er cru les Ruelles est une belle expression du millésime qui mérite un peu d'aération pour livrer son caractère fruité, floral et épicé. Malgré sa couleur peu intense, c'est un vin assez tannique, qui a du corps et une bonne charpente. La finale mentholée m'amène à lui réserver un mets goûteux tel qu'un magret de canard sauce au poivre vert ou un bœuf braisé au vin rouge et romarin. Servir entre 16 et 18°C.
★★★★★ **PT**

Italie, Piémont
doc Valpolicella
Terre di Cariano Amarone 2007, Cecilia Beretta
+10298234 - 55$
Belle couleur grenat de grande intensité. Le nez est puissant, fin et complexe: fruits cuits comme la cerise et le cassis, mais aussi vieillissement sous bois. L'attaque est ferme, tannique avec une belle trame bien serrée. Vin corsé qui tapisse bien la bouche et persiste longuement sur des notes de cuir et de tabac. On pourra le garder en cave au moins cinq ans, mais on peut le servir dès maintenant autour de 17-18°C avec une fricassée de lièvre aux pruneaux et aux champignons ou une entrecôte grillée sur charbon de bois. ★★★★★ **PT**

VIN ROUGE DOUX

Canada, Québec,
Otterburn Park
Vin doux naturel
L'Été Indien, Le Clos du peintre par André Michel
(D) 25$
André Michel, artiste peintre et sculpteur, directeur de La Maison amérindienne, s'est fait plaisir. Originaire d'Avignon en France, il s'est improvisé vigneron au Québec par amour du vin et de sa noblesse tout autant que son aspect convivial. C'est un homme de fête. Il n'a pas voulu faire du vin ordinaire, il a produit quelque chose d'unique tant par le goût que par l'originalité. Un vin doux naturel fait du cépage maréchal-foch, muté à l'alcool, qui s'ouvre sur des odeurs de fruits secs, de pruneau. Fruité en bouche avec une petite amertume qui lui confère de la fraîcheur, il évolue longuement sur des épices. Le servir frais (8°C) en même temps qu'un foie gras ou de petits gâteaux secs.
★★★ **TD**

VINS FORTIFIÉS

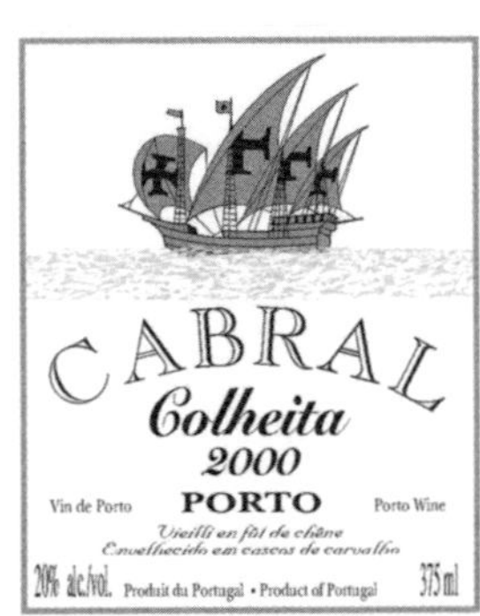

Portugal, Haut Douro
doc Tawny (colheita)
Cabral Colheita 2000, Vallegre Vinhos do Porto
+11790870 - 15,55$/375ml
Voici un porto tawny d'ex-

ception aux odeurs de fruits secs (raisin secs, figue sèche) avec des notes de vanille, d'épices et de noix. Généreux, crémeux, long et bien fruité en bouche, il jouit d'un équilibre exceptionnel. Le boire nature ou lorsqu'on sert un foie gras au torchon ou un gâteau aux noix et au chocolat. ★★★★ **TD**

France, Poitou-Charentes
aoc Pineau des Charentes
Château de Beaulon 5 ans
+066043 - 20,20$
Le pineau des Charentes est fait d'un assemblage de jus de raisin non fermenté et de cognac. Il subit ensuite un vieillissement en tonneau où tous les éléments s'harmonisent et se fondent. Ce 5 ans offre des parfums d'épices, de pâte de fruits, de caramel et de vanille avec des notes de fruits à l'eau-de-vie et de boisé. Crémeux, onctueux, fruité et long en bouche; on le sert frais (8°C) à l'apéritif ou avec un gâteau aux noisettes. ★★★ **TD**

TAYLOR FLADGATE®
LATE BOTTLED VINTAGE PORTO
2008
TAYLOR FLADGATE & YEATMAN
20% alc./vol. ESTABLISHED IN 1692 · FONDÉE EN 1692 750 mL

Portugal, Haut-Douro
doc Porto LBV
Taylor Fladgate LBV 2008
+00046946 - 21,70$
LBV signifie «late bottled vintage port». Il s'agit d'un porto millésimé, donc d'une seule année, mis en bouteille tardivement. Celui-ci offre un beau nez puissant de fruits secs, de pruneau, de chocolat, d'épices et de boisé. Ample, très long, onctueux et fruité en bouche, il jouit d'un très bel équilibre. Il fera une paire délicieuse avec un gâteau au chocolat ou aux amandes, ou encore une tarte aux fraises. ★★★ **TD**

Canada, Québec, Rigaud
Vin fortifié
Wapiti, l'apéro de Pierre, 18%, Sucrerie de la montagne (D) 25$
Pierre Faucher, ce Beauceron propriétaire de la Sucrerie de la montagne à Rigaud, a mis au point une recette qui reflète bien la culture québécoise, pour produire cet apéritif qu'il a appelé Wapiti. Il s'agit d'une sorte de caribou revisité en mieux. Un savant assemblage de vin blanc, de vin rouge et de cidre avec du porto et des épices. On le met en bouteille après un vieillissement en fût de chêne pour l'harmoniser et lui ajouter des goûts spécifiques. Un beau produit à la couleur fauve et aux reflets rouges qui s'ouvre sur des odeurs de pruneau, de pomme cuite, de fruits secs et de noyau de cerise, avec des épices et de subtiles notes boisées. Rond, fruité, concentré, long et épicé en bouche, il développe des nuances de fruits secs et de caramel. On peut le servir chaud ou froid selon la circonstance. Mais il reste l'apéritif québécois par excellence! ★★★★ **TD**

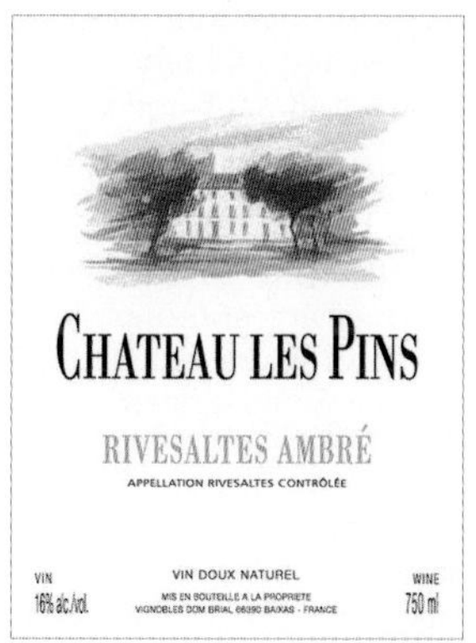

France, Languedoc-Roussillon
aoc Rivesaltes
Château les Pins ambré 2005, Vignobles Dom Brial
+11544206 - 31$
La couleur ambrée et dorée nous sourit dès le premier contact. Très aromatique, fin et complexe: écorces d'agrumes, miel, vanille et fines herbes rappelant un certain côté médicinal. L'attaque est ample, souple et liquoreuse. C'est un vin tendre, avec une acidité basse et une agréable sensation chaleureuse. La fin de bouche nous fait penser à la nougatine et aux zestes d'orange et je le servirais donc à 15°C avec un nougat glacé aux agrumes ou des crêpes Suzette. ★★★(★) **PT**

Espagne, Andalousie
do Jerez-Xérès-Sherry y Manzanilla-Sanlúcar de Barrameda
Almacenista Manzanilla Pasada de Sanlucar, Emilio Lustau
+12340248 - 33,75$/500ml
Le vin canaille cher à Carmen qui, selon le livret de Bizet, le dégustait en dansant la séguedille sur les remparts de Séville. Finement ciselée dans sa robe jaune pâle, cet-

te manzanilla exhale des effluves d'amande, d'olive verte et de granny smith, relayés par une subtile note saline. En bouche, délicatesse et légèreté prédominent mais sous-tendues par un corps joliment musclé, très vertical, laissant de beaux amers se poindre en finale. Cette manzanilla aguicheuse fera chanter des tapas andalouses (anchois, jambon ibérique, salmorejo, langoustines grillées, etc.). ★★★★ DJL

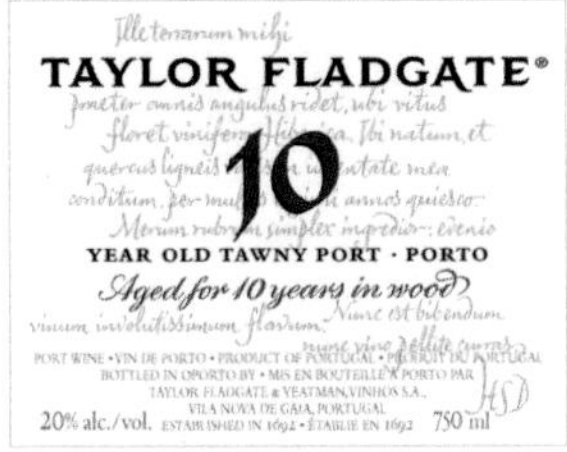

Portugal, Haut-Douro
do Porto
Taylor Fladgate Tawny 10 ans, Taylor Fladgate & Yeatman-Vinhos
+00121749 - 35$
Le tawny est un porto qui a subi une oxydation au contact de l'air et qui prend une teinte fauve (tawny en anglais) lors de son vieillissement en barrique. Lorsqu'il porte un millésime comme celui-ci, il s'agit de l'âge moyen des différentes barriques qui entrent dans son assemblage. Ce 10 ans présente des odeurs intenses de fruits secs, de sucre brun et de cacao. Onctueux, concentré et fruité en bouche, il évolue sur des tanins fondus et une finale boisée avec des notes de noix. Le servir à l'apéro ou avec un gâteau aux noix. ★★★★(★) TD

France,
Languedoc-Roussillon
aoc Maury
Maury Prestige 15 ans, Mas Amiel +00884312 - 43,75$
Superbe couleur ambrée, tuilée. Très aromatique, fin et racé. Les notes de rancio se lient aux arômes de caramel, de raisin sec, de torréfaction et de balsamique. Moelleux et généreux; la finale nous révèle des notes de mélasse et d'érable. Servir à 15°C avec un brie fondant au caramel d'érable ou une tarte aux pacanes. ★★★★★ PT

CIDRES

CIDRES MOUSSEUX OU PÉTILLANTS

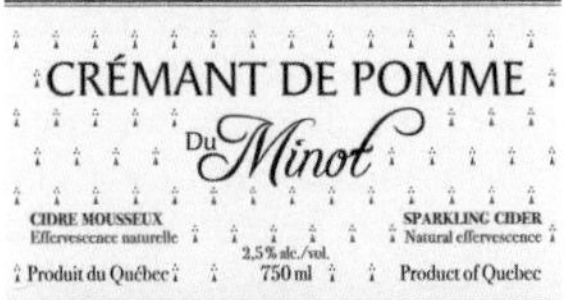

Canada, Québec,
Hemmingford
Cidre léger pétillant
Crémant de pomme, 2,5%, Cidrerie du Minot
+00245316 - 11,90$
J'aime ce cidre pétillant et frais qui privilégie le fruit par son faible degré alcoolique. Élaboré selon la méthode traditionnelle (comme le champagne), il offre des parfums de fleurs, de pomme mûre et de pâtisserie. Bien fruité, généreux et très frais en bouche, il jouit d'un bel équilibre. Un cidre charmeur et élégant qui se sert frais (8°C) à l'apéro ou en dégustant des crêpes aux pommes sauce au chocolat. ★★(★) TD

Canada, Québec, Montérégie
Cidre mousseux rosé
Crémant de pomme rosé, 2,5%, Cidrerie du Minot
+00717579 - 13,95$
Un cidre rosé tient sa couleur de la variété de pomme, ici la geneva et la mont-royal. Encore une fois, on a privilégié le fruit en produisant un cidre à faible taux d'alcool. Voici donc un cidre rosé aux parfums de fleurs, de fruits rouges et de pomme cuite. Généreux, fruité et frais; on le sert frais (8°C) avec du boudin noir à la compote de pommes et des frites. ★★(★) TD

Canada, Québec,
Frelighsburg
Cidre mousseux
Verger Sud, 11%, Domaine Pinnacle
+10850560 - 14,90$
Pour moi, un cidre sec est toujours mousseux. C'est d'ailleurs la condition pour l'appellation du cidre en Bretagne d'où il est natif. Celui-ci présente des odeurs de compote de pomme, d'agrumes et de miel. Bien fruité, long et frais en bouche, il jouit d'un bon équilibre. Un cidre de plaisir à boire frais (6 à 8°C) avec une côte de porc à la cendre ou un gâteau au chocolat. ★★ TD

Canada, Québec,
Hemmingford
Cidre pétillant
Du Minot Brut 2013, 7%, Cidrerie du Minot
+00733386 - 16,55$
Que dire de plus de cet ex-

cellent cidre, égal à lui-même d'une année à l'autre? Voici ce que j'en disais l'an dernier: «Un très bon cidre de méthode traditionnelle, c'est-à-dire fait comme un champagne, aux bulles fines et nombreuses et aux parfums de fleur de pommier, de compote de pomme et de vanille. Généreux, fruité, long, moelleux et frais en bouche avec une belle expression de la pomme. Un beau cidre, élégant, qu'on servira frais (8°C) à l'apéritif ou tout au long d'un repas.» ★★★(★) TD

CIDRES DE GLACE

Canada, Québec, Montérégie
Coteau Rougemont 2012, 10%, Ferme C.M.J.I Robert +11680515 - 19,70$
La Ferme Robert a déjà reçu plusieurs prix pour ses produits, notamment l'or et l'argent aux Vinalies internationales. Celui que je vous propose offre des odeurs intenses de pâte de fruits, de pomme confite, de coing, de fruits exotiques et d'épices. Exaltant, largement fruité et très long en bouche, il démontre un très bel équilibre et beaucoup de fraîcheur. Un magnifique cidre de glace à servir frais (8°C) avec un gâteau aux noix de Grenoble et au chocolat. ★★★ TD

Canada, Québec, Hemmingford
Cidre de glace
Du Minot des Glaces 2010, 9%, Verger du Minot +00733782 - 24,90$/375ml
Toujours beaucoup de plaisir à déguster ce vin de glace, bien fait, aux odeurs intenses de pomme cuite, de pâte de fruits et de miel. Bien fruité et crémeux en bouche, il évolue très longuement dans un superbe équilibre entre l'acide et le sucre. Un cidre de glace harmonieux et élégant qu'on sert frais (8°C), en même temps qu'un foie gras ou une tarte aux amandes. ★★★★ TD

Canada, Québec, Montérégie, Hemingford
Cidre de Glace
Neige Première, 10%, La Face cachée de la Pomme +00744367 - 24,95$/375ml
Neige Première a été le premier cidre de glace commercialisé au Québec. Il est élaboré selon le principe de la cryoconcentration naturelle. Expressif et élégant, le nez délivre des parfums de pomme mûre d'une grande pureté; le palais achève de convaincre en dévoilant une liqueur onctueuse, contrebalancée par une acidité vive qui étire une finale tapissée de saveurs d'abricot confit. À apprécier avec un fromage à pâte persillée escorté d'abricots séchés. ★★★★★ DJL

Canada, Québec, Frelighsburg
Cidre de glace
Cidre de glace, 12%, Domaine Pinnacle +00734269 - 25$/375ml
Véritable bête à concours (et il gagne!), ce beau cidre de glace s'ouvre sur des odeurs intenses de pomme cuite, de miel, de cassonade et d'épices avec une touche d'agrumes. Onctueux, ample, fruité et long en bouche, il jouit d'une très belle acidité qui lui confère beaucoup de fraîcheur. On le sert frais (8°C) avec un poulet au miel ou un foie gras poêlé. ★★★ TD

Canada, Québec, Hemmingford
Cidre de glace mousseux
Crémant de glace, 7,5%, Cidrerie du Minot +10530380 - 25,50$/375ml
Il s'agit ici d'un cidre de glace pétillant. Il s'ouvre sur des odeurs intenses de pomme cuite, de fruits tropicaux, de pâtisserie et de miel avec une légère note de rose. Les bulles éclatent sur la langue, laissant des saveurs puissantes qui continuent longuement sur des notes fruitées. Servi frais (8°C), il sera parfait pour une mousse de foie gras ou un fromage gorgonzola. ★★★ TD

Canada, Québec, Montérégie
Vin de glace
Avalanche 2011, 11%, Clos Saragnat
+11133221 - 27,40$/200ml
Propriétaire du Clos Saragnat avec son épouse Louise Dupuis, Christian Barthomeuf est l'inventeur du cidre de glace. C'est lui qui a ouvert le chemin de ce merveilleux produit du Québec en 1989. Cette année-là, il découvre le cidre de glace sans trop savoir ce qu'il fait. Petit à petit il observe, élabore et met au point le premier cidre de glace. Depuis, son produit a remporté plusieurs médailles d'or et le titre de meilleur cidre de glace au monde. Le voici donc avec ses parfums de fruits secs, de pomme mûre et de miel avec une note florale. Très bel équilibre en bouche et une longueur sur le fruit qui n'en finit plus. Le servir frais (10°C).
★★★★ **TD**

Canada, Québec, Frelighsburg
Cidre de glace mousseux
Cidre de glace pétillant, 12%, Domaine Pinnacle
+10341247 - 28,95$/375ml
Voici un excellent cidre de glace effervescent aux bulles qui éclatent, libérant des parfums de compote de pomme, d'agrumes, de miel et de fleurs. Des odeurs qu'on retrouve en rétro-olfaction en bouche dans un environnement harmonieux, vif et frais. Un cidre de glace long et onctueux qu'on sert frais (8°C) en même temps qu'une fricassée de volaille ou un fromage bleu. ★★★(★) **TD**

Canada, Québec, Frelighsburg
Cidre de glace
Signature Réserve Spéciale 2008, 11%, Domaine Pinnacle
+10233756 - 38,25$/375ml
Qu'on s'engage au point d'apposer sa signature sur un produit révèle que celui-ci est d'exception. Et c'est le cas. Des arômes intenses de pomme cuite, de pâtisserie, de cassonade et de miel qu'on retrouve en bouche avec de la puissance, de la générosité, de l'onctuosité et de l'élégance. Un magnifique cidre de glace à boire frais (8°C) en l'associant à un foie gras en brioche ou un fromage de type stilton. ★★★★(★) **TD**

Canada, Québec, Hemmingford
Du Minot des Glaces, Récolte d'hiver 2011, 11%, (D) 40$/375ml.
Voici un très beau cidre de glace aux parfums de compote de pomme, de caramel, d'épices, de cassonade et de fleurs avec un léger boisé très bien intégré. Fruité, intense et long en bouche, il jouit d'une grande harmonie et d'un bel équilibre. Un magnifique produit très bien fait. Superbe! On le sert frais (8°C) et on le marie à un foie gras aux truffes ou une tarte Tatin. ★★★★★ **TD**

CIDRE DIGESTIF

Canada, Québec, Frelighsburg
Cidre digestif
La Réserve 1859, 16%, Domaine Pinnacle
+10850156 - 45$/500ml
Qu'on le prenne en digestif ou dans un cocktail, ce cidre offre des odeurs de pomme, de cassonade, de fleur de pommier, de vanille et de pain d'épices. Ample, fruité et long en bouche, il se prolonge dans une texture onctueuse et une finale épicée et musquée. On peut aussi le déguster avec un foie gras poêlé, sauce au chocolat.
★★★★(★) **TD**

SPIRITUEUX ET APÉRITIFS

Canada, Québec, Frelighsburg
Cidre apéritif à l'érable
Coureur des bois, 18%, Domaine Pinnacle
+11165353 - 21,50$/375ml
Il se présente avec une belle robe cuivrée aux reflets roux... très chic dans un verre! Et le reste suit avec des parfums de caramel au beurre, de cassonade, de sirop d'érable et de toffee qu'on retrouve en bouche avec un très bel équilibre, de la fraî-

cheur et une finale délicatement épicée. Un très beau produit à servir nature ou sur glace ou encore avec un gâteau aux noix de Grenoble.
★★★★ TD

Canada, Québec
Kamouraska vodka, 30%,
Mondia Alliance
+12265962 - 25,20$
Il s'agit d'une vodka pure de qualité, aromatisée de sirop d'érable Canada no 1, extra-clair. L'idée est intéressante et le résultat excellent! Des parfums riches et complexes de sirop d'érable, de cassonade, de fumé et de bois brûlé. En bouche, on retrouve ces éléments qui envahissent les papilles et les font devenir folles de plaisir dans une finale longue et généreusement épicée. Un bon produit à boire nature ou sur glace ou en même temps qu'un gâteau au chocolat.
★★★★ TD

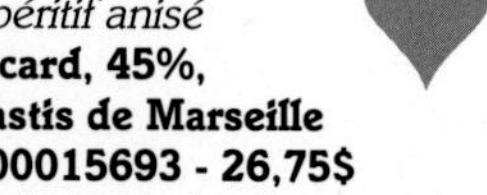

France, Provence
Apéritif anisé
Ricard, 45%,
Pastis de Marseille
+00015693 - 26,75$
La boisson la plus populaire à Marseille est l'apéritif anisé, qu'on appelle le pastis ou «pastaga» en marseillais. Pastis, en provençal, signifie «mé-

lange». Le pastis est fait d'un mélange de plusieurs plantes aromatiques macérées dans de l'alcool, notamment la réglisse et l'anis. Le plus connu dans le monde est le Ricard. Il offre des arômes d'anis et de réglisse très agréables. Ce pastis, rond et rafraîchissant en bouche, se déguste coupé avec de l'eau glacée, tout en mangeant des canapés de poisson fumé par exemple ou d'autres bouchées. On peut aussi l'utiliser dans des cocktails ou des recettes.
★★★★★ TD

Haïti
Rhum agricole, 43%,
Barbancourt ***
+11459722 - 31$
L'occasion nous a été donnée de visiter l'usine ancestrale de production Barbancourt. Un immense tas de canne à sucre en cachait l'entrée. En nous approchant, nous avons découvert le broyeur, puis le pressoir, le bassin de décantation et de fermentation. Dans une chaleur écrasante, nous avons suivi la production d'étape en étape, de tonneau en tonneau, jusqu'au produit final, dont ce rhum ambré aux odeurs intenses et boisées avec des notes fruitées. Ample, long et épicé en bouche; on le boit nature ou bien on l'intègre à des cocktails, des recettes de cuisine et de pâtisserie. ★★★★ TD

Canada, Québec,
Frelighsburg
Rhum épicé
Chic Choc, rhum épicé
québécois, 42,1%,
Domaine Pinnacle
+12362674 - 34$
Distillé en petits lots, ce rhum a longtemps macéré avec des épices, des baies, des herbes et des racines boréales comme le poivre des dunes, la comptonie voyageuse, les baies des cassinoïdes, les racines de céleri sauvage, le myrique baumier et les herbes aux anges. Il en résulte un beau rhum dont la robe ambrée à reflets dorés s'ouvre sur des odeurs intenses et complexes d'eau-de-vie, d'épices, de fumé et de boisé avec des notes de caramel et une touche d'érable. Ample, rond, presque sucré en bouche, il évolue rapidement sur des épices intenses. Un rhum très agréable, parfumé, long et corsé qu'on servira en dégustation ou en digestif. Essayez-le avec un gâteau au chocolat!
★★★★(★) TD

www.debeur.com

Canada, Québec
Sortilège Caramel édition limitée, 23%, Mondia Alliance
+12265911 - 34,75$
Il s'agit ici de whisky canadien aromatisé au sirop d'érable et auquel on a ajouté du caramel. Au nez, ce sont des parfums de caramel au beurre et d'eau-de-vie. En bouche, il explose de saveurs et continue longuement sur des épices délicates. Un excellent produit à boire sur glace, avec un dessert au chocolat ou encore versé sur une boule de crème glacée vanille.
★★★★ TD

Canada, Québec
Sortilège Noix épicée édition limitée, 23%, Mondia Alliance
+12265882 - 34,75$
Nous avions déjà parlé du Sortilège fait de whisky canadien et de sirop d'érable, un produit québécois très aromatique. À celui-ci les producteurs ont eu la bonne idée d'ajouter des noix et des épices. Il en résulte un formidable produit aux odeurs d'érable, de noix et de pain d'épices. En bouche, les saveurs sont extrêmement longues et débouchent sur une masse d'épices. Superbe! Un très beau produit à mettre dans le café ou à déguster avec des desserts au chocolat. **★★★★★ TD**

Canada, Québec,
Cantons de l'Est
Dry gin
Ungava, 43,1%, Domaine Pinnacle
+11156764 - 35$
Selon L'Encyclopédie canadienne, «Le terme ungava, qui signifie "vers les eaux libres", est utilisé pour désigner la bande inuite établie à l'embouchure de la rivière Arnaud». Pour rendre hommage à la culture amérindienne, Domaine Pinnacle, bien connu pour ses cidres de glace de qualité, a mis au point cette eau-de-vie unique, ce gin «fait d'une macération d'herbes indigènes de l'arctique québécois». Nous avons adoré! Il a des parfums intenses de genévrier, de petits fruits, de baies sauvages, d'érable, de torréfié et de caramel avec une touche boisée. La bouche est bien fruitée avec des notes de confiture de fraises et une profusion d'épices qui s'étire longuement. Excellent! Le servir à l'apéro, nature ou sur glace. **★★★★(★) TD**

Canada, Québec,
Frelighsburg
Cidre apéritif au whisky et à l'érable
Coureur des Bois whisky canadien et sirop d'érable, 31,7 %, Domaine Pinnacle
+11724979 - 35,25$
Il s'agit d'un mélange de whisky canadien vieilli et de sirop d'érable de catégorie A, pur à 100%. Nous avons trouvé ce produit exceptionnel! Il s'ouvre sur des arômes intenses et complexes de sirop d'érable, de caramel, de vanille et de noix de Grenoble. Rond, onctueux et fruité en bouche, il évolue très longuement sur des notes délicatement épicées. Superbe! Quelle belle réussite... Nous l'avons dégusté tempéré, mais il gagnera à être bu frais, voire sur glace, en mangeant une tarte au sucre ou tout simplement comme digestif pour conclure agréablement un repas.
★★★★ TD

Vous pouvez facilement identifier les restaurants recommandés par le **Debeur** avec cet autocollant.

INDEX DES VINS PAR PAYS

• ARGENTINE

VINS BLANCS

Torrontes, Bodegas Etchart Cafayate - 14,75$ **174**
Felina Chardonnay 2013, Vina Cobos - 20,25$ **177**

VINS ROUGES

Malbec 2013, Finca Flichman - 9,95$ **188**
Malbec Graffigna Centenario, Bodegas y Vinedos Santiago Graffigna - 14,55$ **191**
Malbec Reserva, Nieto y Senetiner - 14,95$ **191**
Nieto Senetiner Malbec/Petit Verdot, Gran Reserva 2011, Molinos Rio de La Plata - 19,20$ **197**
Alma Negra 2012, Bartholomaus & E. Catena - 19,95$ **198**
Malbec Reserva 2012, Bodega Terrazas de los Andes - 20,60$ **198**

• AUSTRALIE

VINS ROUGES

Shiraz Private Bin Mc Guigan - 10,95$ **188**
Cabernet-Sauvignon Reserve, Jacob's Creek - 19,50$ **197**
George Wyndham Founder's Reserve Shiraz 2010, Wyndham Estate - 21,75$ **199**
Devil's corner Pinot noir 2011, Tamar Ridge Wines - 23,90$ **200**

• CANADA

COLOMBIE-BRITANNIQUE

VINS ROUGES

Blind Trust 2011, Laughing Stock Vineyards - 40$ **202**
Le Grand Vin 2009, Osoyoos Larose - 45$ **203**

ONTARIO

VIN BLANC

Chardonnay Village Reserve 2011, Le Clos Jordanne - 31,50$ **181**

VIN ROUGE

Merlot, Black Reserve, Jackson Triggs - 15,20$ **192**

QUÉBEC

VIN DE GLACE

Vidal 2010, Vignoble du Marathonien - 32,75$/200ml **182**

VIN MOUSSEUX

Lolou 2011, Domaine Côte de Vaudreuil - 26$ **185**

VIN ROUGE DOUX

L'Été Indien, Le Clos du peintre par André Michel - 25$ **203**

VIN FORTIFIÉ

Wapiti, l'apéro de Pierre, 18%, Sucrerie de la montagne - 25$ **204**

CIDRES MOUSSEUX

Crémant de pomme, 2,5%, Cidrerie du Minot - 11,90$ **205**
Crémant de pomme rosé, 2,5%, Cidrerie du Minot - 13,95$ **205**
Verger Sud, 11%, Domaine Pinnacle - 14,90$ **205**
Du Minot Brut 2013, 7%, Cidrerie du Minot - 16,55$ **205**

CIDRES DE GLACE

Coteau Rougemont 2012, 10%, Ferme C.M.J.I Robert - 19,70$ **206**
Du Minot des Glaces 2010, 9%, Verger du Minot - 24,90$/375ml **206**
Neige Première, 10%, La Face cachée de la Pomme - 24,95$/375ml **206**
Cidre de glace, 12%, Domaine Pinnacle - 25$/375ml **206**
Crémant de glace, 7,5%, Cidrerie du Minot - 25,50$/375ml **206**
Avalanche 2011, 11%, Clos Saragnat - 27,40$/200ml **207**
Cidre de glace pétillant, 12%, Domaine Pinnacle - 28,95$/375ml **207**
Signature Réserve Spéciale 2008, 11%, Domaine Pinnacle - 38,25$/375ml **207**
Du Minot des Glaces, Récolte d'hiver 2011, 11% - 40$/375ml. **207**

CIDRE DIGESTIF

La Réserve 1859, 16%, Domaine Pinnacle - 45$/500ml **207**

SPIRITUEUX

Coureur des bois, 18%, Domaine Pinnacle - 21,50$/375ml **207**

Index des vins par pays

• CHILI

VIN BLANC

VINS ROUGES

• ESPAGNE

VINS BLANCS

VINS MOUSSEUX

VINS ROUGES

VIN FORTIFIÉ

• ÉTATS-UNIS

VINS BLANCS

VIN MOUSSEUX

VINS ROUGES

• FRANCE

ALSACE

VINS BLANCS

Index des vins par pays

Index des vins par pays

Index des vins par pays

• HONGRIE

VIN MOUSSEUX

Hungaria Grande Cuvée, Hungarovin - 13,70$ **183**

• ITALIE

VINS BLANCS

San Vincenzo, Anselmi - 17,65$ **175**
Pinot Grigio 2012, Alois Lageder Porer - 27,65$ **180**

VINS BLANCS DOUX

Nivole 2013, Michele Chiarlo - 19,55$ **182**
Breganze Dindarello 2012, Azienda Agricola Maculan - 31,50$ **182**

VINS MOUSSEUX

Villa Sandi, Il Fresco Prosecco - 15,90$ **183**
Prosecco, Ruffino - 17,95$ **183**
Brachetto d'Acqui, Castello del Poggio - 20,40$ **184**
Ferrari Brut, Ferrari Filli Lunelli - 26,95$ **185**
Brut Rosé, Azienda Agricola Riccafina di R. Fratus - 29,25$ **185**
Costaripa Brut - 30,50$ **185**

VINS ROUGES

Chianti 2013, Casa Vinicola Luigi Cecchi & Figli - 14,70$ **191**
Surani Ares, Agricola Tommasi Viticoltori - 14,95$ **191**
Intensita, Cristiano Mazzaro - 16,75$ **193**
Taurino Riserva 2009, Azienda Agricola Taurino Cosimo - 16,95$ **193**
Sedàra 2012, Tenuta Donnafugata - 18,70$ **195**
Campofiorin Rosso, Masi agricola - 21,45$ **198**
Il Bruciato 2012, Guado al Tasso - 25,95$ **200**
Villa Donoratico 2010, Tenuta Argentiera - 29,15$ **201**
Cum Laude 2010, Castello Banfi - 30,25$ **201**
Montresor Amarone della Valpolicella, Cantine Giacomo Montresor - 34,25$ **201**
Badia a Passignano 2008, Marchesi Antinori - 42,75$ **202**
Terre di Cariano Amarone 2007, Cecilia Beretta - 55$ **203**

• NOUVELLE-ZÉLANDE

VINS BLANCS

Sauvignon blanc, Monkey Bay Wine Company - 15,20$ **174**
Sauvignon blanc 2013, Stoneleigh Vineyards - 18,25$ **177**
Sauvignon blanc, Kim Crawford - 20,95$ **178**
Sauvignon blanc, Saint Clair Family Estate - 21,75$ **178**
Pinot gris 2012, Waimea Estates - 22,55$ **179**

VIN ROUGE

Pinot Noir, Kim Crawford - 21,95$ **199**

• PORTUGAL

VINS BLANCS

Vale da Judia 2013, Adega de Santo Isidro de Pegoes - 11,25$ **173**
Marquês de Marialva Colheita Seleccionada 2013, Adega Cooperativa de Cantanhede - 11,65$ **173**
Adega de Pegoes, Cooperativa Agricola de Santo Isidro de Pegoes - 14,55$ **174**
Quinta do Minho Loureiro 2013 - 15,25$ **175**

VINS ROUGES

Casaleiro Reserva, Caves Dom Teodosio - 11,95$ **189**
Marquês de Marialva Reserva, Adega Cooperativa de Cantanhede - 12$ **189**
Fontanário de Pegoes 2012, Santo Isidro de Pegoes - 14,05$ **190**
Cabral Reserva 2010, Vallegre Vinhos do Porto - 15,20$ **192**
Terras do Sado Periquita Reserva 2011, José Maria da Fonseca Vinhos - 15,95$ **192**

VINS FORTIFIÉS

Cabral Colheita 2000, Vallegre Vinhos do Porto - 15,55$/375ml **203**
Taylor Fladgate LBV 2008 - 21,70$ **204**
Taylor Fladgate Tawny 10 ans, Taylor Fladgate & Yeatman-Vinhos - 35$ **205**

• URUGUAY

VINS ROUGES

Don Pascual Reserve Shiraz Tannat, Establecimiento Juanico - 13,95$ **190**
Don Adelio Ariano Tannat Reserve 2010, Ariano Hermanos - 17,55$ **194**

Guide pratique du petit sommelier

LES PRINCIPES DE BASE

Pour ne pas vous priver du plaisir de l'achat d'une bonne bouteille de vin, n'achetez pas à la dernière minute. Dans la mesure du possible, évitez de le transporter le jour même de la dégustation. Un vin qui vient d'être secoué risque de vous décevoir. En achetant votre vin à l'avance, cela lui laisse le temps de se remettre de ses émotions et de se reposer dans les meilleures conditions possibles, jusqu'au jour du repas.

Conservez-le à l'abri de la lumière, dans un endroit frais. Attention, le réfrigérateur ne peut pas servir à stocker vos bouteilles. On l'utilise uniquement le temps de les rafraîchir quelques heures, tout au plus une journée avant le service. Il n'est pas recommandé non plus d'apporter le vin rouge dans la salle à manger quelques heures avant de le servir sous prétexte de le "chambrer", c'est-à-dire de l'amener à la température de la pièce. Cette méthode date d'une époque où les maisons avaient une température ambiante de 15° à 18°C. Depuis, pour notre confort, nous avons inventé le chauffage et nos thermomètres grimpent jusqu'à 23°C, ce qui est trop chaud pour le vin.

Température du vin

Chaque vin a des qualités qui lui sont propres, mais chacun atteint sa plénitude à des températures différentes. En général, les vins jeunes, légers et fruités, se servent plus frais que les vins vieux et corsés. Un vin doit rester rafraîchissant à boire. Les vins rouges moyennement corsés à corsés seront bus à 18°C, sans dépasser cette température. Au-delà, ils développent habituellement une forte présence d'alcool et d'acidité qui masquent ainsi leurs belles qualités. Les vins rouges jeunes, plutôt légers et tout en fruit, seront mis en valeur à une température variant entre 13° et 15°C. Les rouges très légers, style Beaujolais, pourront être servis un peu plus frais.

Les vins rosés et les vins blancs secs et demi-secs se prennent assez frais, de 8° à 10°C. Quant aux grands vins blancs secs (Bordeaux et Bourgogne par exemple), ils supporteront un bon 12°C, car trop froids ils perdent leur bouquet. Cependant, plus ils sont doux et liquoreux, plus ils se dégustent froids. C'est valable pour le Sauternes et le Monbazillac entre autres que l'on apprécie à 6°C environ.

L'écart brutal de température: un des pires ennemis du vin

Il faut en effet amener le vin progressivement à sa température idéale. Mettre dans un congélateur une bouteille dont le liquide avoisine 23°C est un crime qu'un dégustateur ne vous pardonnera pas... le vin non plus. Le choc thermique brise les arômes et casse l'équilibre du vin. On dit qu'on le "met à genoux". Pour lui conserver tout son caractère, il faut le refroidir ou le réchauffer en douceur, lentement, le plus naturellement du monde, sans brusquerie aucune.

Comment réchauffer un vin trop froid

Lorsqu'on doit "monter" la température d'un vin trop froid, on conseille de le laisser quelque temps dans une pièce tempérée. Il prendra rapidement quelques degrés de plus. Une autre méthode: une bouteille plongée dans un récipient d'eau tiède à 21°C prendra 6°C en huit minutes. Mais attention, ne réchauffez jamais brusquement un vin en le mettant sous l'eau très chaude, sur une source de chaleur ou au micro-ondes. Enfin, vous pouvez aussi le transvaser dans une carafe dont le verre est chaud. La première méthode suggérée est certainement la plus satisfaisante.

Comment rafraîchir un vin

On propose de l'immerger complètement dans un seau rempli moitié eau, moitié glace. En dix minutes le vin perdra 6°C. Si vous le mettez dans le **bas** du réfrigérateur, il lui faudra une heure pour perdre 6°C. Cette méthode est moins traumatisante. Accordez votre préférence à la méthode la plus lente.

Quant au vin rouge, pour lui faire perdre quelques degrés et le maintenir à la bonne température, l'utilisation d'un seau rempli d'eau bien fraîche du robinet est tout à fait recommandée.

Le débouchage

Tout peut arriver quand on ouvre une bouteille!

Manipulez la bouteille avec douceur pour ne pas secouer le vin. Avez-vous remarqué comment un Champagne bousculé explose avec colère au débouchage? Le vin est plus silencieux, mais il est tout aussi troublé.

Lorsque vous versez le vin, il ne doit jamais entrer en contact avec les matières composant la capsule de protection qui recouvre le bouchon et entoure l'extrémité du goulot. Si la capsule est à base de métal, le risque est grand de donner au vin un mauvais goût.

C'est pour cette raison qu'il est préférable de découper la capsule au-dessous et non au-dessus de la bague de verre affleurant le col de la bouteille.

Ôtez la partie découpée et essuyez le bord du verre avec un linge propre pour enlever toute trace de moisissure. Introduisez le tire-bouchon avec précision, en essayant de ne pas transpercer le bouchon de part en part. Tirez doucement et régulièrement. Après l'extraction du bouchon, essuyez l'intérieur du goulot si nécessaire, avec une serviette de service.

Le Champagne est, quant à lui, chatouilleux. Pour éviter ses débordements, inclinez la bouteille au moment du débouchage, les gaz sortiront sans dégâts en un chuintement suave. En cas de difficultés, recouvrez le bouchon d'une serviette humide et faites quelques mouvements de rotation.

Choisir le tire-bouchon

Un tire-bouchon ne doit être un accessoire de torture ni pour vous ni pour le vin. Il doit extraire le bouchon sans vous obliger à agiter la bouteille ni en modifier la position. Les meilleurs sont ceux qui ne requièrent ni muscles ni efforts démesurés de votre part. Préférez le tire-bouchon à levier, à vrille large et longue, non coupante. Les mieux adaptés sont le traditionnel tire-bouchon du sommelier, le "limonadier" des barmen et le "screwpull" qui tous trois prennent appui sur la bouteille. Le "screwpull" est considéré par plusieurs comme un des meilleurs tire-bouchons. Son inventeur, un Texan, s'est inspiré des techniques de forage pétrolier. Un seul geste suffit, que dis-je un doigt suffit; un enfant peut l'utiliser.

Humer le bouchon

Après avoir ouvert la bouteille, humez et palpez discrètement le bouchon. Il ne doit sentir que le vin. Une forte odeur ou une moisissure annoncent un vin bouchonné, à cause d'un bouchon défectueux ou des mauvaises conditions d'entreposage. Un bouchon sec, trop étroit, sortant facilement de la bouteille peut favoriser une oxydation. Pour éviter ces inconvénients désagréables, placez toujours vos vins à l'horizontale et n'achetez pas de bouteilles ayant séjourné longtemps debout. Le bouchon doit rester en contact constant avec le liquide pour assurer par son gonflement une fermeture hermétique. Sinon, avec le temps, il se dessèche, réduit de volume, et laisse pénétrer dans la bouteille suffisamment d'air, créant ainsi un risque d'oxydation. Un manque d'humidité dans la cave peut également faire suinter (ou couler) le vin par le col.

La décantation

La décantation consiste à transvaser le vin d'un contenant dans l'autre, soit pour l'aérer, donc pour l'oxygéner, soit pour le débarrasser des dépôts qu'il contient, soit pour effectuer ces deux opérations. En fait, il serait plus facile et plus logique d'appeler chaque manipulation d'un nom différent. La première opération serait l'oxygénation et la seconde, la décantation.

L'expertise humaine et les raffinements technologiques nous permettent de contrôler plus précisément qu'autrefois le comportement du vin. Nous savions déjà qu'il était inutile d'ouvrir à l'avance les vins blancs secs, les vins rosés, les vins rouges et fruités et les vins très vieux, puisque ceux-ci dégagent le maximum de leurs arômes et de leur bouquet dès l'ouverture de la bouteille.

Des études récentes ont démontré qu'il n'est plus nécessaire d'ouvrir une bouteille à l'avance pour laisser le vin respirer. En effet, la surface de liquide en contact avec l'air à la sortie du goulot est trop réduite pour permettre une oxygénation satisfaisante. Certains vins rouges assez durs ou corsés développent leur bouquet après une petite aération (oxygénation). Vous pouvez les oxygéner en les transvasant dans une carafe à décanter ou en les servant un peu à l'avance dans les verres. Toutefois, certains vins exigent une décantation.

LE SERVICE DU VIN

Le vin, matière vivante, accompagne la destinée de l'homme depuis les dieux de l'Olympe, à qui Ganymède versait l'ambroisie, jusqu'à nos tables où un sommelier, détenteur de secrets divins, nous verse un nectar patiemment affiné. À la maison, c'est à l'hôte que revient cette tâche.

Pour servir le vin à table, soulevez la bouteille avec précaution en la tenant par le milieu du corps et faites couler le liquide le long des parois du verre, sans prendre appui sur celui-ci. Relevez la bouteille dans un mouvement de rotation pour retenir la dernière goutte. Vous pouvez aussi l'essuyer discrètement avec le linge de service, ou utiliser éventuellement un anneau attrape-gouttes.

Quelle quantité servir ?

On ne remplit pas les verres à ras bord, un quart à un tiers suffit pour les dégustations. Dans le cadre d'un repas, un demi-verre convient. Mais tout cela dépend du type de verre et de sa capacité totale. Le volume d'air restant au-dessus du liquide va permettre au vin de s'aérer et de mettre en valeur ses arômes. Habituellement, on prévoit une bouteille pour 6 à 8 convives.

Combien de bouteilles ?

Pour un repas, une demi-bouteille par personne paraît raisonnable. Considérant que plus les convives sont nombreux, plus la consommation est élevée, il serait sage de prévoir une bouteille par personne. Ne les ouvrez pas toutes, gardez-les en attente au cas où... On remarque que l'on boit plus de vins légers et de vins ordinaires qu'un très grand vin, et davantage au début du repas qu'à la fin.

Ordre des vins

En général, il vaut mieux commencer par les vins mousseux, puis les vins blancs, les rosés et enfin les vins rouges. Bien entendu, selon la force de chacun. On va du frais au chambré, du plus léger au plus corsé, du plus jeune au plus vieux, du plus sec au plus doux (sucré), avec cependant quelques exceptions. On pourrait dire que l'on va du plus faible au plus fort, en une progression agréable, sans oublier qu'un vin ne doit ni écraser, ni faire regretter l'autre.

Le service du vin au restaurant

Afin de profiter pleinement d'un bon repas au restaurant, voici quelques attitudes suggérées.

Ne pas accepter:
– un vin blanc givré, car une température trop basse masque les défauts du vin et fait disparaître le bouquet.
– un vin rouge servi trop chaud, qui a été "chambré" en salle à manger à 24°C, température ambiante. La chaleur développe une forte présence d'alcool et d'acidité qui masquent les qualités du vin.
– le soi-disant sommelier qui tournicote la capsule en boucles savantes sur le goulot, pour le rendre plus beau. Demandez-lui gentiment de bien vouloir la couper sous le bourrelet pour l'enlever, surtout si elle est faite de matière métallique. Quand il sert le vin, il doit prendre garde que le liquide n'entre pas en contact avec les bords de la capsule, car cela risque de lui donner mauvais goût.
– que l'on remplisse votre verre à ras bord. Le vin a besoin d'un espace suffisant pour s'aérer et se développer pleinement.
– que le garçon vide la bouteille dans six verres, alors que vous êtes sept à table.
– que l'on vous serve le vin blanc avant qu'il n'ait atteint sa température de service. Demandez qu'on le laisse dans le seau plus longtemps. Le seau ne doit pas être rempli de glace vive mais bien mi-eau, mi-glace.
– d'être servi généreusement en attendant indûment que les plats arrivent.

Retourner:
– une bouteille décachetée à l'avance. Celle-ci doit être ouverte devant vous, après que vous ayez pris connaissance de l'étiquette, ceci afin d'éviter toute erreur de vin et de millésime.

– un vin "bouchonné" (forte odeur de bouchon, goût de bouchon).
– un Champagne sans bulles, un vin éventé, une bouteille sur les parois de laquelle des bulles se forment. Dans ce cas, le vin n'a pas été stabilisé, ou a été embouteillé trop tôt.
– un vin "piqué" (aigre et acide, légèrement pétillant).

LA DÉGUSTATION

Souvent, nous avalons notre vin d'un trait, distraitement, l'esprit ailleurs et nous nous privons d'un grand plaisir, celui de la dégustation. Un bon vin mérite mieux qu'un coup d'oeil et une déglutition rapide, une langue distraite et un nez paresseux. Prenons le temps de l'observer, de le mirer, de le goûter, de le mâcher, de le faire rouler, de l'avaler tendrement et d'être attentif à la sensation qu'il laisse en nous.

Comment l'aborder

De prime abord, la dégustation semble une activité réservée à une certaine élite. Pourtant, chacun de nous peut devenir un dégustateur acceptable en moins d'un an. Il suffit d'aimer le vin, de vouloir partager ses connaissances et ses hésitations avec d'autres, de se fier sans crainte à ses propres impressions ou de se ranger à celles des autres si elles corroborent les nôtres. Il faut goûter, regoûter, comparer et goûter encore. La dégustation demande de la pratique, de la concentration et surtout une excellente mémoire, car en réalité, nous "sentons" davantage les goûts.

Quant au vocabulaire utilisé à profusion par les connaisseurs, il sonne à nos oreilles de profane comme une langue étrangère. Le langage du vin s'exprime en images, en couleurs, en odeurs, en saveurs, etc. Mais quel que soit le vocabulaire, déguster demeure un plaisir. Toujours assoiffés de connaissances, les dégustateurs chevronnés recherchent la joie de la découverte, l'appréciation du goût et la comparaison avec d'autres expériences. Chaque fois renouvelé, différent selon le lieu et le moment, le vin est un ami que l'on aime pour sa constance, mais aussi pour sa versatilité. Le cheminement de la dégustation fait appel à la vue (aspect visuel), au nez (aspect olfactif) et au goût (aspect gustatif).

L'ASPECT VISUEL se juge avec l'oeil

Il examine la robe, la limpidité et la viscosité du vin. La couleur du vin change avec l'âge et avec le temps, le vin rouge s'éclaircit puis brunit, le vin blanc fonce.

Les mots pour en parler:

Brillant: d'une limpidité parfaite.

Clair ou dépouillé: débarrassé des matières en suspension.

Dépôt: matières en suspension dues au vieillissement ou dépôts tartriques contenus dans le vin blanc. Sans dommage pour le vin.

Cristallin: d'une extrême brillance.

Limpide: d'une transparence impeccable.

Opalescent: comme voilé, avec des teintes laiteuses.

Terne: sans brillance, mais clair.

Trouble: limpidité imparfaite indiquant un vin qui a été secoué ou mal clarifié.

Tuilé: vin rouge à reflet brun orangé. Trahit souvent un vin oxydé.

Voilé: présente un trouble léger.

L'ASPET OLFACTIF se perçoit avec le nez

Celui-ci apprécie l'arôme et le bouquet à travers des senteurs qui nous rappellent par analogie les fruits, les fleurs, les herbes, le sous-bois, les épices, etc. ou d'autres moins agréables de moisi, de bouchon, de soufre, de vinaigre ou d'oeuf pourri.

Les mots pour en parler:

Aromatique: vin à l'odeur agréable et intense, laissant deviner le cépage d'origine. S'utilise surtout pour les vins jeunes.

Austère: vin rouge fort en tanin avec un bouquet pas encore formé.

Boisé: qui garde l'odeur du fût de chêne.

Bouchonné: odeur et goût de bouchon moisi.

Bouquet: ensemble des odeurs ou parfums acquis par le vin depuis la fermentation jusqu'au vieillissement.

Bouqueté: composé de plusieurs arômes faciles à identifier et se mariant bien entre eux. S'utilise surtout pour les vins vieux.

Fin: vin au bouquet subtil dégageant finesse et distinction.

Floral: dont le parfum rappelle les fleurs.

Soufré: provient de l'usage immodéré du soufre employé comme antiseptique. Cette odeur peut parfois s'éliminer après aération.

Vineux: vin riche en alcool, corsé et capiteux, qui dégage une forte odeur de vin pas toujours heureuse.

L'ASPECT GUSTATIF implique à la fois la bouche et le nez

La bouche est sensible aux quatre saveurs de base: le salé, le sucré, l'acide et l'amer. D'autres informations peuvent cependant y être décelées comme le chaud, le froid, la texture (épaisse, fluide, rugueuse, etc.), l'astringence, etc. Quant aux odeurs que l'on peut y trouver, ce sont celles qui, de la bouche, reviennent dans le nez par l'arrière-nez (au fond de la gorge). On appelle cela la "rétro-olfaction".

Les mots pour en parler:

Acide: défaut d'un vin dont l'acidité naturelle est trop élevée.

Agressif: vin contenant trop d'acidité ou trop de tanins.

Aigre: goût vinaigré.

Alcooleux: taux d'alcool trop important.

Amaigri ou décharné: vin ayant perdu son caractère.

Amer: arrière-goût d'amertume laissé par des tanins trop forts.

Ample: vin très agréable renfermant des saveurs et des arômes riches et complets.

Âpre: sensation de langue râpeuse due à des tanins de basse qualité.

Astringent: vin trop chargé en tanins qui laissent dans la bouche une impression désagréable de sécheresse et la sensation de ne plus avoir de salive.

Attaque: premier contact avec le vin. À utiliser pour l'odeur ou le goût.

Capiteux: riche en alcool.

Charnu: qui a du corps et qui donne l'impression de bien remplir la bouche.

Charpenté: ayant une constitution solide et équilibrée. Ce vin peut se conserver longtemps.

Chaud: possédant, en général, un degré d'alcool élevé.

Concentré: très dense en bouche, saveurs riches et corsées, mais aussi très coloré.

Corsé ou étoffé: au caractère marqué, riche en alcool et qui remplit bien la bouche.

Court: qui ne laisse pas d'impression durable une fois avalé.

Doux: contenant une certaine quantité de sucre non transformé en alcool.

Élégant: fin, racé et harmonieux.

Équilibré: heureuse harmonie de tous ses éléments.

Faible: pauvre au goût, renfermant peu d'alcool. En fait, il lui manque de tout.

Frais: vin jeune fruité à l'acidité équilibrée.

Généreux: qui est corsé et riche en alcool sans être lourd.

Gouleyant: léger et frais, qui descend avec facilité dans la gorge.

Gras: moelleux, souple et charnu.

Léger: vin peu alcoolisé au caractère peu marqué mais pouvant être agréable.

Liquoreux: vin blanc onctueux et très sucré.

Long: dont on conserve longtemps le goût en bouche après l'avoir avalé. On trouve de la longueur dans les vins corsés et les grands vins.

Mâche: vin astringent qui donne l'impression qu'on peut le mâcher.

Maigre: vin très léger qui manque de couleur, de saveur et de corps.

Mince: qui manque d'alcool et a une structure déséquilibrée.

Moëlleux: on dit généralement qu'un vin est moelleux lorsque sa douceur se situe entre un vin sec et un vin liquoreux, mais il n'y a pas de réglementation précise à ce sujet.

Mou: qui manque de tanin, d'acidité donc de nervosité.

Nerveux: avec une saveur acide dominante, mais restant agréable en bouche.

Oxydé: vin vieux ou passé, probablement mal bouché ou mal entreposé, dont le goût rappelle un peu celui du Madère. On dit qu'il est madérisé, terme que nous éviterons d'employer car peu flatteur pour les vins de Madère.

Passé: qui a dépassé la date limite jusqu'à laquelle on pouvait le boire.

Perlant: qualité ou défaut, légère effervescence voulue ou accidentelle.

Plat: sans intérêt, qui manque d'acidité ou qui ne pétille plus.

Plein: charnu avec de la mâche et qui a du corps.

Puissant: corsé et robuste, très concentré.

Pommadé: vin liquoreux ou moelleux dont la haute teneur en sucre masque le goût.

Rafle: (goût de) goût vert, herbacé, astringent d'un vin qui rappelle la présence de la rafle pendant la vinification.

Rond: souple et équilibré, dont les éléments sont bien mariés.

Sec: qui paraît non sucré.

Souple: bien équilibré, faible en tanin et en acidité.

Soyeux: velouté, rond et fin.

Tannique: vin équilibré avec une légère dominante d'astringence.

Vert: acidité dominante désagréable donnée par des raisins pas assez mûrs.

Vif: jeune, frais, agréable avec une bonne acidité.

Griserie ou sobriété ?

On dit que nos ancêtres buvaient dur et sec, malgré la désapprobation du clergé qui voyait là une source de turpitudes morales. Ils passaient des heures à préparer amoureusement leur vin de table. Ce vin, parfois alourdi de dépôts, riche en alcool, leur permettait de se soigner mais aussi de traverser plus agréablement les rudes mois de l'hiver. Aujourd'hui, nous n'avons pas les mêmes besoins; aussi devons-nous être plus sobres.

Marche à suivre

Avant de déguster, il faut avoir la bouche vierge, s'abstenir de fumer, de sucer des bonbons, de boire un alcool trop fort. Ne pas être enrhumé ni porter un parfum pénétrant. Pour une dégustation, mangez trois ou quatre heures avant, n'arrivez pas l'estomac trop plein ou trop vide.

1) Remplissez le verre (si possible un verre à dégustation genre INAO) au tiers et saisissez-le par la base du pied.
2) Observez le vin sur un fond blanc, en inclinant le verre pour regarder la couleur, la limpidité, la profondeur et la viscosité. Les connaisseurs y trouvent des indications pour deviner l'âge. Un vin blanc clair annonce un vin jeune, un vin rouge aux reflets brunâtres ou tuilés dénote un vin plus vieux.
3) Faites tourner le vin en un mouvement circulaire tranquille pour libérer les arômes.
4) Piquez le nez dans le verre après avoir vidé l'air de vos poumons et inspirez profondément. Répétez cette opération plusieurs fois pour découvrir toutes les odeurs. Elles seront discrètes et courtes ou longues et puissantes.
5) Faites tourner le vin à nouveau mais plus brutalement, sans le vider sur la table, d'un mouvement plus sec.
6) Plongez une nouvelle fois votre nez dans le verre. Vous allez déceler d'autres odeurs, peut-être des qualités nouvelles ou des défauts que l'agitation brusque aura dégagés.
7) Prenez une première gorgée pour évaluer le vin. S'ajouteront alors la perception d'acidité, de sucre, de tanins et de minéraux.
8) Mâchez le vin, faites-le rouler et tourner partout dans votre bouche. Si vous le pouvez, aspirez une petite quantité d'air comme si vous vous gargarisiez. Les saveurs vont alors se combiner à la chaleur de l'alcool.
9) Pour terminer, avalez-le. C'est à ce moment-là que vous pourrez noter vos impressions. Fiez-vous à votre propre goût et à vos perceptions personnelles. Si possible, utilisez le vocabulaire du vin.

La dernière impression est celle qui reste après que l'on ait avalé. Il s'agit de la P.A.I. (persistance aromatique intense). Les grands vins persistent en bouche de 12 à 30 secondes, parfois plus, les bons vins un peu moins longtemps et les vins ordinaires ne laissent rien.

Si la persistance est longue, le langage devient imagé. On dit d'un vin qui s'épanouit dans la bouche qu'"il fait la queue de paon", que c'est "le petit Jésus en culotte de velours" ou plus simplement qu'"il est bien en bouche" et qu'"il est généreux".

ACCORD DES VINS ET DES METS

Un repas élaboré demande des vins en harmonie avec les mets servis. Par exemple, on peut simplifier en résumant les arrangements suivants:

- **Consommé, potages:** pas de vin.
- **Plats suivants:** poisson, poulet, dinde, cervelle, fruits de mer, viandes blanches: vins blancs secs ou rouges légers; viandes rouges, canard, oie et gibier à poil et à plumes: vins rouges secs plus charpentés.
- **Fromages:** grands vins blancs ou rouges secs suivant le fromage. Un vin blanc liquoreux sera aussi très bien avec certains fromages comme le Roquefort.
- **Desserts:** vins doux et liquoreux, Champagnes secs, demi-secs et doux, vins mousseux.

  REMARQUE: Le Champagne peut être servi du début à la fin du repas. Avec un menu en conséquence, il fait merveille.

Il existe assez de vins de qualité et de types différents pour réussir le meilleur des arrangements possibles avec le menu choisi. La liste des suggestions suivantes n'est pas exhaustive mais peut donner une petite idée, pour commencer. Mais avant tout, il convient de respecter quelques principes de base simples:

1. Lorsqu'un mets est préparé avec un vin ou si la sauce est à base de vin, servir le même vin à boire, mais si possible dans un millésime plus ancien.

Signalons qu'il est inutile d'utiliser un vin vieux en cuisine. Mais, malgré ce que l'on en dit, il est indéniable qu'un bon vin transfère ses qualités au mets préparé. Néanmoins, un bon vin est inutile dans un plat relevé. Prendre alors soit un vin plus léger, soit un vin assez puissant pour faire face aux épices.

2. Les plats régionaux sont en général servis avec les vins de la même région.

3. En principe, il vaut mieux ne pas servir de vin avec les potages, les aliments vinaigrés ou acides, les artichauts, le fromage frais, le lait, les oeufs, le café, les crèmes glacées et les sorbets.

Entrées et hors-d'oeuvre

Bouquet de crevettes: blanc sec; Bourgogne, Bordeaux, Alsace (Riesling).

Bisque: blanc sec avec du corps; Pinot, Graves.

Caviar: Champagne, Meursault ou Vodka glacée.

Coquilles Saint-Jacques: Graves blanc, vin allemand, Anjou, Alsace.

Escargots: rouge ou blanc ayant un peu de corps; Chablis, Beaujolais, Meursault.

Foie gras: en entrée: Champagne ou un grand d'Alsace (Gewurztraminer), Côte-de-Nuits, Bordeaux blanc, Sauternes, Tokay Pinot Gris. S'il est servi après le rôti: Médoc, Côte-de-Beaune.

Cuisses de grenouille: vin blanc sec bien parfumé; Saint-Véran, Graves blanc, Sancerre.

Huîtres: blanc; Entre-deux-Mers, Chablis, vin d'Alsace, Muscadet.

Pâtés:
Canard: Médoc, grand Bordeaux, Pomerol
Foie: Bordeaux rouge
Lièvre: Côtes-du-Rhône ou Pomerol
Porc: Mercurey
Rillette: Pouilly-Fuissé ou Chablis
Cretons: Anjou sec.

Pour les pâtés de gibier, il est préférable de servir un rouge capiteux de Bordeaux ou de Bourgogne.

Saumon fumé: blanc sec et vigoureux à base de Sauvignon; Sancerre, Alsace, Chablis.

Poissons et crustacés

Aiglefin: blanc sec; Anjou, Sancerre, Meursault.

Brochet: rosé de Provence.

Cabillaud: blanc; Chablis, Graves.

Doré: amandine: Graves blanc; meunière: Alsace.

Éperlan: blanc sec.

Hareng: blanc acide; Bourgogne, Aligoté, Sauvignon.

Homard, langouste et crabe: un Champagne, un Vouvray ou un grand Bourgogne.

Merlan: blanc sec ou demi-sec; Sauvignon blanc, Graves, Mâcon, Vouvray.

Morue: Muscadet.

Moules: vin blanc sec ou rosé de Provence, d'Alsace, du Rhin, ou un Mâcon blanc.

Palourdes: blanc sec; Entre-deux-Mers, Alsace.

Saumon frais: grand Bourgogne blanc; Meursault, Aloxe-Corton ou Chablis Grand Cru.

Sole au beurre: Bourgogne blanc, Chablis, Alsace.

Truite: Bourgogne blanc; Pouilly-Fuissé, Chablis, Alsace.

Turbot: blanc sec et généreux; Meursault, Graves, Muscadet.

Volaille: en général un rouge ou un blanc sec.

Canard rôti: grand blanc d'Alsace, d'Allemagne ou encore d'Autriche. Un Bordeaux ou un Bourgogne.

Canard à l'orange: Gevrey-Chambertin, Saint-Estèphe ou Gigondas.

Dinde: du meilleur au plus humble, tous les vins sont bons, que ce soit un blanc sec ou un vieux rouge de qualité.

Rôtie: Pomerol; farcie: Médoc, Bordeaux.

Oie rôtie: Côte-de-Nuits.

Poulet: mêmes remarques que pour la dinde.

À la crème: blanc sec, Sancerre;

Au barbecue: Rosé de Provence ou Corbières;

Au cari: blanc sec, Sancerre, Muscadet;

Grillé: Bordeaux rouge ou Corbières.

Viandes blanches: nécessitent des vins rouges corpulents: Côte-de-Nuits, Hermitage, etc.

Porc:
Rôti: Bordeaux, Saint-Émilion, Pomerol. Si le rôti est servi avec une purée de pommes: vin franc et jeune, Beaujolais;
Côte de porc: Bordeaux;
Saucisse de porc: Beaujolais;
Boudin noir: Beaujolais.

Veau:
Rôti: Beaujolais ou Médoc;
Blanquette: Médoc, Beaujolais, Brouilly;
Osso-buco: Valpolicella;
Ris de veau: grand Gordeaux ou grand Bourgogne;
Rognons: Pomerol, Saint-Émilion, Rioja.

Lapin:
Sauté chasseur: Pomerol, Morgon, Côte-de-Bourg;
Civet: rouge corsé, Côte-de-Nuits, Côtes-du-Rhône.
À la moutarde: Beaujolais.

Viandes rouges: les vins rouges tanniques sont les mieux adaptés, tels les Saint-Émilion, Pomerol, Côtes-du-Rhône, etc.

Agneau et mouton:
Carré d'agneau: Médoc, Moulin-à-Vent;
Gigot: Bordeaux, Pauillac;
Grillé: Bourgogne rouge.

Boeuf:
Boeuf bourguignon: rouge vigoureux;
Bourgogne ou Beaujolais Villages;
Boeuf Strogonoff: rouge corsé;
Hermitage, Zinfandel.
Chateaubriand: Côte-de-Beaune;
Entrecôtes: rouges charpentés;
Bordelaise: Pauillac;
Béarnaise: Médoc;
Marchand de vin: Saint-Émilion;
Maître d'hôtel: Saint-Estèphe.

Filet de boeuf:
Filet mignon, tournedos: Côtes-du-Rhône;
Steak au poivre noir: jeune Côtes-du-Rhône rouge;
Pot-au-feu: Médoc ou Côtes-du-Rhône;
Rôti: vin rouge de toutes les qualités et de tous les millésimes; Steak tartare: rouge léger; Valpolicella, Crus du Beaujolais.

Gibier à plumes: vins rouges de haute qualité, tels que Gevrey-Chambertin, Chambolle Musigny, Volnay 1er Cru ou Hermitage.

Caille: Médoc, Côtes-du-Rhône, Tavel, Rosé de Provence.

Faisan:
À la crème: Meursault;
Rôti: Hermitage.

Oie sauvage:
Farcie: Côtes-du-Rhône, Côte-Rôtie;
Rôtie: Saint-Émilion ou Bordeaux rouge.

Perdrix:
En sauce: Côtes-du-Rhône ou grand Bourgogne;
Rôtie: Beaujolais ou Médoc.

Pigeon ou pigeonneau: aux petits pois; Bordeaux rouge, Cahors.

Gibier à poil: ces viandes fortes demandent de très grands vins. Des rouges riches et corpulents tels les grands crus de Bourgogne conviendront bien: un vieux Pommard ou un Clos-Vougeot. Mais un Bordeaux conviendra également tel un Saint-Émilion ou un Pomerol.

Chevreuil:
Civet: Saint-Émilion;
Rôti: Côte-de-Nuits.

Le chevreuil peut être assimilé à l'orignal, même si cela en fait crier quelques-uns.

Lièvre: grand rouge avec beaucoup de bouquet; Gevrey-Chambertin.

Sanglier:
À la crème: grand Côte-de-Nuits;
Rôti: Côtes-du-Rhône ou Médoc.

Mets spéciaux et régionaux

Ailloli (Provence): Rosé de Provence ou Côtes-du-Rhône blanc.

Bouillabaisse (Provence): blanc sec ou rosé; un Bandol ou un Coteau Varois.

Cassoulet (Sud-Ouest de la France): rouge sec; Corbières, Zinfandel ou vin de Cahors.

Choucroute (Alsace, Allemagne): tous les vins blancs d'Alsace et d'Allemagne. On peut aussi la consommer avec de la bière.

Couscous (Afrique du Nord): vins rouges d'Afrique du Nord et les rouges du Languedoc (Corbières, Fitou, etc.).

Fondue au fromage (Suisse): blanc sec; vins suisses, Muscadet, Entre-deux-Mers.

Fondue bourguignonne: Bourgogne, Morgon.

Paella (Espagne): vins espagnols, rouges; Rioja, Campo Viejo ou Vinho Verde.

Goulasch (Pays slaves): Côtes-du-Rhône, Fleurie, Volnay.

Pizza (Italie): vin rouge ou rosé sec; vins italiens, Chianti, Côtes-de-Provence rosé.

Fromages: le fromage n'est pas toujours fait pour mettre le vin en valeur. Quelquefois, au contraire, c'est le vin qui rehaussera la finesse d'un fromage. Si le vin convient bien au fromage, l'inverse n'est pas tout à fait vrai. Contrairement à ce que l'on croit généralement, il n'est pas nécessaire que le vin servi avec le fromage soit un haut de gamme. Mais rien n'empêche de se faire plaisir. En fait, c'est par sa position dans la progression du repas que le fromage demande, en général, un vin qui fasse honneur à ses prédécesseurs et qui soit conforme au principe de la progression dans les qualités des vins servis. Autant que possible, essayez de servir des vins de la même origine que celle du fromage.

Pâte cuite: gruyère, emmenthal, édam, parmesan, etc. Au choix: blanc sec: Chablis, Arbois blanc, vins suisses; rouge: Beaujolais, Saint-Émilion.

Pâte pressée: chester, cheddar, gouda, oka, port-salut, reblochon, tommes, saint-paulin, etc. Rouge léger: Beaujolais ou Bordeaux rouge léger.

Pâte persillée: bleu d'Auvergne, roquefort, bleu de Bresse, gorgonzola, etc. Rouge corsé et puissant: Côtes-du-Rhône, Châteauneuf-du-Pape, Côte-Rôtie, Gigondas, Morgon; avec le roquefort, on peut s'offrir un Champagne. Pour les pâtes persillées, on peut aussi essayer un blanc liquoreux avec succès.

Pâte molle:
Croûte fleurie: brie: Médoc ou Beaujolais; camembert: grand Bourgogne, Morgon.
Croûte lavée: munster, livarot, maroilles, pont-l'évêque, etc.: rouge corsé, Côtes-du-Rhône, grand Bourgogne, Morgon. Le munster sera mis en valeur avec un grand vin d'Alsace (Gewurztraminer).

Fromages de chèvre: banon, pyramide, rouleau, etc.: vins blancs, rouges ou rosés secs et fruités des régions d'où proviennent les fromages, si possible. Mais un Alsace ou un Pouilly-sur-Loire Fumé seront les bienvenus.

Pâte fraîche: double crème et triple crème, boursin aux fines herbes, au poivre, etc.; pas de vin. Mais on peut essayer un vin blanc sec d'Alsace ou un vin autrichien.

Pâte fondue: rondin de Savoie, fromages au kirsch, aux noix, fromage fondu en portions triangulaires, etc.; vins rouges légers: Beaujolais nouveau, Anjou.

Desserts: on ne sert pas de vin avec les crèmes glacées ni les sorbets. Suivant le dessert, on servira un Champagne sec, demi-sec ou doux, ou encore un vin blanc doux et liquoreux.

Si l'on part du principe que le sucre tue le sucre, on évitera de servir un vin trop doux avec un dessert très sucré. On servira au contraire un vin riche en alcool.

Crème renversée, flan: Sauternes, Madère, Monbazillac.

Crêpes: Champagne doux, Asti-Spumante.

Fraises à la crème: Sauternes ou Vouvray, ou simplement de l'eau.

Gâteau au chocolat, mousse, soufflé: Banyuls, Maury.

Meringues: Champagne sec.

Moka: Vouvray doux pétillant.

Omelette norvégienne: pas de vin; si l'on veut, un Champagne sec.

Salade de fruits: pas de vin.

Tarte aux pommes: blanc doux.

Tarte aux fraises: Champagne.

La contenance des bouteilles

par Charles Debeur

On se pose toujours la question à savoir quel est le nom d'une bouteille contenant telle capacité. *Les bouteilles* de Bourgogne, de Bordeaux, d'Anjou sont actuellement *normalisées* à 0,75 litre, soit 750 ml. Autrefois, les bouteilles d'Alsace faisaient 0,72 l et les bouteilles de Champagne 0,775 l.

Magnum: 2 bouteilles: 1,5 l
Jéroboam: 4 bouteilles: 3 l
Mathusalem: 8 bouteilles: 6 l
Salmanasar: 12 bouteilles: 9 l
Balthazar: 16 bouteilles: 12 l
Nabuchodonosor: 20 bouteilles: 15 l

Pour la petite histoire: **Jéroboam** (fondateur et 1er souverain d'Israël en -900 env.), **Mathusalem** (patriarche biblique), **Salmanasar** (nom de 5 rois assyriens de -1270 à -722), **Balthazar** (dernier roi de Babylone ?/-538 ou un des rois mages ?) et **Nabuchodonosor** (roi de Babylone -605/562 dont parle la bible).

La Route des vins du Québec avec Kava Tours